Agent 6

Van Tom Rob Smith verscheen eveneens bij uitgeverij Anthos

Kind 44
Kolyma

Tom Rob Smith

Agent 6

Vertaald door
Irving Pardoen

Anthos|Amsterdam

06. 08. 2012

MIX
Papier van
verantwoorde herkomst
FSC® C019440

Eerste druk maart 2012
Tweede druk maart 2012

ISBN 978 90 414 1962 0
© 2011 Tom Rob Smith
© 2012 Nederlandse vertaling Ambo|Anthos *uitgevers*,
Amsterdam en Irving Pardoen
Oorspronkelijke titel *Agent 6*
Oorspronkelijke uitgever Simon & Schuster UK Ltd
Omslagontwerp Studio Jan de Boer
Omslagillustratie © Ilona Wellmann, Trevillion Images (voetstappen),
Shutterstock (berg), Ilona Wellmann, Hollandse Hoogte (man)
Foto auteur © Jerry Bauer

Verspreiding voor België:
Veen Bosch & Keuning uitgevers n.v., Antwerpen

Voor Zoe Trodd

Moskou
Loebjankaplein
De Loebjanka, het hoofdkwartier van
de geheime dienst

21 januari 1950

De veiligste manier om een dagboek te schrijven was om je erbij voor te stellen dat Stalin elk woord zou lezen. Maar zelfs als je die voorzichtigheid in acht nam, was er het risico van een verschrijving of een toevallige dubbelzinnigheid, waardoor je verkeerd begrepen kon worden. Lof kan worden verward met spot, oprechte bewondering kan worden opgevat als een parodie. Aangezien zelfs de meest waakzame auteur niet in staat is om elke mogelijke interpretatie te voorzien, was het enige alternatief om het dagboek dan maar te verbergen, een methode die in dit geval de voorkeur had gehad van de verdachte, een jonge kunstenares die Polina Pesjkova heette. Haar dagboek was aangetroffen bij een open haard, in de schoorsteen nog wel, gewikkeld in wasdoek en ingeklemd tussen twee losse stenen. Om het te pakken moest de auteur wachten tot het vuur was uitgegaan, alvorens haar hand in de schoorsteen te steken en naar de rug van het dagboek te tasten. Ironisch genoeg was juist de ongebruikelijke aard van deze schuilplaats er de oorzaak van dat Pesjkova tegen de lamp liep. Eén enkele vingerafdruk met roet op haar bureau riep de verdenking op van de agent die het onderzoek verrichtte en zorgde ervoor dat hij zijn aandacht verlegde – wat wel een voorbeeldig stukje speurwerk genoemd kon worden.

De geheime dienst stelde zich op het standpunt dat het verbergen van een dagboek een misdaad was, ongeacht de inhoud. Het was een poging om onderscheid te maken tussen het openbare en het privéleven van een burger, terwijl dat onderscheid niet bestond. Er bestonden geen gedachten of ervaringen die niet onderworpen waren aan het gezag van de Partij. Om deze reden werd een verborgen dagboek vaak beschouwd als het meest belastende bewijsmateriaal dat een agent kon hopen te vinden. Omdat het dagboek niet was bedoeld voor een lezer, schreef de auteur ongeremd en zonder reserves op wat in hem opkwam, wat niets minder dan een spontane schuldbekentenis opleverde. Deze oprechtheid, zo fris van de lever, maakte het document niet alleen geschikt om een oordeel te vellen over de auteur zelf, maar ook over diens vrienden en familieleden. Eén dagboek kon wel naar vijftien andere verdachten verwijzen, en dan had men vijftien nieuwe aanknopingspunten, wat vaak meer was dan zelfs de intensiefste verhoren opleverden.

De leiding in dit onderzoek berustte bij agent Leo Demidov, zevenentwintig jaar oud, een gedecoreerd militair die na de Grote Vaderlandse Oorlog was gerekruteerd voor de geheime dienst. Hij had zich in de MGB kunnen ontplooien dankzij een combinatie van onwankelbare gehoorzaamheid, geloof in de staat die hij diende en een rigoureuze aandacht voor het detail. Zijn ijver berustte niet op ambitie, maar op een volstrekt gemeende liefde voor zijn vaderland, het land dat het fascisme had verslagen. Hij was niet alleen heel serieus, maar ook knap om te zien en had het gezicht en de uitstraling van het type zoals dat op propaganda-affiches staat afgebeeld, met een vierkante kaak en altijd een slogan op de dunne lippen.

Tijdens Leo's korte carrière bij de MGB had hij, in zijn onvermoeibare jacht op hen die zich schuldig maakten aan tegen de Sovjet-Unie gerichte agitatie, leidinggegeven aan onderzoeken naar vele honderden tijdschriften en zich verdiept in duizenden artikelen. Zoals anderen zich hun eerste liefde herinneren, zo dacht hij nog weleens terug aan het eerste tijdschrift waarnaar hij destijds een onderzoek had ingesteld. Hij had de zaak toegewezen gekregen door zijn mentor Nikolai Borisov, en het was een lastige kwestie geweest. Leo had in het blad niets belastends kunnen vinden. Zijn mentor had vervolgens hetzelfde tijdschrift gelezen en zijn aandacht gevestigd op een ogenschijnlijk onschuldige opmerking:

06 december 1936: gisteravond is Stalins nieuwe grondwet aangenomen. Ik voel hetzelfde als iedereen in het land, d.w.z. een absolute, grenzeloze vreugde.

Borisov vond niet dat de zin een geloofwaardig gevoel van vreugde uitdrukte. Het was de auteur er meer om te doen geweest zijn gevoelens overeen te laten stemmen met die welke in het land leefden. Het was een tactische en cynische zin, een inhoudsloze verklaring bedoeld om de twijfels te verbergen die de auteur zelf koesterde. Zou iemand die uitdrukking wil geven aan zijn vreugde gebruikmaken van een afkorting – d.w.z. – alvorens zijn emoties te beschrijven? Die vraag werd later tijdens het verhoor aan de verdachte gesteld.

ONDERVRAGER BORISOV: *Hoe voel je je nu?*
VERDACHTE: *Ik heb niets verkeerds gedaan.*
ONDERVRAGER BORISOV: *Maar mijn vraag was: hoe voel je je?*
VERDACHTE: *Ik voel me ongerust.*
ONDERVRAGER BORISOV: *Natuurlijk ben je ongerust. Dat is volkomen natuurlijk. Maar het valt op dat je niet zegt: 'Ik voel me zoals iedereen zich in mijn omstandigheden zou voelen, d.w.z. ongerust.'*

De man kreeg vijftien jaar. En Leo had een waardevolle les geleerd – een opsporingsambtenaar beperkte zich niet tot het zoeken naar opruiende taal. Veel belangrijker was het om steeds alert te zijn op beweringen over liefde en trouw die niet overtuigen.

Op basis van wat hij de afgelopen drie jaar onder ogen had gekregen, viel het Leo bij het doorbladeren van Polina Pesjkova's dagboek op dat de verdachte voor een kunstenares een lelijk handschrift had. Ze had het stompe potlood voortdurend hard op het papier gedrukt, zonder de punt maar één enkele keer te slijpen. Hij liet bij elke pagina zijn vinger over de achterkant van het blad gaan, over de zinnen die er als in brailleschrift doorheen waren gedrukt. Hij hield het dagboek onder zijn neus. Het rook naar roet. Als hij zijn duim ertegenaan hield, maakten de pagina's een knisperend geluid als van droge herfstbladeren. Hij snoof eraan, bekeek het en woog het boek op de hand – hij onderzocht het op alle mogelijke manieren, behalve door het daadwerkelijk te gaan lezen. Voor een verslag over de inhoud van het dagboek wendde hij zich tot de aan hem toegewezen stagiair. Samenhangend met zijn recente promotie was Leo belast met het toezicht op nieuwe agenten. Hij was zelf geen leerling meer, maar een mentor. Deze nieuwe agenten zouden hem helpen bij zijn dagelijks werk en tijdens zijn nachtelijke arrestaties, ze zouden ervaring opdoen en van hem leren, totdat ze klaar waren om zelfstandig opdrachten uit te voeren.

Grigori Semitsjastni was drieëntwintig jaar en Leo's vijfde leerling-agent. Hij was misschien wel de intelligentste en ongetwijfeld de minst veelbelovende. Hij stelde te veel vragen en trok te veel antwoorden in twijfel. Hij glimlachte als hij iets grappig vond en fronste zijn voorhoofd wanneer iets hem ergerde. Om te weten wat hij dacht, hoefde je maar naar zijn gezicht te kijken. Hij was gerekruteerd aan de Universiteit van Moskou, waar hij een uitzonderlijk goede student was geweest en – in tegenstelling tot zijn mentor – mooi wetenschappelijk werk had verricht. Leo was niet afgunstig en kon makkelijk accepteren dat hij nooit een echt studiehoofd zou zijn. Zijn eigen intellectuele tekortkomingen kon hij onder ogen zien, maar hij begreep niet waarom zijn stagiair een baan had gezocht in een beroep waarvoor hij volledig ongeschikt was. Grigori was zo ongeschikt voor het werk dat Leo zelfs had overwogen hem aan te raden een ander vak te zoeken. Maar zo'n abrupt vertrek zou een onderzoek uitlokken en zou de man naar alle waarschijnlijkheid bij de staat een slechte naam bezorgen. De enige haalbare optie was dat Grigori zijn weg met vallen en opstaan zou vervolgen, en Leo voelde het als zijn plicht om hem daarbij zo goed als hij kon te helpen.

Grigori keek het dagboek aandachtig door en bladerde heen en weer, blijkbaar op zoek naar iets bijzonders. Ten slotte keek hij op en zei:

— *Er staat niets in, in dit dagboek.*

Zijn eigen ervaringen als beginneling in het vak indachtig, was Leo niet echt verrast door dit antwoord, maar wel teleurgesteld over het onvermogen van zijn protegé. Hij antwoordde:

— *Niets?*

Grigori knikte.

— *Niets van belang.*

Het leek hem onwaarschijnlijk. Zelfs als directe voorbeelden van provocatie ontbraken, waren de zaken die in een dagboek niet genoemd werden vaak net zo belangrijk als de dingen die wel waren opgeschreven. Met de intentie om deze wijsheid met zijn stagiair te delen stond Leo op.

— *Ik zal je een verhaal vertellen. Een jongeman schreef eens in zijn dagboek dat hij zich die dag onverklaarbaar triest voelde. De dag waar het om ging was 23 augustus. En het was in het jaar 1949. Wat zou je daarvan denken?*

Grigori haalde zijn schouders op.

— *Niet veel.*

Leo reageerde als door een adder gebeten.

— *Op welke datum werd het niet-aanvalsverdrag tussen nazi-Duitsland en de Sovjet-Unie gesloten?*

— *Dat was in augustus 1939.*

— *Op 23 augustus 1939. Dat betekent dus dat deze man zich onverklaarbaar triest voelde op de tiende verjaardag van dat verdrag. En in combinatie met het ontbreken van elke vorm van lof voor de soldaten die het fascisme versloegen en voor de militaire kwaliteiten van Stalin, diende de triestheid van deze man te worden geïnterpreteerd als ongepaste kritiek op ons buitenlands beleid. Waarom wel stilstaan bij fouten en geen gevoelens van trots uiten? Begrijp je dat?*

— *Misschien had het niets met dat verdrag te maken. We hebben allemaal wel dagen dat we triest, eenzaam of melancholiek zijn. En we lopen niet elke keer dat we ons zo voelen de kalender van historische gebeurtenissen na.*

Leo ergerde zich hieraan.

— *Had het niets te maken met het verdrag? Hadden we geen vijanden? Hield iedereen van de staat? Zijn er geen mensen die ons werk willen ondermijnen? Het is onze taak om schuld aan het daglicht te brengen, niet om naïef te hopen dat die niet bestaat.*

Grigori, die merkte dat Leo woedend was, dacht even na. Op ongewoon diplomatieke manier paste hij zijn reactie aan, zodat hij niet langer confronterend klonk, maar evengoed wel aan zijn conclusie vasthield:

— *In Polina's dagboek staan alledaagse observaties over haar dagelijkse bezigheden. Op basis van mijn kennis en vaardigheden zie ik geen reden om haar te vervolgen. Dat zijn mijn bevindingen.*

De kunstenares, die door Grigori informeel slechts met haar voornaam werd aangeduid, wat Leo niet was ontgaan, had opdracht gekregen om een serie muurschilderingen in de openbare ruimte te ontwerpen en uit te voeren. Omdat er een risico bestond dat zij, of elke willekeurige andere kunstenaar, misschien op subtiel subversieve wijze een kunstwerk met een verborgen betekenis zou produceren, voerde de MGB een routineonderzoek uit. De logica was simpel. Als in haar dagboek geen heimelijk subversieve elementen schuilgingen, was het onwaarschijnlijk dat dat in haar kunst wél het geval zou zijn. De opdracht was slechts beperkt geweest en geschikt voor een beginneling. De eerste dag was het goed gegaan. Grigori had het dagboek gevonden terwijl Pesjkova in haar atelier aan het werk was. Toen zijn zoektocht resultaat had gehad, had hij ten slotte het bewijsmateriaal weer in de schoorsteen teruggestopt, zodat Pesjkova niet op de gedachte zou komen dat er een onderzoek naar haar was ingesteld. Toen hij verslag uitbracht, had Leo zich even afgevraagd of er toch geen hoop was voor de jongeman: het was in hem te prijzen dat hij een vingerafdruk met roet als een aanwijzing had beschouwd. In de daaropvolgende vier dagen had Grigori nog allerlei naspeuringen gedaan en veel meer uren aan de zaak gewijd dan nodig was, maar het extra werk had geen rapporten en geen waarnemingen van welke aard dan ook meer opgeleverd. En nu beweerde hij dat het dagboek geen waarde had.

Toen Leo het dagboek van hem aanpakte, voelde hij dat Grigori het liever niet wilde loslaten. Nu pas las hij er voor het eerst in. Op het eerste gezicht leek het inderdaad alsof de inhoud niet zo provocerend was als ze hadden verwacht van een dagboek dat zo kunstig boven een open haard verstopt was. Niet bereid om tot de conclusie te komen dat de verdachte onschuldig was, bladerde hij door tot het einde en las hij vluchtig de laatste aantekeningen door, geschreven tijdens de laatste vijf dagen, de periode dat Grigori haar in de gaten had gehouden. De verdachte beschreef hoe ze voor het eerst in contact was gekomen met een buurman, die in een flatgebouw aan de overkant van de straat woonde. Ze had hem nog nooit gezien, maar hij was op straat op haar afgestapt en had haar aangesproken. Ze had genoteerd dat de man grappig was en dat ze hoopte hem weer eens te zullen spreken, waaraan ze zedig had toegevoegd dat hij knap was.

Had hij zijn naam gezegd? Ik weet het niet meer. Dat moet eigenlijk wel. Hoe kan ik zo vergeetachtig zijn? Ik heb niet goed opgelet. Ik wou dat ik me zijn naam kon herinneren. Nu zal hij beledigd zijn als we elkaar weer zien, wat ik wel hoop.

Leo draaide de bladzijde om. De volgende dag was haar wens verhoord en was ze de man weer tegen het lijf gelopen. Ze had zich verontschuldigd voor haar vergeetachtigheid en had hem gevraagd haar te vertellen wat zijn naam ook alweer was. Hij had gezegd dat het Isaac was, en ze waren samen opgelopen en hadden gepraat alsof ze elkaar al vele jaren kenden. Het was een gelukkig toeval geweest dat Isaac dezelfde kant op moest als zij. Bij haar atelier aangekomen, had ze het jammer gevonden om afscheid van hem te nemen. Volgens haar aantekeningen had ze, zodra hij uit zicht was, al verlangd naar hun volgende ontmoeting.

Is dit liefde? Nee, natuurlijk niet. Maar is dit het begin van een liefde?

Het begin van een liefde – sentimentele taal, in overeenstemming met het grillige temperament van iemand die een onschuldig dagboek bijhoudt, maar het zo zorgvuldig verbergt alsof het draait om verraad en intrige. Dom en gevaarlijk om dat te doen. Leo had geen beschrijving van het uiterlijk van deze vriendelijke jongeman nodig om te kunnen raden wie het was. Hij keek zijn protegé aan en zei:

— *Isaac?*

Grigori aarzelde. Hij besloot niet te liegen en toe te geven:

— *Ik dacht dat een gesprek van nut zou kunnen zijn bij het evalueren van haar karakter.*

— *Je had tot taak om haar appartement te doorzoeken en haar activiteiten te observeren. Niet om in direct contact te treden. Ze zou hebben kunnen denken dat je van de* MGB *was. En dan zou ze haar gedrag hebben aangepast om je om de tuin te leiden.*

Grigori schudde zijn hoofd.

— *Ze heeft geen moment achterdocht gekoesterd.*

Leo ergerde zich aan deze elementaire fouten.

— *Dat weet je alleen maar door wat ze in haar dagboek heeft geschreven. Maar ze zou in het besef dat ze in de gaten werd gehouden het originele dagboek vernietigd kunnen hebben en vervangen door dit exemplaar met onbenullige notities.*

Toen Grigori dit hoorde, sloeg zijn kortstondige poging om zich te voegen als een schip tegen de rotsen te pletter. Spottend en feitelijk heel brutaal zei hij:

— *Het hele dagboek zou in elkaar zijn gezet om ons voor de gek te houden? Zo denkt ze niet. Ze denkt niet zoals wij. Dat is onmogelijk.*

Tegengesproken worden door een jonge stagiair, een agent die tekortschoot in zijn taak – Leo was een geduldig man, toleranter dan andere officieren, maar nu voelde hij zich uitgedaagd door Grigori.

— De mensen die onschuldig lijken zijn vaak degenen die we het meest in de gaten moeten houden.

Grigori keek Leo aan met een soort medelijden. Voor deze ene keer stemde zijn gelaatsuitdrukking niet overeen met zijn antwoord.

— Je hebt gelijk: ik had niet met haar moeten spreken. Maar ze is een goed mens. Daar ben ik zeker van. Ik heb in haar appartement en in haar dagelijkse activiteiten niets kunnen ontdekken dat zou suggereren dat ze geen loyale burger is. Het dagboek is onschuldig. Polina Pesjkova hoeft niet gearresteerd te worden om te worden verhoord. Ze zou gewoon door moeten kunnen gaan met haar werk als kunstenares, waarin ze uitblinkt. Ik kan het dagboek alsnog terugleggen voordat ze klaar is met haar werk. Ze hoeft niets te weten van dit onderzoek.

Leo keek naar haar foto, die voorop op het dossier bevestigd was. Ze was mooi. Grigori was verliefd op haar. Had ze hem weten te verleiden om aan zijn verdenking te ontkomen? Had ze over liefde geschreven in het bewustzijn dat hij die aantekeningen zou lezen en daardoor geneigd zou zijn haar te beschermen? Leo moest deze liefdesbetuiging onderzoeken. Er was geen andere keuze dan het dagboek regel voor regel door te lezen. Hij kon zijn protegé niet meer op zijn woord vertrouwen. De liefde had hem feilbaar gemaakt.

Haar notities besloegen meer dan honderd pagina's. Polina Pesjkova schreef over haar werk en haar leven. Haar karakter kwam er sterk in naar voren: ze had een grillige stijl, gekenmerkt door talloze zijwegen, opwellingen en uitroepen. In de notities schoot ze voortdurend heen en weer van het ene onderwerp naar het volgende, dat dan weer losgelaten werd en onafgemaakt naar de achtergrond verdween. Er waren geen politieke uitspraken, de nadruk lag volledig op haar dagelijkse wederwaardigheden en haar tekeningen. Toen Leo het hele dagboek uit had, kon hij niet ontkennen dat de vrouw iets aantrekkelijks had. Ze lachte regelmatig om haar eigen fouten, waarvan ze met opmerkelijke eerlijkheid verslag deed. Misschien verklaarde haar openhartigheid waarom ze het dagboek zo zorgvuldig verborgen hield. Het was hoogstonwaarschijnlijk dat het bij wijze van bedrog in elkaar geflanst was. Met deze gedachte in het achterhoofd gebaarde Leo naar Grigori dat hij moest gaan zitten. Hij was de hele tijd dat Leo las blijven staan, alsof hij op wacht stond. Hij was nerveus. Grigori liet zich op de rand van de stoel zakken. Leo vroeg:

— *Als ze onschuldig is, waarom heeft ze het dagboek dan verborgen, vertel me dat eens.*

Nu hij leek aan te voelen dat Leo ten opzichte van haar aan het ontdooien was, raakte Grigori opgewonden. Hij sprak snel en deed zijn best om een mogelijke verklaring te vinden.

— *Ze woont bij haar moeder en twee jongere broers. Ze wil niet dat ze erin gaan snuffelen. Misschien gaan ze dan de draak met haar steken. Ik weet het niet. Ze heeft het over de liefde, en misschien schaamt ze zich voor dat soort gedachten. Meer dan dat is het niet. Dat onderscheid moeten we kunnen maken, als dingen onbelangrijk zijn.*

Leo's gedachten dwaalden af. Hij kon zich voorstellen hoe Grigori op de jonge vrouw was afgestapt. Maar hij kon zich niet indenken dat ze vriendelijk was ingegaan op de vragen van een onbekende. Waarom had ze niet tegen hem gezegd dat hij haar met rust moest laten? Het leek wel erg onvoorzichtig van haar om zo open te zijn. Hij boog zich voorover en liet zijn stem zakken, niet omdat hij bang was te worden afgeluisterd, maar om aan te geven dat hij niet meer formeel en als geheim agent tegen hem praatte.

— *Wat is er tussen jullie tweeën gebeurd? Je bent naar haar toe gelopen om een praatje te maken, en ze…*

Leo aarzelde. Hij wist niet hoe hij de zin af moest maken. Ten slotte vroeg hij haperend:

— *En ze reageerde…?*

Grigori leek niet goed te weten of degene die hem de vraag stelde zijn vriend of zijn superieur was. Toen hij begreep dat Leo echt nieuwsgierig was, antwoordde hij:

— *Hoe kun je anders iemand ontmoeten dan door jezelf voor te stellen? Ik heb met haar over haar kunst gesproken. Ik zei dat ik weleens iets van haar werk had gezien, wat waar is. En zo ging het gesprek verder. Ze was makkelijk om mee te praten, vriendelijk.*

Leo vond dit buitengewoon.

— *Was ze niet achterdochtig?*

— *Nee.*

— *Dat had ze wel moeten zijn.*

Even hadden ze als vrienden met elkaar gesproken over zaken van het hart; nu waren ze weer geheim agenten.

Grigori boog zijn hoofd.

— *Ja, je hebt gelijk, dat had ze moeten zijn.*

Hij was niet boos op Leo. Hij was boos op zichzelf. Zijn relatie met de kunstenares stoelde op onwaarachtigheid: zijn liefde was gebaseerd op list en bedrog.

Tot zijn eigen verbazing reikte Leo Grigori het dagboek aan.

— *Pak het aan.*

Grigori verroerde geen vin en probeerde te bedenken wat er gebeurde. Leo glimlachte.

— *Neem het. Het staat haar vrij haar werk als kunstenares voort te zetten. We kunnen de zaak verder laten rusten.*

— *Weet je het zeker?*

— *Ik heb niets gevonden in het dagboek.*

Nu hij begreep dat ze geen gevaar meer liep, glimlachte Grigori. Hij stak zijn hand uit en nam het dagboek van Leo aan. Terwijl hij het dichtsloeg en losliet, voelde Leo dat er iets in het papier was gedrukt – het was geen letter of een woord, maar een soort vorm, iets wat hij niet had gezien.

— *Wacht eens even.*

Leo nam het dagboek weer in handen, sloeg het open en bekeek de rechterbovenhoek van de bladzijde. Er was niets te zien. Maar toen hij hem aan de achterkant aanraakte, voelde hij de afdruk. Er was iets uitgegomd.

Hij pakte een potlood en arceerde met de zijkant van de punt op het papier, waardoor een schetsje tevoorschijn kwam, niet veel groter dan zijn duim. Het was een vrouw op een sokkel met een fakkel in de hand, een standbeeld. Leo keek er niet-begrijpend naar, totdat tot hem doordrong wat het was. Het was een Amerikaans monument. Het was het Vrijheidsbeeld. Leo bestudeerde Grigori's gezicht.

Grigori struikelde over zijn woorden:

— *Ze is kunstenares. Ze tekent altijd.*

— *Waarom is het uitgegomd?*

Hij had geen antwoord.

— *Heb je bewijsmateriaal verdonkeremaand?*

Er klonk paniek in het antwoord van Grigori.

— *Toen ik pas bij de* MGB *was, op mijn eerste dag, kreeg ik een verhaal te horen over Lydia Fotieva, de secretaresse van Lenin. Ze beweerde dat Lenin eens aan Felix Dzerzjinski, het hoofd van zijn veiligheidsdienst, had gevraagd hoeveel contrarevolutionairen hij onder arrest had. Dzerzjinski had hem een papiertje aangereikt met het getal vijftienhonderd erop. Lenin had hem het papiertje gemarkeerd met een kruis teruggegeven. Volgens zijn secretaresse zette Lenin altijd een kruis op een document als hij wilde aangeven dat hij het had gelezen. Dzerzjinski begreep het echter verkeerd en liet alle arrestanten executeren. Daarom moest ik het uitgommen. Dit tekeningetje had verkeerd begrepen kunnen worden.*

Leo vond het in dit verband een ongepast verhaal. Hij had genoeg gehoord.

— *Dzerzjinski was de vader van onze dienst. Dat je jouw hachelijke situatie vergelijkt met de zijne is belachelijk. Wij hebben niet de luxe van een vrije interpretatie. Wij zijn geen rechters. Wij bepalen niet wat als bewijs geldt en wat we terzijde mogen schuiven. Als ze onschuldig is, zoals jij beweert, zal dat bij verdere ondervraging moeten blijken. Met jouw misplaatste poging om haar te beschermen heb je jezelf beschuldigd.*

— *Leo, ze is een goed mens.*

— *Je bent verliefd op haar. Je bent je oordeelsvermogen kwijt.*

Leo's stem klonk nu hard en wreed. Hij hoorde het zelf en verzachtte zijn toon.

— *Omdat het bewijsmateriaal intact is, zie ik geen reden om de aandacht te vestigen op jouw fout, een fout die zeker het einde van je carrière zou betekenen. Maak je rapport op, geef aan dat de schets dient als bewijsmateriaal en laat degenen beslissen die meer ervaring hebben dan wij.*

Hij voegde eraan toe:

— *En Grigori, ik kan je niet nog een keer in bescherming nemen.*

Moskou
Moskvoretskibrug
Tram KM

Dezelfde dag

Leo ademde tegen het raam, waardoor het besloeg. Als een kind legde hij het puntje van zijn wijsvinger op de condens en tekende gedachteloos de contouren van het Vrijheidsbeeld – een ruwe versie van de schets die hij die dag had gezien. Haastig wreef hij het tekeningetje toen weg met de mouw van zijn jas en keek om zich heen. Niemand had hopelijk gezien wat het was, en bovendien was de tram bijna leeg: er was slechts één andere passagier, een man die voorin zat en die zo dik ingepakt was tegen de kou dat er maar een miniem stukje van zijn gezicht zichtbaar was. Nu hij er zeker van was dat niemand zijn schetsje had gezien, besloot hij dat er geen reden was om zich ongerust te maken. Omdat hij doorgaans zo voorzichtig was, kon hij maar moeilijk geloven dat hij zo'n risico had genomen. Hij was 's nachts te veel op pad geweest om arrestaties te verrichten, en zelfs als hij niet werkte, had hij moeite met slapen.

Behalve 's ochtends vroeg en 's avonds laat waren de trams steeds vol. Ze waren vanbuiten beschilderd met een dikke streep in het midden en reden als reusachtige zuurtjes rammelend door de stad. Leo had vaak geen andere keus dan zich erin naar binnen te werken. Ze boden plaats aan vijftig passagiers, maar meestal waren het er twee keer zoveel en was het in de gangpaden een heel gedrang van mensen die in het drukke openbaar vervoer met priemende ellebogen een plaatsje probeerden te bemachtigen. Vanavond zou Leo liever in zo'n overvolle tram hebben gestaan, met het ongemak van mensen die hem met hun priemende ellebogen opzij zouden duwen. In plaats daarvan kon hij zomaar beschikken over een lege zitplaats in deze tram, die hem naar zijn appartement bracht – een appartement dat hij niet met anderen hoefde te delen, wat een bijkomend privilege was van zijn beroep. Je status werd tegenwoordig bepaald door de afmetingen van de vrije ruimte om je heen. Binnenkort zou hij een eigen auto toegewezen krijgen en ook een groter huis, misschien zelfs een datsja, een huisje op het land. Steeds meer ruimte om zich heen, en steeds minder contact met de mensen die hij tot taak had in de gaten te houden.

Ineens vormde zich een zin in Leo's hoofd:

Het begin van een liefde.

Hij was nog nooit verliefd geweest, althans niet op de manier zoals die in het dagboek was beschreven – opwinding bij het vooruitzicht iemand weer te zullen zien en bedroefdheid bij het afscheid. Grigori had zijn leven geriskeerd voor een vrouw die hij nauwelijks kende. Dat moest toch liefde zijn? Liefde leek te worden gekenmerkt door roekeloosheid. Leo had zijn leven vele malen geriskeerd voor zijn land. Hij had daarbij uitzonderlijk grote moed en toewijding getoond. Als de liefde opoffering betekende, dan was zijn enige ware liefde die voor de staat geweest. En de staat had hem op zijn beurt liefgehad, hem als een lievelingszoon behandeld, hem beloond en hem macht gegeven. Dat het zelfs maar bij hem opkwam dat deze liefde niet genoeg was, was ondankbaar, schandelijk zelfs.

Hij schoof zijn handen onder zijn benen voor een klein beetje warmte. Maar die vond hij niet, en hij huiverde. Zijn laarzen stonden in een plasje gesmolten sneeuw. Hij had een drukkend gevoel in zijn borst, alsof hij griep onder de leden had, met geen andere symptomen dan vermoeidheid en dufheid. Hij had de neiging om zijn hoofd tegen het raam te vlijen, zijn ogen dicht te doen en te gaan slapen. Maar het glas was te koud. Hij veegde opnieuw wat condenswater weg en tuurde naar buiten. De tram reed over een brug en door straten met hopen sneeuw. De sneeuw bleef maar vallen, met grote vlokken tegen het raam.

De tram ging langzamer rijden en kwam tot stilstand. Ratelend gingen de voor- en achterdeuren open, sneeuw woei naar binnen. De bestuurder keek door de open deur naar buiten en riep in het nachtelijk duister:

— *Schiet op! Waar wacht u nog op?*

Een stem antwoordde:

— *Ik ben de sneeuw van mijn laarzen aan het schoppen!*

— *Er waait zo meer sneeuw naar binnen dan u eraf schopt. Kom nú binnen, of ik sluit de deuren!*

De passagier stapte in; het was een vrouw met een zware tas en met kluiten sneeuw aan haar laarzen. Terwijl de deuren achter haar dichtgingen, zei ze tegen de bestuurder:

— *Het is hier helemaal niet zo warm.*

De chauffeur gebaarde naar buiten.

— *Gaat u liever lopen dan?*

Ze glimlachte, waarmee ze de spanning doorbrak. De norse bestuurder gaf zich gewonnen voor haar charme en lachte ook.

De vrouw draaide zich om, keek de tram door en liet haar blik op Leo rusten. Hij herkende haar. Ze woonden dicht bij elkaar. Lena heette ze. Hij zag haar vaak. Eigenlijk was hij haar opgevallen juist omdat ze zich gedroeg alsof ze niet opgemerkt wilde worden. Ze kleedde zich gewoon, zoals de meeste vrouwen, maar zijzelf was verre van gewoon. Haar verlangen naar anonimiteit streed met haar schoonheid en aantrekkelijkheid, en zelfs als Leo niet de taak zou hebben gehad om mensen te observeren, zou ze hem zeker zijn opgevallen.

Een week geleden was hij haar toevallig tegengekomen in de metro. Ze hadden zo dicht bij elkaar gestaan dat hij het onbeleefd vond om haar niet te groeten. Ze hadden elkaar tenslotte vaker gezien, en de wellevendheid gebood om dat op z'n minst te erkennen. Hij was zo zenuwachtig geweest dat het hem enkele minuten had gekost om moed te verzamelen om haar aan te spreken, en hij had het zo lang uitgesteld dat ze al aanstalten maakte uit te stappen. Geergerd was Leo haar achternagegaan, ook al was het zijn halte niet en paste zo'n impulsieve daad helemaal niet bij hem. Op het perron had hij zijn hand uitgestoken en haar op de schouder getikt. Ze had zich met een ruk omgedraaid en hem met grote bruine ogen aangekeken, alert, op alles voorbereid. Hij had haar naam gevraagd. Ze had hem onderzoekend aangekeken, en ook de passerende metroreizigers opgenomen, voordat ze zei dat ze Lena heette en zich excuseerde dat ze haast had. Het volgende ogenblik was ze verdwenen. Ze had hem op geen enkele wijze aangemoedigd, maar evenmin was ze ook maar een ogenblik onbeleefd geweest. Leo had haar niet durven volgen en had gedwee op de volgende metro gewacht. Het had hem veel gekost. Hij was die ochtend te laat op zijn werk verschenen, wat hem nog nooit was overkomen. De enige troost was dat hij eindelijk wist hoe ze heette.

Vandaag was de eerste keer dat hij haar weer zag sinds die onhandige kennismaking. Hij voelde zich gespannen toen hij haar door het gangpad aan zag komen, hopend dat ze op de plaats naast hem zou gaan zitten. Maar heen en weer bewegend met het schommelen van de tram liep ze hem zonder iets te zeggen voorbij. Misschien had ze hem niet herkend? Leo keek achterom. Ze was achterin gaan zitten. Haar tas lag op haar schoot, en ze hield haar blik gefixeerd op de sneeuw buiten. Het had geen zin om jezelf voor de gek te houden, bedacht hij: natuurlijk dacht ze aan hem, hij zag het aan de manier waarop ze hem angstvallig negeerde. Dat ze zo op afstand bleef tegenover hem, kwetste hem. Hoe verder ze uit zijn buurt bleef, des te groter was haar afkeer van hem. Als ze had willen praten, was ze dichterbij komen zitten. Maar nu hij erover nadacht: dat zou veel te assertief voor haar zijn geweest. Het was aan hem om naar haar toe te stappen. Hij wist hoe ze heette. Ze waren kennissen. Er was niets verkeerds aan om een tweede gesprek te beginnen. Hoe langer hij wachtte, hoe moeilijker het werd. Als het gesprek doodliep, zou hij niet meer verliezen dan een beetje eigendunk. Gekscherend dacht hij bij zichzelf dat hij zich dat wel kon veroorloven: misschien leed hij toch al aan een overmaat daaraan.

Vast van plan om in actie te komen stond hij op, en met een gespeeld air van zelfverzekerdheid liep hij naar Lena toe. Hij ging op de plaats voor haar zitten en draaide zich half om over de rug van het bankje:

— *Mijn naam is Leo. We hebben elkaar laatst gesproken.*

Ze wachtte zo lang met haar reactie dat Leo zich afvroeg of ze hem zou negeren.

— *Ja. Ik weet het nog.*

Pas nu realiseerde hij zich dat hij geen onderwerp van gesprek had. In verlegenheid gebracht improviseerde hij snel iets en zei:

— *Ik hoorde je daarnet zeggen dat het in deze tram net zo koud is als buiten. Dat vond ik ook. Het is erg koud.*

Hij bloosde om de onzinnigheid van zijn opmerkingen en betreurde het zeer dat hij zich niet had voorbereid op dit gesprek. Met een blik op Leo's mooie jas zei ze:

— *Koud? Ook al heb je zo'n mooie jas?*

Dankzij zijn status als geheim agent kon Leo beschikken over fraaie jassen, handgemaakte laarzen en dikke bontmutsen in allerlei soorten. De jas die hij droeg bevestigde feitelijk zijn status. Omdat hij niet wilde erkennen dat hij voor de geheime dienst werkte, besloot hij erover te liegen.

— *Die heb ik cadeau gekregen van mijn vader. Ik weet niet waar hij hem vandaan had.*

Leo besloot het gespreksonderwerp te veranderen.

— *Ik zie je regelmatig lopen. Ik vroeg me af of we bij elkaar in de buurt wonen.*

— *Dat lijkt me waarschijnlijk.*

Leo dacht na over haar reactie. Blijkbaar wilde Lena hem niet graag vertellen waar ze woonde. Zo'n behoedzaamheid was niet ongewoon. Hij moest het niet persoonlijk opvatten. Hij begreep het beter dan wie ook. En eigenlijk beviel het hem wel. Ze was slim, en mede daardoor was ze zo aantrekkelijk.

Zijn blik bleef rusten op haar tas, die gevuld was met boeken en schriften – schoolschriften. In een poging om zich zo ontspannen mogelijk voor te doen stak hij zijn hand uit en pakte een van de boeken.

— *Ben je lerares?*

Leo bekeek de tekst voor op het boek. Lena leek wat meer rechtop te gaan zitten.

— *Dat klopt.*

— *Waar geef je les in?*

Lena's stem klonk ineens onzeker.

— *Ik geef les in…*

Ze wist kennelijk niet meer wat ze had willen zeggen en streek over haar voorhoofd.

— *Ik geef les in politiek. Neem me niet kwalijk, ik ben erg moe.*

Ze was op geen enkele manier dubbelzinnig. Ze wilde dat hij haar met rust liet. Ze had er moeite mee om beleefd te blijven. Hij stopte het boek terug.

— *Neem me niet kwalijk. Ik stoor je.*

Leo stond op en voelde zich onvast ter been, alsof de tram zich over woelige baren bewoog. Steun zoekend aan de stangen liep hij terug naar zijn plaats. Er leek geen bloed meer door zijn aderen te stromen, maar nog slechts een gevoel van vernedering, en dat gevoel werd rondgepompt door zijn lichaam – zijn hele huid gloeide ervan. Toen hij een paar minuten met de kaken op elkaar geklemd uit het raam had zitten staren, terwijl haar minzame afwijzing door zijn hoofd maalde, merkte hij dat hij zijn handen zo strak had gebald dat er in zijn beide handpalmen een rijtje afdrukken van zijn nagels te zien was.

Moskou
Loebjankaplein
De Loebjanka, het hoofdkwartier van
de geheime dienst

De volgende dag

Leo had de vorige nacht niet geslapen, maar had in bed naar het plafond liggen staren en gewacht totdat de pijn van de vernedering zou wegebben. Na een paar uur was hij opgestaan en had hij in zijn lege appartement van kamer tot kamer heen en weer gelopen, als een gekooid dier dat het niet kon verkroppen dat het zo'n grote ruimte was toebedeeld. In een kazerne sliep je beter, dat was de goede plek voor een soldaat. Zijn appartement was groot genoeg voor een heel gezin en riep bij velen afgunst op, maar het maakte de indruk dat het niet bewoond werd – de keuken werd niet gebruikt en de huiskamer was smetteloos maar onpersoonlijk, duidelijk slechts een plek om uit te rusten na gedane arbeid.

Hij was vroeg op kantoor, ging zijn kamer binnen en nam plaats achter zijn bureau. Hij was altijd vroeg, behalve op de dag dat hij stil was blijven staan om Lena's naam te vragen. Er was niemand anders op kantoor, in elk geval niet op zijn verdieping. Beneden in de verhoorkamers zouden wel mensen kunnen zijn, want de verhoren die daar plaatsvonden konden soms dagen achter elkaar doorgaan. Hij keek op zijn horloge. Over een uurtje zou het overige personeel binnen komen druppelen.

In de hoop dat hij zo het incident met Lena uit zijn gedachten zou kunnen bannen, begon Leo te werken. Toch lukte het hem niet om zich te concentreren op de stukken die voor hem lagen. Met een plotselinge armzwaai veegde hij de papieren op de grond. Het was onverdraaglijk – hoe kon iemand die hij niet eens kende zo'n effect op hem hebben? Zij deed er niet toe. En hij was een belangrijk man. Er waren genoeg andere vrouwen, velen zelfs, die hem dankbaar zouden zijn voor zijn aandacht. Hij stond op en ijsbeerde door zijn kamer zoals hij het in zijn appartement had gedaan, met een gevoel opgesloten te zijn. Hij deed de deur open, liep de verlaten gang op en ging een naburige kamer binnen, waar de processen-verbaal van de verdachten werden bewaard. Hij controleerde of Grigori zijn rapport had ingediend, en verwachtte eigenlijk dat zijn stagiair het vergeten zou zijn of om sentimentele redenen nalatig zou zijn geweest. Maar het dossier was wél ingediend en lag ergens onder op een stapel andere dossiers met geringe prioriteit, waarvan er vele pas na weken zouden worden ingezien omdat ze betrekking hadden op uiterst triviale incidenten.

Leo pakte het dossier van Pesjkova van de stapel, en voelde het gewicht van het dagboek dat erin zat. In een opwelling nam hij het besluit om het naar de stapel dossiers met de hoogste prioriteit te verplaatsen en legde het erbovenop. Het was de stapel waar de verdachten van de ernstigste gevallen lagen, waardoor de zaak nog vandaag zou worden bekeken, zodra het personeel arriveerde.

Toen hij weer achter zijn bureau zat, voelde Leo zijn oogleden zwaar worden, alsof hij, nu hij dit bureaucratische klusje had afgehandeld, eindelijk kon slapen.

Leo deed zijn ogen open. Grigori was bezig hem wakker te schudden. Leo voelde zich betrapt en in verlegenheid gebracht nu hij achter zijn bureau in slaap was gevallen en vroeg zich af hoe laat het was.

— *Alles in orde met je?*

Toen hij probeerde zijn gedachten te ordenen, herinnerde hij het zich – het dossier.

Zonder een woord te zeggen haastte hij zich zijn kamer uit. Het was druk in de gangen: de mensen arriveerden op het werk. Hij versnelde zijn pas, baande zich een weg langs zijn collega's en ging de kamer in waar de dossiers in behandeling werden genomen. Leo negeerde de vrouw die vroeg of ze hem kon helpen en keek de stapel dossiers door, op zoek naar de map van kunstenares Polina Pesjkova. Het dossier had bovenop gelegen. Hij had het daar nog maar een uur geleden zelf neergelegd. Weer vroeg de secretaresse of ze hem kon helpen.

— *Het dossier dat hierbovenop lag...*

— *Dat hebben ze meegenomen.*

Pesjkova's zaak was in behandeling genomen.

Dezelfde dag

Leo keek of er op Grigori's gezicht sporen van haat of afkeer jegens hem te zien waren. Het was duidelijk dat zijn stagiair niet wist dat het dossier van Polina Pesjkova was verplaatst. Hij zou er snel genoeg achter komen. Leo zou hem eigenlijk voor moeten zijn en er een verklaring en een verontschuldiging voor moeten geven – hij was moe, hij had even een blik in het dossier geworpen en het toen per ongeluk op de verkeerde stapel teruggelegd. Maar bij nader inzien vond hij het toch niet nodig om er iets over te zeggen. Het bewijsmateriaal tegen de kunstenares stelde niet veel voor. Bij revisie zou het terzijde worden gelegd. En die revisie zou er toch van gekomen zijn – Leo had de gang van zaken alleen maar versneld. In het ergste geval zou ze worden opgeroepen voor een kort verhoor, waarna ze in vrijheid haar werk zou kunnen voortzetten en Grigori zou kunnen ontmoeten. Leo moest de zaak uit zijn hoofd zetten en zich concentreren op de kwestie die nu zijn aandacht vroeg – hun volgende opdracht. Grigori vroeg:

— *Alles goed met je?*

Leo legde een hand op Grigori's arm.

— *Niks aan de hand.*

Het licht was uit. De projector achter in het zaaltje snorde. Op het witte doek verschenen beelden van een idyllisch landelijk dorp. De huizen waren van hout en met rieten daken bedekt. De tuintjes stonden vol met weelderig uitgegroeide zomerkruiden. Welgedane kippen pikten graankorrels op uit overvolle aardewerken potten. Van alles was er een overvloed, ook van zonneschijn en goedgemutstheid. Boeren waren gekleed in traditionele kleding, met bonte sjaals en witte hemden. Door korenvelden liepen ze terug naar hun dorp. De zon stond stralend aan een strakblauwe hemel. De mannen waren sterk. De vrouwen waren sterk. De mouwen werden opgerold. Juichende muziek werd afgebroken, en de stem van een nieuwslezer weerklonk.

— *Vandaag verwelkomen deze landarbeiders een onverwachte gast.*

In het centrum van het dorp stond een aantal mannen in pak – duidelijk niet op hun gemak. Met een glimlach op het bolle gezicht voerden de mannen in pak hun eregast door de schilderachtige omgeving. De bezoeker was een man van achter in de twintig, lang, goedgebouwd en knap. Of het nu kwam door een uitgekiende montage of dat het een eigenschap was van de man zelf, maar het leek alsof hij permanent een glimlach op zijn gezicht had. Hij hield zijn handen op zijn heupen, hij droeg geen jasje en had net als de boeren zijn mouwen opgerold. Zijn opwinding leek oprecht, geheel in tegenstelling tot het kunstmatig aandoende stukje pantomime dat om hem heen in deze landelijke omgeving werd opgevoerd. De commentaarstem vervolgde:

— *De wereldberoemde negerzanger en toegewijde communist Jesse Austin brengt als onderdeel van zijn rondreis door dit grootse land een bezoek aan een gemeenschap van boeren. Jesse Austin is dan wel een burger van de Verenigde Staten, maar hij heeft getoond een trouwe vriend te zijn van de Sovjet-Unie, en hij bezingt onze manier van leven en het geloof in vrijheid en eerlijkheid van dit land.*

Het beeld veranderde in een close-up van Jesse Austin. Zijn antwoorden waren in het Russisch nagesynchroniseerd, en daartussendoor was nog het Engels te horen.

— *Ik heb een boodschap voor de hele wereld! Deze natie houdt van haar burgers! Deze natie voedt haar burgers! De mensen hebben hier te eten! En veel ook! De verhalen over honger zijn leugens. De verhalen over ontbering en ellende zijn niets anders dan propaganda van de grote kapitalistische ondernemingen, die ons willen doen geloven dat alleen zij kunnen voorzien in de dingen die de mensen nodig hebben. Ze willen dat je glimlacht en dank je wel zegt als je een dollar moet neerleggen voor voedsel ter waarde van een cent! Ze willen dat de arbeiders dankbaar zijn voor de paar dollar die ze als beloning voor hun arbeid krijgen, terwijl de grote ondernemingen miljoenen winst maken. Hier is dat niet zo! Niet in dit land! Dit zeg ik tegen iedereen ter wereld: het kan anders! Ik zeg het nog eens: het kan anders! Ik heb het met eigen ogen gezien.*

De mannen in pak die Austin als in een beschermende kring omringden lachten en applaudisseerden. Leo vroeg zich af hoeveel van die boeren agenten van de staatsveiligheidsdienst waren. Allemaal, vermoedde hij. Zo'n toneelstukje zouden ze geen enkele echte boer toevertrouwen.

Het filmpje was afgelopen. Van achter in de zaal kwam de bevelvoerend officier majoor Koezmin naar voren. Hij was een kleine, dikke man met een bril met jampotbodems en zou op een buitenstaander wellicht een komische indruk hebben gemaakt. Op de agenten van de MGB evenwel niet, want zij wisten hoe groot zijn macht was, en ze wisten dat hij ook graag bereid was die macht daadwerkelijk te gebruiken. Hij zei:

— *Deze opnamen dateren van 1934, toen Austin zevenentwintig was. Zijn enthousiasme voor onze staatsinrichting is nog onverminderd groot. Hoe kunnen we er zeker van zijn dat hij geen Amerikaanse spion is? Hoe kunnen we er zeker van zijn dat zijn communistische overtuiging niet gespeeld is?*

Leo wist niet veel van de zanger. Hij had zijn songs wel op de radio gehoord. Hij had een paar artikelen over hem gelezen, die geen van alle zouden zijn gepubliceerd als de autoriteiten de Amerikaan geen nuttige figuur gevonden hadden. Hij voelde dat de vragen van Koezmin retorisch bedoeld waren en zei niets, maar wachtte totdat Koezmin verder zou gaan met zijn verhaal. De majoor las enkele biografische gegevens voor.

— *Jesse Austin werd in 1907 geboren in Braxton, Mississippi, en verhuisde op tienjarige leeftijd met zijn familie naar New York. Veel negergezinnen trokken weg uit het zuiden, waar ze werden vervolgd. In de vertaalde teksten die ik u heb gegeven, vertelt Austin uitgebreid over zijn wederwaardigheden. De haat die de zwarte Amerikanen ervaren is een grote bron van ontevredenheid en is een goed uitgangspunt om hen over te halen tot de communistische overtuiging, misschien wel het beste wat we hebben.*

Leo keek op naar zijn chef. Hij sprak niet over haat alsof het een misdrijf was, goede of foute daden bestonden niet, alles werd politiek afgewogen. Het was allemaal geen kwestie van verontwaardiging, maar van berekening en analyse. Koezmin ving Leo's blik op.

— *U wilt er iets over zeggen?*

Leo schudde zijn hoofd. Koezmin las verder.

— *Austins familie verhuisde samen met vele anderen van zuid naar noord in 1917, een periode van massale migratie. We mogen aannemen dat Jesse Austin vooral op grond van de haat die hij in New York heeft ervaren communist is geworden. Hij werd daar niet alleen gehaat door de blanken, maar ook door de negers uit de middenklasse die zich al eerder in de steden in het noorden hadden gevestigd en bang waren overspoeld te raken door de migrantenstroom. Het was een cruciaal moment in zijn leven: hij zag dat mensen die solidair hadden moeten zijn met de nieuwkomers zich tegen hen keerden. Hij was er getuige van hoe de klassenstrijd zelfs hechte gemeenschappen kan splijten.*

Leo bladerde de map die hij had gekregen door. Er was maar één foto van de jonge Austin met zijn ouders. Vader en moeder stonden er kaarsrecht bij, alsof de camera hen zenuwachtig had gemaakt; de jonge Austin stond tussen hen in. Koezmin vervolgde:

— *In New York werd zijn vader liftbediende in een vervallen hotel dat The Skyline heette en dat inmiddels failliet is gegaan. In het hotel legde men zich toe op alle verdorven praktijken die kenmerkend zijn voor een kapitalistische stad, met name drugshandel en prostitutie. Voor zover ons bekend was zijn vader bij geen van deze illegale activiteiten betrokken. Hij is wel vele malen gearresteerd, maar werd telkens weer vrijgelaten zonder vervolgd te worden. Zijn moeder was dienstbode. Jesse Austin beweert dat hij in zijn kinderjaren geen last heeft gehad van geweld of alcoholmisbruik, maar dat het gezin waar hij deel van uitmaakte aan alle ellende kapot is gegaan. Het was bij hen thuis 's winters te koud en 's zomers te heet. Zijn vader stierf toen Jesse Austin twaalf was. Hij had tuberculose opgelopen. De Verenigde Staten kennen wat de gezondheidszorg betreft weliswaar uitstekende faciliteiten, maar deze zijn niet voor iedereen toegankelijk. Zo heeft de Metropolitan Life Insurance Company in New York een van de meest geavanceerde sanatoria voor haar medewerkers laten bouwen. Austins vader was evenwel geen medewerker van de Metropolitan Life Insurance Company. Hij kon zich de opname in een sanatorium niet veroorloven. Tot op de dag van vandaag houdt Jesse Austin vol dat zijn vader nog zou hebben geleefd als die faciliteiten voor hem beschikbaar waren geweest. Misschien is ook dit te beschouwen als een doorslaggevende gebeurtenis in de politieke ontwikkeling van Austin. Hij heeft gezien hoe zijn vader doodging in een land waar de gezondheidszorg afhankelijk is van je arbeidsomstandigheden, je huidskleur en de plaats waar toevallig je wieg stond.*

Nu stak Leo wel zijn hand op. Koezmin knikte hem toe.

— *Als dit het geval is, waarom worden dan niet meer Amerikanen communist?*

— *Dat is een belangrijke vraag, en daar denken we nog over na. Als u het antwoord weet, mag u mijn baan hebben.*

Koezmin lachte met een vreemd, afgeknepen geluid. Toen hij uitgelachen was, vervolgde hij:

— *Austin is vol lof over zijn moeder, maar zij heeft na de dood van zijn vader lang in ploegendienst moeten werken. Hij was daardoor vaak alleen en is gaan zingen om zichzelf bezig te houden, en die voorkeur uit zijn jeugd is uitgemond in een loopbaan als zanger. Zijn zang en zijn composities kunnen niet los gezien worden van zijn politieke activiteiten. In zijn denken vallen ze geheel samen. Anders dan bij veel andere negerzangers is Jesse Austins zang niet geworteld in de kerk, maar in het communisme. Het communisme is zijn kerk.*

Majoor Koezmin zette een plaat op, en gezamenlijk luisterden ze naar Austin. Leo verstond de tekst niet, maar snapte wel waarom de achterdochtige Koezmin geen twijfels koesterde wat Austins oprechtheid betrof. Hij was volkomen oprecht, dat hoorde Leo ook, de woorden leken rechtstreeks uit zijn hart te komen en waren niet getemperd door welke behoedzaamheid of berekening dan ook. Koezmin zette de muziek uit.

— *Austin is uitgegroeid tot een van onze belangrijkste propagandisten. Niet alleen staat hij bekend om zijn polemische teksten en commerciële successen, hij is ook een begaafd redenaar en over de hele wereld bekend. Door zijn muziek is hij beroemd geworden, waardoor zijn politieke overtuiging een internationaal platform heeft.*

Koezmin gebaarde naar de operateur.

— *Nu volgt een filmopname van een toespraak die hij in 1937 in Memphis heeft gehouden. Let goed op. Er is geen vertaling, maar hou de reactie van het publiek in de gaten.*

De filmrol werd gewisseld. De projector snorde. Nu verschenen beelden van een concertzaal met duizenden mensen.

— *Merkt u op dat de hele zaal blank is. In de zuidelijke staten van Amerika golden wetten die bepaalden dat het publiek ofwel geheel blank, ofwel geheel zwart was. Integratie bestond niet.*

Austin stond in smoking gekleed op een podium de mensenmassa toe te spreken. Enkele toeschouwers liepen naar buiten, anderen onderbraken de spreker. Koezmin vestigde er de aandacht op dat mensen de zaal verlieten.

— *Het interessante is dat dit blanke publiek over het algemeen graag naar zijn muziek luistert. Ze applaudisseren voor hem en geven hem zelfs een staande ovatie. Maar Austin kan zijn optreden niet beëindigen zonder ook nog een politieke toespraak te houden. En zodra hij over het communisme begint, staan ze op en gaan ze weg of beginnen ze beledigingen te roepen. Maar kijk eens naar Austins gelaatsuitdrukking wanneer ze dat doen.*

Austin leek niet te schrikken van hun reactie, maar eerder te genieten van de weerstand die hij opriep, en naarmate hij vorderde met zijn rede werd hij steeds assertiever.

Koezmin draaide het licht aan.

— *U hebt een opdracht van cruciaal belang. De Amerikaanse autoriteiten oefenen wegens zijn niet-aflatende steun aan ons land steeds meer druk uit op Austin. De aan u uitgereikte map bevat artikelen van hem die zijn verschenen in Amerikaanse socialistische kranten. U kunt voor uzelf nagaan hoe provocerend ze zijn tegenover de conservatieve machthebbers, omdat ze oproepen tot verandering en de nadruk leggen op het verlangen naar een revolutie. We zijn bang dat Austin zijn paspoort kwijt zou kunnen raken. Dit zou zijn laatste bezoek kunnen zijn.*

Leo vroeg:

— *Wanneer komt hij?*

Koezmin stond met de armen over elkaar tegenover hem.

— *Vanavond. Hij is hier voor twee dagen. Morgen wordt hij door de stad rondgeleid, en 's avonds geeft hij een concert. Het is uw taak om te zorgen dat er niets misgaat.*

Leo schrok. Ze kregen maar heel weinig voorbereidingstijd. Voorzichtig liet hij zijn bezorgdheid doorklinken in zijn vraag.

— *Hij komt vanavond?*

— *Jullie zijn niet het enige team dat belast wordt met deze opdracht. Ik ben pas laat op het idee gekomen om u erbij te betrekken. Ik heb veel waardering voor u, Demidov. Omdat onze gast in zijn eigen land zo in de gaten wordt gehouden, zal hij begrijpen dat zijn loyaliteit jegens ons land niet als vanzelfsprekend wordt beschouwd. Ik wil mijn beste mensen hiermee belasten.*

Koezmin kneep Leo even in zijn arm om aan te geven dat hij vertrouwen had in zijn capaciteiten, maar ook om hem de ernst van de opdracht duidelijk te maken.

— *Zijn liefde voor ons land moet ten koste van alles worden beschermd.*

Moskou
Huis aan de Kade
Serafimovitsjstraat 2

De volgende dag

Leo stond aan het hoofd van een van de drie teams die elk afzonderlijk moesten zorgen dat Austins rondreis volgens plan verliep. Niet om te zorgen dat zijn leven geen gevaar liep, maar om ertegen te waken dat zijn hoge dunk van de Sovjet-Unie ondermijnd zou worden. Men had drie teams ingeschakeld, elk met dezelfde opdracht, die in competitie met elkaar zouden opereren, maar elkaar ook konden aanvullen voor het geval een van de andere verstek zou laten gaan. De buitengewone voorzorgsmaatregelen waren een aanwijzing voor het belang dat aan zijn bezoek werd gehecht. Ze hadden een auto tot hun beschikking gekregen. Het was maar een klein eindje rijden van het Loebjankaplein, het hoofdkwartier van de geheime dienst, naar de Serafimovitsjstraat, waaraan het exclusieve wooncomplex gevestigd was waar Austin verbleef. Men had verwacht dat hij een kamer zou nemen op de vijftiende verdieping van hotel Moskva, met uitzicht over het Rode Plein, maar dat had hij geweigerd met het argument dat hij liever in een gemeentelijk woningbouwproject zou verblijven, bij voorkeur bij een Russisch gezin in huis, indien dat over een logeerkamer beschikte. Wat hij wilde, was:

De realiteit ten volle ervaren.

Dit verzoek had grote onrust teweeggebracht, aangezien het hun rol was om Austin een ideaalbeeld van de communistische samenleving voor te schotelen, een voorstelling van wat potentieel mogelijk was, in plaats van de realiteit van de samenleving zoals die er nu

33

voor stond. Leo, die een principiële idealist was, kon zich met deze onoprechtheid verzoenen dankzij de rationele overweging dat de revolutie een project was waar nog aan gewerkt werd. Het zou nog een paar jaar duren voordat de tijden van overvloed zouden aanbreken, maar op dit moment was een logeerkamer een ongehoorde luxe in een stad waar een chronische woningnood heerste. Wat het logeren bij een Russisch gezin betreft: dat leverde een te groot risico op. Afgezien van het feit dat de gezinnen doorgaans zeer krap behuisd waren, zouden de mensen hun mond voorbij kunnen praten. En het was ondoenlijk om op zo'n korte termijn ten behoeve van Austin alsnog een ideaal gezin te creëren. Austin had pas op weg van het vliegveld gevraagd om de plannen te veranderen.

In paniek improviserend hadden ze hem hier ondergebracht, aan de Serafimovitsjstraat nummer 2. Het was een bizar idee om een voor de elite gebouwd appartementencomplex dat meer dan veertien miljoen roebel had gekost te laten doorgaan voor een van de vele gewone gemeentelijke woningbouwprojecten. Anders dan bij de meeste appartementen, waar de mensen het moesten doen met een paar kleine kamertjes, gedeelde keukenfaciliteiten en buitentoiletten, waren hier op elke verdieping slechts twee grote appartementen. Alleen al de woonkamer besloeg ruim honderdvijftig vierkante meter – een ruimte waarop normaliter meerdere gezinnen gehuisvest zouden zijn. En niet alleen waren deze appartementen extra groot, ze waren ook zeer luxueus ingericht en voorzien van gasfornuis, stromend warm water, telefoon en radio. Er waren antieke, zilveren kandelaars. En Leo vond het zorgelijk dat een gast die zich stoorde aan een ongelijke verdeling van de welvaart geconfronteerd zou worden met huispersoneel dat de bewoners voorzag van diensten als schoonmaakwerk en het bereiden van maaltijden. Hij had de andere bewoners ervan kunnen overtuigen dat ze het personeel vrijaf moesten geven voor de duur van Austins bezoek. Ze hadden zich laten overhalen, want hoe machtig of rijk deze mensen ook waren, ze waren niet minder bang voor de geheime dienst dan de armen, zo niet banger. Vroegere bewoners van het complex, zoals de theoreticus van het communisme Nikolai Boecharin en de kinderen van Stalin zelf, Vasili Stalin en Svetlana Alliloejeva, waren eigenlijk nooit gewone burgers van de Sovjet-Unie geweest. De levensverwachting van de bewoners was echter misschien wel minder dan van degenen die de ergste ontberingen leden. Luxe was immers geen bescherming tegen de MGB. Leo had in dit pand ooit zelf twee mannen gearresteerd. Nadat ze de auto hadden geparkeerd, haastten Leo en Grigori zich door de sneeuw naar de brede entree. Binnen knoopte Leo zijn jas open en toonde hij zijn identiteitspapieren, die werden gecontroleerd aan de hand van een lijst van degenen die toegang hadden tot het pand. Ze gingen naar beneden, waar in een keldervertrek een team van agenten dag en nacht voor de bewaking zorgde, een dienst die daar lang voor de komst van Austin al gehuisvest was. De flats vormden de thuisbasis van enkele van de belangrijkste figuren in de Sovjet-Russische samenleving, en het was van groot belang dat de staat wist hoe zij zich gedroegen en waar ze over spraken. Austin verbleef vijf verdiepingen erboven in een appartement waarvan elke kamer was voorzien van afluisterapparatuur. Onder de bewakers was een vertaler, of liever gezegd: het waren er drie, in drieploegendienst. Bovendien was een aantrekkelijke agente gehuisvest in het appartement zelf, in een aparte kamer, zogenaamd als de vaste bewoonster. Ze deed zich voor als weduwe en kon desgewenst vertellen hoe haar man tijdens de Grote Vaderlandse Oorlog gesneuveld was. Volgens het profiel van Austin waarover ze beschikten zou zo'n verhaal bijzondere indruk op hem maken. Hij haatte het fascisme meer dan wat ook en had vele malen verklaard dat de nederlaag van het fascisme grotendeels een Russische overwinning was geweest, ten koste van communistenbloed.

Leo keek de transcripties door van al Austins gesprekken sinds het moment van zijn aankomst, alsmede een verslag van alles wat hij in die tien uur in het appartement had gedaan. Hij had twintig minuten in het bad gelegen, drie kwartier besteed aan het diner. Er waren gesprekken geweest met de agente over de Grote Vaderlandse Oorlog. Austin sprak uitstekend Russisch, doordat hij na zijn bezoek in 1934 moeite had gedaan om die taal te leren. Leo beschouwde dit als een extra complicatie. De agenten zouden daardoor immers niet openlijk met elkaar kunnen communiceren. Elke nuance zou door Austin begrepen worden. Uit de transcripties bleek nu al dat hun gast zich had afgevraagd hoe het kon dat één enkele bewoonster over zo'n gigantisch appartement beschikte. De agente had gezegd dat het een beloning was voor de moed die haar man in de oorlog had betoond. Na het eten had Austin zijn vrouw gebeld. Hij had twintig minuten met haar gesproken.

AUSTIN: *Ik wou dat je hier was. Ik wou dat je kon meemaken wat ik meemaak en dat je me zou kunnen zeggen of ik de dingen wel goed zie. Ik ben bang dat ik de dingen zie zoals ik ze wil zien en niet zoals ze in werkelijkheid zijn. Wat ik nu nodig heb, is jouw intuïtie.*

In antwoord daarop had zijn vrouw gezegd dat zijn intuïtie hem nooit in de steek had gelaten en dat ze heel veel van hem hield.

Leo gaf de transcriptie aan Grigori.

— *Hij is nu anders. Heel anders dan de man die we bij die boerderij zagen. Hij zit in een crisis, hij vertrouwt het niet meer.*

Grigori las de pagina's door en gaf het verslag terug aan Leo.

— *Ik ben het met je eens. Het ziet er niet goed uit.*

— *Daarom heeft hij tot het laatst gewacht met zijn vraag om ergens anders ondergebracht te worden.*

De agente die zich voordeed als de weduwe kwam de ruimte van de bewakers binnen. Leo keek haar aan en vroeg:

— *Was hij in je geïnteresseerd?*

Ze schudde haar hoofd.

— *Ik heb wel een paar suggestieve opmerkingen gemaakt, maar hij deed alsof hij het niet merkte en negeerde ze totaal. Toen ik deed alsof ik nog verdrietig was over de dood van mijn man, sloeg hij een arm om me heen. Maar het was niet seksueel.*

— *Weet je dat zeker?*

Grigori sloeg zijn armen over elkaar.

— *Wat heeft het voor zin om te proberen hem erbij te lappen?*

Leo antwoordde:

— *Wij oordelen niet over hem. We moeten onze vrienden kennen om ze te kunnen beschermen. We zijn niet de enigen die hem bespioneren.*

In de hoek stak een agent zijn hand op.

— *Hij is wakker.*

De partijfunctionarissen stonden in de marmeren hal bij elkaar. Het was een groepje mannen van middelbare leeftijd die in de Partij middenposities innamen – in het pak en met een glimlach op het gezicht, net als de mannen die Austin in het dorp hadden rondgeleid. Hoe belangrijk Austin ook was, er was besloten geen ontmoetingen met partijbonzen op het programma te zetten, voor het geval de FBI erachter zou komen en Austin afgeschilderd zou kunnen worden als een vriend van de Sovjet-Unie, die meer geïnteresseerd was in de elite dan dat hij zo'n liefde koesterde voor het systeem op zich. Austin verscheen onder aan de trap. Hij droeg een tot de knieën reikende jas, een sjaal en sneeuwlaarzen. Het ontging Leo niet dat hij maatkleding droeg. Zijn kleren waren niet opzichtig, maar ongetwijfeld van uitstekende kwaliteit. Jesse Austin was een rijk man. Zijn jaarinkomen werd volgens de rapporten geschat op meer dan zeventigduizend dollar. Austin bekeek het ontvangstcomité. Leo meende een zweem van ongenoegen op zijn gezicht te zien. Misschien had hij het gevoel dat hij ingepakt en gemanipuleerd werd. Hij sprak hen in het Russisch toe.

— *Hebben jullie lang moeten wachten?*

Zijn Russisch was uitstekend en hij sprak het vloeiend, maar zijn idioom deed Amerikaans aan, en ondanks zijn goede uitspraak klonken zijn woorden vreemd. De belangrijkste partijfunctionaris kwam naar voren en sprak hem in het Engels toe, maar Austin viel hem in de rede.

— *Laten we Russisch spreken. Thuis spreekt niemand het. Wanneer zou ik het anders moeten oefenen?*

Er werd gelachen. De functionaris glimlachte en ging van het Engels over op het Russisch.

— *Hebt u goed geslapen?*

Austin, die geen idee had dat iedereen het antwoord al wist, zei van wel.

De mannen verlieten het Huis aan de Kade en liepen, hun gast omringend, door de sneeuw naar de limousine. Leo en Grigori scheidden zich van de groep af en liepen naar hun auto. Zij zouden achter de mannen aan rijden naar de plek waar ze naartoe gingen. Toen Leo het portier opende en achteromkeek, zag hij dat Austin met minachting naar de limousine keek. Hij sprak de functionarissen aan. Leo kon niet horen wat ze zeiden. Er was blijkbaar een meningsverschil. De functionarissen leken te aarzelen. Austin negeerde hun bezwaren, liep snel weg van de limousine en voegde zich bij Leo en Grigori.

— *Ik wil niet achter geblindeerde ramen worden rondgereden! Hoeveel mensen rijden er in Rusland in dat soort auto's?*

Een van de functionarissen kwam achter hem aan.

— *Maar meneer Austin, u zit in een auto van de diplomatieke* dienst toch meer op uw gemak? Dit is een maar gewone dienstwagen.

— Een gewone dienstwagen is voor mij goed genoeg!

De functionaris was van zijn stuk gebracht door deze onver-wachte wijziging in de zorgvuldig voorbereide plannen. Hij haastte zich terug naar zijn collega's, besprak de kwestie, kwam weer terug en knikte.

— Uitstekend, u en ik rijden met agent Demidov mee. De anderen volgen in de limousine.

Leo opende het rechterportier en bood Austin aan om op de plaats naast de bestuurder te gaan zitten. Maar weer schudde Austin zijn hoofd.

— Ik ga wel achterin zitten. Ik wil uw collega niet van zijn plaats beroven.

Terwijl hij de auto in de versnelling zette, keek Leo in de achter-uitkijkspiegel naar Austin, die met zijn lange gestalte enigszins ver-krampt in de krap bemeten auto zat. De functionaris nam het zeer basale interieur met een ontevreden blik in ogenschouw.

— Deze auto's zijn heel eenvoudig. Het zijn dienstauto's, niet be-doeld voor ontspanning. Ik kan me voorstellen dat ze erg in het nadeel uitvallen vergeleken met veel van uw Amerikaanse auto's. Maar we hebben hier geen behoefte aan overdaad.

Het argument zou oprechter hebben geklonken als de functio-naris niet nog maar vijf minuten daarvoor zou hebben geprobeerd zijn gast te imponeren met een luxeuze limousine. Austin ant-woordde:

— Och, hiermee komen we er toch ook?

De functionaris glimlachte, maar het was een glimlach die zijn verwarring moest verbergen.

— Waar komen we?

— Waar we naartoe gaan.

— Ja, hiermee komen we er vast ook wel. Hoop ik!

De functionaris lachte. Austin niet. Hij mocht deze man niet. Wat de plannen waren begon al duidelijk te worden.

Moskou
Levensmiddelenwinkel nr. 1, Jelisejevs
levensmiddelenwinkel
Tverskajastraat 14

Dezelfde dag

Levensmiddelenwinkel nr. 1 was de meest exclusieve winkel van de stad en alleen toegankelijk voor de elite. De muren waren voorzien van barokke motieven in bladgoud. De pilaren waren van marmer, met aan de bovenkant decoratief krullende versieringen die in een paleis niet zouden misstaan. De blikken met etenswaren stonden er fraai bij, met de merken goed zichtbaar, vers fruit was er in bijzondere patronen uitgestald, en de vette aardappelen lagen er in grote hopen bij. De uitstalling in de winkel had enkele dagen werk gekost. Alle schappen puilden uit van de etenswaren, het magazijn was leeg, alles was met grote zorg tentoongesteld. Het resultaat was dat dit een plek was waarvan Leo zich onmiddellijk realiseerde dat het een wel heel verkeerde keuze was om hun gast mee naartoe te nemen, omdat dit overduidelijk voor een heel ander publiek was bedoeld. Deze winkel stond niet model voor een nieuwe samenleving – veeleer werd hier het verleden belichaamd: er werd een uitbundige rijkdom getoond die beter paste bij het tsaristische tijdperk. Maar de menigte partijfunctionarissen keek Austin stralend aan, alsof ze verwachtten dat dit hem wel een applausje waard zou zijn. Door hun ijdelheid waren ze niet in staat geweest om zich voor te stellen wat hun gast werkelijk wilde en hadden ze hem geconfronteerd met uiterlijk vertoon, vanuit de gedachte dat naarmate ze hem meer rijkdom zouden laten zien, hij meer onder de indruk zou zijn. Hun diepgewortelde angst om vergeleken bij hun Amerikaanse tegenstanders als armlastig te worden beschouwd, had hen met blindheid geslagen.

Leo bleef staan bij een aantal in piramidevorm opgetaste blikken erwtensoep. Hij had nooit eerder voedsel op deze manier uitgestald gezien en vroeg zich af waarom iemand hiervan onder de indruk zou moeten zijn. Austin liep met misprijzende blik langs de piramide, omringd door een groep functionarissen die uitbundig wezen naar exotische vruchten waarvan Leo de naam niet zou kunnen noemen. In een poging om deze overvloed in overeenstemming te brengen met de communistische ideologie was het winkelend publiek, uitsluitend bestaande uit MGB-agenten, geselecteerd uit alle mogelijke soorten mensen van alle leeftijden, sommigen netjes gekleed, anderen sjofel, alsof Levensmiddelenwinkel nr. 1 bestemd was voor iedereen – net zo goed voor de oude baboesjka als voor de jonge werkende vrouw. Het personeel – bij het vlees mannen, vrouwen bij de groente en het fruit – had overigens opdracht om te glimlachen als Austin hen passeerde, en ze keken hem na zoals zonnebloemen de zon volgen. Buiten in de sneeuw stond meer koopgraag publiek te koukleumen, dat met schijnbaar willekeurige tussenpozen kwam binnendruppelen, waardoor de indruk werd gewekt dat het in de winkel een komen en gaan van mensen was.

Austin begon steeds zuurder te kijken. Hij zei niets meer. Hij had zijn handen diep in zijn zakken gestoken en liet zijn schouders hangen, terwijl overal om hem heen de klanten zich gedroegen als een zwerm eksters en van het ene naar het andere gangpad liepen en alles wat ook maar enigszins blonk uit de schappen plukten. Leo zag in een winkelmandje drie rode appels, één enkele biet en een blikje ham liggen, een onwaarschijnlijke combinatie.

Austin maakte zich los van de kluit functionarissen en liep weer op Leo af. Kennelijk zag hij in Leo de gewone man. Misschien lag het aan zijn grove uniform en zijn gereserveerde, norse houding – tijdens de autorit hiernaartoe had Leo bijna niets gezegd, in tegenstelling tot de partijfunctionaris met zijn onophoudelijke, vleiende gebabbel. Austin legde zijn hand op Leo's schouder.

— *Ik heb het gevoel dat ik met u kan praten, kameraad Demidov.*

— *Natuurlijk, meneer Austin.*

— *Iedereen wil mij het beste laten zien, maar ik wil gewone winkels zien, waar gewone mensen hun boodschappen doen. Is er hier in de buurt niet zoiets te vinden? Jullie kunnen me niet wijsmaken dat alle winkels net zo zijn als deze. Willen jullie me dat wijsmaken?*

De vraag was zo dwingend dat Leo het gevoel had alsof er een hand om zijn hart werd geklemd. Hij zei:

— *Ze zijn niet allemaal zo, nee. Maar we zijn hier in het centrum van de stad. Deze winkel is misschien beter gesorteerd dan een dorpswinkel.*

— *Ik heb het niet over dorpswinkels. Ik heb het over gewone winkels. Snap je? Er zijn toch wel andere winkels in de stad?*

— *Er zijn zeker andere winkels.*

— *Op loopafstand?*

Voordat Leo kon antwoorden kwam een van de functionarissen haastig aanlopen, met de bedoeling de gast weer terug te voeren naar de uitgestalde levensmiddelen. Ze wilden hem nog het een en ander laten zien – vers brood, de mooiste hammen. Austin stak zijn hand op, alsof hij hem op afstand wilde houden. Hij had een besluit genomen.

— *Mijn vriend hier gaat een wandelingetje met me maken. Hij brengt me naar een kleinere winkel, u weet wel, een die wat... gewoner is.*

De functionarissen keken Leo aan alsof ze dachten dat hij degene was die dat had geopperd. Hun overlevingsinstinct speelde hun parten, en plotseling werden de twee andere teams van agenten ingeschakeld, die Leo hierop aanspraken.

— *Daar kan geen sprake van zijn. We moeten om veiligheidsredenen vasthouden aan de voorgenomen rondleiding.*

Austin trok zijn wenkbrauwen op en schudde zijn hoofd.

— *Om veiligheidsredenen? Meent u dat? Ik loop hier toch geen gevaar?*

Ze zaten in de val. Ze konden moeilijk zeggen dat ze in de hoofdstad op straat niet voor zijn veiligheid konden instaan. Austin glimlachte.

— *Ik snap dat jullie regels en voorschriften hebben, en ik weet dat jullie me bepaalde dingen willen laten zien. Maar ik wil zelf op onderzoek uit kunnen, oké? Daar sta ik op. Horen jullie me? Ik sta erop.*

Hij lachte om zijn dictaat minder hard te laten overkomen, maar het bleef een dictaat. Ze hadden opdracht om aan de wensen van hun gast te voldoen. Uit de manier waarop de anderen naar hem keken, begreep Leo dat hij hier de schuld van zou krijgen.

Leo, ineens bevorderd tot leider van een expeditie die op zoek moest naar de alledaagse werkelijkheid, liep met de groep de winkel uit. Austin liep naast hem, en toen ze door de dichte sneeuwbui ploegden leek zijn stemming al verbeterd. Leo keek achterom en zag de partijfunctionarissen geanimeerd met elkaar praten voor de voorname ingang van de winkel, waar opnieuw een contingent zorgvuldig armelijk geklede, schriele klanten naar binnen liep, waar ze slechts konden constateren dat de voorstelling afgelopen was. De functionarissen begrepen niet wat Austin wilde zien, maar dat het hem niet ging om lange wachtrijen en slecht bevoorrade winkels, snapten ze wel. Maar omdat ze de strikte opdracht hadden om aan elke gril van Austin tegemoet te komen, konden ze niet ingrijpen.

Austin sloeg vriendschappelijk zijn hand om Leo's schouders.

— *Vertel eens wat over jezelf.*

Leo had geen behoefte om over zichzelf te praten.

— *Wat zou u willen weten?*

Vanuit het niets verscheen ineens een van de functionarissen naast hen, die blijkbaar had gehoord wat ze zeiden.

— *Leo Demidov is een van onze dapperste agenten. Hij heeft zich in de oorlog als een held gedragen en heeft tal van eervolle vermeldingen op zijn naam staan. Maar meneer Austin, zegt u eens waar u naartoe zou willen. Hebt u misschien trek in een kop thee terwijl wij voorbereidingen treffen?*

Austin ergerde zich eraan dat hij in de rede was gevallen, negeerde het voorstel om thee te gaan drinken en de onbehouwen poging om tijd te winnen en richtte zich tot Leo.

— *Wat doe je op het ogenblik, kameraad Demidov?*

Leo geloofde in zijn werk als agent van de geheime dienst. Het communisme werd van vele kanten bedreigd en moest worden beschermd. Maar dat probleem was te ingewikkeld om daar nu op in te kunnen gaan. Hij zei alleen maar:

— *Ik ben politieagent.*

Leo hoopte dat daarmee een einde zou zijn gekomen aan zijn vragen. Maar Austin vervolgde:

— *Is er veel criminaliteit in de stad?*

— *Geen criminaliteit zoals in Amerika. Geen moorden en geen diefstal. Ik heb te maken met politieke misdadigers, met samenzweringen tegen de staat.*

Austin zweeg even.

— *De rechtvaardigheid heeft vele vijanden, zie ik het goed?*

— *Ja, dat ziet u goed.*

— *Je werk is vast heel moeilijk.*

— *Soms.*

— *Maar het is het waard, vriend. Het is de moeite waard.*

Het was een lastig onderwerp. Leo was dankbaar voor Austins discretie. Om het gesprek af te ronden leek een lange stilte nodig, een denkpauze. Jesse Austin verbrak uiteindelijk de stilte en ging over op een minder zwaar onderwerp.

— *Nu geen ernstige vragen meer. Wat doe je graag voor je plezier? Een knappe man als jij zal toch wel getrouwd zijn?*

Leo werd verlegen omdat hij knap genoemd werd én omdat hij ongetrouwd was. Hij bloosde.

— *Nee, dat ben ik niet.*

— *Maar waarom niet?*

— *Ik weet niet...*

— *Maar je houdt toch wel van iemand? Er moet iemand zijn. Je zult op z'n minst toch wel een vriendin hebben?*

De vraag ging ervan uit dat het ondenkbaar was dat iemand zonder liefde kon. Leo wilde niets liever dan het gesprek ombuigen. En een leugentje om bestwil was daarvoor de gemakkelijkste weg.

— *Er is wel iemand, ja. We hebben elkaar onlangs ontmoet.*

— *Wat doet ze?*

Leo aarzelde en dacht toen aan Lena's stapel schoolboeken:

— *Ze is lerares.*

— *Neem haar vanavond mee naar het concert!*

Leo knikte even.

— *Ik zal het haar vragen. Ze heeft het vaak druk, maar ik zal het haar vragen.*

— *Neem haar alsjeblieft mee.*

— *Ik zal mijn best doen.*

Ze sloegen van de hoofdweg af en liepen tien minuten lang door zijstraten. Een van de functionarissen trok met een brede glimlach om zijn verontrusting te verbergen aan Leo's arm.

— *Hebben we een specifiek doel waar we naartoe gaan?*

Voordat Leo kon antwoorden, had Austin de rij zien staan. Hij wees naar de rij wachtenden die zich voor een kleine levensmiddelenwinkel over het trottoir slingerde. Grigori liep vooruit om te kijken wat voor een winkel het was. Er stonden zeker dertig mannen en vrouwen, veelal ouderen; hun armoedige jassen waren bedekt met sneeuw. Grigori keek Leo in paniek aan. De mensen draaiden zich naar hen om en staarden naar het onwaarschijnlijke duo: een

MGB-agent en een goed geklede Amerikaanse beroemdheid, misschien wel de beroemdste Amerikaanse zanger in de Sovjet-Unie, een van de weinigen aan wie de media aandacht mochten schenken. Leo keek Austin aan.

— *Wacht hier. Dan ga ik even kijken wat er aan de hand is.*

Leo liep snel naar Grigori toe, die hem toefluisterde:

— *Ze zijn nog niet open!*

Leo bonkte op de etalageruit. De winkelchef kwam vanuit de achterkamer aangeschuifeld en deed de deur open. Voordat Leo iets had kunnen zeggen, stond Austin al naast hem.

— *Gaan ze hier wat later open?*

Ondanks de kou was Leo's hemd nat van het zweet.

— *Daar lijkt het op.*

Terwijl de deur openging zei Austin tegen de winkelchef:

— *Goedemorgen. Hoe is het met u? Mijn naam is Jesse Austin. Let u niet op ons, we willen alleen even rondkijken. Doet u maar net alsof we er niet zijn, dan beloof ik dat we u niet in de weg zullen lopen!*

De winkelchef keek Leo met grote ogen en open mond aan.

— *Moet ik de winkel dichtdoen voor u?*

Austin nam de regie over en zei:

— *Die mensen staan daar in de sneeuw te wachten! Laat ze allemaal binnen. Doet u niets wat u anders ook niet zou doen!*

Behoedzaam en stomverbaasd over de situatie drentelden de klanten de winkel in, waar ze voor de toonbank opnieuw een rij vormden. Ter verklaring zei Leo:

— *In die andere winkel zag u de klanten zelf zoeken. Hier gaat het wat formeler. De klanten zeggen tegen het personeel wat ze willen hebben, en dan betalen ze en nemen ze hun artikelen mee.*

Austin klapte verheugd in zijn handen.

— *Ik snap het. Het gaat hier om de eerste levensbehoeften! Ze kopen wat ze nodig hebben, en verder niets.*

Leo mompelde instemmend:

— *Precies.*

Toen hij de vorige avond de transcripties van Jesse Austins toespraken en Amerikaanse interviews doorlas, was Leo op een aantal opgewonden discussies gestuit waarin Austin ervan werd beschuldigd dat hij geloof hechtte aan een vals beeld van Rusland, dat in het leven geroepen was ten behoeve van goedgelovige westerlingen. Hij had zich de beschuldigingen aangetrokken en ze ontkend.

Maar Leo twijfelde er niet aan dat Austin er aanstoot aan zou nemen als zijn rondleiding al te strak georganiseerd was. Daarom hadden Leo en Grigori de avond tevoren al verscheidene kleinere winkels in de buurt van de geplande route voorbereid op een mogelijk bezoek. Leo had rekening gehouden met de mogelijkheid dat er een bezoek geïmproviseerd zou worden. Ze hadden de chefs van die winkels gewaarschuwd en er waar mogelijk aanvullende voorraden laten bezorgen om de schappen mee te vullen. Hij had al bedacht dat een opgepoetste versie van de realiteit geloofwaardiger zou zijn dan een kunstmatig beeld van volmaaktheid. Omdat ze geen tijd hadden om elke winkel persoonlijk te controleren, lag hun lot in handen van de winkelchefs. Toen hij zijn blik liet rondgaan over de schappen en de vloer, zag hij tot zijn opluchting dat de winkel schoon en redelijk goed bevoorraad was. Ze hadden vers brood en doosjes eieren. De klanten waren echt, niet zorgvuldig geselecteerd, en ze waren oprecht goedgemutst, omdat ze zich realiseerden wat een geluk ze hadden dat er zoveel keus was.

De oude vrouw voor in de rij nam opgewekt een doosje eieren in ontvangst. Maar in haar opwinding vanwege de aankoop en de verwarring omdat ze werd gadegeslagen door agenten van de MGB lette ze niet goed op. Het doosje gleed uit haar handen en viel op de grond. Austin was er als eerste bij om haar te helpen. Leo ving een blik op van de gelaatsuitdrukking van de winkelchef – hij zag angst in zijn ogen. Er was iets mis. Leo reageerde snel, schoot langs Austin heen, raapte het doosje eieren op en keek erin. In plaats van eieren zaten er zes steentjes in.

Leo deed het doosje dicht en reikte het de winkelchef aan.

— *Ze zijn gebroken.*

De handen van de chef beefden toen hij het doosje aanpakte. Austin riep:

— *Wacht even!*

De chef stond te beven. Leo stelde zich voor hoe de zes steentjes in het doosje heen en weer schudden. Austin wees naar de oude vrouw.

— *Ze krijgt toch wel een ander doosje, hè? Zonder extra kosten?*

Leo legde zijn hand op de schouder van de vrouw en zag voor zich hoe de vrouw op haar neus zou kijken als ze bij thuiskomst ontdekte dat de aankoop waar ze zo blij mee was geweest uit zes steentjes bestond.

— *Natuurlijk.*

De meeste functionarissen waren buiten gebleven en hadden met knikkende knieën en zonder zich te durven bewegen voor de etalageruit staan toekijken hoe het debacle zich naar verwachting onafwendbaar zou voltrekken, elk in de hoop daarvoor niet persoonlijk verantwoordelijk te zullen worden gesteld. Nu vatten ze langzaam weer voldoende moed om met een aarzelende glimlach op het gezicht de winkel binnen te stappen. Austin was blij.

— *Dit is geweldig, echt geweldig.*

Het bezoek aan de winkel was geslaagd te noemen. De functionaris die al eerder een kop thee had voorgesteld deed dat nu weer. Austin schudde zijn hoofd.

— *Wat hebt u toch met thee?*

De functionarissen lachten. Austin zei:

— *Ik wil graag meer zien. Wat hebben we nog meer?*

Het volgende punt van de rondleiding was een bezoek aan de universiteit van Moskou, maar voordat een van de functionarissen er zelfs maar over had kunnen beginnen, zei Austin tegen Leo:

— *Je meisje is lerares, zei je toch, hè?*

In verwarring zei Leo aarzelend:

— *Mijn meisje?*

— *Je vriendin. Over wie we het hadden. Die lerares. Zou dat niet wat zijn, een school bekijken?*

Moskou
Middelbare school nr. 7
Avtozavodskajastraat

Dezelfde dag

Leo zat met zijn handen stijf om het stuur geklemd. Hij was woedend op Austin omdat deze niet begreep in welke gevaarlijke positie hij hem, Leo, had gebracht. De man was naïef en volkomen wereldvreemd. Om het ongelijk te bewijzen van de mensen die zich in zijn eigen land tegen hem keerden, saboteerde hij van alles en veegde hij hun plannen opzij met de speelsheid van een man die geen idee had wat voor een systeem het eigenlijk was dat hij zo graag gunstig wilde afschilderen. Het was een systeem dat geen fouten tolereerde. De mensen die hem begeleidden liepen groot gevaar, ook Leo. Maar het kwam niet bij Austin op dat het gevolgen zou hebben als hij iets zag wat niet strookte met het ideaalbeeld dat het Kremlin graag door hem in de Verenigde Staten verspreid zag worden. Zijn pogingen om zich te onttrekken aan de officieel voorbereide excursies waren nauwelijks meer dan een spel, dat bleek wel uit het feit dat hij voortdurend had zitten fluiten terwijl ze op weg waren naar Middelbare school nr. 7, de school waar Lena werkte.

Sprakeloos van angst staarde Leo naar Middelbare school nr. 7: een nieuwe blokkendoos van klaslokalen, rustend op betonnen poten. Gelukkig was er geen gevaar dat het schoolgebouw zelf zijn goedkeuring niet zou wegdragen. Tot grote opluchting van de functionarissen had hun gast voor zijn bezoek een instelling geselecteerd die zij ook graag zelf zouden hebben uitgekozen. Alle risico was nu voor Leo. Hij had gelogen. Toen hij beweerde dat Lena de vrouw was van wie hij hield, was hij ervan uitgegaan dat het leugentje na het gesprek onmiddellijk als niet ter zake doend vergeten zou worden. Het was bedoeld om hem te redden van de verlegenheid nu hij moest erkennen dat hij niet van iemand hield en dat niemand van hem hield. Nu betreurde hij zijn dwaasheid zeer. Waarom had hij niet gewoon toegegeven dat hij alleen woonde? Hij zat nu in een val waaruit ontsnappen onmogelijk was. Austin wilde een school bezoeken, en dat moest er een zijn waar men zich daar niet al op had voorbereid. Leo was hem zeer van dienst geweest.

Terwijl hij uit de auto stapte, probeerde hij rustig na te denken en rationeel te zijn, iets waartoe hij de voorgaande drie kwartier niet in staat was geweest. Hij wist dat ze Lena heette. Haar volledige naam wist hij niet. Hij wist dat ze lesgaf in politiek. En het belangrijkste van alles was dat hij wist dat ze hem niet mocht. Zijn knieën knikten, alsof hij een ter dood veroordeelde was op weg naar zijn terechtstelling. Hij overwoog om te erkennen dat hij had gelogen: hij zou de groep kunnen tegenhouden en zeggen dat hij Lena niet kende. Dat hij een relatie had verzonnen, omdat hij niet voor eenzaam versleten wilde worden. Het zou een zielige, vernederende bekentenis zijn. Austin zou hem uitlachen en hem misschien nog wat geruststellende woorden over de liefde toevoegen. Ze zouden vervolgens zonder bij Lena langs te gaan door de school rondgeleid worden. De partijfunctionarissen zouden er niets van zeggen, maar het leed geen twijfel dat aan Leo's carrière een einde zou komen. In het beste geval zou hij gedegradeerd worden. De kans was echter groter dat hij zou worden beschuldigd van het opzettelijk ondermijnen van de goede indruk die een belangrijke bondgenoot van de Sovjet-Unie van het land had. Aangezien er niets te winnen was door de leugen toe te geven, was het beter om het spel maar zo lang mogelijk mee te spelen.

Het was lunchtijd. Buiten in de sneeuw waren kinderen aan het spelen. Om tijd te winnen zou Leo hiervan gebruik kunnen maken door Austin ertoe over te halen een praatje met de leerlingen te maken, terwijl hij wegglipte om Lena te gaan zoeken. Hij had maar een paar seconden nodig om haar te instrueren. Ze hoefde niets anders te doen dan wat te glimlachen, vragen te beantwoorden en het spel mee te spelen. Ze was slim, daarvan was hij overtuigd. Ze zou het begrijpen. Ze zou improviseren.

Toen ze het hek door gingen, kwam Grigori snel naast hem lopen. Het was voor het eerst sinds Austin had verzocht de school te mogen bezoeken dat ze de kans hadden elkaar onder vier ogen te spreken.

— *Leo, wat is er aan de hand? Wie is die vrouw?*

Leo keek of er niemand anders binnen gehoorsafstand was.

— *Grigori, ik heb gelogen.*

— *Je hebt gelogen?*

Hij klonk verbaasd, alsof hij Leo zag als een automaat, die niet in staat was tot zoiets menselijks als een leugen.

— *Over die vrouw – Lena. Ik heb niets met haar. Ze kent me amper.*

— *Werkt ze wel hier?*

— *Ja, ze werkt hier. Dat is wel waar. Volgens mij tenminste, ik weet het niet zeker.*

— *Waarom heb je gelogen?*

— *Ik weet het niet. Het ging vanzelf.*

— *Wat gaan we doen?*

Grigori distantieerde zich niet van Leo nu die zich in een hachelijke situatie bevond. Hij vertoonde niet de typische reacties van een MGB-agent. Ze vormden een team. Leo voelde een opwelling van dankbaarheid.

— *Ik ga proberen Lena over te halen om het spel mee te spelen op basis van mijn leugen. Blijf jij bij Austin, probeer hem af te remmen en zoveel mogelijk tijd te winnen.*

De kinderen renden naar voren en vormden een kring om Austin heen toen hij de school binnenging. Het werd stil op het schoolplein. Ongetwijfeld uit vrees dat een van de kinderen misschien iets ongepasts zou zeggen, wat heel goed mogelijk was, temeer daar ze geen van allen ooit eerder een zwarte man hadden gezien, nam een van de functionarissen het woord, met op zijn gezicht een brede glimlach om de impliciete dreiging te verbloemen.

— *Kinderen, jullie hebben vandaag een heel belangrijke gast in jullie midden. Dit is Jesse Austin, de beroemde zanger. Jullie moeten onze gast laten zien hoe goed jullie je kunnen gedragen.*

Zelfs de allerjongste kinderen begrepen dat deze mannen gevaar betekenden. Austin hurkte neer om een vraag te stellen. Leo hoorde niet wat hij zei; hij was al op weg naar de ingang.

Eenmaal binnen en uit het zicht zette hij het op een lopen; zijn schoenen klepperden op de gladde stenen vloer. Hij hield een lerares staande en pakte haar zo dwingend bij haar armen dat ze schrok.

— *Waar is de kamer van de directeur?*

De lerares bleef met stomheid geslagen naar Leo's uniform staren. Leo schudde haar door elkaar.

— *Zeg op!*

Ze wees naar het einde van de gang.

Leo stormde de kamer binnen, met als gevolg dat de directeur van de school opstond en met elke seconde die verstreek bleker werd. Leo realiseerde zich dat de arme man meende dat hij gearresteerd zou worden. Het was een breekbare man van achter in de vijftig. Hij hield zijn lippen op elkaar geperst van angst. De tijd drong.

— *Ik ben agent Demidov. Ik moet alles weten van een lerares die hier werkt. Ze heet Lena.*

De directeur klonk als een bang kind.

— *Een lerares?*

— *Ze heet Lena. Ze is jong, van mijn leeftijd.*

— *U komt hier niet voor mij?*

Leo snauwde:

— *Nee, niet voor u. Ik ben hier voor een vrouw die Lena heet. Schiet op!*

De al wat oudere man leek tot leven te komen nu hij dit hoorde – iemand anders zat in de problemen, niet hij. Hij liep om zijn bureau heen naar voren om zich zo behulpzaam mogelijk te tonen. Leo keek naar de deur.

— *Lena, zei u?*

— *Ze geeft politiek.*

— *Een lerares die Lena heet? Het spijt me, dat moet een andere school zijn. We hebben hier geen lerares die Lena heet.*

— *Hè?*

— *Er werken hier geen leraressen die Lena heten.*

Leo was verbijsterd.

— *Maar ik heb haar boeken gezien. Daar stond de naam van deze school op.*

Grigori deed de deur open en siste een waarschuwing:

— *Ze komen eraan!*

Leo wist zeker dat het deze school was. Wat was er mis? Ze had hem gezegd hoe ze heette. Haar naam! Die klopte niet.

— *Hoeveel mensen geven hier politiek?*

— *Drie.*

— *En is een van hen een jonge vrouw?*

— *Ja.*

— *Hoe heet zij? Hebt u een foto van haar?*

— *In de dossiers.*

— *Schiet op!*

De directeur zocht het betreffende dossier op en gaf het aan Leo. Voordat hij het had kunnen bekijken, deed Grigori de deur weer open. Austin en de functionarissen kwamen de kamer binnen. Leo draaide zich om en zei:

— *Directeur, ik wil u voorstellen aan Jesse Austin, die bij ons te gast is. Hij wil voordat hij terugkeert naar Amerika een Sovjetschool inspecteren.*

De nog maar nauwelijks van de eerste schrik bekomen directeur werd nu met een tweede schok geconfronteerd – een gast van internationale faam en een groep vooraanstaande partijfunctionarissen. De functionaris die buiten de kinderen had toegesproken richtte zich nu tot de rector, ook nu weer met op zijn gezicht die glimlach die zijn dreigementen moest verbergen.

— *We willen onze gast laten zien dat het onderwijs in de Sovjet-Unie het beste ter wereld is.*

De stem van de directeur klonk weer onzeker.

— *Ik wou dat u me gewaarschuwd had.*

Austin stapte naar voren.

— *Geen waarschuwing. Geen gedoe. Geen plichtplegingen. Geen voorbereidingen. Ik wil alleen wat rondkijken, zien waar u zoal mee te maken krijgt. En zien hoe het een en ander gaat. Vergeet u gewoon dat ik hier ben.*

Hij keek Leo aan.

— *Zouden we een les kunnen bijwonen, wat dacht je daarvan?*

Vals opperde Leo:

— *Een natuurkundeles misschien?*

— *Geeft je meisje daar les in? In natuurkunde?*

Toen hij hoorde dat de lerares Leo's vriendin was, staarde de directeur hem aan. Leo negeerde het en zei tegen Austin:

— *Nee, ze geeft politiek.*

— *Nou, van politiek houden we allemaal, nietwaar?*

Iedereen lachte, behalve Leo en de directeur. Austin zei:

— *Hoe heette ze ook alweer? Dat had je me toch verteld?*

Leo wist niet meer of hij de naam Lena wel of niet had genoemd.

— *Hoe ze heet?*

Blijkbaar wist hij niet hoe ze heette. De directeur was te bang of te traag van begrip om tussenbeide te komen en hem te helpen.

— Ze heet...
Met opzet liet Leo het dossier op de grond vallen – het glipte uit
zijn hand, de papieren vielen eruit. Hij bukte zich, raapte ze op en
keek ze vluchtig door.
— Ze heet Raisa.

De directeur ging hun voor naar lokaal 23 op de eerste verdieping,
met Austin naast zich en daarachter de functionarissen. Af en toe
hielden ze stil om een affiche aan de muur te bestuderen of bij een
andere les te kijken. Tijdens deze onderbrekingen moest Leo wachten, hoewel hij het nauwelijks kon opbrengen om stil te blijven
staan. Hij had geen idee hoe de vrouw die hem een valse naam had
opgegeven zou reageren. Toen ze ten slotte bij het lokaal aankwamen, keek Leo door het raampje. De vrouw die voor de klas stond
was de vrouw die hij in de metro had ontmoet, de vrouw die hij in
de tram had gesproken, de vrouw die tegen hem had gezegd dat ze
Lena heette. Nu pas drong het tot hem door dat ze misschien wel getrouwd was. Dat ze misschien zelf ook kinderen zou hebben. Als ze
nou maar slim reageerde, liepen ze allebei geen gevaar.

Leo drong naar voren en opende de deur. De delegatie liep achter hem aan, en de functionarissen, voorafgegaan door de school-
directeur en Jesse Austin, liepen de klas in. De leerlingen stonden
op, en hun verbaasde blikken gingen heen en weer tussen Leo's uniform, hun angstig kijkende directeur en Austins met een brede
glimlach getooide gezicht.

Raisa, met een krijtje in haar hand en wit stof op haar vingers,
keek Leo aan. Zij was, afgezien van Austin, de enige in het lokaal die
kalm leek te blijven. Haar kalmte was opmerkelijk, en daardoor
wist Leo weer waarom hij haar zo aantrekkelijk had gevonden. Leo
sprak haar aan met haar echte naam, alsof hij nooit anders had geweten, en zei:

*— Raisa, het spijt me dat we zo onverwacht binnen komen vallen,
maar onze gast Jesse Austin wilde een middelbare school bezoeken, en
toen dacht ik natuurlijk meteen aan jou.*
Austin stapte op haar af en stak haar zijn hand toe.
*— Wees niet boos op hem. Het is mijn schuld. Ik vond dat het een
verrassing moest zijn.*
Raisa knikte en leek zich snel een oordeel te hebben gevormd
over de situatie.

— *Een verrassing is het zeker.*

Leo's uniform viel haar op, en toen zei ze tegen Austin:

— *Meneer Austin, ik hou erg van uw muziek.*

Austin glimlachte en vroeg bedeesd:

— *Die heb je gehoord?*

— *U bent een van de weinige westerse...*

Raisa's blik schoot naar de groep partijfunctionarissen, en ze corrigeerde zichzelf.

— *... westerse zangers die we in Rusland waarderen.*

Austin was opgetogen.

— *Wat aardig dat je dat zegt.*

Raisa keek Leo aan.

— *Ik voel me gevleid dat mijn lessen waardig bevonden worden voor zo'n belangrijke gast.*

— *Is het goed als ik kijk hoe je lesgeeft?*

— *Neemt u mijn stoel maar.*

— *Nee, ik blijf wel staan. We zullen je niet storen, dat beloof ik! Ga gewoon je gang. Doe wat je anders ook doet.*

Het was komisch om te bedenken dat ze normaal les zou kunnen geven. Leo voelde zich enigszins hysterisch en licht in het hoofd. Hij was zo dankbaar dat hij moeite moest doen om Raisa's handen niet te pakken en ze te kussen. Ze ging door met haar les en slaagde erin voorbij te gaan aan het feit dat de kinderen geen van allen luisterden en allemaal gefascineerd waren door de gasten.

Na twintig minuten bedankte een opgetogen Austin Raisa.

— *Je hebt er echt een gave voor. Zoals je praat, en de dingen die je over het communisme zegt. Bedankt dat je me hebt laten meeluisteren.*

— *Het was me een genoegen.*

Jesse Austin was diep onder de indruk van haar. Het was ook moeilijk om dat niet te zijn.

— *Heb je vanavond iets te doen, Raisa? Want ik zou het heel fijn vinden als je naar mijn concert zou komen. Leo heeft je er vast al wel van verteld, hè?*

Ze keek Leo aan.

— *Jazeker.*

Ze kon uitstekend liegen.

— *Dus je komt? Alsjeblieft.*

Ze glimlachte, waarmee ze liet zien dat ze een ongeëvenaard instinct voor zelfbehoud had.

Moskou
Serp-i-Molot-fabriek

Dezelfde dag

Bij de voorbereidingen voor die avond had men gespeeld met het idee om het concert in de fabriek zelf te houden en dan filmopnamen te maken van een te midden van machines en arbeiders zingende Jesse Austin, waardoor de indruk gevestigd zou worden dat het concert spontaan was begonnen, alsof Austin tijdens zijn bezoek aan de fabriek onverwachts een lied had aangeheven. Maar dat was geen praktisch plan gebleken. Er was geen plek te vinden die als auditorium zou kunnen dienen. De zware machines zouden velen het zicht ontnemen, en men had zich bovendien afgevraagd of het wel verstandig was om die machines aan de hele wereld te tonen. Het concert zou dan ook in een wat traditionelere setting plaatsvinden in een aangrenzend magazijn, waaruit de opgeslagen goederen waren weggehaald. Aan de noordzijde was een podium geïmproviseerd, met daarvoor enkele duizenden houten stoelen. Om toch de indruk te wekken dat dit een heel ander soort concert was dan die zoals ze in het Westen werden uitgevoerd, zouden de arbeiders niet de tijd krijgen om naar huis te gaan en zich te verkleden, maar zouden ze er rechtstreeks vanaf de werkvloer naartoe gedirigeerd worden. De organisatoren verlangden niet alleen een publiek van arbeiders, ze wilden ook dat die arbeiders er als zodanig uit zouden zien, met olie aan hun handen, zweet op het voorhoofd en rouwrandjes onder de nagels. Het evenement zou in schril contrast staan met de elitaire concerten zoals men die uit de kapitalistische landen kende, met verschillend geprijsde toegangsbewijzen, wat een stratificatie van het publiek tot gevolg had, zodat mensen met minder geld maar met moeite zo'n voorstelling konden bijwonen, terwijl het werkelijk verarmde volk zich achter het toneel ophield, wachtend op het moment dat het concert was afgelopen en het de vloeren kon gaan vegen.

Leo hield toezicht op de gang van de arbeiders van fabriek naar magazijn, en onderwijl gingen zijn gedachten naar Raisa. Hij moest met zijn opdringerige en leugenachtige optreden op haar school vandaag wel een afschuwelijke indruk op haar hebben gemaakt. Hij bezat echter macht, en Raisa had getoond dat ze slim was, dus het zou kunnen dat ze op grond van puur praktische argumenten zou besluiten om toch het concert bij te wonen, wat hem in de kaart speelde. Hij vroeg zich af wat zij van zijn beroep vond. Terwijl hij daarover nadacht, drong hij er bij de mensen om zich heen op aan om op te schieten en de beschikbare plaatsen in te nemen. Er waren geen toegangskaartjes, het concert was gratis. Plichtsgetrouw namen de mannen en vrouwen de resterende plaatsen in, waarbij sommigen rilden terwijl ze gingen zitten. Het magazijn was weinig meer dan een stalen constructie. Het dak was te hoog en de ruimte te groot om goed verwarmd te kunnen worden door de gaskachels. De arbeiders die halverwege tussen de kachels zaten kregen discreet handschoenen en jassen aangereikt. In zijn handen wrijvend liet Leo zijn ogen over de mensenmassa gaan – het was bijna tijd, en Raisa was er nog niet.

Het programma was van tevoren vastgesteld, al kon men niet weten of Austin ook die plannen niet om zou gooien. Men had hem voorgesteld om het podium op te gaan en een aantal nummers te zingen, afgewisseld met korte, polemische toespraken. Zijn toespraken zouden in het Russisch zijn, en zijn songs op een paar uitzonderingen na in het Engels. Leo keek uit over het publiek en probeerde zich voor te stellen hoe het concert zou overkomen in de te maken propagandafilm, die overal in de Sovjet-Unie en Oost-Europa gedistribueerd zou worden. Tegen een man die een paar rijen voor hem zat, snauwde Leo:

— *Doe je pet af.*

De handschoenen zouden in de film niet te zien zijn, maar petten wel. Het moest niet duidelijk zijn dat het in de zaal steenkoud was. Toen Leo nog een laatste blik over de menigte liet gaan om te zien of alles in orde was, zag hij hoe een van de arbeiders zijn vingers over zijn laars liet gaan en een zwarte vetveeg op zijn gezicht smeerde. Leo hoefde niet te horen wat er gezegd was toen er in de buurt van de man werd gelachen. Hij baande zich een weg door de zaal, en toen hij bij de man aankwam, fluisterde hij:

— *Pas op, want anders zou dit weleens je laatste grap kunnen zijn.*

Leo bleef erbij staan terwijl de man het vet van zijn gezicht veegde. Hij keek naar de mannen die hadden gelachen. Ze haatten hem, maar ze vreesden hem nog meer dan ze hem haatten. Hij verliet de rij en liep terug naar het podium. Na een halfuur heen-en-weer geschuifel waren alle stoelen bezet. Achterin stonden ook arbeiders. Het orkest zat op het podium. Het concert kon beginnen.

Het was op dat moment dat Leo Raisa zag, die de zaal binnen werd gebracht door een agent. Hij had haar steeds alleen maar gezien in haar werkkleding, praktische en stevige kleding, met het haar opgebonden, een warme muts op haar hoofd en zonder make-up. Ze had niet begrepen wat voor een concert het zou zijn en had zich mooi aangekleed. Ze droeg een jurk. Hoewel haar kleren niet extravagant waren, zag ze er vergeleken met de arbeiders oogverblindend uit. Zenuwachtig liep ze tussen het grotendeels haveloze, in vuile hemden en broeken geklede publiek door. Ze voelde zich opgedirkt, bekeken en niet op haar plaats. De arbeiders volgden haar met hun blikken, en niet zonder reden. Ze zag er vanavond mooier uit dan ooit. Toen ze voor hem stond, stuurde Leo de andere agent weg.

— *Ik neem onze gast hier van je over.*

Met droge keel liep Leo met haar naar voren.

— *Ik heb een stoel voor je vrijgehouden, de beste plaats in de hele zaal.*

Met een lichte boosheid in haar stem zei Raisa:

— *Je had me niet verteld dat het concert zo informeel was.*

— *Het spijt me. Ik was zenuwachtig. Maar je ziet er mooi uit.*

Het complimentje kwam over, en haar boosheid leek te verdwijnen.

— *Ik wil je uitleggen waarom ik loog over mijn naam.*

Hij voelde de spanning in haar stem en viel haar beleefd in de rede.

— *Je hoeft je niet te verontschuldigen. Mannen vragen natuurlijk regelmatig hoe je heet. Dat moet heel vervelend zijn.*

Raisa zweeg. Om de stilte niet te lang te laten duren, voegde Leo eraan toe:

— *En trouwens, als iemand zich moet verontschuldigen, ben ik het.*

Ik heb je vandaag voor een voldongen feit geplaatst. Austin wilde een school zien. Door mijn toedoen was alle aandacht op jou gericht. Dat was niet in de haak. Je had me voor schut kunnen zetten.

Raisa wendde haar hoofd af.

— *Het was een eer om zulke belangrijke gasten op bezoek te krijgen.*

De manier waarop ze met Leo sprak had iets formeels gekregen: ze was niet meer bruusk of afwijzend. Ze liet haar blik door de zaal gaan.

— *Ik ben benieuwd naar het optreden van Austin.*

— *Ik ook.*

Ze arriveerden aan de voorkant van de zaal.

— *We zijn er. Zoals ik al zei: de beste plaatsen in de zaal.*

Leo deed een stapje achteruit. Haar stralende aanwezigheid te midden van al die vermoeide fabrieksarbeiders had iets ongerijmds, en dat vond hij eigenlijk wel grappig.

De lichten in het magazijn werden gedoofd, de felle lampen op het podium flitsten aan en zetten de hele constructie in een gele gloed. De camera's begonnen te draaien. Leo ging op de trap naar het podium staan en keek uit over het publiek. Austin kwam van de andere kant en liep snel het trapje op. Hij had opmerkelijk veel energie, en op het podium leek hij nog groter en indrukwekkender dan anders. Bescheiden en met een kleine handbeweging vroeg hij de zaal het applaus te beëindigen, en toen het eenmaal stil was geworden, zei hij in het Russisch:

— *Het is een eer om hier te zijn, in Moskou, en om te worden uitgenodigd om op de plek waar jullie werken voor jullie te zingen. De manier waarop jullie me verwelkomen is altijd bijzonder. Ik voel me hier geen gast; de waarheid is dat ik me hier thuis voel. Op sommige momenten voel ik me hier zelfs meer thuis dan in mijn eigen land. Want hier, in de Sovjet-Unie, ben ik niet alleen geliefd als ik zing, niet alleen terwijl ik op het podium sta en optreed. Hier ben ik ook achter de coulissen geliefd. Hier maakt het feit dat ik zanger ben mij niet anders dan jullie allen, ook al verschillen wij beroepsmatig hemelsbreed van elkaar. Hier ben ik communist, en dat heeft niets te maken met het feit dat ik zing of dat ik succes heb. Ik ben een kameraad, net als jullie allemaal. Ik ben hetzelfde als jullie allemaal! Heerlijke woorden zijn dat. Ik ben hetzelfde als jullie allemaal! En dat is de allergrootste eer… anders te zijn en toch op dezelfde manier te worden behandeld.*

Het orkest begon te spelen. Austins eerste keuze was *Friends'*

Song, dat was geschreven voor de communistische jeugd, met een tekst die opriep tot het bouwen van nieuwe steden en het aanleggen van nieuwe wegen. De muziek was voor orkest gearrangeerd, waardoor het van weinig meer dan een idealistische song was getransformeerd tot een indrukwekkend muziekstuk. Tot Leo's verbazing steeg de uitvoering uit boven de rigide polemische inhoud van de tekst. Austins stem klonk krachtig en intiem tegelijk en vulde de ruimte. Leo was ervan overtuigd dat als hij er wie dan ook over aan zou spreken, hij te horen zou krijgen dat Austin speciaal voor hem of haar zong. Leo vroeg zich af hoe het zou zijn om een stem te hebben die mannen tot tranen toe kon ontroeren, een stem die troost kon brengen in een zaal met duizend uitgeputte arbeiders. Zijn blik ging naar Raisa op de eerste rij. Ze was op Austin geconcentreerd, helemaal in de ban van zijn stem. Hij vroeg zich af of ze ooit met dezelfde bewondering naar hem zou kijken.

Terwijl de laatste noten van het nummer weerklonken, brak er achter in het magazijn tumult uit. Het publiek draaide zich om, maar keek in de duisternis. Leo liep eropaf en deed moeite om te zien waar het geluid vandaan kwam. Uit de duisternis kwam een man naar voren. Hij droeg een MGB-uniform, maar zijn hemd hing los en zijn broek was besmeurd. Hij was er slecht aan toe en stond te wankelen op zijn benen. Het duurde even voordat het tot Leo doordrong dat het Grigori was, zijn protegé.

Leo haastte zich naar hem toe en passeerde andere agenten om hem te onderscheppen. Hij pakte zijn stagiair, die naar alcohol stonk, bij de arm. Hij bevond zich in een hachelijke situatie, maar desondanks leek Grigori Leo niet op te merken. Met hard, traag en onregelmatig handgeklap applaudisseerde hij voor Austin. Toen Leo probeerde hem uit de zaal weg te voeren, gromde Grigori als een wilde hond:

— *Laat me met rust.*

Leo klemde zijn handen om Grigori's gezicht, keek hem in de ogen en sprak hem dringend toe.

— *Verman je. Waar ben je mee bezig?*

Grigori antwoordde:

— *Ga uit de weg!*

— *Luister naar me...*

— *Naar je luisteren? Ik wou dat ik je nooit een woord had horen zeggen.*

— *Wat is er met je gebeurd?*

— *Met mij niks! Maar met iemand anders wel, Leo. Met die kunstenares, Polina, weet je nog? De vrouw van wie ik hou? Ze hebben haar gearresteerd. Ook al heb ik niet gedaan wat je zei en heb ik die gewraakte pagina eruit gescheurd.*

Grigori stak de dagboekpagina omhoog, de pagina met het tekeningetje van het Vrijheidsbeeld.

— *Al stond er niets in dat dagboek, ze hebben haar gearresteerd. Al heb ik niet gedaan wat je zei en heb ik de pagina eruit gescheurd, toch hebben ze haar gearresteerd!*

Hij herhaalde zichzelf, sprak met dubbele tong en reeg zijn zinnen aaneen alsof ze een lied vormden. Leo probeerde hem het zwijgen op te leggen:

— *Dan zullen ze haar vrijlaten en is de zaak afgehandeld.*

— *Ze is dood!*

Hij schreeuwde het uit. Een groot deel van het publiek keerde zich van Austin af en keek naar Grigori. Hij praatte door, maar nu op fluistertoon.

— *Ze hebben haar gisteravond gearresteerd. Ze heeft het verhoor niet overleefd. Een zwak hart, zeiden ze tegen me. Een zwak hart… een zwak hart! Was dat haar misdaad, Leo? Als dat een misdaad is, moet je mij ook arresteren. Arresteer me, Leo. Arresteer me. Beschuldig me ervan dat ik een zwak hart heb. Ik heb liever een zwak hart dan een sterk hart.*

Leo voelde zich misselijk worden.

— *Grigori, je bent boos. Luister naar me…*

— *Je blijft maar vragen of ik naar je wil luisteren. Maar dat doe ik niet, Leo Demidov, ik zal niet naar je luisteren! Ik vind je stemgeluid weerzinwekkend.*

Andere agenten kwamen steeds dichterbij, ook in het publiek stond een aantal op. Grigori schoot naar voren, rende het trapje op, voor het orkest langs, op Austin af. Leo rende achter hem aan het trapje op, maar bleef vlak voor het podium staan. Als hij zou proberen Grigori weg te laten gaan, zouden ze slaags raken. De camera's snorden. Duizenden keken toe.

Grigori stond te knipperen in het licht van de schijnwerpers. Hij wilde de waarheid uitschreeuwen. Hij wilde de zaal vertellen dat er een onschuldige vrouw was vermoord. Maar toen hij de gezichten zag van degenen die op de voorste rijen zaten, begreep hij dat ze het al wisten – niet dat Polina dood was, maar dat ze haar verhaal kenden, dat ze het al vele keren hadden gehoord. Ze hoefden het van hem niet nog een keer te horen. Ze wilden het niet horen. Er was niemand die hem wilde horen spreken. Ze waren niet bezorgd om hem, ze waren bang voor hem, alsof hij een ziekte onder de leden had waarmee hij hen zou kunnen besmetten. Hij was een gek, een man die op een podium ging staan en zichzelf kwetsbaar maakte – een zelfmoordenaar. Wat hij deed had niets nobels. Wat maakte het uit of hij de waarheid sprak? Het was een nutteloze, gevaarlijke waarheid. Hij keek de man aan met wie hij het podium deelde, de beroemde Jesse Austin. Waar had Grigori op gehoopt? Misschien had hij gehoopt dat een man die vol dromen zat over dit land, als hij de waarheid zou horen, een verandering zou ondergaan en zich van verdediger tot criticus zou ontwikkelen. Dat zou een zware slag zijn voor het regime en een passende wraak voor de moord op Polina. Maar toen hij in Austins ogen keek, besefte hij dat deze man de waarheid niet wilde weten.

Austin sloeg een arm om Grigori's schouders en zei tegen het publiek:

— *Ik weet niet of hij een bewonderaar van me is of iemand die vind dat ik mijn mond moet houden!*

Er werd gelachen. Met dubbele tong, dronken maar uitgeput en verslagen, wist Grigori uit te brengen:

— *Kameraad Austin.*

Grigori haalde de dagboekpagina tevoorschijn.

— *Wat betekent dit voor u?*

Austin pakte de pagina aan en bekeek het tekeningetje. Hij wendde zich tot het publiek.

— *Onze vriend heeft mij een tekening gegeven van het belangrijkste symbool van onze tijd. Het is het Vrijheidsbeeld in New York. Dat beeld daar in mijn land is een belofte van de dingen die komen gaan – een toekomst in vrijheid voor iedere man en vrouw, ongeacht afkomst of ras. Jullie vrijheid hier is écht.*

Grigori stond te huilen, omringd door mensen en toch alleen. Hij herhaalde de woorden van Austin en riep, hoorbaar tot achter in de zaal:

— *Onze vrijheid hier is écht!*

Op het trapje naar het podium pakte een agent Leo bij zijn arm.

— *Doe iets! Los dit op!*

— *Wat kan ik doen? Wil je dat ik het podium op ga?*

— *Ja!*

Leo maakte aanstalten erop af te lopen, maar Austin schudde zijn hoofd om aan te geven dat hij het zou afhandelen. Hij begon aan een ander nummer. Het zou pas helemaal aan het slot worden uitgevoerd, als finale, maar Austin voelde aan dat hij de onderbreking met tact moest opvangen en haalde het naar voren. Het was de Internationale, het strijdlied van de communisten.

Ontwaakt, verworpenen der aarde! Ontwaakt, verdoemden in hongers sfeer!

Velen in het publiek stonden meteen op. De rest volgde snel, en toen begreep Leo waarom Austin dit lied had gekozen om de ordeverstoring te maskeren. Het publiek kende de tekst. Het gezang klonk aanvankelijk weliswaar aarzelend, maar dat was alleen omdat de mensen niet zeker wisten of ze wel mee moesten zingen. Maar toen Austin hen aanmoedigde, klonk het steeds luider, totdat elke man en vrouw zo hard mogelijk stond te zingen, misschien uit vrees dat hun loyaliteit aan de staat afgemeten zou worden aan hun volume, of misschien uit vrees dat als ze zich niet schor zouden zingen, zij net zo'n vreemde, droevige figuur zouden worden als Grigori. Leo zong ook, maar halfslachtig, en was ondertussen gepreoccupeerd met zijn stagiair, die zijn ondergang tegemoet ging. De jongeman had tranen in zijn ogen, die glinsterden in het licht van de felle schijnwerpers. Ook hij zong:

Makkers, ten laatsten male, tot den strijd ons geschaard, en d'Internationale zal morgen heersen op aard!

Austin beëindigde het lied na het eerste refrein. Toen de laatste woorden wegstierven, brak er in het hele auditorium een luid applaus uit. Agenten liepen het podium op en applaudisseerden met een valse glimlach op het gezicht om hun moorddadige bedoelingen te verbergen, terwijl ze Grigori stap voor stap verder insloten. Zich hiervan niet bewust stond Grigori te zwaaien naar een punt in de verte, naar denkbeeldige vrienden, de nieuwe wereld vaarwel zeggend.

Leo voelde weer iemand aan zijn arm rukken. Het was Raisa. Ze was van haar stoel opgestaan en had zijn arm gepakt. Het was de eerste keer dat ze hem aanraakte. Ze fluisterde:

— *Alsjeblieft Leo, help die man.*

Leo zag angst in haar ogen, ongetwijfeld voor het lot van Grigori, maar ook voor dat van haarzelf. Ze was bang. Die angst had haar naar hem gevoerd. Leo wist eindelijk wat hij te bieden had – veiligheid en bescherming. Het was niet bepaald een groot geschenk, maar misschien zou het in deze gevaarlijke tijden genoeg zijn, genoeg om een thuis te creëren, genoeg om een vrouw tevreden te stellen, genoeg om iemand van hem te laten houden. Hij legde zijn hand op de hare en zei:

— *Ik zal het proberen.*

Vijftien jaar later

Moskou
Novye Tsjerjomoesjki
Chroesjtsjovs sloppenwijk
Appartement 1312

24 juli 1965

Leo Demidovs overhemd was doornat van het zweet toen hij de trap op ging, en daar waar het aan zijn rug en buik kleefde, was het doorzichtig. Bij elke beweging van zijn tenen sijpelde het vocht uit zijn sokken. De kapotte lift stond op de begane grond met de deur halfopen, terwijl het licht binnenin flakkerde als de ogen van een stervend dier. Hij moest dertien trappen op, maar kwam onderweg niemand anders tegen. Het had iets griezeligs dat het midden op de dag zo stil was in een flatgebouw. Geen spelende kinderen in de gangen, geen moeders met boodschappentassen, geen dichtslaande deuren of ruziënde buren – het geroezemoes van het gewone leven werd gedempt door de hittegolf die nu al zes dagen aanhield. In woningbouwprojecten die op deze manier waren gebouwd, werd de warmte door het beton vastgehouden zoals een vrek goud oppot. Bovengekomen bleef Leo even staan om op adem te komen, alvorens zonder dat een van de andere bewoners van de verdieping hem zag appartement 1312 binnen te gaan.

Terwijl hij zijn blik door de kleine flat liet gaan, pulkte hij het overhemd van zijn romp alsof het een verzameling bloedzuigers was die zich aan hem te goed deden. Hij liep de huiskamer door naar de keuken en stak zijn hoofd onder de koude kraan. Er was maar weinig druk en het water was teleurstellend lauw. Toch gaf het een prettig gevoel, en hij bleef in dezelfde houding staan en liet de af en toe haperende stroom over zijn wangen, lippen en oogleden gaan. Toen draaide hij de kraan dicht; het water droop van zijn gezicht en sijpelde langs zijn hals. Toen hij het kleine raam opendeed, merkte hij dat de scharnieren klemden, al was het gebouw maar een paar jaar oud. Er stond buiten geen zuchtje wind, en de hitte leek als een blok om het gebouw heen te hangen. De identieke woontoren waar hij op uitkeek glinsterde als een fata morgana, met in het zonlicht de trillende omtrekken van duizenden ramen. Het appartement was in bijna alle opzichten typisch te noemen. Er was maar één kleine slaapkamer, en bijgevolg was, om een extra slaapplaats te creëren, in de huiskamer een afscheiding geïmproviseerd. Zo'n afscheiding was in veel huishoudens gebruikelijk: omwille van de privacy was van muur tot muur een lijn gespannen, met eroverheen een laken, zodat twee smalle eenpersoonsbedden vanuit de keuken niet te zien waren. Leo liep van de gemeenschappelijke ruimte naar het afgeschoten slaapgedeelte. Ze hadden hun koffers gepakt; naast elk bed stond er één, klaar voor het vertrek. Hij voelde hoeveel ze wogen. Ze waren beide zwaar, de een was aanmerkelijk zwaarder dan de andere. Door de honderden huiszoekingen die hij in de loop van vele jaren had verricht, had hij een goed gevoel ontwikkeld voor ongerijmdheden. Iemands woning onthulde diens geheimen, op dezelfde manier als waarop je kon zien of een verdachte schuldig was – en in beide gevallen waren het de kleine details die iemand verrieden. In een appartement zou zo'n aanwijzing een laagje stof kunnen zijn, krasjes op de vloer of een enkele vingerafdruk op een bureau. Leo's aandacht ging naar een van de bedden. Met deze enorme hitte lagen er geen dekens op, maar alleen een dun laken, waardoor de matras goed te zien was. De matras bolde iets op, bijna onzichtbaar en de aandacht nauwelijks waard, behalve voor iemand die bij de geheime dienst was opgeleid.

Afgaande op zijn intuïtie liep Leo de slaapruimte in en stak zijn hand onder de matras. Zijn vingers raakten iets hards. Hij trok het eronder vandaan. Het was een schrift met een harde kaft. Er stond niets op, geen titel of afbeelding. Het was niet zo'n dun, goedkoop schrift zoals schoolkinderen gebruiken. Het papier was duur. De rug was gestikt. Hij draaide het om en keek hoeveel pagina's beduimeld waren. Het schrift was voor de helft volgeschreven, misschien wel tweehonderd pagina's. Hij liet het bungelen en schudde eraan. Er viel niets uit. Toen hij klaar was met zijn eerste onderzoek, sloeg hij het open op de eerste pagina. Het handschrift was netjes, klein, nauwkeurig, en het was in potloodschrift, waarbij de punt van het potlood steeds scherp was gehouden. Er waren een paar vage plekken waar er woorden weg waren gegomd en iets anders was opgeschreven. Er was tijd en zorg aan besteed. Hij had in zijn leven vele dagboeken bekeken. Vaak waren de notities in haast opgeschreven en waren de woorden zonder veel nadenken neergekrabbeld. Een zorgvuldige formulering was een belangrijke indicatie dat het dagboek waardevolle opmerkingen bevatte.

De eerste aantekening was van een jaar geleden, en Leo vroeg zich af of dat betekende dat de auteur toen begonnen was een dagboek bij te houden of dat er al meer delen aan vooraf waren gegaan. Zijn vraag werd al in de openingszin beantwoord.

Voor het eerst van mijn leven heb ik de behoefte om mijn gedachten vast te leggen.

Leo sloeg het schrift met een klap dicht. Hij was nu geen geheim agent meer; hij werkte niet in opdracht van de geheime dienst. Dit was niet het appartement van een verdachte – het was zijn eigen huis. En dit dagboek was van zijn dochter.

Op het moment dat hij het dagboek wilde terugleggen op de ondoordachte schuilplaats, hoorde Leo dat de sleutel in de voordeur werd gestoken. In een vlaag van paniek bedacht hij dat hij te weinig tijd had om het boek op dezelfde plaats terug te leggen – hij zou op heterdaad betrapt worden. Hij hield daarom zijn handen, met het dagboek erin, maar op zijn rug. Hij deed een stap in de richting van de deur, weg van het bed, en keek op, als een soldaat in de houding.

Raisa, zijn vrouw, bekeek hem vanuit de deuropening, met haar tas in de hand. Ze was alleen. Ze deed de deur dicht en liep het appartement in, zodat ze in het halfdonker ineens niet meer te zien was. Maar zelfs toen voelde Leo haar onderzoekende blik nog op zich rusten. Zijn wangen gloeiden van schaamte, wat een ander soort warmte was dan die van de hittegolf: een branderig gevoel van binnenuit. Raisa was zijn geweten geworden. Tegen haar kon hij niet liegen, en hij nam maar zelden een beslissing van enig belang zonder na te gaan wat zij ervan zou vinden. Er ging een morele invloed van haar uit, een invloed op zijn emoties die niet minder sterk was dan de werking van de maan op de getijden. Met de ontwikkeling van zijn relatie met Raisa was zijn relatie met de staat afgezwakt – hij vroeg zich af of hij misschien altijd al had vermoed dat dat het geval zou zijn, dat door op haar verliefd te worden, er een einde zou komen aan zijn huwelijk met de MGB. Leo werkte nu als manager van een kleine fabriek en ging daar over de expeditie, waarbij hij bij zijn ondergeschikten de reputatie had verworven een volstrekt redelijk mens te zijn.

Ze kwam dichterbij en liep vanuit het halfdonker het zonlicht in. In Leo's ogen was ze nu zelfs nog mooier dan ze als jonge vrouw was geweest. Ze had lichte rimpeltjes om haar ogen, en haar huid was niet meer zo strak en fragiel als die ooit was geweest. Haar gelaatstrekken waren zachter geworden. Maar Leo hield meer van deze veranderingen in haar verschijning dan van welk ideaalbeeld van jeugdige schoonheid of perfectie ook. Dit waren veranderingen waar hij getuige van was geweest: veranderingen die waren opgetreden terwijl zij samen waren, de merktekens van hun relatie, van de jaren die ze samen hadden doorgebracht en die hem deden denken aan de belangrijkste verandering van allemaal. Ze hield nu van hem. In tegenstelling tot vroeger.

Onder haar blik zag Leo af van zijn voornemen om het dagboek zonder dat zij het zou merken terug te leggen, en in plaats daarvan reikte hij het haar aan. Maar Raisa pakte het niet aan en keek naar het omslag. Hij zei:

— *Het is van Elena.*

Elena was hun jongste dochter van zeventien, die ze in het begin van hun huwelijk hadden geadopteerd.

— *Wat moet jij ermee?*

— *Ik zag het onder de matras liggen.*

— *Had ze het verstopt?*

— *Ja.*

Raisa dacht even na voordat ze vroeg:

— *Heb je erin gelezen?*

— *Nee.*

— *Nee?*

Als iemand die niets wist van verhoren capituleerde Leo al bij de minste druk.

— *Ik heb de eerste regel gelezen en het toen dichtgeslagen. Ik stond op het punt om het terug te leggen.*

Raisa liep naar de tafel en zette haar boodschappentas neer. In de keuken vulde ze een glas met water, draaide voor het eerst sinds ze binnen was Leo haar rug toe, dronk het glas in drie slokken leeg en zette het in de gootsteen, terwijl ze vroeg:

— *Stel dat niet ik maar de meisjes waren thuisgekomen. Ze ver-*

trouwen je, Leo. Het heeft lang geduurd, maar ze vertrouwen je nu.
Wou je dat op het spel zetten?

Vertrouwen was een eufemisme voor liefde. Het was niet duidelijk of Raisa alleen sprak over hun geadopteerde dochters, of dat ze het indirect ook had over haar eigen emoties. Ze vervolgde:

— *Waarom zou je hen aan het verleden herinneren? Aan degene die je vroeger was? En aan het werk dat je vroeger deed? Je hebt er zoveel moeite voor gedaan om dat verleden achter je te laten. Het speelt in ons gezin geen rol meer. Eindelijk zien de meisjes je als hun vader, niet als een geheim agent.*

Er klonk iets berekenends en wreeds door in haar reactie, in de manier waarop ze over hun gezamenlijke verleden uitweidde. Ze was boos op hem. Ze kwetste hem. Nu pas raakte Leo opgewonden, gekwetst door haar opmerkingen.

— *Ik zag dat er iets onder de matras verborgen was. Wie zou dan niet nieuwsgierig zijn? Zou niet elke vader hebben gedaan zoals ik?*

— *Maar jij bent niet elke vader.*

Ze had gelijk. Hij zou nooit een gewone echtgenoot zijn. Hij zou nooit een gewone vader zijn. Hij moest bedacht zijn op het verleden, net zoals hij vroeger bedacht had moeten zijn op vijanden van de staat. Hij zag aan Raisa dat ze spijt had. Ze zei:

— *Dat had ik niet moeten zeggen.*

— *Raisa, ik zweer het je, ik heb het dagboek opengeslagen als een vader die bezorgd is om zijn gezin. Elena gedraagt zich de laatste tijd vreemd. Is je dat niet opgevallen?*

— *Ze is nerveus over de reis.*

— *Maar is meer. Er is iets mis.*

Raisa schudde haar hoofd.

— *Niet dit weer.*

— *Ik wil niet dat je gaat. Ik kan het niet helpen dat ik dat vind. Deze reis…*

Raisa onderbrak hem.

— *We hebben een besluit genomen. Alles is geregeld. Ik weet hoe je over de reis denkt. Je was er vanaf het begin tegen, maar zonder te zeggen waarom. Ik vind het jammer dat je niet meegaat. Ik zou het fijn vinden als jij daar ook was. Ik zou me meer op mijn gemak voelen met jou naast me. Ik heb erop aangedrongen dat je mee zou gaan, maar het kon niet. Meer kan ik niet doen. Of het zou moeten zijn dat ik me op het laatste moment zonder opgave van redenen terugtrek, maar dat zou veel gevaarlijker zijn dan wel gaan, tenminste in mijn ogen.*

Raisa wierp een blik op het dagboek. Ook zij was aan de verleiding ten prooi.

— *Leg dat dagboek nou alsjeblieft terug.*

Leo wilde het eigenlijk niet loslaten en omklemde het.

— *Het eerste wat ze erin heeft opgeschreven zit me dwars...*

— *Leo.*

Raisa had haar stem niet verheven. Dat hoefde ze niet.

Hij legde het dagboek terug, stopte het goed onder de matras, met de rug naar zich toe, ongeveer een halve armlengte van de rand – in exact dezelfde positie als waarin hij het had aangetroffen. Hij hurkte neer en keek goed of de matras er in enig opzicht anders bij lag. Toen hij klaar was, deed hij een stap achteruit van het bed, in het bewustzijn dat Raisa al die tijd naar hem had staan kijken.

De volgende dag

Leo kon niet slapen. Over een paar uur zou Raisa het land verlaten. Alleen in uitzonderlijke omstandigheden waren ze ooit langer dan een dag van elkaar gescheiden geweest. Hij had gestreden in de Grote Vaderlandse Oorlog – was als oorlogsheld onderscheiden voor betoonde moed – maar het vooruitzicht om alleen te zijn verontrustte hem. Hij draaide zich op zijn zij en luisterde naar haar ademhaling. Hij beeldde zich in dat ze voor hen beiden ademde en synchroniseerde zijn eigen ademhaling met de hare. Langzaam stak hij zijn hand uit en legde die voorzichtig op haar zij. In haar slaap reageerde ze op zijn aanraking door zijn hand te pakken en die als iets kostbaars tegen haar buik te houden. Na een zacht kneepje werd haar ademhaling weer regelmatig. Dat hij zich zo druk maakte over de reis had hoogstwaarschijnlijk te maken met het feit dat hij niet wilde dat ze weg zou gaan. Het zou kunnen dat zijn bezorgdheid over de voorgenomen reis, de argumenten die hij naar voren had gebracht waarom ze thuis zou moeten blijven en zijn adviezen slechts op egoïstische motieven stoelden. Hij gaf de hoop op dat hij misschien nog even zou kunnen slapen, al was het maar een uurtje, en glipte het bed uit.

Toen hij in het donker zijn weg zocht, stootte hij tegen haar koffer, die ingepakt en wel aan het voeteneind van het bed stond, klaar voor vertrek, alsof hij popelde om te gaan. Hij had de koffer vijftien jaar geleden gekocht, toen hij nog geheim agent was en in de exclusieve winkels terechtkon. Het was een van zijn eerste aankopen nadat hij had gehoord dat hij in zijn functie veel zou reizen. Opgewonden door dit vooruitzicht en trots dat hij zo'n belangrijk man werd gevonden, had hij zijn hele weekloon aan deze koffer uitgegeven, met het beeld voor ogen dat hij kriskras het land door zou reizen, waar de plicht hem ook heen voerde. Die trotse, jonge, ambitieuze man was nu een vreemde voor hem. De paar luxeartikelen die hij destijds had verzameld, waren bijna allemaal verloren gegaan. De koffer, die achter in een kast stof had staan verzamelen, was alles wat er uit die tijd was overgebleven. Hij had hem willen weggooien, met het idee dat zijn vrouw die beslissing zou toejuichen. Maar hoewel ze slechts afkeer voelde voor zijn vroegere werk, had Raisa hem de luxe van zo'n symbolisch gebaar niet toegestaan. Met hun huidige loon zouden ze nooit in staat zijn om er nog zo een te kopen.

Hij keek op zijn horloge en hield het voor het raam, waar het maanlicht erop viel. Vier uur in de ochtend – nog maar een paar uur, dan zou hij met zijn gezin naar de luchthaven gaan, afscheid van hen nemen en zelf in Moskou blijven. In het donker kleedde hij zich aan en sloop de slaapkamer uit. Toen hij de deur opendeed, zag hij tot zijn verrassing zijn jongste dochter in het donker aan de keukentafel zitten. Ze had haar handen voor zich gevouwen alsof ze bad en was diep in gedachten verzonken. Elena was zeventien en in Leo's ogen een wonder: ze leek niet in staat tot haat of kwaadaardigheid, en ze had weinig littekens op haar ziel, in tegenstelling tot Zoya, zijn oudste dochter, die vaak kortaf, nors en agressief was en al bij de geringste tegenwerking explosief kon reageren.

Elena keek naar hem op. Er ging een rilling van schuldgevoel door hem heen toen hij eraan dacht hij haar dagboek had gevonden, maar toen herinnerde hij zich dat hij het teruggelegd had zonder meer te hebben gelezen dan de openingszin. Hij ging naast haar zitten en fluisterde:

— *Kun je niet slapen?*

Ze keek de kamer door in Zoya's richting. Om te voorkomen dat ze wakker zou worden als hij het licht aandeed, stak Leo een kort stompje kaars aan, goot een beetje was onder in een theeglas en zette de kaars erin vast. Elena zweeg, gehypnotiseerd als ze was door de weerkaatsing van het licht van de vlam. Zijn eerdere constatering dat ze vreemd deed, bleek juist te zijn. Het was helemaal niets voor haar om zo gespannen en terughoudend te zijn. Als dit een gesprek in het kader van een opsporingsonderzoek zou zijn, zou Leo ervan overtuigd zijn geweest dat ze iets in haar schild voerde. Maar Leo was geen agent meer en het ergerde hem dat hij nog steeds dacht in overeenstemming met de disciplines die hem bijgebracht waren. Hij pakte een pak kaarten. Er was de eerstkomende uren niets te doen. Terwijl hij het pak kaarten schudde, fluisterde hij:

— *Ben je zenuwachtig?*

Elena keek hem vreemd aan.

— *Ik ben geen kind meer.*

— *Geen kind meer? Dat weet ik.*

Ze was boos op hem. Hij drong aan.

— *Is er iets mis?*

Ze keek naar haar handen en dacht even na, voordat ze haar hoofd schudde.

— *Ik heb nog nooit gevlogen, dat is alles. Stom eigenlijk.*

— *Je zou het me toch wel vertellen, hè? Als er iets mis was?*

— *Ja, dat zou ik je vertellen.*

Hij geloofde haar niet.

Leo deelde de kaarten en probeerde zichzelf ondertussen – tevergeefs – gerust te stellen dat hij gelijk had gehad toen hij het niet goedvond dat ze deze reis zouden maken. Hij had er voor zover het in zijn vermogen lag bezwaar tegen gemaakt en pas gecapituleerd toen het erop begon te lijken dat hij alleen maar tegen het plan gekant was omdat hijzelf geen toestemming had gekregen om mee te gaan. Zijn besluit om de KGB vaarwel te zeggen had hem een onuitwisbaar stempel op zijn conduitestaat opgeleverd. Het zag er niet naar uit dat hij ooit nog eens de documenten zou krijgen die nodig waren voor een reis naar het buitenland, en het had hem onredelijk geleken dat zij daardoor belemmerd zouden worden in hun reisplannen. De kans om naar het buitenland te gaan was erg klein, en het zou best kunnen dat ze die kans nooit meer zouden krijgen.

Ze hadden nog geen halfuur gekaart toen Raisa in de deuropening verscheen. Ze had een glimlach op haar gezicht, die overging in een geeuw, en ging bij hen zitten, waarmee ze aangaf dat ze mee wilde spelen. Binnensmonds mompelde ze:

— *Ik had ook niet gedacht dat ik de hele nacht zou kunnen slapen.*

Van de andere kant van de kamer klonk een luide, nadrukkelijke zucht. Zoya ging rechtop in bed zitten. Ze trok het laken opzij dat de ruimte in tweeën deelde en keek naar de kaartspelers. Leo verontschuldigde zich meteen.

— *Hebben we je wakker gemaakt?*

Zoya schudde haar hoofd.

— *Ik kon niet slapen.*

Elena zei:

— *Heb je naar ons gesprek geluisterd?*

Terwijl ze naar hen toe liep, glimlachte Zoya naar haar zus.

— *Alleen om te proberen in slaap te vallen.*

Ze ging op de enige vrije stoel zitten. Het was een komisch gezicht, zij vieren met hun verwarde haren, slechts verlicht door een flakkerende kaars. Leo deelde de kaarten. Hij keek hoe zijn gezinsleden de kaarten oppakten. Als het in zijn macht had gelegen, zou hij de tijd stil hebben gezet, de naderende dageraad en de opkomende zon hebben tegengehouden en het moment van afscheid nemen tot in alle eeuwigheid hebben uitgesteld.

Manhattan
Metrostation 2nd Avenue

Dezelfde dag

Osip Feinstein liep langzaam het metrostation uit en slenterde wat rond met het air van een excentrieke heer die het niet meezat in het leven, wat een effectieve pose was omdat ze niet al te ver bezijden de waarheid was. Zijn trage tred was een truc om te kunnen ontdekken of hij gevolgd werd, wat, als dat het geval was, doorgaans werd gedaan door jonge FBI-agenten, die fysiek niet in staat leken zich ontspannen voort te bewegen, maar een stijve, houterige indruk maakten, alsof niet alleen hun overhemd maar ook hun huid gesteven was. Over het algemeen overkwam dat Osip eens per maand, maar het leek hem eerder een routinematige poging tot intimidatie van de FBI dan dat ze stelselmatig achter hem aan zaten. De afgelopen maand was hij echter iedere dag gevolgd. Dat ze er zoveel werk van maakten was bepaald spectaculair te noemen. De leden van de Communistische Partij van Amerika meldden een overeenkomstige toename in de activiteiten van de FBI. Osip had medelijden met hen. De overgrote meerderheid liet zich niet in met spionage. Het waren gelovigen die droomden van revolutie, gelijkheid en rechtvaardigheid – leden en aanhangers van een legitieme politieke partij. Dat het communisme geen misdaad was, maakte geen verschil. Hun politieke trouw had tot gevolg dat hun leven zich onder intensief toezicht afspeelde. Ze werden lastiggevallen met beschuldigingen. Hun werkgevers kregen dossiers toegespeeld met niets anders dan speculaties wat hun werknemers betrof, met inlichtingen over wat ze in hun vrije tijd deden, en met uiteindelijk de conclusie:

Een bedrijf of onderneming wordt beoordeeld naar het gedrag van de werknemers.

Daaronder stond dan een telefoonnummer. Elke werkgever werd verzocht om voor de overheid te spioneren. Tot dit moment waren dit jaar drie mannen hun baan kwijtgeraakt. Eén had een zenuwinzinking gekregen toen zijn gezin en zijn vrienden en vage kennissen voor verhoor waren opgebracht. Een vrouw ging haar huis niet meer uit omdat ze zeker wist dat ze werd geschaduwd. Osip bleef staan, keek achterom en bestudeerde de mensen achter zich. Geen van hen was stil blijven staan of keek naar hem. Hij stak abrupt de straat over en wandelde in traag tempo door, om na een paar honderd meter er ineens flink de pas in te zetten. Hij sloeg een andere straat in, en toen nog eens, zodat hij bijna weer terug was op zijn vertrekpunt. Hij bekeek de mensen achter zich opnieuw voordat hij doorliep.

De locatie waar de bijeenkomst gehouden werd, was een lelijk laagbouwpand waarin het bloedheet was door de zomerzon en die vol zat met vermoeide immigranten, net als hij. Hoewel, misschien toch niet net als hij: hij betwijfelde of velen van hen als spion werkten, maar je wist het nooit zeker. Bij de ingang was het druk, buiten in de zwoele avond hingen veel mensen rond. Osips kleding oogde toepasselijk versleten en zijn gezicht had een grauwe kleur. Niemand schonk enige aandacht aan hem, misschien omdat hij niet uit de toon viel; of misschien liet het lot van een haveloze man van zevenenvijftig iedereen koud. Hij ging het appartementencomplex binnen, en terwijl hij door de gangen liep voelde zijn overhemd steeds plakkeriger aan van het zweet. Het was een klamme avond, en de vieze, bedompte lucht hing om hem heen als een lijkwade. Hijgend liep hij de trap op naar de zesde verdieping. Hij had zich er al niet veel van voorgesteld, maar hij verbaasde zich erover hoe afschuwelijk het hier was. De muren waren vlekkerig, alsof het hele gebouw ziek was en leed aan een soort huiduitslag. Hij klopte aan bij appartement nummer 63. De deur kon je zo openduwen.

— *Hallo?*

Er kwam geen antwoord. Hij duwde de deur helemaal open.

Het laatste licht van de ondergaande zon werd gefilterd door de vuile vitrage en wierp scheve schaduwen in de kamer. Een smalle gang langs een smalle badkamer leidde naar een smalle slaapkamer.

Er stonden een eenpersoonsbed, een opklaptafel en een stoel. Aan het plafond hing een kaal peertje. Het beddengoed was in maanden niet verschoond en glom van het vet. Er hing een benauwende geur. Osip trok de stoel bij en ging zitten. Bedwelmd door de zware, warme lucht deed hij zijn ogen dicht en viel in slaap.

In het vage bewustzijn dat er nog iemand in de kamer was, werd Osip op een gegeven moment wakker. Hij ging rechtop zitten en deed zijn mond dicht. Er stond een man bij de deur. De zon was al onder. Het licht van het plafondlampje was zwak. Osip wist niet zeker of de man het aan had gedaan of dat het al aan was geweest. De man deed de deur op slot. Hij had een sporttas van craquelé leer in zijn hand. Hij liet een onderzoekende blik door de kamer gaan, naar het vettige beddengoed. Aan de walging op zijn gezicht te zien was het appartement duidelijk niet van hem. De man trok het dekbed naar zich toe voordat hij op de rand van het bed ging zitten. Hij was achter in de dertig, begin veertig, en alles aan hem was groot: zijn armen, zijn benen, zijn borst en zijn gelaatstrekken. Hij zette de tas op zijn knieën, ritste hem open, haalde er iets kleins uit en gooide dat Osip toe, die het opving. In zijn hand hield hij een pakje opium. In een beweging die hij in de loop van vele jaren had geperfectioneerd, liet hij het pakje in een binnenzak van zijn jasje glijden, waar een gaatje in zat, zodat het in de voering viel. Veel agenten waren verslaafd aan het een of ander, sommige aan gokken, andere aan alcohol. Liggend op zijn rug rookte Osip de meeste avonden opium, waarbij hij het heerlijkste gevoel ervoer dat er was: de totale leegte. Zijn afhankelijkheid van het verdovende middel diende ook een secundair doel. Zijn superieuren en degenen die in de Sovjet-Unie zijn activiteiten in de gaten hielden werden er minder achterdochtig door. Zijn verslaving gaf hun het gevoel dat ze hem in de hand hadden. Dat ze hem bezaten. Dat hij van hen afhankelijk was. Zijn codenaam was Brown Smoke. Hoewel de naam een zekere minachting impliceerde, was Osip erop gesteld. Hij leek er een indiaan door, wat voor een spionerende immigrant wel iets ironisch had, dacht hij.

Het was twijfelachtig of deze man een geheim agent van de FBI was. Hij had geen woord gezegd. Een geheim agent zou in zijn zenuwachtigheid inmiddels al talloze verhalen hebben opgehangen. Hij stak zijn hand voor de tweede keer in de tas. Osip boog zich voorover, nieuwsgierig wat hij nu tevoorschijn zou halen. Het was een camera met een zoomlens. Osip zei:

— *Is die voor mij?*

De man gaf geen antwoord maar zette de camera op de tafel. Osip zei:

— *Ik denk dat er sprake is van een misverstand. Ik doe geen veldwerk.*

De stem van de man was grof en laag en klonk meer als een gegrom dan als menselijke spraak.

— *Als je geen agent bent, wat ben je dan wel? Je levert ons geen bruikbare informatie. Je beweert dat je spionnen opleidt. Maar die spionnen leveren ook niks op.*

Osip schudde zijn hoofd en deed alsof hij verontwaardigd was.

— *Riskeer ik mijn leven, en dan...*

— *Een gering risico voor een man die niets te verliezen heeft. Je doet zo weinig mogelijk, daar ben je een expert in. Maar dat is niet eeuwig vol te houden. Je hebt vele duizenden dollars van ons gekregen, maar waarvoor?*

— *Ik ben graag bereid om te bespreken wat ik nog meer kan doen voor de Sovjet-Unie.*

— *Dat is al besproken. We hebben al besloten wat jij moet gaan doen.*

— *Dan zou ik adviseren de eisen af te stemmen op mijn vaardigheden.*

De man krabde aan zijn borst en keek toen naar zijn nagels, die verrassend lang en brandschoon waren.

— *Er staat iets belangrijks te gebeuren. Voor het welslagen daarvan moeten er twee dingen worden gedaan. Jij hebt een camera gekregen, en ik zal je laten zien wat ík heb gekregen.*

De man legde een pistool op tafel.

In het luchtruim boven New York

Dezelfde dag

Het wolkendek dreef zo fraai uiteen dat het leek alsof een onzichtbare hand een gordijn wegtrok om de stad New York aan het publiek in het rondcirkelende vliegtuig te tonen. Manhattan was als door een stemvork omsloten door rivieren, en de talloze legendarische wolkenkrabbers lagen er zo keurig gerangschikt bij dat de stad een geheel uit rechte lijnen bestaande meetkundige figuur leek. Raisa had wel verwacht dat New York vanuit de lucht gezien groot zou zijn, een kolos van staal met zich mijlenlang uitstrekkende achtbaanswegen, waarop de auto's als colonnes mieren voortkropen, en nu ze voor het eerst in haar leven Amerika zag, hield ze haar adem in, als een avonturier die eindelijk zijn legendarische bedevaartplaats bereikt en een mythe werkelijkheid ziet worden. Het was niet alleen de eerste keer dat ze een glimp opving van het continent, het was ook de eerste keer dat ze had gevlogen en de eerste keer dat ze überhaupt een stad vanuit de lucht zag. Het was als een droom, hoewel Raisa niet had kunnen dromen hier ooit te zullen komen. Haar dromen, die nooit buitensporig waren geweest, hadden zich altijd afgespeeld binnen de landsgrenzen van de Sovjet-Unie. Dat ze eens naar Amerika zou gaan, was nooit in haar hoofd opgekomen. Natuurlijk had ze weleens nagedacht over de staat die door de regering van haar land werd afgeschilderd als de belangrijkste tegenstander en een maatschappij die een toonbeeld was van corruptie en moreel verval. Ze had nooit een absoluut geloof gehecht aan deze beweringen. Als lerares had ze af en toe op een toon die woede en verontwaardiging uitdrukte over de Verenigde Staten moeten praten, en ze was altijd bang geweest dat haar leerlingen haar zouden aangeven als ze haar uitspraken over de Verenigde Staten zou afzwakken. Maar of ze er geloof aan had gehecht of niet, al die leugens moesten haar hebben beïnvloed. Deze stad en dit land waren in de eerste plaats begrippen, door het Kremlin in het leven geroepen abstracties, geen in de realiteit bestaande plekken op aarde, maar door het Kremlin aangestuurde fantasiebeelden. De media in de Sovjet-Unie mochten alleen beelden tonen van gaarkeukens met rijen werklozen, met daarnaast foto's van de grote villa's van de rijken en mannen wier buik maar ternauwernood omspannen werd door hun dure maatpak. Na al die jaren dat dit alles voor haar een mysterie was geweest, strekte de stad zich nu voor haar uit, open en bloot als een patiënt op een operatietafel, toegankelijk, niet met commentaar erbij, zonder vooringenomenheid en niet begeleid door kritische propaganda.

Raisa was ineens bang dat ze er verkeerd aan had gedaan haar dochters mee te nemen naar deze vreemde, nieuwe wereld en keek naar Elena, die naast haar door het raampje van het rondcirkelende vliegtuig tuurde.

— *Wat vind je ervan?*

Elena was zo opgewonden dat ze de vraag niet hoorde. Raisa tikte op haar schouder en zei:

— *De stad is kleiner dan ik had verwacht.*

Elena draaide zich om en kon niets anders uitbrengen dan:

— *We zijn er nu echt!*

Ze richtte haar aandacht weer op wat er door het raampje te zien was en keek neer op de stad. Raisa stond op en keek over de rug van haar stoel naar haar oudste dochter in de rij achter haar. Ook Zoya zat met haar neus tegen het raam, als een klein kind dat niets wil missen. Raisa ging weer zitten, gerustgesteld dat ze er goed aan had gedaan hen mee te nemen naar New York – het was een buitenkansje.

De piloot kondigde aan dat ze de luchthaven naderden en vertelde dat men al bezig was met de voorbereidingen voor hun aankomst, waarbij ongetwijfeld een soort ceremonie zou plaatsvinden. Tijdens een uitgebreide plechtigheid bij hun vertrek uit Moskou hadden ze te horen gekregen dat de piloot dezelfde was die Chroesjtsjov naar de Verenigde Staten had gevlogen voor zijn bezoek in 1959 en dat de premier gebruikmaakte van ditzelfde vliegtuig, een van de weinige vliegtuigen die zo'n afstand konden overbruggen zonder te hoeven tanken. Uit bezorgdheid om de beeldvorming in het buitenland had het Kremlin erop gestaan dat de delegatie in het modernste toestel ter wereld in New York zou aankomen.

Terwijl de Toepolev 114 een rondje over zee maakte ter voorbereiding van de landing op JFK zag Raisa onder de onderste punt van Manhattan een kleiner eilandje liggen. Ze zette haar vinger op het raam en zei tegen Elena:

— *Zie je dat?*

Elena zat nog steeds vlak voor het raampje, bang dat ze misschien een van die wonderbaarlijkheden zou missen.

— *Ja, ik zie het. Wat is het?*

Raisa kneep in haar dochters arm.

— *Daar staat het Vrijheidsbeeld.*

Voor het eerst sinds de wolken uit elkaar dreven, draaide Elena zich om.

— *Wat is dat?*

Elena was zeventien en wist niets van de stad waar ze zo zou aankomen. Raisa was zelf wel bereid geweest haar leven op het spel te zetten met het lezen van verboden boeken en illegaal ingevoerde tijdschriften, maar ze zou het nooit hebben goedgevonden dat haar dochters die zouden lezen. In het conflict tussen haar instinct als lerares en dat van de beschermende moeder had de moeder het telkens gewonnen. Ze had haar dochters in de luwte gehouden en hen afgeschermd van alles wat hun kwaad zou kunnen doen. Bij wijze van uitleg zei ze alleen maar:

— *Het is een bekend oriëntatiepunt in New York.*

Toen ze de opgewonden gezichten zag van de Russische jongeren die het vliegtuig vulden, moest Raisa voor zichzelf erkennen dat ze een mengeling van trots en bezorgdheid voelde. Ze was nauw betrokken geweest bij de planning en voorbereiding van deze reis, en die functie was haar niet toegevallen dankzij haar politieke connecties. Integendeel eigenlijk: ze had serieuze bedenkingen die in verband met haar verleden tegen haar waren opgeworpen moeten ontzenuwen. Leo werd in het complexe Moskouse politieke landschap als een paria beschouwd: hij had zijn reputatie onherstelbare schade toegebracht door te weigeren om nog langer voor de geheime dienst te werken. In de afgelopen tien jaar was hij niet op de voorgrond getreden, terwijl zij in het onderwijs een steeds prominenter positie had ingenomen. Ze was gepromoveerd tot directeur van haar middelbare school en had in die functie vaak deelgenomen aan bijeenkomsten op het ministerie over onderwerpen als het alfabetiseringniveau. Op haar school waren verbeteringen tot stand gekomen die ze zou hebben afgedaan als propaganda als ze er zelf niet bij betrokken was geweest. Het was een vreemde wisseling van carrières. Leo, ooit een machtig man met goede connecties, was nu geïsoleerd en kwam maatschappelijk niet meer vooruit, terwijl zij carrière had gemaakt en steeds meer toegang had tot de machthebbers. Van jaloezie was echter nooit sprake geweest. Hij was nu veel gelukkiger dan ze hem ooit had gekend. Hij hield van zijn gezin en leefde ervoor. Hij was bereid voor hen te sterven, daar twijfelde ze niet aan. Weer voelde ze de teleurstelling dat hij er niet bij was om deze ervaring met hen te delen. Ze wist niet of hij wel van New York zou genieten, hij zou vrijwel zeker gespannen zijn en voorbereid op complotten en intriges, maar desondanks zou hij het fijn vinden om hier samen met hen te zijn.

Gezien de vijandige sfeer tussen de twee landen was de reis door velen als een naïeve onderneming bestempeld. Een delegatie van jongeren uit de Sovjet-Unie die concerten zou geven in New York en Washington om te proberen de relaties tussen de twee naties te verbeteren – het leek een hersenschim. Nog betrekkelijk onlangs hadden zich ernstige diplomatieke incidenten voorgedaan. De Cubaanse rakettencrisis had de twee landen aan de rand van een nucleaire oorlog gebracht. Andere incidenten, zoals de uitsluiting van de Sovjet-Unie van de wereldtentoonstelling in New York, waren in vergelijking hiermee weliswaar van verhoudingsgewijs geringe betekenis geweest, maar hadden wel bijgedragen aan een verslechtering van de sfeer. De spanningen waren hoog opgelopen. In het licht hiervan was het idee van een bezoek van scholieren bij de overheden aan beide zijden gunstig ontvangen. Aangezien geen van beide landen bereid was om bakzeil te halen als het op belangrijke militaire kwesties aankwam, waren er op het diplomatieke vlak maar weinig mogelijkheden, en al leek het niet veel gewicht in de schaal te leggen, akkoord gaan met deze concerten was een van de weinige concessies waartoe men in beide landen bereid was.

Diplomaten aan beide zijden hadden de officiële doelstelling van de reis, die betiteld was als INTERNATIONALE VREDESREIS VAN SCHOLIEREN, geformuleerd in de vorm van een slogan:

De kinderen van nu hopen tijdens hun leven slechts vrede te kennen.

De Sovjetdelegatie bestond uit jongeren in leeftijd uiteenlopend van twaalf tot drieëntwintig jaar, afkomstig uit alle regio's. Ze zouden worden gekoppeld aan een even groot aantal Amerikaanse jongeren uit alle vijftig staten. Op het podium zouden de deelnemers zich onder elkaar mengen en naast elkaar, hand in hand, optreden voor vooraanstaande diplomaten en media uit de hele wereld. Het was een politiek beladen exercitie, die af en toe het karakter van een komedie had. Er was bijvoorbeeld discussie over of de jongeren naar gewichtsklasse en lengte gerangschikt moesten worden, teneinde daar enig evenwicht in te krijgen en te voorkomen dat de ene dan wel de andere groep op het podium meer of juist minder indruk zou maken. Ondanks dit soort absurditeiten vond Raisa het uitgangspunt bewonderenswaardig. Aanvankelijk had men haar slechts gevraagd om een aantal jongeren te selecteren die hun land het beste zouden kunnen vertegenwoordigen, en gaandeweg was ze enthousiast geworden en steeds meer bij de voorbereidingen betrokken. Onverwachts hadden ze haar gevraagd om de verantwoordelijkheid voor de hele tournee op zich te nemen. Ze had toen gesteld dat ze het niet prettig zou vinden om haar dochters thuis te laten, met als gevolg dat Elena en Zoya mee hadden gemogen. Zoya vond het een probleem om haar land te vertegenwoordigen: ze hield niet van de staat en was een rebelse meid, wat ze soms maar nauwelijks kon verbergen. Ze was overigens slim genoeg om te beseffen dat zo'n gelegenheid om naar Amerika te gaan zich waarschijnlijk nooit meer zou voordoen, en bovendien was het ondenkbaar dat je zo'n aanbod zou weigeren. Ze wilde chirurg worden in een vooraanstaand ziekenhuis en moest dus tonen dat ze een modelburger was. Ze waren getuige geweest van de repercussies die Leo hadden getroffen toen hij geen geheim agent meer wilde zijn. Haar zus Elena had daarentegen geen enkel bezwaar tegen deelname aan de reis: ze vond het reuzespannend en had Raisa gesmeekt om de opdracht aan te nemen.

Het vliegtuig daalde verder, en het gehobbel van het toestel dempte de opwinding van de passagiers. Hier en daar hoorde je een aantal jongeren en ook een enkele leraar zuchten. Gezien hun onervarenheid met reizen waren ze tijdens de vlucht opmerkelijk rustig geweest. Terwijl ze door de verspreide wolken omlaaggingen, pakte

Elena Raisa's hand. Hoe ze het ook bekeek, dit was een bijzonder moment. Niet alleen had Raisa er nooit van gedroomd dat ze ooit nog eens de Verenigde Staten zou bezoeken, ze had ook nooit gedacht dat ze zelf een gezin zou hebben. Als tiener had ze zulke benarde omstandigheden meegemaakt – ze was tijdens de Grote Vaderlandse Oorlog vluchteling geweest – dat het haar grootste zorg was om te overleven. En zelfs nu nog vond ze het een wonder dat ze twee dochters had kunnen adopteren, die ze allebei bewonderde en van wie ze hield.

Bij het neerkomen hing er in de cabine een verbijsterde stilte, alsof ze nog niet konden geloven dat ze vanuit het luchtruim op de grond waren aangekomen. Ze waren nu op Amerikaans grondgebied. De piloot riep om:

— *Kijk eens uit het raam! Aan de rechterkant!*

Ineens maakten ze allemaal hun veiligheidsgordels los, renden naar de rechterkant en keken uit de raampjes. Raisa kreeg van de stewardess de opdracht om iedereen weer zo snel mogelijk zijn plaats te laten innemen. Ze negeerde de opdracht en kon niet nalaten om zelf ook een blik naar buiten te werpen. Buiten stonden duizenden mensen. Ze zag ballonnen en wimpels met opschriften in het Engels en het Russisch.

WELKOM IN AMERIKA!

Raisa zei:

— *Waar komen al die mensen voor?*

De stewardess antwoordde:

— *Die komen voor jullie.*

Het vliegtuig kwam tot stilstand. De deuren gingen open. En zodra dat gebeurde, begon er een schoolbrassband te spelen, waarvan de geluiden in het vliegtuig doordrongen. Met stomheid geslagen stelden de passagiers zich in het gangpad op. Raisa stond vooraan. De brassband stond onder aan de trap en kweet zich met aanzienlijk meer enthousiasme dan vakkundigheid van zijn taak. Raisa werd gewenkt om de trap af te komen en was een van de eersten die voet aan de grond zetten. Opzij van haar stond de pers, misschien wel twintig fotografen stonden daar te flitsen. Raisa wist niet goed wat ze moest doen of waar ze heen moest en draaide zich om. Er was hun gezegd dat ze hun bagage aan boord moesten laten, zodat ze ongehinderd van de ontvangst konden genieten. Ze werden welkom geheten door een comité dat hun glimlachend de hand drukte. Raisa zag apart van de anderen een groepje mannen staan. Ze waren in pak gekleed, hadden hun handen diep in hun zakken gestoken en keken vijandig uit hun ogen. Zonder ook maar een insigne of een pistool te zien, begreep ze dat ze van de Amerikaanse geheime dienst waren.

FBI-agent Jim Yates keek hoe de Sovjetdelegatie zich opstelde in drie keurige rijen, de kleinsten vooraan, de langsten achteraan. Ondanks de muziek, ondanks al het publiek, ondanks de fotografen die hun camera's lieten flitsen alsof het filmsterren waren, glimlachte geen van de kinderen. Ze keken allemaal strak en met toegeknepen lippen voor zich uit. Net machines, dacht hij. Het zijn net machines.

Manhattan
Hotel Grand Metropolitan
44th Street

De volgende dag

Op de vraag wat ze van de concerten vond, haalde Zoya haar schouders op; ze zei dat ze hoopte dat ze goed zouden verlopen, al was het maar omwille van haar moeder. Ze voelde zich er persoonlijk niet bij betrokken en geloofde niet erg in de waarde van de evenementen – de gedachte dat je door het zingen van wat liederen de internationale betrekkingen kon verbeteren was in haar ogen zo naïef dat het eerder komisch leek. Voor zichzelf hield ze vast aan de stelregel dat ze niet betrokken wilde worden bij politiek en ideologie. Ze was in opleiding tot chirurg. Ze had te maken met het menselijk lichaam, met vlees, botten en bloed, niet met ideeën of theorieën. Ze had een vak gekozen waarin naar haar mening zo weinig mogelijk ambiguïteiten een rol speelden: ze zou haar best doen om zieken te helpen en te genezen. Deze concerten zag ze strikt pragmatisch. Ze wilde reizen, dat was de reden dat ze hier was. Ze wilde New York zien. Ze wilde graag Amerikanen ontmoeten. Ze had een beetje Engels geleerd en wilde dat graag gebruiken. En het was ondenkbaar dat ze het zou hebben goedgevonden dat haar zusje Elena op reis zou gaan zonder dat zij een wakend oogje op haar zou houden.

Op de rand van het bed zat Zoya op nog geen meter afstand van de televisie gebiologeerd te kijken naar de Amerikaanse programma's die blijkbaar op elk uur van de dag werden uitgezonden. Het scherm werd omhuld door een glanzende notenhouten kast met de luidspreker aan de ene en een paneel met knopjes aan de andere kant. Het blaadje met instructies dat erbovenop lag, was in het Russisch vertaald. Maar hoe ze ook aan de knoppen draaide of erop drukte, overal waren dezelfde programma's te zien. Tekenfilms zag ze. En er was een programma dat *The Ed Sullivan Show* heette en dat gepresenteerd werd door een man in een pak, Edward Sullivan, met livemuziek gespeeld door bands waarvan ze nog nooit had gehoord. Na afloop werden er weer tekenfilms uitgezonden, met pratende honden en raceauto's die van de rotsen stortten en in een wirwar van gouden en zilveren sterren explodeerden. Zoya kende maar een paar zinnen Engels, maar dat gaf niet, want in de tekenfilms waren nauwelijks dialogen, en in *The Ed Sullivan Show* werd muziek gemaakt, en zelfs wanneer dat niet het geval was, als de presentator aan het woord was, vond ze het fascinerend, ook al begreep ze er niets van. Keken de Amerikanen hiernaar? Kleedden de Amerikanen zich zo? De programma's hadden een hypnotiserend effect op haar. Dat ze televisie in haar slaapkamer had, een slaapkamer met nota bene een eigen badkamer, was zo ongelooflijk dat het zonde leek om er veel tijd slapend in door te brengen.

De tekenfilm was bijna afgelopen. Zoya boog zich gespannen voorover; ze was opgewonden. Beter nog dan de tekenfilms en de muziekprogramma's waren de programma's ertussendoor. Die waren maar kort, niet meer dan een halve minuut per keer. Soms zag je mannen en vrouwen recht in de camera kijken en praten. Ze spraken over auto's, bestek, gereedschappen en hebbedingetjes. Nu was er een die zich in een druk restaurant afspeelde en waarin kinderen lachten terwijl ze grote glazen met ijs, chocoladesaus en fruit geserveerd kregen. Daarna kwam weer een kort filmpje, deze keer met foto's van huizen die veel te groot leken voor één gezin, meer een soort datsja dan een woonhuis. Maar in tegenstelling tot datsja's, die je op het platteland vond, stonden deze grote huizen vaak naast elkaar en hadden ze allemaal keurige gazons met spelende kinderen erop. En bij elk huis stond een auto. Er was ook een programma met apparaten om wortels, aardappelen en prei te snijden en er soep van te maken. Er waren programma's met crèmes voor vrouwen. Met pakken voor mannen. Voor elk klusje was er wel een apparaat, overal waren machines voor, en die waren allemaal te koop. Het was propaganda, alleen niet voor een politiek regime, maar voor een product. Zoiets had ze nog nooit gezien.

Er werd geklopt. Zoya draaide het geluid zachter en deed de deur open. Daar stond Michail Ivanov. Hij was de jongste van hun begeleiders, een man van een jaar of dertig en een van de propagandadeskundigen die aan de delegatie waren toegevoegd. Zijn doel was om ervoor te zorgen dat de jongeren de staat niet in verlegenheid zouden brengen en dat ze niet door de Amerikanen beïnvloed zouden worden. Zoya mocht hem niet. Hij was knap om te zien, ijdel, arrogant en humorloos – een typische partijadept. Hij was drie maanden voordat ze zouden vertrekken bij de reisvoorbereidingen betrokken en had de jongeren enkele uren per week lesgegeven, waarbij hij aandacht had besteed aan de maatschappelijke problemen in de Verenigde Staten en had uitgelegd waarom het communisme superieur was aan het kapitalisme. Hij had hun gelamineerde lijstjes gegeven van zaken waarvoor ze op hun hoede moesten zijn, en ze werden geacht om deze lijstjes in het buitenland steeds bij zich te hebben. Op de lijstjes stonden uitspraken als:

Opzichtige rijkdom van slechts weinigen, achterstelling van velen

Elke keer als Michail iets zei, had Zoya een neiging om te rillen. Ze begreep het principe dat de armen zich aan de periferie van de samenleving bevonden en aan het zicht onttrokken werden en dat het gemakkelijk was om onder de indruk te raken van de symbolen van rijkdom in het centrum van Manhattan. Toch vond ze zijn niet-aflatende nadruk op de partijdogma's vervelend. Van de velen die bij de tournee betrokken waren, wantrouwde ze hem het meest.

Michail beende langs Zoya heen naar de televisie en zette het toestel met een nijdige handbeweging uit.

— *Ik heb je toch gezegd: geen televisie. Het is propaganda. En jij verslindt het. Ze behandelen je alsof je een idioot bent, en jij gedraagt je alsof je het bent.*

Aanvankelijk had Zoya geprobeerd hem zoveel mogelijk te negeren, maar toen dat niet bleek te werken, had ze besloten dat het leuker was om hem te irriteren.

— *Ik kan toch kijken zonder gehersenspoeld te worden.*

— *Heb je nooit eerder televisiegekeken? Denk je dat ze niet goed genoeg hebben nagedacht over de programma's die ze vertonen? Dit is geen televisie waar de Amerikaanse burgers naar kijken – dit is speciaal voor jou, net als de inhoud van die koelkast op je kamer.*

Ze hadden in hun kamer een koelkastje aangetroffen met daarin Coca-Cola, snoep met aardbei- en roomsmaak en chocoladerepen. Op een briefje, dat men zo attent was geweest ook in het Russisch te laten vertalen, werd, met de complimenten van het hotel, uitgelegd dat ze vrijelijk over de inhoud konden beschikken. Zoya had bliksemsnel toegeslagen en alle frisdrank opgedronken alvorens de nog overgebleven chocola op te bergen. Toen Michail aanklopte om de inhoud in beslag te nemen, was het koelkastje al leeg. Hij was in woede uitgebarsten en had de kamer aan een grondig onderzoek onderworpen, maar had niets kunnen vinden, omdat Zoya alle snoep en chocola buiten op de vensterbank had gelegd. Leo zou trots op haar zijn geweest.

Michail kreeg langzamerhand opnieuw een woedeaanval, nu naar aanleiding van de televisie, waarvan hij de stekker uit het stopcontact trok – alsof Zoya die er niet weer in zou kunnen stoppen.

— *Onderschat de werking van hun programma's niet. Ze dienen om het vermogen van de mensen om na te denken te verdoven. Het is ze niet alleen om verstrooiing te doen. Het is een belangrijk wapen om het gezag te handhaven. De burgers van dit land krijgen allerlei idiote vluchtmogelijkheden geboden om te voorkomen dat ze verder vragen.*

Hoewel Zoya ervan genoot om hem te stangen en het heel onderhoudend vond als hij boos was, begon de grap haar al snel te vervelen en liep ze naar de deur om zijn vertrek te bespoedigen. Hij keek de kamer door.

— *Waar is Elena?*

— *In de badkamer. Ze zit te poepen. Om de Amerikanen te beledigen – daar zou je blij om moeten zijn.*

Hij was even in verwarring gebracht.

— *Jij mocht op deze reis alleen maar mee vanwege je moeder. Het was een vergissing om jou mee te nemen. Jij bent heel anders dan je zus. Zorg dat je goed voorbereid bent voor vanavond. Dat concert is belangrijk.*

Toen hij dit had gezegd, ging hij de kamer uit.

Boos om de manier waarop hij haar met Elena had vergeleken, sloeg Zoya de deur dicht. Zoals de meeste partijfunctionarissen probeerde hij te heersen door verdeeldheid te zaaien, in gezinnen en onder vrienden. Niemand was haar zo nabij als haar zusje, en ze zou niet toestaan dat een geheim agent hen uit elkaar dreef. Ze legde haar oor tegen de deur om er zeker van te zijn dat hij weg was. Hij was het type man dat in staat was om op de gang te blijven staan en hen af te luisteren om erachter te komen wat ze over hem zeiden. Toen ze niets hoorde, hurkte ze neer en tuurde ze door de spleet onder de deur. Ze zag geen schaduwen, maar alleen een streep licht.

Toen ze langs de badkamer liep, riep ze naar haar zus:
— *Alles oké met je?*
Elena's stem klonk zwak.
— *Ik kom zo.*
Ze zat er al een tijdje. Zoya stak de stekker van de televisie in het stopcontact, ging op de rand van het bed zitten en zette het toestel weer aan, maar draaide het geluid nu iets zachter. Het kon zijn dat Amerikaanse televisieprogramma's het publiek moesten hersenspoelen, maar alleen iemand die al door het Kremlin was gehersenspoeld, zou daar niet nieuwsgierig naar zijn.

Ook al had ze niets meer in haar maag, Elena had een gevoel alsof ze weer moest overgeven. Ze vulde een glas met water en spoelde haar mond. Ze had een vreselijke dorst, maar ze wist niet of ze zelfs maar één slokje binnen kon houden en spuugde het weer uit. Ze pakte een van de handdoeken, droogde haar gezicht af en probeerde tot rust te komen. Ze schrok ervan hoe bleek ze zag. Ze haalde diep adem. Ze kon hier niet langer blijven.

Ze deed de deur open, liep het halletje in en begon in een kast te rommelen in de hoop dat Zoya aan de televisie gekluisterd zou blijven zitten. Zoya riep:
— *Wat zoek je?*
— *Mijn badpak.*
— *Ga je naar het zwembad?*
— *Ja, daar moet je toch zijn als je wilt zwemmen!*
Elena probeerde met een soort brutaliteit te verbergen dat ze zenuwachtig was, maar dat was niet haar stijl, en de woorden leken in de lucht te blijven hangen. Zoya leek het niet te merken.
— *Wil je dat ik je kom helpen?*
Elena snauwde:
— *Nee!*
Zoya stond op en keek haar zus in de ogen.
— *Wat is er met je?*
Elena had een fout gemaakt door zo kortaf te zijn.
— *Niets. Ik ga even zwemmen. Ik zie je over een uur of twee.*
— *Mama komt terug voor de lunch.*
— *Dan ben ik allang weer terug.*
Met haar sporttas in de hand ging Elena de deur uit.
Op de gang liep ze snel weg van de kamer van haar zus en keek

links en rechts of niemand haar zag. Ze liep niet door naar de lift, maar bleef staan bij kamer 844 en probeerde de deur. Hij was niet op slot. Ze ging naar binnen en deed de deur achter zich dicht. Het was donker in de kamer. De gordijnen waren dicht. Uit het half-duister dook Michail Ivanov op, en hij sloeg zijn armen om haar heen. Ze legde haar hoofd tegen zijn borst en fluisterde:

— *Ik ben er klaar voor.*

Hij legde zijn hand op haar kin en hief haar gezicht op naar het zijne. Hij kuste haar.

— *Ik hou van je.*

Manhattan
Hoofdkantoor van de Verenigde Naties
Hoek 1st Avenue/East 42nd Street

De volgende dag

Dat Raisa zo onder de indruk was kwam niet door de architectuur –
het hoofdkantoor van de Verenigde Naties was niet bijzonder groot
of mooi – maar eenvoudigweg door het feit dat ze hier was. Ze was
nu een volle dag in New York, en de ervaring in het buitenland te
zijn, en nog wel in het land dat in haar eigen land gold als de belangrijkste tegenstander, was overweldigend. Toen ze midden in de
nacht in haar hotelkamer wakker werd, was ze gedesoriënteerd geweest en had ze in haar bed naar Leo getast. Toen hij er niet bleek te
zijn, had ze de gordijnen opengedaan, maar het uitzicht was maar
schamel geweest: een steegje met naast een kantoorkolos een stukje
skyline van de stad – in feite nauwelijks meer dan een aantal ramen
en airconditioningapparaten. Maar ze had er in stomme verwondering naar staan kijken, alsof zich daar een besneeuwd bergland-
schap uitstrekte.

Als het enige lid van haar delegatie die de voorbereidende vergadering zou bijwonen liep ze de hal van de Verenigde Naties in om de
grote vergaderzaal te inspecteren waar die avond het concert zou
worden gegeven. Ze zou het evenement bespreken met belangrijke
Sovjetdiplomaten, de mannen die zich bezighielden met de complexe permanente onderhandelingen met de Amerikaanse autoriteiten. Ze had verwacht dat het een harde confrontatie zou zijn.
Dat ze op elk detail van haar plannen wel wat te zeggen zouden hebben. Het publiek bij het concert van die avond zou bestaan uit gezanten bij de Verenigde Naties, vertegenwoordigers van bijna alle
landen. Het zou dé diplomatieke bijeenkomst zijn van de tournee.
Morgen was er een tweede concert, en dat was bedoeld voor een al-

gemeen publiek. Het zou gefilmd worden, en de film zou overal ter wereld worden uitgezonden. Daarna zou de delegatie per trein naar Washington DC reizen voor nog enkele laatste concerten.

Als onderdeel van de onderhandelingen, die wel iets weg hadden van een schaakspel, hadden de autoriteiten van de Sovjet-Unie erop aangedrongen dat de groep niet meegenomen zou worden op toeristische excursies in New York en Washington. De machthebbers in Moskou wilden graag voorkomen dat er foto's in omloop zouden komen van Russische jongeren die in verwondering opkeken naar de wolkenkrabbers en het Vrijheidsbeeld of die stonden te kwijlen bij het verorberen van hotdogs en koekjes, alsof ze armlastig en uitgehongerd waren. Dat soort foto's zou worden misbruikt. Ondanks de gepropageerde vreedzame bedoelingen maakte men aan beide zijden jacht op een alomvattende voorstelling die de beeldvorming rond de tournee in de ogen van het publiek in hun voordeel zou beslechten – het beeld dat de wereld over zou gaan en dat de mensen zouden onthouden. Dit soort angsten had ertoe geleid dat er aan Sovjetkant twee functionarissen waren aangesteld om het openbare optreden van de groep in goede banen te leiden en elke mogelijk situatie waar zij door hun Amerikaanse gidsen mee geconfronteerd werden te evalueren. Raisa had geen belangstelling voor dit soort spelletjes en ergerde zich eraan dat ze wel in New York was, de enige keer in haar leven dat ze hier waarschijnlijk zou zijn, maar dat veel van de bezienswaardigheden tot verboden terrein waren verklaard. Ze overwoog serieus om 's nachts samen met Elena en Zoya het hotel uit te sluipen en op eigen houtje een excursie met hen te ondernemen. Maar het zou niet meevallen om langs de beveiliging te glippen, en misschien speelde haar instelling als lerares haar ook parten. Het was niet zonder gevaar. Maar voor nu zette ze deze overwegingen uit haar hoofd en concentreerde ze zich op de komende vergadering.

Hoewel ze in Moskou woonde en een prestigieuze baan had, was ze bang om voor een provinciaal te worden aangezien. Van de royale toelage die haar was toegekend had ze zich helemaal in het nieuw gestoken. Voor het eerst droeg ze vandaag haar staalgrijze pakje. Ze voelde zich er ongemakkelijk in, alsof ze de kleren van iemand anders aanhad. Zij en de docenten die mee op reis waren hadden tijdelijk aankopen mogen doen in de exclusieve winkels in Moskou, wat een strikt eenmalige gebeurtenis was geweest, om hen toonbaar voor de dag te laten komen. Maar ze wist niet hoe de mode in het buitenland op dat moment was, en van het personeel dat haar in de winkel had verteld hoe de mensen die het in New York voor het zeggen hadden gekleed gingen, had ze het idee gehad dat ze niet wisten waar ze het over hadden. Het leven van de diplomaten die ze op het punt stond te gaan ontmoeten speelde zich geheel en al af te midden van de meest vooraanstaande mensen ter wereld. Ze zag al voor zich hoe ze de zaal in zou lopen en meteen zou worden geclassificeerd als een vrouw die niet veel in de melk te brokkelen had en zich maar zelden buiten Moskou vertoonde. Ze zouden beleefd en neerbuigend glimlachen, in de volle overtuiging dat ze uit een sfeer van obscuriteit en middelmatigheid afkomstig was om op het internationale podium haar zegje te doen. Eén snelle blik op haar eenvoudige schoenen en de snit van haar jas zou al voldoende zijn. In normale omstandigheden zou het haar niet hebben kunnen schelen wat mensen die ze niet kende van haar uiterlijk vonden. Ze was niet ijdel. Integendeel, ze viel liever niet op. Maar in een situatie als deze moest ze respect kunnen afdwingen. Als ze haar niet vertrouwden, zouden ze geneigd zijn zich tegen haar plannen te verzetten.

In de lift wierp Raisa een laatste blik op zichzelf. De gids zag hoe nerveus ze zichzelf aan een beoordeling onderwierp. Bij de jongeman, vast goed opgeleid, met strak achterovergekamd haar, gekleed in een ongetwijfeld duur pak en met zorgvuldig gepoetste schoenen, kon er met moeite een neerbuigend glimlachje af, als om te bevestigen dat haar angsten volkomen terecht waren: dat haar schoenen te gewoon waren en haar kleren te armoedig, dat haar uiterlijk niet voldeed aan de normen die golden voor hen die in dit gebouw werkzaam waren. En dat alles werd nog verergerd doordat zijn welwillendheid impliceerde dat hij wel begrip had voor haar beperkingen en het haar vergaf. Raisa voelde zich voor de leeuwen geworpen en deed er het zwijgen toe. Ze probeerde zich te vermannen en deed haar best om het incidentje onbelangrijk te vinden toen ze het bureau van de vertegenwoordiger van de Sovjet-Unie bij de Verenigde Naties binnenging.

Twee mannen in onberispelijke pakken stonden op. Een van hen kende ze al: Vladimir Trofimov, een knappe man van in de veertig. Hij werkte bij het ministerie van Onderwijs, waar de plannen voor de reis waren opgesteld. Ze had hem in Moskou ontmoet.

Ze had verwacht dat hij een echte politicus zou zijn, iemand die onverschillig stond tegenover kinderen, maar hij was een heel gezellige en aimabele man gebleken. Hij had de tijd genomen voor de jongeren en was met hen een gesprek aangegaan. Trofimov stelde Raisa aan zijn metgezel voor:

— *Raisa Demidova.*

En vervolgens, terwijl hij een Amerikaans accent imiteerde:

— *Dit is Evan Vass.*

Ze had geen Amerikaan verwacht bij deze vergadering. Het was een lange man van achter in de vijftig. Vass keek haar zo aandachtig aan dat ze even verrast was. Hij liet zijn blik niet terloops over haar kleding gaan en nam geen notitie van haar eenvoudige schoenen. Ze stak haar hand uit om hem te begroeten. Hij hield haar hand losjes vast, alsof het iets afschuwelijks was. Hij bewoog hem niet, maar hield hem alleen vast. Ze had de neiging om haar hand terug te trekken. Hij leek zich er niet van bewust te zijn dat hij haar een ongemakkelijk gevoel bezorgde. Raisa had wel haar Engels geoefend, maar haar kennis van de taal was beperkt.

— *Aangenaam kennis met u te maken.*

Trofimov lachte. Vass niet. Hij reageerde in perfect Russisch, terwijl hij haar hand losliet:

— *Mijn naam is Jevgeni Vasiljev. Bij wijze van grap noemen ze me Evan Vass. Ik neem tenminste aan dat het een grap is; ik heb de humor er nooit van ingezien.*

Trofimov verklaarde zijn grap:

— *Evan is al zo lang in Amerika en zo aangetast door de* American way of life *dat we hem die bijnaam hebben gegeven.*

Zelfs deze luchtige kout bracht Raisa in verwarring – dat iemand was aangetast door de *American way of life* was toch echt niet iets om te lachen – maar de opmerking leek niet meer dan scherts te zijn. Deze mannen leefden in een onwerkelijke sfeer, waarin zelfs ernstige beschuldigingen geen gevaar opleverden. Terwijl Trofimov haar een glas water inschonk, bedacht ze dat hoezeer de twee mannen elkaar ook ontzagen, ze niet op gelijk niveau met hen stond en dat zij nog onderworpen was aan regels die voor hen niet meer golden.

Raisa probeerde het voor haar zo verontrustende gesprekje te vergeten, herhaalde nog eens haar plannen voor het concert en wees op de betekenis van de arrangementen, de keuze van de nummers en de presentatie. Er was de vorige avond in haar hotel één gesprek geweest met haar Amerikaanse collega, en een tweede ontmoeting zou zo meteen in de grote vergaderzaal plaatshebben. Die middag zou de generale repetitie zijn. Trofimov rookte stug door, onderwijl glimlachend en knikkend, en af en toe keek hij hoe de rook van zijn sigaret wervelde in de door de airconditioning teweeggebrachte luchtstromingen. Vass toonde geen enkele reactie, maar bleef haar met zijn koolzwarte ogen strak aankijken. Toen ze klaar was, drukte Trofimov zijn sigaret uit.

— *Dat klinkt uitstekend. Ik heb daar niets aan toe te voegen. U lijkt alles onder controle te hebben. De concerten zullen ongetwijfeld een groot succes zijn.*

De mannen stonden op. Het was voor haar een sein om te vertrekken. Raisa kon het niet geloven en stond onzeker op.

— *U hebt geen commentaar?*

Trofimov glimlachte.

— *Commentaar? Jawel: veel succes! Ik verheug me op het concert. Het zal een groot succes zijn. Een triomf, daar heb ik geen enkele twijfel over. We zien u vanavond.*

— *Wilt u de generale repetitie vanmiddag niet bijwonen?*

— *Nee, dat is niet nodig. En het zou het verrassingselement wegnemen. We vertrouwen u. We hebben het volste vertrouwen in u.*

Trofimov deed een stap naar voren en liep met Raisa naar de deur. De jonge gids stond buiten te wachten, klaar om haar naar de zaal te brengen waar de algemene vergadering werd gehouden. Trofimov nam afscheid, en Evan Vass ook. Raisa knikte hun toe en liep verbijsterd door hun reactie naar de lift. Ze hadden haar niet verhoord. Ze hadden haar niet autoritair behandeld. Ze deden alsof het concert waarvoor ze zoveel moeite hadden moeten doen om er diplomatieke toestemming voor te krijgen van geen enkel belang was.

Ze pakte de arm van haar gids en zei in het Engels:

— *Waar is het toilet?*

Hij veranderde van richting en liep met haar naar de toiletten. Ze ging naar binnen, en nadat ze zich ervan had overtuigd dat ze alleen was, ging ze voor de wasbak staan, keek in de spiegel naar haar lelijke, onmodieuze kleren en merkte op hoe gespannen haar schouders stonden. Het klopte. Alles klopte wat Leo instinctmatig had aangevoeld wat deze reis betrof.

New Jersey
Teaneck, Bergen County

Dezelfde dag

FBI-agent Jim Yates stond naast zijn slapende vrouw en keek naar haar alsof zij een lijk was en hij de eerste politieman die op de plaats delict aankwam. Het was hoogzomer, en ondanks het feit dat het in de slaapkamer zo heet was als in een sauna, lag ze onder een dikke gewatteerde deken. Ze was overgevoelig voor geluid, en de watten-propjes die ze in haar oren had, staken eruit als sliertjes rook van een kampvuur. Een dik, zwart oogmasker beschermde haar in een eeuwige duisternis tegen de buitenwereld, want zelfs voor deze prachtige, zonovergoten ochtend had ze alleen maar verachting. Hij bukte zich, en vlak boven haar hoofd fluisterde hij:

— *Ik hou van je.*

Ze draaide zich van hem af, en met een frons van ergernis op haar gezicht als om hem te verjagen ging ze op haar zij liggen. Ze trok haar oogmasker niet naar beneden en gaf geen antwoord. Terwijl hij zijn rug rechtte, kwam de fantasie in hem op dat hij het masker van haar af zou trekken en hij zijn vingers tegen haar ogen zou drukken, net zo lang totdat ze die open zou doen en ze hem zou aankijken en hij zou herhalen wat hij had gezegd – rustig, met beheerste stem, zonder te schreeuwen of zijn zelfbeheersing te verliezen:

Ik... hou... van... je...

Hij zou het steeds weer herhalen, op steeds luidere toon, totdat ze tegen hem zou zeggen:

Dank je wel, zou hij zeggen. En zij zou lief glimlachen. Zo hoorde een gewone, doordeweekse dag te beginnen. Een man zegt tegen zijn vrouw dat hij van haar houdt, en dan hoort zij tegen hem te zeggen dat ze ook van hem houdt. Het hoefde niet eens waar te zijn, maar het was een ritueel waar je je aan kon houden. Zo ging het in alle andere huizen, in alle keurige buitenwijken, in alle gewone Amerikaanse gezinnen.

Yates liep naar het raam, trok het gordijn open en keek naar de tuin – hij was overwoekerd, de bloembedden werden verstikt door kniehoog en als door een heks in elkaar vervlochten onkruid. De grasmat was allang dood, en de grond was uitgedroogd en door ge-kartelde scheuren verdeeld in keiharde brokken, met daarop nog wat bosjes sluik, geel gras, als in een landschap op de een of andere onherbergzame maan. Hun tuin was een aanfluiting tussen alle goed onderhouden tuinen van hun buren. Yates had geopperd een tuinman aan het werk te zetten, maar zijn vrouw, die de zenuwen kreeg bij het idee dat een onbekende in haar huis zou komen, la-waai zou maken en met de buren zou praten, had dat niet gewild. Yates had voorgesteld de tuinman te vragen niets te zeggen, niet binnen te komen en zo weinig mogelijk geluid te maken, wat ze maar wilde, alles om ervoor te zorgen dat hun huis niet meer zo'n schandelijk toonbeeld van verwaarlozing zou zijn. Nee, had zijn vrouw gezegd.

Toen hij klaar was om de deur uit te gaan, deed hij wat hij anders ook altijd deed: hij keek of de ramen goed dicht waren, hij bleef staan bij de telefoon en trok de stekker eruit, en toen hij dat alle-maal had nagelopen, ging hij de trap af. Kosten noch moeite waren gespaard om de traptreden te bedekken met de dikste en mooiste tapijtstof van exotische buitenlandse afkomst, om elk mogelijk ge-luidje te dempen. Yates verliet het huis nadat hij een briefje op de deur had geprikt met de tekst:

S.V.P. NIET BELLEN OF AANKLOPPEN

Aanvankelijk had hij die mededeling nog afgesloten met de verkla-ring dat er niemand thuis was, maar die vermelding had hij wegge-haald omdat zijn vrouw bang was dat dat inbrekers zou kunnen aantrekken. Als hij thuiskwam van zijn werk zou hij het briefje weer weghalen. Elke keer als hij de deur uitging, al was het maar voor een uurtje, al was het maar voor vijf minuten, controleerde hij al deze dingen en prikte hij het briefje op de deur. Zijn vrouw reageerde niet goed op verstoringen van welke aard ook.

Yates stapte in zijn auto en pakte het stuur vast, maar startte de motor niet. Hij bleef zitten en keek naar zijn huis. Hij had van dit huis gehouden toen hij het kocht. Hij had van de straat gehouden en van de mooie voortuin, van de parken en de winkels in de buurt. In de zomer rook het er naar versgemaaid gras en het leek er altijd koeler dan in de stad. Dan zwaaiden de mensen naar je en groetten ze je. Niets ergerde hem meer dan mensen die niet beseften hoe ze boften dat ze in zo'n land leefden. De rassenrellen in Jersey City in augustus vorig jaar waren een schande – dat mannen en vrouwen nota bene vernielingen aanrichtten in hun eigen buurt! Die rellen bewezen dat hij gelijk had gehad om zich te verzetten tegen desegregatie van de openbare scholen in Teaneck. Veel mensen waren trots op die ontwikkeling, die ze beschouwden als sociale vooruitgang. Yates had er in het openbaar niets over gezegd, maar hij wist zeker dat het zou leiden tot een toevloed van buitenstaanders, wat weer spanningen tot gevolg zou hebben. Het paradijs behoeft geen vooruitgang. Hij was geschokt geweest door de foto's van Jersey City – kapotgeslagen etalageruiten, brandende auto's. Het kon zijn dat men in dat deel van de stad gegronde klachten had, problemen met werk en zo. Problemen waren er altijd, maar alleen iemand die niet goed wijs was, iemand zonder visie, zou zijn eigen huis vernielen in plaats van het op te knappen. Yates was bereid om ervoor te vechten dat hier niet hetzelfde zou gebeuren.

Hij reed de afrit af en ging richting Manhattan, een halfuur rijden. Hij was de vorige avond nog tot laat in de stad geweest omdat hij van alle leden van de Sovjetdelegatie die in het Grand Metropolitan logeerde wilde weten waar ze waren. Na afronding van de laatste controle, als hij er zeker van was dat ze allemaal op hun kamer waren, had hij eigenlijk naar huis en naar zijn vrouw moeten gaan. Maar in plaats daarvan was hij naar de kelderbar Flute gegaan, in de theaterwijk, waar een vrouw parttime achter de bar werkte met wie hij sinds drie maanden iets had. Ze was twintig jaar jonger dan hij, een knappe vrouw die interesse toonde in alle, vaak verzonnen, verhalen die hij over de FBI vertelde. Dan lag ze op bed, in haar blootje, met haar handen onder haar hoofd te luisteren, terwijl hij met los-geknoopt overhemd verslag deed van zijn avonturen. Bijna net zo bevredigend als de seks was het feit dat ze elke anekdote voor waar aannam en aan het eind van elk verhaal steeds zei: 'On... ge... loof... lijk.' Alsof het vier woorden waren, en alsof ongeloof-waardigheid het grootste compliment was dat je een man kon ma-ken.

Een echte vrouw zou achterdochtig zijn geweest. Hij was om vier uur 's nachts thuisgekomen, en nadat hij stil de gecapitonneerde trap op was gelopen, had hij Diane, zijn vrouw, ineengedoken als een ziek dier onder de dekens zien liggen. Al ettelijke dagen had hij zijn vrouw niet anders dan in deze houding gezien. Het was te warm om te slapen en hij was boven op de dekens gaan liggen, naakt en met nog steeds de geur van Rebecca aan zijn lijf. Hij had haar eigenlijk nooit willen bedriegen. Hij romantiseerde zijn on-trouw niet. Hij had een goede echtgenoot willen zijn – niets liever dan dat. Hij probeerde Diane niet de schuld te geven van de wroe-ging die hij elke dag voelde. Soms was hij zo gefrustreerd dat hij hun huis wel eigenhandig wilde afbreken, het steen voor steen en plank voor plank ontmantelen. Hij wilde dat hij zijn leven opnieuw kon beginnen – dan zou hij alles hetzelfde doen, op één ding na, op Dia-ne na.

Vorig jaar hadden zijn ouders hun vijftigste trouwdag gevierd. Ze hadden in hun tuin een feest gegeven. Er waren meer dan twee-honderd mensen geweest. Sommigen van buiten de stad. Sommi-gen waren zelfs ingevlogen. Diane had er niet bij kunnen zijn. Na twee uur smeken, na met zijn vuist op het tafelblad te hebben gesla-gen, na de als cadeau bedoelde fles twintig jaar oude wijn kapot te hebben geslagen, na met zijn hand door een glazen kastdeur te zijn gegaan en daarbij een snijwond in zijn knokkels te hebben opge-lopen, had Yates er zonder haar naartoe gemoeten en was hij te laat aangekomen, met zijn hand in het verband en met al een kwartfles whisky op. Hij had het barbecueën overgenomen en zwijgend, als een stomme bediende, staan kijken hoe het vlees lag te knetteren en hoe er klodders vet op het vuur vielen. Yates had van iedereen in de buurt het naarste, meest ellendige huwelijk, en iedereen wist het. Er waren dagen dat de vernedering zo groot was dat hij letterlijk dood wilde, dat hij wilde dat zijn hart het zou begeven, dat zijn lon-gen zo droog als stof zouden worden.

Diane had allerlei artsen en therapeuten afgelopen, en allemaal hadden ze min of meer hetzelfde gezegd. Er was iets mis met haar zenuwen. Het klonk als een diagnose van honderd jaar geleden, en Yates kon niet geloven dat die nu nog zo gesteld kon worden. Waren er dan geen pillen die hielpen? Ze hadden hem wel pillen gegeven, en zij had ze genomen, maar die hadden niet geholpen. In een poging om te voorkomen dat hun huwelijk zou stranden, hadden ze geprobeerd een kind te krijgen. Het kind was dood geboren. Yates had gebeden om de kracht Diane daar niet de schuld van te geven, maar dat had hij wel gedaan: hij verweet haar zijn dode kind. Hij verweet haar de barjuffrouw – hij verweet haar alles wat er mis was in zijn leven, omdat alles wat er mis was in zijn leven van haar uitging. Hij had die droom gehad van het perfecte huwelijk, van kinderen, van het perfecte huis, hij had voor dat alles kunnen zorgen; in materieel zowel als emotioneel opzicht was hij ertoe bereid geweest, en zij had dat kapotgemaakt met haar gekte. Misschien was dat de definitie van gekte: iets goeds kapotmaken zonder daar ook maar één enkele reden voor te hebben.

Toen hij in West 145th Street aankwam en zijn auto neerzette, draaide Yates zijn raampje open. Behalve de zijne stonden er maar vier andere auto's in de straat – het was zo'n straat in Harlem waar niemand het zou merken als een woning in verval raakte en een geschifte bewoonster haar bed niet uitkwam. In zo'n soort buurt hoorde Diane thuis. Een huis als het hunne verdiende ze niet. Er was hier geen groen, geen park waar kinderen in konden spelen. De kinderen liepen hier op straat en hinkelden tussen krijtlijnen op het door de zomerzon verhitte asfalt, alsof de straat er voor hen was en niet voor auto's. Elke keer als Yates deze kinderen zag, zette dat hem aan het denken. Ze hadden geen ruimte om te spelen, geen toekomst en geen hoop – en wat hem boos maakte, was dat al die mannen hier in de deuropening zaten te lanterfanten, terwijl ze aan het werk zouden moeten zijn, bezig zouden moeten zijn om te zorgen dat hun kinderen wél een tuin kregen. Maar ze deden nooit iets anders dan bij elkaar zitten en praten, alsof ze belangrijke zaken te bespreken hadden. Het was belachelijk dat al die nietsnutten ernstige gesprekken zaten te voeren, terwijl oude vrouwen van soms wel zeventig jaar liepen te sjouwen met zware boodschappentassen. Yates zag hen nooit opstaan om te helpen; nooit zag hij iemand aanbieden om die tassen te dragen of de deur open te doen. Ze keken neer op iemand die werkte, daarvan was hij overtuigd. Het was beneden hun stand om te werken. Dat was de enige verklaring.

Het was drukkend warm. De huizen van rode baksteen zogen elk beetje zonnewarmte in zich op, maar het was hier 's zomers niet prettig zoals in Teaneck; het was een misselijkmakende warmte, als een tropische koorts. De hoofdstraten waren smerig, maar in de stegen was het niet te harden, zo hoog lag het vuil daar opgetast, alsof men wachtte op een vloedgolf die het allemaal mee zou voeren. Niet eens een slecht idee, dacht Yates, een overstroming, een grote zondvloed, die dan misschien meteen een stel van die lanterfantende losers mee zou kunnen nemen. Hij stak de straat over met het gevoel dat iedereen naar hem keek, dat honderden ogen in het zonlicht naar hem staarden. Kinderen hielden op met spelen. Mannen staakten hun gesprekken en sloegen hem met ingehouden afkeer gade, niet zo openlijk dat ze erdoor in de problemen zouden raken, maar wel zo dat het duidelijk was dat ze hem haatten. Nou, ze mochten hem haten. Laat ze maar denken dat zijn ideeën over hen te maken hadden met hun huidskleur. Maar de waarheid was dat het hem niet kon schelen wat de kleur van hun huid was. Wat hem wel kon schelen, was wat voor soort mensen ze waren – wat de kleur van hun ziel was. En een man hoorde te werken. Een man probeerde van zijn land een betere plek te maken om te wonen. Hij zou wel tegen hen willen zeggen dat een man zonder werk geen man was, maar hij was ervan overtuigd dat ze niet aan het werk zouden gaan. Ze waren hem vreemd, net zo vreemd als die Russische communisten.

Yates werkte al bij COINTELPRO, de contraspionageafdeling van de FBI, sinds de oprichting daarvan in 1956. In de afgelopen negen jaar had hij zich ontwikkeld tot een van de belangrijkste agenten van de dienst en had hij naam gemaakt als bestrijder van het nationaal comité tot afschaffing van het HUAC, het parlementaire comité tot bestrijding van on-Amerikaanse activiteiten. Een comité tot afschaffing van een comité: die actievoerders waren kennelijk niet in staat om in te zien hoe belachelijk hun naam was, om niet te spreken van hun doel. Daarvoor hadden ze het te druk met het pleiten voor de rechten van verraders en verloren ze zich in een abstract wetenschappelijk debat over de vraag of de rechten van het individu belangrijker waren dan het welzijn van de samenleving. Hij zou gedacht hebben dat communisten wel zouden begrijpen dat de behoeften van velen voorrang hebben boven de behoeften van weinigen. Ze hadden geen belangstelling voor het feit dat er echt plannen werden gesmeed om zijn land daadwerkelijk schade te berokkenen. Die argumenten werden afgedaan als paniekzaaierij. Hij walgde van hun zelfgenoegzaamheid. Hij was geconfronteerd geweest met de complotten en de plannen – hij begreep dat hun manier van leven de afkeer opriep van een machtige vijand en beschermd moest worden.

Hij was al snel belast met het in de gaten houden van de CPUSA, de Amerikaanse Communistische Partij. Het aantal partijleden liep terug, maar dat zou er volgens hem aan kunnen liggen dat de nieuwe leden ondergronds waren gegaan. Ze namen geen risico. COINTELPRO wilde de partij weg hebben. Met iets anders namen ze geen genoegen. De nieuwe leider van de CPUSA, Gus Hall, had een opleiding gehad aan de Internationale Leninschool in Moskou, en COINTELPRO was niet van plan om hcm de ruimte te geven om de organisatie te promoten of een geheim netwerk op te bouwen om de maatregelen tegen de partij beter te kunnen omzeilen. Daartoe hadden ze verscheidene mogelijkheden, zoals infiltratie, psychologische oorlogvoering en hen hinderen, met de wet in de hand – door de belastingdienst in te schakelen, elk papiertje aan een onderzoek te onderwerpen en de kleinste vergissingen op te sporen. Dan konden ze de politie op hen afsturen. En ten slotte was er de belangrijke mogelijkheid om hen op onwettige wijze te hinderen. Daar hield hij zich echter niet mee bezig: daar werden voormalige agenten voor ingezet, of mensen die geen binding hadden met de FBI. Daar had hij uiteraard geen enkele moeite mee. Tenslotte had Hoover gezegd:

Het doel van contraspionage is om de organisatie te ontwrichten, en het doet er niet toe of er feiten zijn die de beschuldiging staven.

Als COINTELPRO-agenten hadden zij opdracht om degenen die problemen veroorzaakten op te sporen en te neutraliseren, voordat ze hun potentieel gewelddadige activiteiten konden ondernemen. En Yates was een van de besten.

Bij het betreden van het trappenhuis van het vijf verdiepingen tellende bakstenen pand leek de temperatuur ineens met sprongen omhoog te gaan. Het was er zo warm dat Yates stil bleef staan, een zakdoek tevoorschijn haalde en zijn voorhoofd afveegde. Het rook er onfris, een mengeling van verschillende luchtjes waar hij niet al te veel over na wilde denken. Terwijl hij de trap op liep en de alcohol van de afgelopen nacht uit zijn poriën sijpelde, bekeek hij het gebarsten pleisterwerk en de kapotte vloerplanken, de armoedige buizen en de deuren die bij elkaar werden gehouden met stukken hout en hardboard, ongetwijfeld omdat ze bij een of andere ruzie ingetrapt waren. Yates voelde de vijandigheid van de mensen in de gangen, de mensen die in de gemeenschappelijke ruimten rondliepen, mensen die geen baan hadden om naartoe te gaan, die niets konden, maar alleen een ingeboren gevoel hadden dat hun onrecht was aangedaan. Vierentwintig uur per dag hadden ze het erover welk onrecht hun was aangedaan en hoe hun land tegenover hen tekort was geschoten. Ten minste twintig procent van de leden van de CPUSA zou naar schatting uit negers bestaan, veel meer dan het percentage negers in de gehele bevolking – dat was hun alternatief voor het zoeken van een baan: het hele weefsel van de samenleving kapotmaken. Hij glimlachte in het voorbijgaan naar hen, terwijl hij zich er terdege van bewust was dat ze daar des duivels om werden. Hun gezichten straalden haat uit zoals brandende steenkool hitte. Als ze dachten dat hij daar last van had, dan hadden ze het mis. Hij zou de jongeman die op rand van de vensterbank zat willen vragen:

Denk je dat jouw haat ertoe doet?

Van alle haat die er overal ter wereld bestaat, doet die van hen er het minst toe.

Boven aan de trap klopte Yates op een deur. Hij had wel eerder voor de deur van dit appartement gestaan, maar hij was nooit binnengevraagd. Hij had er wel een huiszoeking willen laten doen, maar dat was onmogelijk zonder dat de buren het merkten, zo dicht op elkaar woonden ze hier, en ze kwamen voortdurend bij elkaar over de vloer. Persoonlijk kon het hem niet schelen dat ze het wisten. Hij zag de noodzaak er niet van in om daar voorzichtig mee te zijn. Hij was in de verleiding geweest om er toch opdracht toe te geven, niet in de verwachting iets te zullen vinden, maar als onderdeel van de psychologische oorlogvoering. Hij had zich laten tegenhouden door het rassenonderscheid. Ze hadden hem gezegd dat het door een illegale huiszoeking tot een uitbarsting in de gemeenschap zou kunnen komen. Ze zouden het zelfs niet op een inbraak kunnen laten lijken, aangezien niemand het in zijn hoofd zou halen om in zo'n stinkhol in te breken. Hij klopte nog een keer, harder nu. Hij wist dat het een klein appartement was, niet meer dan één enkele kamer. Wat ze ook deden daarbinnen, ze hadden maar één seconde nodig om open te doen. Misschien herkenden ze het geluid van zijn kloppen – geërgerd, ongeduldig; of misschien klopte niemand anders in dit pand op die manier. Ten slotte ging de deur open. De man die voor hem stond, stond bij de FBI bekend onder de codenaam Big Red Voice. Yates zei:

— *Hallo, Jesse.*

Bradhurst
Harlem
West 145th Street

Dezelfde dag

Agent Yates leunde tegen de deurpost om tenminste fysiek zoveel mogelijk binnen in het appartement te zijn. Als in reactie daarop kwam Jesse Austins vrouw naar voren en ging naast haar man staan, waardoor ze hun appartement zoveel mogelijk aan zijn blikken onttrokken – als een menselijke barricade. Haar actie amuseerde Yates. Hij wist dat ze niets te verbergen hadden: geen dope of gestolen waar, zoals bij de meeste andere gezinnen hier in de buurt het geval was. Dit was verzet omwille van het verzet: het echtpaar streed voor de eigen privacy, voor een minimum aan waardigheid, en het was een beklagenswaardige poging om zichzelf staande te houden tegen zijn autoriteit.

Jesse was een grote man, lang en fors. Ooit was hij sterk geweest, maar dat was hij niet meer, hij had een kromme rug en zijn spieren waren verslapt. Zijn ooit zo strakke lijf was niet dik geworden, maar slap. Zijn vrouw daarentegen was magerder geworden. Vijftien jaar geleden was ze een mooie vrouw geweest, volslank en met elegante rondingen. Nu was ze mager als een handarbeider, met wallen onder haar ogen en diepe rimpels in haar voorhoofd. Het appartement zelf hoefde overigens niet bepaald afgeschermd te worden: het bestond uit een slaapkamer die ook dienstdeed als huiskamer, een huiskamer die ook gebruikt werd als keuken en een keuken die ook dienstdeed als eetkamer. Van het bed naar de kachel was het maar enkele stappen, en vandaar naar de wc waren het er nog een paar. Overigens was dit appartement wel iets mooier en beter onderhouden dan sommige andere die hij in de loop der jaren in deze door ratten geteisterde achterbuurt had gezien. Het meest opvallende verschil, het enige teken dat dit appartement een geschiedenis had, was dat er wat dure meubels stonden, als museumstukken overgebleven uit de tijd van een op de klippen gelopen carrière – antieke kasten en decoratieve bijzettafeltjes die hier niet op hun plaats leken, maar betere tijden hadden gekend en terugverlangden naar hun oude appartement op Park Avenue.

Yates' aandacht ging vooral uit naar Jesses vrouw – Anna Austin. Ze was te beheerst en te wereldwijs om haar zelfbeheersing te verliezen. Hij bewonderde de vrouw, echt waar. Ooit was ze mooi geweest en werden er bij prestigieuze evenementen foto's van haar gemaakt; ze ging toen als een prinses gekleed, met juwelen behangen, arm in arm met haar man, de landverrader. Bij het bekijken van die foto's waar ze glimlachend op stond, had Yates kunnen zweren dat haar tanden van ivoor waren, zo onnatuurlijk wit waren ze. Hoe diep waren ze gevallen – diamant was tot stof vergaan, alle pracht en praal verkeerd in ellende. Maar ondanks de problemen, ondanks de zelf veroorzaakte armoede, ondanks de onnodige ellende die Jesse over hen had afgeroepen, stond ze hier nog arm in arm met haar man. Alleen oogde ze nu eerder als een kapotgevallen kerstbal, die zijn schittering en glans had verloren.

Yates keek hoe Jesse zijn hand naar beneden stak en die van Anna vastpakte. Was dat om hem eraan te herinneren dat zij bij elkaar hoorden, ondanks alles wat hij en zijn collega's hun hadden aangedaan – het verspreiden van geruchten van overspel en beschuldigingen dat hij blanke meisjes lastigviel, om maar wat te noemen? De beschuldigingen waren makkelijk te bedenken geweest. Er waren talloze foto's waarop Jesse na afloop van zijn concerten omringd was door bewonderaars, merendeels vrouwen, sommigen heel jong. Hij was een man die anderen graag aanraakte, en vaak had hij zijn handen op iemands schouders gelegd of mooie meisjes omarmd. De insinuaties waren blijven hangen. Een aantal kranten had de verhalen gebracht, een aantal meisjes had zich gemeld met beschuldigingen van ongepast gedrag. Uiteraard hadden ze dat pas gedaan na enige aanmoediging door Yates' mannen, na een klein duwtje, bijvoorbeeld de suggestie dat ze zouden worden beschuldigd van communistische sympathieën. Anna had nooit aan hem getwijfeld, had hen elke keer als ze er kans toe zag uitgemaakt voor leugenaars en had hen in het openbaar beklagenswaardig genoemd omdat ze niet de morele moed bezaten om zich tegen de FBI te verzetten. Als ze nou maar zwakker was geweest, als ze Jesse nou maar verlaten had, dan zou hij er vast en zeker aan onderdoor zijn gegaan. Maar ze was hem trouw gebleven, was standvastig en onverschrokken gebleven – waarden die een vrouw tegenover haar man moest tonen. En nu hield ze nog steeds van hem, stond ze nog aan zijn zijde, hand in hand met hem, alsof hij haar met die grote knuist kon beschermen. Ze moest de werkelijkheid onder ogen zien: die grote, tedere handen hadden haar niet beschermd, maar hadden haar meer schade berokkend dan wanneer hij haar geslagen zou hebben. Jesse en Anna waren zo trots op hun liefde, zo trots op hun relatie, dat het leek alsof iemand hun had verteld dat Yates een waardeloze, krankzinnige vrouw had. Alsof hij hardop een conclusie trok, zei Yates:

— *Wie kan het verdomme wat schelen?*

Ze keken hem allebei aan alsof hij een vreemde, enge man was. Het beviel Yates wel, het idee dat hij eng was.

Hij tastte in zijn zak naar zijn sigaretten. Ze lagen in de auto. Hij bedacht dat hij nog steeds een beetje dronken was van de vorige avond.

— *Grote, ouwe Jesse, vertel me eens, heb je plannen om af te spreken met je Russische vriendjes nu die in de stad zijn? Ze hebben geprobeerd om in contact met je te komen, telkens weer. Brieven, uitnodigingen... We hebben ze onderschept, maar er is altijd een kans dat er een paar door de mazen van het net zijn geglipt. Of hebben ze misschien iemand persoonlijk op je afgestuurd?*

Jesses gezicht bleef uitdrukkingsloos. Nu hij geen sigaret in zijn hand had, pakte Yates maar een lucifer en pulkte ermee tussen zijn tanden.

— *Kom op nou, geen spelletjes, daarvoor kennen jij en ik elkaar al veel te lang. Je wou me toch niet vertellen dat je niet weet dat er vanavond een hele troep communistische kinderen bij de Verenigde Naties gaat zingen? Over vrede en wereldharmonie en meer van die dingen waarvan we weten dat de communisten ervan houden. Ik dacht, ik ga even bij je langs om te horen of jij er ook gaat optreden.*

Anna antwoordde:

— *Wij weten van niks.*

Yates boog zich naar haar toe, waardoor zij een stap achteruit moest doen, het appartement in.

— *O nee?*

Jesse zei:

— *Nee, we weten van niks. En u hebt het recht niet om onze post te lezen.*

Het was Jesse die had gesproken, maar Yates hield zijn blik gericht op Anna.

— *Normaal gesproken vind ik je aantrekkelijk als je zo bedeesd bent, mevrouw Austin. Twintig jaar geleden zou je er zelfs mee gescoord hebben, toen je door de stad struinde met die lange valse wimpers van je, toen je naar galavoorstellingen ging en er in de bladen over je geschreven werd. Ik zou voor je gevallen zijn. Een mooie vrouw kan ik niet weerstaan. Ik zou het met de duivel op een akkoordje hebben gegooid en je geneukt hebben om even geen aandacht te hoeven besteden aan die man van je. Ik wed dat je ervan genoten zou hebben, ook al zou je, terwijl je je nagels in mijn rug zette, tegen jezelf hebben gezegd dat je het voor hem deed.*

Yates zag dat Jesse zijn vuisten balde. Woede bracht de oude man tot leven. Maar hij verroerde zich niet, durfde geen stap dichterbij te komen. Yates zei:

— *Ga je gang, Jesse. Neem het voor haar op. Wees een man. Haal maar uit. Misschien kun je op die manier zelfs nog rechtvaardigen dat je haar in deze gribus laat wonen.*

Jesse beefde van ingehouden woede, als een cellosnaar die aangetokkeld wordt. Maar hij slaagde erin het hoofd koel te houden, nog net, en herhaalde wat Anna al had gezegd:

— *We hebben geen contact meer met de Russische autoriteiten. We weten niets van hun komst of van hun plannen.*

Yates knikte minzaam.

— *Lees je geen kranten? Je weet zeker niet eens waar Rusland ligt, klopt dat? Zingende Russen? Wat zou er bij jou meer in de smaak kunnen vallen dan een stel mooie, jonge, communistische meiden die zingen? Jij zong toch vroeger ook, of heb ik het mis? Deed jij niet ook iets in die richting?*

— *Vroeger wel, meneer Yates, totdat u me dat onmogelijk maakte.*

— *Daar had ik niks mee te maken. Het is geen misdaad om te zingen. Het is alleen toevallig wel zo dat sommige nummers populair zijn en andere niet, en die nummers van jou die zo positief zijn over het communisme schijnen vandaag de dag geen publiek meer te trekken. De tijden veranderen, smaken veranderen, en mensen worden vergeten. Is dat niet jouw ervaring, Jesse? Het is triest. Vind je het verdrietig?*

Ik kan soms wel janken om al die verdrietige dingen in het leven. Om al die inspanningen die tot niets leiden, om al dat talent dat verloren gaat. Triest, triest, triest, zo fucking triest. Anna kromp ineen en hield haar blik gericht op Jesse, bang als ze was dat haar man iets onvoorzichtigs zou kunnen zeggen. Yates hoopte in elk geval wel dat hij dat zou doen. Ze zei:

— *Waarom bent u hier, meneer Yates?*

— *Ik zou me bijna beledigd kunnen voelen. Het lijkt wel alsof je niet goed naar me hebt geluisterd. De Russen hebben jullie voor dit concert uitgenodigd. Wij hebben misschien een paar van hun pogingen om contact op te nemen onderschept, maar ze zullen het niet zomaar hebben opgegeven. Ze willen jou erbij hebben, Jesse. En ik wil weten waarom. Het is mijn taak om mannen als jij in de gaten te houden...*

Jesse viel hem in de rede en zei:

— *En wat voor soort man is dat?*

Yates werd moe van dit soort bijdehandheid.

— *Wat voor soort? Een man die erom bekendstaat dat hij gezegd heeft dat hij zou weigeren om voor Amerika te vechten als er een oorlog met de Sovjets zou uitbreken, een man die in dit land leeft en elke keer als hij de kans krijgt uiting geeft aan zijn gebrek aan trouw. Over wat voor soort man heb ik het? Een communist, dat is het soort waar ik het over heb.*

Yates keek naar Jesses schoenen. Ze waren oud en versleten, maar van een uitstekende kwaliteit, Italiaans of zo, modieus in elk geval, een overblijfsel uit de tijd dat hij veel verdiende, in één jaar misschien wel meer dan Yates in zijn hele leven zou verdienen. Maar wie zou dat nu nog weten? Nog steeds met een blik op de schoenen zei hij:

— *Jesse, weet je waar ik me nou echt kwaad over maak?*

— *Ik weet zeker dat u zich over heel veel kwaad maakt, meneer Yates.*

— *Dat is waar. Er is veel waar mijn bloed van gaat koken. Maar het meeste van alles toch dat er in dit land mensen zijn die het goed hebben gedaan, mensen als jij, die uit het niets komen en ondanks het vele geld dat ze verdienen en het succes dat ze hebben, als je even niet oplet, aanpappen met een ander regime. De Russen hebben jou niets gegeven. Ze kunnen niet eens hun eigen mensen voeden. Hoe kan het dat jij wel van hen houdt en niet van ons? Hoe kan het dat je wel over hen zingt en niet over ons? Jij belichaamt de Amerikaanse droom, Jesse. Snap je dat dan niet? Jij belichaamt de fucking Amerikaanse droom. Een schande is het.*

Yates veegde zijn voorhoofd af. Zijn hart bonsde. Dit was niet leuk meer. Hij haalde diep adem.

— *Het is hier heet, ik snap niet hoe jullie hier kunnen slapen. Ik weet niet hoe jullie hier adem kunnen halen. Jullie hebben vast een ander soort longen.*

Zachtjes zei Anna:

— *Wij ademen net als u, meneer Yates.*

Yates krulde zijn lippen, alsof hij daarvan niet overtuigd was.

— *In jullie vorige huis hadden jullie toch airco? Dat zullen jullie wel missen.*

Geen van beiden antwoordde, en Yates had geen zin om hen nog verder te sarren.

— *Luister, ik ben hier klaar. Ik zal jullie nu met rust laten. Maar voordat ik wegga, heb ik nog een laatste vraag, een filosofische vraag, waar we allemaal eens over na zouden moeten denken. Denken jullie dat er in de Sovjet-Unie mensen zijn die een hekel hebben aan hun land? Denk je niet dat de wereld er een stuk eenvoudiger uit zou zien als die mensen hier kwamen wonen en jullie daar gingen wonen?*

Jesse zei onmiddellijk:

— *Meneer Yates, u kunt me beledigen op elke manier die u wilt. Maar u kunt niet tegen me zeggen dat dit land niet net zo goed mijn land is als het uwe. Het is…*

Yates onderbrak hem terwijl hij zich al omdraaide om te vertrekken.

— *Niet alleen zal ik dat tegen je zeggen, Jesse, ik zal ook zorgen dat je het begrijpt. En neem van mij aan dat je er goed aan zult doen om een eind uit de buurt van dat concert te blijven. Daar zou je echt heel goed aan doen.*

Manhattan

Dezelfde dag

Om het trillen van haar handen te onderdrukken balde Elena haar vuisten. Haar hart bonkte in haar keel. Ze moest kalm zien te worden. Het eerste deel van hun plan was gelukt. Zonder gezien te worden was ze het hotel uit geglipt. Michail Ivanov, haar minnaar, had de indeling van het Grand Metropolitan bestudeerd en een kwetsbaar deel gevonden: het zwembad en het openluchtzonnedek op de vijfde verdieping, dat alleen bij de hoofdingang in de gaten werd gehouden. De Amerikaanse geheime dienst had ten onrechte aangenomen dat er geen andere vluchtweg was.

De taxi reed door het noordelijkste stukje Central Park. Eigenlijk had ze het idee dat ze een beetje aandacht moest besteden aan de bezienswaardigheden, het park, de woontorens, de mensen op straat, maar ze was te veel in beslag genomen, ze kon zich niet concentreren, en de stad schoot voorbij in een waas. Ze keek door de achterruit om te zien of de taxi gevolgd werd. Zulk druk verkeer had ze nog nooit meegemaakt, zo'n ongelooflijk aantal auto's. Sommige auto's waren van de overheid, maar in meerderheid waren ze blijkbaar van particulieren. Ze zou zich erover hebben verbaasd als ze zich niet zo beroerd had gevoeld, zo misselijk en duizelig. Dat lag ongetwijfeld aan het schudden van de auto. Dat het aan haar nervositeit zou kunnen liggen vond ze een naar idee. Haar hele leven lang was ze het zwakkere, jongere zusje geweest, rustig en braaf, het zusje dat nooit problemen veroorzaakte. Haar oudere zus Zoya was onafhankelijk, wilskrachtig en maakte indruk. Zij was degene die voor hen beiden beslissingen nam. Zij bezat een onbetwistbare autoriteit. Elena was altijd geneigd geweest zich aan te passen en zich neer te leggen bij het oordeel van haar zus. Zo lang ze zich kon herinneren was hun relatie zo geweest. Maar Elena had haar eigen leven, en nu was het voor haar tijd om uit de schaduw van haar zus te treden en naar haar eigen identiteit op zoek te gaan. Voor het eerst van haar leven was nu een zaak van groot belang aan haar toevertrouwd. Er was iemand van buiten de familie voor nodig geweest om te erkennen wat zij in haar mars had. Michail had voor haar gekozen. Hij beschouwde haar als een volwassene en een gelijke. Ook voordat ze verliefd op elkaar werden, had hij haar nooit kleinerend toegesproken. Hij had haar in vertrouwen verteld wat de werkelijke reden was dat hij als deelnemer aan deze reis was toegevoegd.

Michail werkte voor een geheime afdeling van het ministerie van Propaganda die DIENST.A heette. Zoals hij aan Elena had uitgelegd, had die afdeling tot doel om in het buitenland te benadrukken hoe positief het communisme afstak bij het kapitalisme en te wijzen op de geïnstitutionaliseerde ongelijkheid binnen het kapitalisme, teneinde het communisme te ondersteunen op een manier die niet stoelde op militaire macht of het aanjagen van angst – kortom, om te proberen een ideologie nieuw leven in te blazen die te lijden had van een zeer negatieve houding van de eigen bevolking. Toen hij hoorde dat Elena's biologische ouders vermoord waren door de geheime dienst van de Sovjet-Unie, had Michail toegegeven dat de Partij fouten had gemaakt, maar hij vond dat de ideologische superioriteit van het systeem ondanks die fouten buiten kijf stond. In het communisme ging het om gelijkheid, onafhankelijk van ras of geslacht, het ging erom een einde te maken aan de economische problemen van de massa's en aan de overvloedige luxe van een kleine groep. Elena was hartstochtelijk bezorgd om de vervolgingen en de vooroordelen. En nu ze de kans kreeg daar iets aan te doen, had ze besloten dat te doen ook. Ze had veel verloren tijdens het bewind van Stalin, onder andere haar ouders, maar ze vond dat de moordzuchtige daden van een tiran geen einde maakten aan de droom van een rechtvaardige samenleving. Ze wilde er niet cynisch door worden, zoals Leo.

DIENST.A bediende zich uitsluitend van – zoals Michail het noemde – passieve protocollen, zoals het financieren van publicaties en het subsidiëren van mensen die met de communistische zaak sympathiseerden. Het was een vreedzame organisatie, die afwijkende meningen stimuleerde. Ze hadden Amerikaanse academici en journalisten aangezocht om eerlijk verslag te doen van de gebreken binnen een kapitalistische maatschappij en hadden een uitgeverij opgericht die controversiële manuscripten publiceerde waar geen enkele andere uitgever zijn vingers aan wilde branden. Zo hadden ze een boek uitgegeven waarin werd beschreven hoe Kennedy was vermoord door extreem-rechtse elementen en een kongsi van wapenhandelaren en oliemagnaten. Minder commercieel succes, maar een grotere faam in de academische wereld was de uitgeverij ten deel gevallen met de uitgave van feministische teksten. Uit analyse van de reacties op deze essays over de ongelijke rechten van mannen en vrouwen was echter gebleken dat het geen reële optie was om te denken dat door een direct beroep op vrouwen in Amerika veranderingen bewerkstelligd zouden kunnen worden. Als gevolg van de relatieve mislukking van de feministische uitgaven, waarvan slechts een honderdtal exemplaren was verkocht, had men zich erbij neergelegd dat een revolutie waarschijnlijk niet tot stand zou komen op grond van een manifest over sekseongelijkheid. DIENST.A had daarop voor een andere aanpak gekozen en de nadruk vooral gelegd op de rassenkwestie. In geselecteerde steden als Atlanta, Memphis, Oakland en Detroit was men overgegaan tot het verspreiden van pamfletten in plaats van boeken. Deze pamfletten moesten provoceren en hadden choquerende koppen zoals:

ZWARTE VERDIENT GEMIDDELD 4000 DOLLAR!

BLANKE VERDIENT GEMIDDELD 7000 DOLLAR!

STERFTEKANS VAN ZWART KIND DRIE KEER ZO GROOT
ALS VAN BLANK KIND!

KANS OP EEN LEVEN IN BEHOEFTIGE OMSTANDIGHEDEN
VOOR ZWART GEZIN DRIE KEER ZO GROOT!

Elena en Michail hadden de gewoonte om in bed urenlang te praten over de manier waarop het communisme de kern van zijn aantrekkingskracht had verwaarloosd – zijn reden van bestaan. Ze vond zijn passie verleidelijk en voelde zich gevleid dat hij haar bij deze zaken betrok. Anders dan Michail, die een overtuigd communist was, hing niemand in haar naaste omgeving een ideologie aan. Raisa sprak nooit over de politiek, behalve voor zover die direct met haar school te maken had. Leo zweeg over het onderwerp alsof het verboden terrein was. Elena had medelijden met hem: hij was gedwongen geweest om voor een tiran te werken, en zijn idealisme was de grond in geboord. Voor hem was er geen weg terug. Hij koesterde geen hoop meer. Hij geloofde alleen nog in zijn gezin, verder geloofde hij nergens meer in. Maar dat hij gedesillusioneerd was, betekende niet dat zij het ook moest zijn. Michail was een man in wie ze geloofde. Haar oudere zus had haar ooit in vertrouwen verteld hoe het was om verliefd te zijn. Elena had de gevoelens die haar zus beschreef nooit helemaal begrepen, totdat ze Michail ontmoette. Liefde was bewondering en toewijding, liefde was alles voor hem willen doen, omdat ze wist dat hij alles voor haar zou doen.

De taxi had net West 120th Street gepasseerd – en naderde zijn bestemming op West 145th Street.

Bradhurst
Harlem
West 145th Street

Dezelfde dag

Toen Yates de trap af liep, passeerde hij de lanterfantende jonge-
mannen weer. Hij knikte hun toe en zei:
— *Drukke dag vandaag, heren?*
Ze gaven geen antwoord. Yates lachte. Hij betwijfelde of wie van
hen dan ook zelfs maar één van de songs zou kunnen noemen die
Austin placht te zingen. Big Red Voice had ooit voor een miljoe-
nenpubliek gezongen, en nu was hij door negers net zozeer vergeten als door blanken, door arm net zo goed als door rijk. Hij betwijfelde ook of de mannen hier in de gang wel beseften wie die oude
man op de bovenste verdieping was. Wie nog geen dertig was, had
in elk geval geen herinnering aan zijn succes. Jesse was niet meer te
horen op de radio, zijn platen lagen niet meer in de winkels, wat hij
zei kwam niet meer in de krant, en door de bladen werd hij niet
meer geïnterviewd. En hij was zo zwak dat hij niet eens meer de
geestkracht had om voor zijn vrouw op te komen toen zij voor zijn
neus werd beledigd. Iemand sociaal kapotmaken was één ding –
dat was relatief makkelijk. Iets anders was het om iemand geestelijk
te breken. Nu hij had gezien hoe Jesse eraan toe was, hoe hij daar in-
eengezakt in de deuropening stond, nauwelijks nog in staat om iets
terug te zeggen, wist Yates zeker dat het niet lang meer kon duren
voor zijn overwinning totaal was.
Het was Yates een raadsel waarom de Sovjet-Unie zoveel pogingen had ondernomen om contact te krijgen met Austin en hem te
smeken het concert van vanavond bij te wonen. Hoe hadden ze
zich dat voorgesteld? Ze zouden nooit toestemming krijgen om
hem het gebouw van de Verenigde Naties te laten betreden. Hij was

ervan overtuigd dat Austin loog toen hij zei dat hij van niets wist, en Yates had het gevoel dat er iets niet klopte, dat hem iets ontging, dat er een agenda was die voor hem een gesloten boek was. Daar had hij niet zo hard en zo lang voor gewerkt, om nu te moeten zien hoe Jesse uiteindelijk toch nog een keer in de schijnwerpers zou staan.

Hij voelde zich inmiddels aanzienlijk minder katterig, en toen hij het appartementengebouw uit liep, tastte hij opnieuw in zijn zakken naar zijn sigaretten en bedacht hij opnieuw dat hij was vergeten dat die in de auto lagen. Hij passeerde een andere groep jongeren, die op een trap zaten en stonden. Voor zo'n stel paupers waren ze met hun mooie overhemden, vesten en colbertjes chic gekleed, wat een komische indruk maakte. Twee van hen droegen zelfs een das, alsof ze bij een bank werkten. Ze rookten sjekkies. Yates liep naar hen toe en zei:

— *Zou een van de heren zo vriendelijk willen zijn er een voor mij te rollen?*

Het zou een kleinigheid zijn geweest om zijn eigen sigaretten uit de auto te pakken, maar dit was leuker. De mannen keken elkaar aan en overwogen zijn verzoek zwijgend. Ze wisten dat hij van de politie was, en ze haatten hem. Toch konden ze het niet weigeren.

Zeg het me na: jouw haat doet er niet toe.

Het was een sensatie om te zien hoe deze stoere jonge mannen, zo vol branie en zelfverzekerdheid, machteloos waren en gehoorzaam en onderdanig, en als het eerste het beste stelletje halfzachte slappelingen deden wat hij vroeg.

De jongste van het stel haalde zijn shag tevoorschijn en rolde een perfecte sigaret. Hij deed het met zorg, zodat Yates geen reden had om boos te worden. Hij was slim en begreep dat zelfs het geringste teken van verzet Yates in woede zou doen ontsteken. Toen hij klaar was, reikte hij de sigaret aan. Yates pakte hem aan, maar haalde zijn lucifers niet tevoorschijn, hoewel hij die in zijn zak had.

— *Ik heb graag vuur in mijn tabak als ik ga roken.*

Een van de anderen stak een lucifer aan en hield de vlam met vaste hand voor Yates op. Yates hield het uiteinde van de sigaret in de vlam totdat deze brandde en inhaleerde met een dankbare glimlach.

— *Tijd geleden dat ik zulke goedkope tabak heb geproefd. Doet me denken aan de tijd dat ik als jongen begon te roken. Nou, ik wens jullie een productieve dag. Geniet van de zon.* De man doofde de lucifer met een boze handbeweging – de enige manier waarop hij het waagde zijn emoties te tonen. Yates zoog langdurig aan de sigaret en genoot van dit moment – een heerlijk moment op een mooie, zonnige dag.

De taxi kwam tot stilstand. Elena keek uit het raam. Dit moest het zijn – West 145th Street. Het was hier op een heel andere manier druk op straat dan op 44th Street. Sommige mensen hadden het druk, vele andere hingen maar wat rond. Ze was bang dat ze er erg opvallend uit zou zien: een onmodieus gekleed meisje van zeventien uit de Sovjet-Unie, dat geen idee had van deze stad, de buurt en de cultuur. Ze had niet veel tijd voordat ze haar in het hotel zouden missen – een uurtje of zo. De groep zou voor de lunch bijeenkomen, waarna de generale repetitie zou volgen, als Raisa terugkwam van haar eerste bezoek aan het hoofdkantoor van de vn. Ze keek op haar horloge. De taxirit had ruim een halfuur geduurd, langer dan ze had geschat. Dat betekende dat ze niet veel tijd meer had om Jesse Austin op te sporen en met hem te praten. Ze hadden haar verteld dat hij een kluizenaarsbestaan leidde, niet meer optrad, werkloos was, zijn appartement maar zelden verliet en leed onder de maatregelen die er genomen waren om hem de mond te snoeren.

De chauffeur – een blanke – draaide zich om en keek haar bezorgd aan.

— *Weet je zeker dat je hier moet zijn?*

Elena's Engels was redelijk, maar de vraag bracht haar in verwarring. Ze herhaalde de naam van de straat.

— *West 145th Street.*

De chauffeur knikte:

— *Die straat is het inderdaad. Maar dit is geen plek voor een meisje als jij.*

Elena begreep het niet. Ze vroeg:

— *Hoeveel krijgt u van me?*

De chauffeur wees naar de meter. Ze haalde het geld dat Michail haar had gegeven tevoorschijn.

— *Kunt u op me wachten?*

— *Hoe lang?*

— *Twintig minuten.*

De chauffeur keek weifelend. Elena gaf hem vijf dollar. Het viel haar op dat de man blij leek te zijn met het geld. Het moest voor hem een aanzienlijk bedrag zijn.

— *Als u blijft wachten, zal ik het u vergoeden.*

Hij knikte, zijn hele houding was veranderd door het geld. Elena voelde een afkeer voor hem: een man die van geld hield, iemand die een ander werd als hij een dollarbiljet zag.

— *Ik wacht. Maar niet meer dan twintig minuten. Als u later terugkomt, ben ik weg.*

Elena stapte uit en deed het portier van de taxi achter zich dicht. Voor de taxi stond een ouderwetse houten wagen met een huif van textiel als bescherming tegen de zon. De wagen lag vol met hopen glimmend ijs, dat in de warmte snel smolt. Onder het ijs lagen mosselen, sommige nog in een dichte schelp, andere open. Ze werden in kruiden gekookt, spetterend in de hitte, en verkocht in tot puntzakken gevouwen krantenpapier. In de stoffige straat stonden geen massa's auto's, maar waren kinderen aan het ballen en spelletjes aan het spelen waarbij gesprongen moest worden, of ze bedelden om stukjes ijs bij de mosselverkoper, die af en toe zijn vuist opstak om ze weg te jagen. Op het eerste gezicht vond Elena de huizen mooi, ze waren niet al te hoog en niet van dat lelijke beton, zoals in de sloppenwijk waar zij woonde. Ze waren van mooie baksteen gemaakt, omlijst door metalen brandtrappen. In een van de ramen stond een bord met de tekst:

NIET RONDHANGEN OP DE TRAPPEN

Elena kende niet alle woorden, maar ze begreep wel dat de mensen verzocht werd om niet op de trappen voor de huizen te gaan zitten, wat iets komisch had, omdat op bijna elke trap wel een groepje mannen zat of stond.

Het appartement waar ze moest zijn was een eindje verderop. Ze liep langs de mosselverkoper en langs de kinderen die sabbelden aan onregelmatig gevormde ijsbrokken, die ze gepikt moesten hebben als de mosselverkoper even niet oplette. Ze had zich in haar hele leven nog nooit zo'n buitenstaander gevoeld. Ze moest zich vermannen om niet terug te rennen naar de taxi. Ze hoefde niet ver te lopen. Ze stond er al voor.

Op de trap stond een man een sigaret te roken, een lange blanke man in een pak. Ze hadden Elena verteld dat Jesse Austin onder druk stond van de Amerikaanse geheime dienst. Ze wist niet of deze man een agent was, maar hij hoorde hier niet thuis, dat was duidelijk; het was bijna net zo evident als het feit dat zíj hier niet thuishoorde. Ze blikte snel om zich heen of er een plek was waar ze zich kon verstoppen, maar het was al te laat. Hij had haar gezien. Ze had geen keus. Ze begon sneller te lopen, alsof ze haast had. Op hetzelfde moment kwam hij de trap af, om haar staande te houden natuurlijk. Toen hij dichterbij kwam, sloeg Elena haar ogen neer en keek ze met ingehouden adem naar de grond.

Ze passeerden elkaar op het trottoir. Ze liep door, langs het pand waar Jesse Austin woonde, alsof ze ergens anders naartoe ging. Zodra ze de hoek om was, ging ze met haar rug tegen de muur staan. Dat ze bij Jesse Austin langs zou kunnen gaan kon ze wel vergeten. En dat ze terug zou kunnen naar de taxi ook.

Dezelfde dag

Voor een man als Jesse Austin, die zichzelf beschouwde als een optimist, was het een vreemde gewaarwording om zich zo opgejaagd te voelen en af en toe de bedreiging bijna tastbaar aanwezig te voelen. Zelfs als zijn vrouw door het appartement liep, straalde ze grote vermoeidheid uit en was haar gang zwaar, terwijl ze vroeger zo'n karakteristieke, vlotte manier van lopen had gehad. Haar uitputting was fundamenteler dan dat ze vermoeid was als gevolg van te hard werken of te veel gepieker over geld; deze uitputting zat in haar botten, die daardoor loodzwaar waren geworden. Ze was op. Door haar voortdurende bezorgdheid was haar haar futloos geworden en haar ogen dof, waren haar lippen bloedeloos en was zelfs haar manier van spreken anders geworden. Haar woorden waren niet speels meer, zongen niet meer met een intelligent soort ondeugendheid. Ze vielen uit haar mond alsof er elke lettergreep een zware last torste en toonden zo dat hier sprake was van een vermoeidheid die niet kon worden verdreven met een goede nachtrust of zelfs een aantal dagen niet werken. De afgelopen jaren had hij zich vaak afgevraagd of Anna's kracht en incasseringsvermogen niet eerder een vloek waren geweest dan een zegen. Een ander zou de spanning niet hebben kunnen verdragen en zou bij hem zijn weggegaan. Collega's en vrienden hadden het contact verbroken. Enkelen hadden zich zelfs tegen hem gekeerd, voor het Congrescomité tegen On-Amerikaanse Activiteiten tegen hem getuigd en trillend van verontwaardiging met een beschuldigende vinger naar hem gewezen alsof hij een moord had gepleegd. Maar Anna niet, geen seconde zelfs, en er ging geen dag voorbij zonder dat Jesse zich deemoedig voelde bij haar liefde.

Anna had gelijk gehad. Ze had voorspeld dat de mannen die hij tot vijand had gemaakt wraakzuchtig waren en dat absoluut niet zouden vergeten. Jesse had gegrapt dat de overheid hem alles kon ontnemen behalve zijn stem, en dat hij gevierd zou blijven zolang hij zijn stem had. Hij had het mis gehad. In de jaren dertig had hij opgetreden voor een publiek van soms wel twintigduizend man. Het aantal toehoorders tijdens zijn wereldtournee van 1937 bedroeg alles bij elkaar meer dan een miljoen. Tegenwoordig wilde geen enkel theater hem nog hebben, de grote concertzalen niet, maar ook de kleine, rokerige bars niet, locaties waar het gerammel van de flessen de zanger overstemde. En dan hielp het niet als Jesse contractueel beloofde geen polemische redevoeringen te houden en te zweren om alleen maar teksten te zingen die van tevoren gecontroleerd waren en als ongevaarlijk beschouwd werden. De dag na zijn optreden zou het theater onvermijdelijk bezocht worden door inspecteurs van brandweer en gezondheidsdiensten of door de politie, in verband met een vermeend opstootje of een vechtpartij op straat. Hoe dan ook, het theater zou dan voor enkele weken gesloten worden. Hoe verontwaardigd iedereen ook was over deze gang van zaken, niemand kon het zich veroorloven om twee keer dezelfde fout te maken. Als ze dat deden, werd hun vergunning ingetrokken. De managers van de theaters, mannen die Jesse ooit na een concert met de ogen vol tranen en een kassa vol dollars de hand hadden geschud, hadden nu niet eens het fatsoen om de waarheid te erkennen. Hij kon het hun niet kwalijk nemen dat ze voor hun belangen opkwamen, maar moesten ze daarom ook liegen? Ze zeiden tegen hem dat hij te oud was, of dat zijn soort muziek niet meer in de mode was. Ze beledigden hem liever dan toe te geven dat ze bang waren.

Het was wrang dat Jesses verschijning voor het Congrescomité tegen On-Amerikaanse Activiteiten in juli 1956 later zijn laatste publieke optreden zou blijken te zijn geweest. De leden van het Huis van Afgevaardigden die hem ondervroegen, citeerden uitspraken die hij ten gunste van het communisme zou hebben gedaan en vergeleken die met de kritiek die hij op de Verenigde Staten had geuit. Had hij immers niet beweerd dat hij zich meer thuis voelde in de Sovjet-Unie dan in de Verenigde Staten? Jesse probeerde de betekenis van zijn uitspraken uit te leggen: dat het begrip 'thuis' verwees naar de manier waarop hij in het buitenland werd gerespecteerd, terwijl hij in zijn eigen land werd mishandeld, dat zijn rasgenoten voor nikker uitgemaakt en vertrapt werden. Er werden opnamen vertoond van een toespraak die hij in 1950 in Moskou had gehouden, in de Serp-i-Molot-fabriek, ondertiteld in een onjuiste vertaling:

JESSE AUSTIN: *Het Vrijheidsbeeld hoort hier thuis, in Moskou, en niet in New York.*

Hij had de kreten van het publiek in het Congres aangehoord, en het gekras van de pennen op blocnotes van de journalisten. Hij had enorme bedragen besteed aan advocaten, maar was slechts tot de conclusie gekomen dat er tegen insinuaties geen verdediging mogelijk was. Uit hun verband gerukte citaten vlogen door de zaal. De kwestie dat hij geweigerd had een niet-communistische verklaring te ondertekenen werd besproken. Er werden foto's getoond van zijn bezoek aan Moskou, met cirkels om de hoofden van enkele mannen naast hem. Dat waren KGB-agenten, werd gezegd, en ze werden bestempeld als monsters die de burgerbevolking naar het leven stond en haar tot slaaf maakte. Jesse had bezwaar gemaakt: de commissie had geen bewijs dat deze beschuldigingen ondersteunde. Ze riepen terug dat de omcirkelde mannen leden van de geheime dienst waren, en dat het bewezen was dat de geheime dienst een instrument van terreur was. Of wilde hij soms ontkennen dat er kampen in de Sovjet-Unie waren waar slavenarbeid werd verricht, kampen die de beweringen over gelijkheid en rechtvaardigheid in zijn toespraak tot een aanfluiting maakten? Hij had geantwoord dat die draconische maatregelen, als ze al genomen waren, slechts dienden om fascistische elementen te onderdrukken, elementen die toen ze in Duitsland de vrije hand hadden gekregen vele miljoenen doden op hun geweten hadden gehad. Hij zou niet treuren over een paar dode fascisten.

Hij was door geen enkele rechtbank schuldig bevonden aan welke misdaad dan ook, maar toch werd zijn paspoort ingenomen. Hij was niet langer in staat om de Sovjet-Unie te bezoeken of op uitnodigingen van niet-communistische landen zoals het Verenigd Koninkrijk, Frankrijk en Canada in te gaan. Hij werd niet meer gecontracteerd voor openbare optredens. Het maken van opnamen werd hem onmogelijk gemaakt. Geen radiostation wilde zijn muziek spelen. Geen platenmaatschappij wilde zijn songs uitbrengen. Geen winkel wilde zijn platen in voorraad hebben, en zijn oude platen werden uit de verkoop genomen – wat hij vroeger had gedaan, werd verdonkeremaand. Zijn royalty's stagneerden. Hij had vanaf zestienjarige leeftijd belasting betaald en had duizenden dollars aan vreemde valuta het land binnengebracht, maar de overheid ontnam hem zijn inkomen en ontzegde zichzelf zo een bron van inkomsten uit belastingen. Zijn inkomen daalde tot minder dan vierhonderd dollar per jaar. Zijn spaargeld was opgegaan aan juridische kosten, onder meer vanwege een procedure tegen zijn platenmaatschappij wegens contractbreuk. Geen rechtbank oordeelde ooit in zijn voordeel. Het had twaalf jaar geduurd, en uiteindelijk zat hij aan de grond. Ze hadden hun zin gekregen. Hij was weer arm, net als toen hij begon. Toen zijn appartement aan Central Park verkocht moest worden, had de FBI alle potentiële kopers op de hoogte gebracht van zijn financiële problemen, daar was hij van overtuigd. De verkoopprijs was de helft van de reële marktwaarde en was onvoldoende om zijn schulden af te lossen.

Anna deed het raam open, ging in de vensterbank zitten en keek op straat uit. Haar haarlokken hingen futloos langs haar gezicht, wachtend op een briesje dat op korte termijn niet te verwachten was. Jesse liep naar haar toe, legde zijn arm om haar slanke taille, vlijde zijn hoofd op haar schouder en wilde zich wel duizend keer verontschuldigen. Maar de woorden bleven in zijn keel steken.

Toen er op de deur geklopt werd, draaiden ze zich op hetzelfde moment om. Jesse voelde de spanning in Anna's lichaam. Het verschil tussen het aankloppen van een agent en het aankloppen van iemand die in het pand woonde, was dat er in het eerste geval een stilte volgde. Een vriend zou iets roepen, je zou heen-en-weergeloop voor de deur horen. Een agent dompelde het hele pand in stilte; dan werd het stil in het trappenhuis en bleef iedereen afwachtend staan kijken. Jesse liep naar de deur en bedacht dat Yates alleen maar wachtte totdat hij de minste of geringste provocatie uitte. Op alles voorbereid pakte hij de deurknop en deed open.

Het was niet Yates, maar Tom Fluker, een ruziezoeker van in de zestig die op de hoek van de straat een ijzerwinkel dreef. Naast hem stond een blanke jonge vrouw met lang donker haar. Hij kende haar niet. Voordat Jesse iets had kunnen zeggen, barstte Tom los in een tirade:

— *Dit meisje heb ik betrapt toen ze als een dief achterom naar binnen probeerde te glippen. Ze zegt dat ze jou wilde spreken. Toen ik vroeg waarom ze dan niet net als iedereen door de voordeur naar binnen was gekomen, raakte ze in de war, alsof ze het niet begreep. Eerst dacht ik nog dat ze zich van de domme hield, maar toen besefte ik dat ze niet erg goed Engels verstaat. Ze heeft ook een accent. Dus toen heb ik nog even geluisterd. Ze is een Russin! Wat doet een Russisch meisje hier, op zoek naar jou? We willen er geen problemen bij hebben, hoor. Die hebben we al genoeg.*

Jesse keek naar de jonge vrouw en vervolgens naar Tom. Zijn gezicht was vertrokken van woede. De FBI had geprobeerd Jesse in de buurt te isoleren. Allerlei mensen, bekenden en onbekenden, dominees en zakenmensen, wilden voor de bühne maar al te graag afstand nemen van zijn communistische denkbeelden en beweerden om het hardst dat het een schande was hoe hij zich gedroeg en dat dat volstrekt niet strookte met hun wens om hard te werken en hun steentje bij te dragen aan de integratie in hun land. Aan de andere kant waren er ook mensen die zich niet publiekelijk over hem wilden uiten, maar die wel vonden dat de negatieve aandacht die Jesse trok zinloos was. Terwijl zij probeerden de levensomstandigheden voor hun gemeenschap te verbeteren en streden voor meer rechten voor de mensen, bereikte hij het tegenovergestelde. Zo'n man was Tom. Hij had hard gewerkt. Hij had een eigen winkel. Jesse was een obstakel bij de verwezenlijking van zijn droom: geld te hebben voor zijn kinderen en te zorgen dat ze goed terechtkwamen in het leven. Hij had geen tijd voor ideologieën. Hij telde aan het einde van de week hoeveel dollars hij in zijn kassa had, en lieden als Jesse waren slecht voor de zaken. Jesse had geen tijd voor zijn manier van denken. Dat hem onrecht was aangedaan, was voor hem nooit een reden geweest om nog eens na te denken over zijn idealen. Die houding was in feite de ergst denkbare onderwerping: bang zijn om te doen wat goed is uit angst dat je degenen die het bij het verkeerde eind hebben kwetst.

Tom keek de jonge vrouw aan en zei:

— *Je bent een Russin. Zeg dat tegen hem.*

Ze deed een stapje naar voren.

— *Mijn naam is Elena. Meneer Austin, mag ik alstublieft met u praten? Ik heb niet veel tijd.*

Ze sprak Engels, maar dat was duidelijk niet haar moedertaal.

— *Dank je wel, Thomas. Ik handel dit wel af.*

Tom wist niet zeker of hij het daarbij moest laten. Jesse wist dat Tom niet met deze gebeurtenis geassocieerd wilde worden en de neiging zou hebben om de FBI te bellen, maar hij was er ook van overtuigd dat Tom – hoezeer hij het ook oneens was met Jesse – hem nooit zou verraden. Zo'n soort man was hij niet.

Tom draaide zich om en haastte zich zonder achterom te kijken de trap af, hoofdschuddend van verontwaardiging en weerzin, en ondertussen hardop herhalend, alsof het een vervloeking was:

— *Een Russin in Harlem!*

Dezelfde dag

Anna liet haar hoofd zakken, want ze wist dat dit slecht zou aflopen. Ze hadden tegen agent Yates gelogen – ze wisten wél van het concert bij de Verenigde Naties vanavond. De CPUSA had vier pogingen ondernomen om Jesse over te halen daar te verschijnen. Ze wilden dat hij de menigte zou toespreken die zich naar verwachting voor de deur zou verzamelen om daar een procommunistische demonstratie te houden. Elke keer hadden ze het weer anders aangepakt: ze hadden een oude man op hem afgestuurd die zo ongeveer alles wat Marx ooit had geschreven kon citeren, ze hadden een mooie jonge vrouw gestuurd om Jesse te vleien met haar aandacht en een jonge militante communist die op agressieve toon solidariteit had geëist, en ze hadden een echtpaar van middelbare leeftijd gestuurd dat ook had geleden door toedoen van de FBI, zo beweerden ze. Maar Jesse had ze allemaal weggestuurd en gezegd dat hij met pensioen was, dat hij oud was en meer dan genoeg toespraken voor de goede zaak had gehouden. De strijd moest nu door anderen worden opgepakt, door nieuwe mensen. Toen ze hem verweten dat hij zich gedroeg als een verslagene, had hij dat niet ontkend, maar hen de deur uit gebonjourd met de boodschap dat ze een verslagene niet lastig moesten vallen.

Dit lieve meisje met haar grote, ernstige ogen, dat niets anders uitstraalde dan onschuld en idealisme, was zeker hun laatste poging tot overreding. Slim, dat ze haar hadden uitgekozen. Dit meisje strooide niet met theorieën en citaten. Ze was helder, ze had nog hoop en dromen, ze geloofde in iets. Ze hadden haar op grond van zorgvuldige berekening uitgekozen, en dat had niets te maken met seks. Haar man had geen seksuele gevoelens voor het meisje. Het was niet waar dat Anna blind was en onvoorwaardelijk geloofde in de trouw van haar man, terwijl hij haar telkens weer bedroog als hij de kans had. Dat was het lugubere beeld dat de FBI in het leven had geroepen, en het was een leugen. In de bijna veertig jaar van hun huwelijk had Jesse haar in werkelijkheid nooit bedrogen, en dat terwijl hij daar talloze keren de mogelijkheid toe had gehad. Hij was een knappe man met een stem die vrouwen tranen van bewondering ontlokte. Als hij in zijn jonge jaren op tournee was, stonden de vrouwelijke fans voor de deur van zijn kleedkamer in de rij, en die fans zouden zich graag voor hem hebben uitgekleed als hij hen alleen maar met een suggestieve blik zou hebben aangekeken. Veel mensen vonden haar een dwaas en hem een geslepen leugenaar, die haar met zijn verleidelijke stem in honingzoete bewoordingen kon laten geloven wat hij wilde. Maar Anna wist wel beter. Zijn probleem was juist dat hij trouw was, en niet promiscue. Hij was door dik en dun trouw – zijn enige maîtresse was het communisme, en ook haar bleef hij trouw toen ze het hem onmogelijk maakte in zijn levensonderhoud te voorzien.

Anna had Jesse nooit een verwijt gemaakt van de ontberingen die het gevolg waren geweest van zijn overtuiging. Haar vriendinnen hadden haar gesmeekt om te zorgen dat hij zijn mond hield, zijn uitspraken introk en zijn excuses aanbood, zelfs al meende hij die niet, om de druk te verlichten. Ze had geweigerd daar zelfs maar over na te denken. Hij was een openhartig en gepassioneerd man – en juist om die eigenschappen was ze van hem gaan houden. Zijn muziek lag in het verlengde van zijn overtuiging – die twee waren niet te scheiden, zijn persoonlijkheid liet zich niet splitsen of aantasten. Je kon hem niet makkelijker te verteren of minder provocerend maken. Maar hoezeer ze ook aan deze overtuiging vasthield, ook vandaag nog, er waren wel momenten dat ze overmand werd door een gevoel van bitterheid. Ze was zijn impresario geweest. Ze had zijn carrière mee vormgegeven, en al dat werk, alles wat ze hadden bereikt, was weggespoeld als in het zand geschreven tekens. Als ze eraan dacht wat ze allemaal bereikt en weer verloren hadden, voelde ze zich soms ineens krachteloos; dan was het alsof ze in stukjes uiteenviel en stelde ze zich voor hoe het leven zou zijn zonder het communisme. Op die momenten haatte ze dat woord, verachtte ze elke lettergreep ervan, maar haar liefde voor Jesse verminderde nooit.

Het viel Anna op dat haar man kwiek reageerde toen hij hun jonge bezoekster binnenliet en de deur dichtdeed. Zijn moedeloosheid na het gesprek met Yates was verdampt als de ochtendnevel in de opkomende zon van een nieuwe dag. Het meisje was nerveus en deed veel moeite om dat te onderdrukken, hoewel haar gestotter en onhandige gedrag haar niet minder overtuigend maakten, maar integendeel eerder bekoorlijk. Ze sprak Engels en struikelde over haar woorden.

— *Mijn naam is Elena. Ik ben een jongere uit de Sovjet-Unie en maak met een gezelschap een tournee door de Verenigde Staten. We voeren een aantal concerten uit in New York en Washington. Vanavond treden we op in het gebouw van de Verenigde Naties.*

Hoe weerzinwekkend agent Yates ook was, hij was geen idioot. Hij had het goed gezien – de Russen gaven het niet op. Ze zochten contact. Jesse had nooit veel op gehad met de CPUSA, maar als de Russen iets van hem vroegen, had hij nooit kunnen weigeren. De jonge Russische leek niet goed te weten tot wie ze zich moest richten, misschien omdat ze niet had verwacht dat Anna thuis zou zijn.

— *Meneer Austin, en mevrouw Austin, ik heb aangeboden om vrijwillig op te treden als boodschapper. Ik spreek niet erg goed Engels. Ze hebben me verteld dat u Russisch spreekt, meneer Austin. Mag ik Russisch met u spreken? Het spijt me, mevrouw Austin. Neemt u me niet kwalijk. Als we Russisch spreken kunnen er geen misverstanden ontstaan.*

Jesse keek naar Anna. Hij zei:

— *Ik zal het vertalen voor je.*

Anna knikte instemmend. De jonge vrouw ging over op het Russisch. Het gezicht van haar man klaarde op bij het horen van die taal – een taal die Anna nooit had kunnen verstaan.

Jesses beheersing van het Russisch was vrijwel meteen weer compleet, en hij verbaasde zich erover dat hij het na al die jaren nog zo vloeiend sprak. Hij had niet het gevoel dat hij de taal zelf had moeten leren, het was eerder alsof het zijn moedertaal was.

— *Ik dacht dat ik misschien niet meer van nut zou zijn voor jullie.*

Het was niet zijn bedoeling geweest om meelijwekkend over te komen. Het Russische meisje schudde haar hoofd.

— *Nog maar twee jaar geleden hadden we op school een actie om u te schrijven toen we hoorden van uw problemen met de overheid. Dui-*

zenden scholieren hebben u toen bemoedigende brieven gestuurd. Ik-
zelf heb u een brief van drie kantjes geschreven. Ze zijn op de post ge-
gaan naar u. Een paar moeten er toch zijn aangekomen?
— *Nee, geen enkele.*
— *We waren al bang dat dit zou gebeuren. Ze zijn onderschept. De*
Amerikaanse geheime dienst opent al uw post.

Jesse vermoedde allang dat zijn post werd onderschept, maar
had geen idee dat het op zo'n schaal gebeurde. Hij stelde zich voor
hoe jonge FBI-agenten tot taak hadden ze allemaal te lezen, honderden brieven van kinderen die allemaal geanalyseerd werden en door
de meest geavanceerde automatische decodeermachines gehaald
werden. Elena vervolgde:

— *We hebben ook leden van de Amerikaanse Communistische*
Partij gevraagd om met u te spreken, maar ze hebben u niet kunnen
overhalen het concert bij te wonen.

Jesse voelde irritatie bij het horen van de naam van de CPUSA.

— *Amerikaanse communisten besteden al hun tijd aan gekibbel*
onder elkaar. Ze hebben nog nooit één ding bereikt dat het vermelden
waard was. Waarom zou ik iets voor hen doen?

— *We zouden geprobeerd hebben u op te bellen...*

Het Russische meisje bloosde, ze had niet de aandacht willen
vestigen op hun benarde omstandigheden: ze hadden geen telefoon meer. Ze vervolgde:

— *Daarom moest ik persoonlijk naar u toe komen. Maar dat is niet*
de enige reden waarom ik hier ben. Ik wilde u zeggen dat, of u van-
avond naar ons concert komt of niet, we u niet vergeten zijn in Rus-
land, zoals in de Verenigde Staten. Ik ben zeventien jaar en u bent voor
mij een held. U bent een held voor veel Russen, van alle leeftijden. U
bent op de radio te horen. U bent vandaag de dag populairder dan ooit.
Dat is de reden dat ik vandaag naar u toe wilde komen, meneer Austin,
want we hebben gehoord dat uw vijanden veel leugens over u rond-
strooien. Wij willen u de waarheid vertellen. U wordt bewonderd en u
bent geliefd! U zult nooit vergeten worden, en uw muziek zal altijd
gespeeld worden.

Jesse had een gevoel alsof hij een blok ijs was geweest dat nu ont-
dooid werd en voelde een vreugdevolle warmte door zijn lichaam
trekken. Zijn muziek was niet verloren gegaan. In een ander land
genoten nog mensen van zijn songs, ook al was zijn werk in de Verenigde Staten uit het bewustzijn verdwenen. In zijn eigen land kon

zijn werk niet meer beluisterd worden, maar in het buitenland nog wel. Ontroerd liep hij naar de tafel. Hij moest gaan zitten. Anna ging naar hem toe en pakte zijn handen.

— *Wat is er? Wat zei ze?*

— *Mijn muziek wordt nog steeds gespeeld.*

Het was waar dat hij zich in de steek gelaten had gevoeld door de natie en de Partij waarvoor hij zoveel had opgeofferd. En horen dat dit niet het geval was, was een balsem op de vele wonden die hem door de jaren heen waren toegebracht.

Hij keek het meisje weer aan en vroeg:

— *Wie heeft je gestuurd?*

Elena antwoordde in het Russisch:

— *Mijn instructies komen van het hoogste niveau in de Sovjet-Unie. Als deze ontmoeting niets anders oplevert dan dat ik mijn boodschap van waardering aan u over heb kunnen brengen, dan is dat al genoeg. Maar we willen graag meer samen met u doen. We begrijpen dat u niet meer in zalen kunt spreken omdat u daar niet meer kunt optreden. Toen dat voor het eerst gebeurde, hoorden we dat u zich daar niet bij neer wilde leggen en dat u op straathoeken bent gaan spreken, dat u bent gaan improviseren en bijvoorbeeld van een parkeerplaats een auditorium maakte. Maar nu horen we dat u in geen enkele hoedanigheid meer spreekt.*

Jesse boog zijn hoofd. Hij had in eerste instantie tegen de tactiek van de FBI gestreden door op straat te spreken, staande op een krat, op een fruitkist, op de motorkap van een auto, en iedereen aan te spreken die maar wilde luisteren. Dat was verleden tijd. Hij had al minstens twee jaar niet in het openbaar gesproken. En niet alleen vanwege de frequente onderbrekingen door patrouillerende politieagenten of omdat hij werd gearresteerd wegens ordeverstoring. Het passerende publiek was vaak onverschillig en sommigen werden zelfs agressief. In het Engels verzuchtte hij:

— *Dat is meer iets voor jonge mensen.*

Anna kneep in zijn handen. Er klonk onrust in haar stem toen ze zei:

— *Heeft Yates haar naar binnen zien gaan? Vraag dat eens aan haar, Jesse.*

Hij herhaalde Anna's vraag. Elena antwoordde:

— *Yates is een agent van de Amerikaanse geheime dienst? Ik heb hem gezien. Maar ik ben heel voorzichtig geweest. Dat is de reden dat ik aan de achterkant ben binnengekomen.*

Jesse vertaalde het, maar in plaats van gerustgesteld te zijn, reageerde zijn vrouw boos.

— *Begrijp je wat je hebt gedaan door hiernaartoe te komen? Begrijp je het gevaar? Wat willen jullie nog meer van hem? Wat kan hij jullie geven? Kijk eens rond! Wat is hier nog wat jullie zouden willen hebben?*

Anna verloor maar zelden haar zelfbeheersing. Jesse stond op en legde zijn handen op de armen van zijn vrouw. Maar dat maakte haar alleen maar bozer. Ze duwde hem weg, ze weigerde te zwijgen, wees naar de stapel grammofoonplaten in de hoek en sprak het Russische meisje toe alsof ze het regime van de Sovjet-Unie vertegenwoordigde:

— *Zie je dat? Dit is de enige manier waarop hij nu nog zijn platen kan verkopen. Hij laat ze zelf persen, omdat geen platenmaatschappij ervoor wil tekenen. Hij verkoopt ze aan fans die zich hem nog herinneren en die ze op abonnement van hem afnemen. Ooit verkocht hij er miljoenen. En hoeveel verkoop je er nu, Jesse? Hoeveel abonnees heb je? Vertel het haar!*

Met haar beperkte kennis van het Engels kon Elena maar een beetje begrijpen wat dit betekende. Wat er gezegd was over de platen in de hoek had ze goed begrepen. Volgens Michail had de CPUSA zodra de FBI zijn positie was gaan ondermijnen aangeboden Austin direct te subsidiëren. Dat had hij geweigerd, omdat hij nooit geld zou aannemen van de Sovjet-Unie en überhaupt nooit op enigerlei wijze steekpenningen of giften had aangenomen. Austin hurkte met zijn rug naar Anna en Elena neer bij de stapel platen. In het Russisch zei hij:

— *Vijfhonderd. Dat is alles wat ik nog heb. Vijfhonderd abonnees heb ik. Vijfhonderd fans…*

Elena wist dat van de abonnees die zijn zelfgeperste platen kochten er vierhonderd voor rekening kwamen van de CPUSA. Dat was de enige manier om Austin te ondersteunen zonder dat hij het in de gaten had. Ze week nu af van haar zorgvuldig voorbereide tekst en zei:

— *Mag ik u iets vragen? Het is me niet gezegd dat ik dit moest vragen. Het is een vraag die ik u zelf graag zou willen stellen. Het is een persoonlijke vraag.*

— *Alsjeblieft, je mag me alles vragen.*

Elena ving Anna's blik op en ging over in haar gebrekkige Engels.

— *Waarom steunt u de Sovjet-Unie? Waarom geeft u zoveel?*

De vraag maakte diepe indruk, zowel op Jesse als op zijn vrouw. Ze keken elkaar aan, en op slag leek hun conflict uit de wereld. Ze gaven geen antwoord. En even leken ze vergeten te zijn dat Elena in de kamer was.

Elena keek op haar horloge. Ze moest nodig terug naar het hotel. Het was bijna twaalf uur.

— *Neemt u me niet kwalijk, mevrouw Austin, ik heb niet veel tijd. Ik moet weer overschakelen op het Russisch.*

Ze ging verder in haar moedertaal.

— *Zoals u weet hebben we vanavond een uitvoering in het hoofdkantoor van de Verenigde Naties. Er zal pers uit de hele wereld bij zijn. De belangrijkste diplomaten zullen er zijn. Wij willen dat u daar ook bent. We hebben geprobeerd om voor u en uw vrouw officiële tickets te bemachtigen, maar de organisatoren hebben dat tegengehouden. Daarom ben ik naar u toe gekomen om u te vragen of u buiten op straat wilt wachten, en om dan een toespraak te houden en te laten zien dat u niet tot zwijgen gebracht bent. Als het concert afgelopen is, zal een aantal Russische jongeren door de hoofdingang naar buiten komen. Wij zullen om u heen komen staan en u toejuichen en voor u klappen. Dat moment zal de foto opleveren die symbolisch zal zijn voor deze hele reis. Iedereen in de Verenigde Staten zal aan het onrecht worden herinnerd dat u is aangedaan. Alstublieft, meneer Austin, zegt u me dat u er zult zijn. Dit is onze manier om iets voor u te doen.*

In het vuur van haar betoog legde Elena een hand op zijn arm.

Dezelfde dag

Osip Feinstein hurkte neer op het dak van het appartementengebouw tegenover dat van Jesse Austin. Als het Russische meisje niet was komen opdagen, zou de taak Jesse te overtuigen aan hem zijn toegevallen, en hij betwijfelde of hij van die opdracht een succes zou hebben weten te maken. Hij had de gang van zaken in het appartement gevolgd en foto's genomen van het tweetal – van het meisje en de zanger, een man die in een penthouse met uitzicht op Central Park had kunnen wonen, in plaats van in deze sloppenwijk. Hij was onder de invloed van een drug die veel sterker en giftiger was dan opium: hij was verslaafd aan een ideologie van de rechtvaardigheid. Osip keek naar het tafereel voor hem en drukte af. De laatste foto zou de meest belastende zijn – haar tengere, blanke hand op zijn forse, zwarte arm, met op de achtergrond het rommelige bed.

Manhattan
Hotel Grand Metropolitan
44th Street

Dezelfde dag

Toen Raisa de lobby betrad, vestigden twintig paar ogen zich op haar: de ogen van de Amerikaanse agenten van de geheime dienst die deden alsof ze gasten waren, rondhingen op banken en fauteuils, aan hun koffie nipten en haar volgden – met hun ogen net boven de rand van hun kopje of boven hun krant. Ze was van het hoofdkantoor van de Verenigde Naties teruggereden naar het hotel en was alleen niet geobserveerd geweest gedurende de tijd die ze nodig had gehad om vanuit de auto door de draaideuren van het Grand Metropolitan naar binnen te gaan. Bij de lift had ze min of meer verwacht dat een van de agenten daar ook in zou stappen. Toen ze bij zichzelf naging hoe de beveiliging van het hotel geregeld was vond ze die overdreven: zoveel agenten om op een stel schoolkinderen te passen. De liftdeuren gingen dicht. Raisa zei:
— *Twintigste verdieping, alstublieft.*
Zonder zich om te draaien gaf de man die de lift bediende een knikje. Ze was ervan overtuigd dat hij een agent was, ondanks het feit dat hij de hotellivrei droeg. Ze bestudeerde zijn merkwaardige uniform: rood met witte versieringen en biesjes aan de broekspijpen. Hij was een wel zeer onwaarschijnlijke spion, en ze vroeg zich af of haar angsten niet met haar op de loop gingen. Ze zag overal spionnen.

In een poging zich te concentreren op de realiteit in plaats van op ingebeelde gevaren hield ze zichzelf voor dat de voorbereidingen voor het concert goed waren gegaan. De gesprekken met haar Amerikaanse collega's waren lastig geweest, maar niet hopeloos lastig. Raisa's tegenvoeter was een Amerikaanse leraar met een verzorgde grijze haardos en dikke brillenglazen. Via hun tolk hadden ze ontdekt dat ze veel te bespreken hadden, niet omdat het moest, niet uit een opgelegd soort beleefdheid, maar uit oprechte nieuwsgierigheid. Raisa had bij hem het idee gehad dat hij zich gedwongen voelde om een ingetogen soort vijandigheid in stand te houden om te bewijzen dat hij niet sympathiseerde met het communisme. Tijdens hun gesprekken waren de Sovjetambtenaren afwezig geweest. Ze hadden gezegd dat ze er geen behoefte aan hadden om de komende generale repetitie te bekijken en hadden zich afzijdig gehouden, ondanks de wereldwijde aandacht die daarvoor zou bestaan.

De liftdeuren gingen open. De liftbediende draaide zich om.

— *Uw verdieping, mevrouw.*

Ze knikte en liep de lift uit terwijl ze wenste dat ze Leo aan haar zijde had. Hij had altijd een scherp instinct voor de redenen waarom mensen uitvluchten verzinnen. Nu ze alleen was, besefte ze hoe afhankelijk ze van hem was geworden.

Voordat Raisa bij de kamer van haar dochters kwam, werd ze in de gang tegengehouden door een van de propagandamensen, die haar de doorgang belemmerde. Het was Michail Ivanov. Hij was arrogant, knap en een volkomen overbodige aanvulling op hun team. Hij vroeg:

— *Hoe waren de ochtendvergaderingen?*

Hoewel het verleidelijk was om hem te negeren, zei Raisa:

— *Een succes, het concert ging goed.*

— *Hebben ze je gefotografeerd? Ik had gezegd dat ze geen foto's van je moesten maken als ik er niet bij was.*

— *Nee, ik ben niet gefotografeerd. Er was geen pers.*

Hij stak zijn wijsvinger op om haar te corrigeren.

— *Maar pas op met zogenaamde amateurfotografen. Die doen soms alsof ze je graag mogen en zeggen dat de foto voor een eigen album is bedoeld, maar dat kan een truc zijn om te zorgen dat je minder waakzaam bent.*

— *Niemand heeft me gefotografeerd.*

Waarom hield Michail Ivanov haar op met onnodige vragen? Raisa liep door voordat hij nog iets had kunnen zeggen en klopte aan bij de kamer van haar dochters. Zoya deed open. Op de achtergrond klonk het geluid van de televisie. Raisa keek de kamer rond.

— *Waar is Elena?*

— *Ze is gaan zwemmen.*

Instinctief keek Raisa over haar schouder en zag toen dat Michail vreemd geconcentreerd naar haar keek.

Dezelfde dag

Jim Yates liep de lobby binnen en knipoogde naar zijn collega's die, slecht vermomd als hotelgasten, in de hal rondhingen. Het kon hem niet schelen dat de Sovjets wisten dat ze in de gaten gehouden werden; het kon hem niet schelen dat ze daar misschien aanstoot aan zouden nemen. Hij liep op de receptie af en nam een geheel bijgewerkt verslag van het doen en laten van de Sovjetdelegatie in ontvangst. Volgens deze gegevens was de enige die het pand had verlaten een vrouw die Raisa Demidova heette, een lerares die naar het gebouw van de Verenigde Naties was gebracht. Ze was enkele minuten geleden teruggekeerd. Yates liet het verslag op de balie van de receptie liggen en liep naar de lift. De jonge FBI-agent die als liftboy werkte keek hem aan met een besmuikte glimlach vanwege zijn belachelijke uniform. Yates vroeg:

— *Heb je een jonge vrouw gezien die de lift nam?*

— *Jazeker, daarnet nog.*

— *Nee, iemand van een jaar of achttien.*

— *Ik weet het niet zeker. Ik geloof van niet. Misschien heeft ze de andere lift genomen.*

De deuren gingen open. Yates stapte uit, geërgerd door het gebrek aan alertheid bij zijn collega's. Ze hadden zich in slaap laten sussen door het feit dat ze te maken hadden met leuke kinderen, die er zo onbedorven uitzagen dat ze niet tot iets slechts in staat leken. Vanaf het moment van de aankondiging van de reis was Yates er al van overtuigd geweest dat de Sovjets een manier zouden weten te vinden om de gelegenheid uit te buiten. Hij liep op de sierlijke dubbele deuren van de balzaal af. Ze waren op slot, en een bord gaf aan dat de ruimte een uitgebreide renovatie onderging. Hij haalde zijn sleutel tevoorschijn, deed de zware deuren open en betrad de grote balzaal.

Er waren meer dan dertig bureaus neergezet, over de hele lengte van de zaal, en aan die bureaus zaten tientallen agenten met koptelefoons op notities te maken. Elke kamer die in gebruik was bij de Sovjetdelegatie werd afgeluisterd met microfoons in de slaapkamer, de badkamer en de garderobekasten, zodat nergens een privégesprek was te voeren. Over de televisietoestellen was men het oneens geweest. Yates had ze een risico gevonden, omdat de gasten hun gesprekken door de televisie hard te zetten onverstaanbaar zouden kunnen maken. Hij geloofde niet dat het nut zou kunnen hebben om de jongeren kennis te laten maken met cartoons, popmuziek en advertenties, maar hij had bakzeil moeten halen. De televisietoestellen waren geprepareerd en produceerden een bombardement aan beelden van een levensstijl waar Yates' superieuren ook de bewoners van de Sovjet-Unie bekend mee wilden maken, en de boodschap was er een van overvloed en comfort. De enige concessie die men Yates had willen doen, was ervoor zorgen dat de toestellen slechts een beperkt volume konden produceren, zodat ze nooit zo hard stonden dat een gesprek niet te volgen zou zijn.

Aan elke kamer waren twee vertalers toegewezen, die elk diensten van twaalf uur draaiden. De dialogen werden op band opgenomen, maar om onmiddellijk feedback te kunnen geven, vertaalden de teams de gesprekken simultaan en noteerden ze die in steno. Alles wat van belang was, werd meteen gesignaleerd. Wat minder belangrijk leek, werd door de vertalers uitgewerkt wanneer het stil was – als de jongeren en de leerkrachten de deur uit waren of sliepen. De operatie was zo omvangrijk dat de FBI zo ongeveer alle slavisten in het land had moeten inschakelen.

Yates pakte de map met foto's van de Russische jongeren. Hij had ze al vele malen bestudeerd. Hij had ze uit het vliegtuig zien stappen en het hotel binnen zien gaan. Hij was er niet helemaal zeker van of de jonge vrouw die hij op straat in Harlem had gezien tot de groep behoorde. Hoe was ze erin geslaagd om het hotel uit te gaan zonder te worden gezien? In de drukte had hij haar gezicht maar even gezien, en toen was ze een andere straat in gegaan en verdwenen, blijkbaar zonder in contact te treden met Jesse Austin. Maar het was zo onwaarschijnlijk geweest, zo'n blank meisje op zo'n plek.

Yates was naar zijn auto gegaan, en toen hij de wachtende taxi had opgemerkt, had hij besloten om ook te wachten. Het meisje was niet teruggekomen, en uiteindelijk was de taxichauffeur zonder passagier vertrokken. Hij had vanaf de straat niet in het appartement van Jesse kunnen kijken, en na drie kwartier had Yates het ook opgegeven, vol ongeduld om in het hotel te kunnen nagaan of zijn vermoedens klopten.

Ineens hield hij op met het doorbladeren van de foto's. De foto van de vrouw was in zwart-wit. Ze heette Elena. Ze was zeventien jaar. Ze deelde een kamer met haar oudere zus. Yates liep naar het bureau waaraan de vertaler voor die kamer zat.

— *Wat zijn ze aan het doen?*

De vrouw die aan het vertalen was, deed haar koptelefoon af en antwoordde met een zwaar Russisch accent. Yates verborg zijn afkeer: hij had hier met een immigrant te maken, en dat waren de minst betrouwbare vertalers.

— *De oudste zus kijkt naar de televisie.*

— *En de jongere? Elena?*

— *Die is gaan zwemmen.*

— *Wanneer is ze gaan zwemmen?*

De vertaalster keek het verslag na.

— *Ze heeft de kamer om tien uur verlaten.*

— *Heb je dat gemeld?*

— *Ze is naar het zwembad gevolgd.*

— *Is ze al terug?*

— *Nee.*

— *Al die uren in het zwembad? Vind je het niet vreemd dat ze nog niet terug is?*

Yates pakte de lege koffiemok van de vertaalster en sloeg ermee op het bureau, wat een verrassend hard geluid gaf in de gedempte sfeer in de zaal. Iedereen keek naar hem.

— *Ik wil de locatie weten van een van de meisjes. Elena, zeventien jaar. Naar verluidt is ze naar het zwembad gegaan.*

Een agent stak zijn hand op en zei nerveus:

— *Het meisje is naar het zwembad gevolgd. We hebben buiten een agent.*

— *Is ze daar nog?*

— *Ze is er niet weggegaan.*

— *Kan de agent haar zien? Op dit moment? Kan hij zien wat ze doet?*

Er viel een stilte, gevolgd door een aarzelend antwoord.

— *De agent is niet in het zwembad. Hij staat buiten. Maar ze heeft niet hem gepasseerd. Ze moet daar nog zijn.*

— *Ben je bereid om je baan daaronder te verwedden?*

Het zelfvertrouwen van de man was op slag verdwenen. Hij stamelde:

— *Het is de enige manier om in het zwembad te komen. Als ze hem niet is gepasseerd, moet ze daar nog zijn.*

Yates nam niet de moeite om te antwoorden, maar haastte zich de zaal uit, liep langs de lift en stormde met twee treden tegelijk de trap naar het zwembad op.

Manhattan
5th Avenue

Dezelfde dag

In de taxi keek Elena op haar horloge. Het was al laat. Het koor zou over een paar minuten bij elkaar komen. Het had allemaal langer geduurd dan ze had verwacht – de rit naar Harlem was veel langer geweest, het had langer geduurd om het appartement van Jesse Austin binnen te komen, en het had ook meer tijd gekost om weer buiten te komen. Omdat ze bang was dat de Amerikaanse geheime dienst op de uitkijk stond, had ze zich aan de achterkant van het pand van de Austins naar buiten laten brengen. Niet wetend of hij zich die avond nog zou laten zien, had ze afscheid genomen van Austin. Hij had niets beloofd. Maar ze had gedaan wat ze kon.

Ze naderden het hotel; het was nog geen vijfhonderd meter, maar het verkeer stond stil. Ze wist niet hoe ze het in goed Engels moest zeggen, en zei:

— *Ik betaal nu.*

Ze gaf de chauffeur geld, veel te veel, maar wachtte niet op wisselgeld. Ze sprong uit de auto en rende de straat door. Maar in plaats van naar de hoofdingang te gaan, sloeg ze af naar het steegje naast het hotel, waar de dienstingang was. Aan de achterkant van het hotel was een brandtrap die naar het zonneterras op de vijfde verdieping leidde. Voordat ze de ladder op klom, trok Elena haar kleren uit. Onder haar blouse en rok droeg ze een badpak. Toen ze die ochtend naar buiten klauterde, had daar achter de vuilnisbakken een bundeltje kleren en een paar schoenen voor haar klaargelegen. Elena had geen idee wie die kleren daar had verstopt; een lid van de CPUSA misschien. Voordat ze de brandtrap opging, gooide ze de kleren in de vuilnisbak. Rood aangelopen en buiten adem kwam ze op het zonneterras op de vijfde verdieping aan en tuurde over de rand. Het was een zonnige dag, en het was vol op het terras. Ze klom over de rand en liep vastberaden naar het zwembad, er niet zeker van of iemand getuige was geweest van haar ongebruikelijke aankomst.

De man die ze in Harlem had gezien, de Amerikaanse politieman, stond aan de rand van het zwembad. Ze kon niet naar binnen gaan zonder gezien te worden. Als hij het zonneterras al had gecontroleerd, zou hij achterdochtig worden als ze plotseling opdook. Dan zou hij de brandtrap ontdekken. En hij zou haar kleren bij de vuilnisbak vinden. Alleen in de vrouwenkleedkamers kon hij niet komen. Die waren zowel vanuit het zwembad als vanaf het zonneterras te bereiken. Elena veranderde van richting en liep weg van de agent. Ze duwde de deur open en liep naar binnen.

Op weg naar haar klerenkastje voelde ze ineens een hand op haar schouder. Geschrokken draaide ze zich om. Het was Raisa.

— *Waar kom jij vandaan?*

— *Ik was in de sauna.*

Het was een geniale improvisatie van haar geweest. Elena's gezicht was rood en bezweet. Raisa dacht na over deze verklaring, en Elena bedacht dat Zoya in dezelfde omstandigheden verder door Raisa ondervraagd zou worden. Maar nu knikte Raisa alleen maar en accepteerde wat ze had gezegd als de waarheid. Elena pakte een handdoek en sloeg die om zich heen. Raisa vroeg:

— *Ben je in je badpak van je kamer naar beneden gegaan?*

Elena schudde haar hoofd en pakte haar kleren uit het kastje. Ze wilde zich gaan omkleden, maar Raisa hield haar tegen.

— *Je kunt douchen en je omkleden op je kamer. Schiet op, we zijn laat.*

Elena ergerde zich eraan dat ze werd toegesproken als een kind, en mocht ze zich al een beetje schuldig hebben gevoeld over haar geheime actie, dan zakte dat gevoel nu snel weg.

Toen ze de gang in liep, kwam ze oog in oog te staan met de Amerikaanse geheim agent – de man uit Harlem. Zijn ogen waren bloeddoorlopen, de rode haarvaatjes vertakten zich als de wortels van een boom vanuit zijn zwarte pupillen, en zijn overhemd vertoonde zweetplekken. Elena probeerde kalm te blijven. Raisa vroeg in het Engels:

— *Kan ik u helpen?*

Yates keek naar Elena en negeerde Raisa. Hij stak zijn hand uit en veegde met zijn wijsvinger wat zweet van Elena's voorhoofd. Hij hield het vocht vlak voor zijn ogen en inspecteerde het alsof het bewijsmateriaal was.

— *Ik ben* FBI-*agent Yates. Ik zal jullie beiden van nu af aan heel goed in de gaten houden.*

Raisa keek naar Elena en toen weer naar Yates. Yates deed een stap opzij voor hen.

In de lift deed Raisa er het zwijgen toe. Toen Elena iets wilde zeggen, gebaarde ze boos dat ze haar mond moest houden. Op de twintigste verdieping liepen ze snel naar de kamer van de meisjes. Pas toen Raisa binnen was en de deur op slot had gedaan, zei ze:

— *Ik wil dat je me vertelt als er iets aan de hand is. Lieg niet tegen me.*

Raisa pakte Elena's arm stevig vast. Elena schrok.

— *Je doet me pijn!*

— *Wat is er aan de hand?*

Zoya kwam bij hen staan.

— *Wat is er gebeurd?*

Raisa keek Elena aan.

— *Elena, vertel me waar je mee bezig bent. Nu meteen!*

Elena voelde zich ongemakkelijk onder haar starende blik en keek naar het televisiescherm. Er was een tekenfilm te zien waarin een felgekleurde auto van een rots af reed en explodeerde in een regen van blauwe, groene en roze sterren. Toen ze antwoordde, deed ze dat op fluistertoon.

— *Nergens mee.*

Raisa liet de arm van haar dochter los en dacht kalm maar weifelend na over haar reactie.

— *Ik geloof je niet.*

Moskou
Novye Tsjerjomoesjki
Chroesjtsjovs sloppenwijk
Appartement 1312

Dezelfde dag

Leo verwachtte niet dat hij tijdens hun reis iets zou horen van zijn
vrouw en kinderen, en datzelfde gold voor alle gezinnen waarvan
een zoon of dochter mee was op deze reis. Ze hadden te horen gekregen dat het te ingewikkeld was om telefoongesprekken te regelen, tenzij er sprake was van een noodgeval. Er waren twee dagen
verstreken sinds de gezamenlijke afscheidsceremonie op de luchthaven. Nadat het vliegtuig in de verte was verdwenen en alle andere
ouders naar huis waren gegaan, was Leo nog lang op het panorama-
dek blijven staan. Zijn gezin zou acht dagen wegblijven, en dat leek
Leo een eeuwigheid.

Niets wees erop dat er spoedig een einde zou komen aan de hittegolf. Het was bijna middernacht en Leo zat met een glas lauw water
in hemd en korte broek gekleed aan zijn keukentafel, met voor zich
een pak speelkaarten. Zijn leven leek tijdens hun afwezigheid tijdelijk opgeschort te zijn, en de kaarten boden hem tenminste nog enige afleiding, fungeerden als een verdovingsmiddel waardoor hij tijdelijk enigszins verlost was van zijn ongeduld. Hij concentreerde
zich op het spel en had een meditatieve staat van gedachteloosheid
bereikt. 's Avonds viel het hem moeilijker dan overdag. Op zijn
werk kon hij bezig blijven en desnoods de vloer gaan vegen, misschien wel als enige directeur in het land, om te proberen een toestand van fysieke uitputting te bereiken, zodat hij zou kunnen slapen. Thuis draaide zijn strategie om het kaartspel, waar hij mee
bezig bleef totdat hij zijn ogen niet meer open kon houden. De vorige avond was hij aan tafel in slaap gevallen omdat hij bang was om
weer wakker te zullen worden zodra hij ging staan, waarna de kans

op zelfs maar een uurtje slapen verkeken zou zijn. Vanavond wachtte hij datzelfde moment af, het moment dat zijn oogleden zwaar zouden worden en hij zijn hoofd op tafel kon leggen, zijn wang op de kaarten – weer een dag voorbij.

Toen hij een schoppen twee wilde neerleggen, bleef ineens zijn arm in de lucht hangen. Hij hoorde voetstappen op de galerij. Het was bijna middernacht, en het was onwaarschijnlijk dat er zo laat nog iemand thuiskwam. Hij wachtte en luisterde naar de voetstappen. Ze hielden bij zijn voordeur op. Hij legde de kaart neer, haastte zich naar de voordeur en deed open nog voordat degene die daar stond had aangebeld. Het was een agent in een KGB-uniform, een nog jonge man met het zweet op zijn voorhoofd van het trappenlopen. Leo sprak als eerste.

— *Wat is er?*

— *Leo Demidov?*

— *Dat klopt. Wat is er?*

— *Komt u met mij mee.*

— *Waar gaat het over?*

— *U moet meekomen.*

— *Gaat het om mijn gezin?*

— *Mijn instructies zijn om u op te halen. Het spijt me, meer weet ik niet.*

Hij moest moeite doen om zich in te houden en de agent niet bij zijn schouders te pakken en hem net zo lang door elkaar te rammelen totdat hij antwoord gaf. Maar het zou wel waar zijn dat hij niets wist. Leo wist zichzelf te bedwingen, liep zijn appartement weer in, haastte zich naar Elena's bed en stak zijn hand onder de matras. Het dagboek was weg.

In de auto legde Leo zijn handen op zijn knieën en zweeg terwijl hij naar het centrum van de stad gereden werd. Gedachten over wat er mogelijk gebeurd kon zijn schoten door zijn hoofd. Hij lette niet op waar ze reden, en pas toen de auto eindelijk tot stilstand kwam, hield hij op met zijn nerveuze getheoretiseer. Ze stonden voor het gebouw waar hij vroeger had gewerkt, de Loebjanka – het hoofdkwartier van de KGB.

Manhattan
Hotel Grand Metropolitan
44th Street

Dezelfde dag

Terwijl de koorleden in het hotel aan de lunch zaten, diende Raisa het verzoek in om haar man in Moskou te mogen opbellen, met het argument dat dit voor de aanvang van de generale repetitie de enige mogelijkheid voor haar was om met hem te kunnen praten. De vaardigheid om overtuigend te kunnen liegen had ze zich als jonge vrouw eigen moeten maken toen ze tijdens de jaren van Stalins terreur probeerde te overleven en bang was dat elke afwijzing van elke man die iets met haar wilde, zou resulteren in een beschuldiging van landverraad. Nu zei ze dat Leo's oude vader bedlegerig was en dat ze wilde weten hoe het met hem ging. De Amerikaanse autoriteiten hadden geen bezwaar en waren best bereid om voor haar een telefoongesprek te regelen, maar haar collega's oefenden druk op haar uit om het niet te doen, Michail Ivanov in het bijzonder, die het geen enkel lid van de groep toestond om naar huis te bellen. Maar Raisa wuifde zijn bezwaren weg: zij was de leidster van de delegatie, en geen meisje met heimwee naar huis. Een telefoontje naar haar man was niet iets waar hij zich mee had te bemoeien, zeker niet als de Amerikanen er geen bezwaar tegen hadden. Raisa geloofde natuurlijk geen moment dat het gesprek werkelijk privé zou zijn. Ze zou geen woord kunnen zeggen zonder dat zowel de Amerikanen als de Russen meeluisterden. Om deze redenen zouden ze in code moeten spreken. In haar voordeel was in elk geval wel dat Leo uit het enkele feit dat ze opbelde zou begrijpen dat er iets mis was, en ze hoopte hem met een zorgvuldige woordkeus voldoende duidelijk te kunnen maken wat er aan de hand was, zodat hij zijn mening erover zou kunnen geven. Hij zou snel kunnen beoordelen of er echt iets mis was of dat haar angst ongegrond was.

Zittend op de rand van het bed en met de blik gericht op de telefoon op het nachtkastje, wachtte ze in haar hotelkamer op de verbinding. Als de autoriteiten in Moskou het verzoek inwilligden, zou Leo vanuit hun appartement naar een telefoon worden gebracht, en zodra hij klaarzat, zou de internationale verbinding tot stand worden gebracht. Rationeel kon ze wel begrijpen dat de Russen en de Amerikanen graag zouden horen wat ze te zeggen had. Maar als ze een opmerking maakte die de Sovjets niet goedkeurden, zou het gesprek worden afgebroken.

Bijna een uur was inmiddels verstreken. De koorleden zouden zo wel klaar zijn met hun lunch – en dan stond de generale repetitie op het programma. De tijd begon te dringen. Raisa stond op en liep heen en weer door de kamer. Ze twijfelde eraan of het gesprek ervan zou komen. Nu pas drong het tot haar door dat ze Leo nog nooit via de telefoon had gesproken.

De telefoon ging. Ze sprong op. Een stem zei in het Russisch:

— *We hebben uw man hier. Bent u klaar om het gesprek aan te nemen?*

— *Ja.*

Er viel een korte stilte, gevolgd door een klik en een geluid als van het ritselen van papier.

— *Leo?*

Er kwam geen antwoord. Ze wachtte. Ze kon haar ongeduld niet bedwingen.

— *Leo?*

— *Raisa.*

Zijn stem klonk vervormd, bijna onherkenbaar. Bang om iets te missen drukte ze de telefoon tegen haar oor. Ze moest zich inhouden om al haar emoties er niet in één keer uit te gooien, ze moest voorzichtig te werk gaan en de smoezen die ze had verteld om het gesprek mogelijk te maken in gedachten houden.

— *Hoe is het met je vader? Voelt hij zich al wat beter?*

Er viel een lange stilte, en het was lastig om te bedenken of die aan Leo's verwarring lag of aan de slechte verbinding. Ten slotte antwoordde hij:

— *Mijn vader is nog steeds ziek. Maar hij is er niet op achteruitgegaan.*

Ze glimlachte: Leo had niet zich alleen gerealiseerd dat het een smoes was geweest om op te kunnen bellen, maar hij gaf haar ook een excuus om mogelijk later nog eens op te bellen als dat nodig was. Maar hij kon zijn bezorgdheid niet verbergen en vroeg:

— *Hoe is de reis?*

Raisa was gedwongen om indirect te reageren en haar punten van zorg te uiten zonder er verder over uit te weiden.

— *Vandaag heb ik gesproken met functionarissen van de Verenigde Naties, waar het eerste concert zal worden gehouden, en zij hadden geen vragen over de plannen. Aanvankelijk hadden ze er van alles op aan te merken, maar vandaag stemden ze zonder commentaar met de plannen in.*

Weer viel er een stilte. Raisa wachtte en vroeg zich af met wat voor een interpretatie hij zou komen. Ten slotte zei hij:

— *Ze hadden geen commentaar?*

Hij reageerde net als zij had gedaan. Het was ongebruikelijk voor Sovjetfunctionarissen om hun autoriteit niet te laten gelden en zich afzijdig te houden.

— *Geen enkel commentaar.*

— *Dan ben je zeker wel... tevreden?*

— *Verrast.*

Raisa wist niet hoeveel tijd ze nog had. Het was van het grootste belang dat ze hem het tweede punt dat haar verontrustte vertelde.

— *Leo, de meisjes zijn zenuwachtig. Vooral Elena.*

— *Elena?*

— *Het lijkt alsof ze zichzelf niet is. Ze is erg op zichzelf.*

— *Heb je er met haar over gesproken?*

— *Ze zegt dat er niets aan de hand is.*

De telefoon kraakte in Raisa's oor, waardoor ze herinnerd werd aan de kwetsbaarheid van de verbinding, die elk moment verbroken kon worden. En toen ineens flapte ze eruit:

— *Leo, ik geloof haar niet. Wat moet ik doen?*

De stilte duurde nu zo lang dat ze ervan overtuigd was dat de verbinding verbroken was. Ze zei:

— *Leo? Leo!*

Leo's stem klonk beslist.

— *Laat haar niet naar het concert gaan. Raisa, hoor je me? Zeg tegen haar dat ze niet...*

Er klonk een klik. De telefoon kraakte. De verbinding was verbroken.

Moskou
Loebjankaplein
De Loebjanka, hoofdkwartier van
de geheime dienst

Dezelfde dag

Leo herhaalde Raisa's naam, elke keer iets luider. De telefoon bleef stil. Ze was weg. De kamerdeur ging open. Ze hadden hem alleen gelaten tijdens het gesprek, een cynische truc die de absurde illusie van privacy gaf, ongetwijfeld in de hoop dat hij minder op zijn hoede zou zijn. Het was idioot om te denken dat zijn gesprek niet opgenomen en kritisch beluisterd was. Een vrouw kwam de kamer binnen en zei:

— *Het spijt me, Leo Demidov, de verbinding werd verbroken.*

De vrouw leek een secretaresse te zijn. Ze was niet in uniform. Hij vroeg:

— *Kunnen we mijn vrouw weer bereiken?*

De vrouw perste haar lippen op elkaar in een flauwe poging tot een meelevende glimlach.

— *Misschien kunt u haar morgen spreken.*

— *Waarom kunt u me nu niet met haar doorverbinden?*

— *Morgen.*

Haar neerbuigende toon, in combinatie met de niet mis te verstane implicatie dat hij onredelijk was en zij niet, maakte Leo woedend.

— *Waarom nu niet?*

— *Het spijt me, dat is niet mogelijk.*

De excuses van de vrouw klonken onoprecht. Leo omklemde nog steeds de telefoonhoorn en hield die op naar de vrouw, alsof hij verwachtte dat zij er weer leven in kon brengen.

— *Ik móét mijn vrouw spreken.*

— *Ze is op weg naar de generale repetitie. U kunt haar morgen spreken.*

Haar onoprechtheid maakte dat Leo's onbehagen steeds groter werd. Dat zij hem met gezag toesprak, betekende dat ze een geheim agent was. Hij schudde zijn hoofd.

— *Ze is helemaal nergens naar op weg. Ze zal nu precies hetzelfde doen als ik: met de hoorn in haar hand vragen om mij te mogen spreken.*

— *Als u een bericht wilt achterlaten, kan ik proberen te regelen dat ze het vanavond nog ontvangt.*

— *Herstelt u de verbinding, alstublieft. Nu.*

De agent schudde het hoofd:

— *Het spijt me.*

Leo weigerde de hoorn neer te leggen.

— *Ik wil hier iemand spreken.*

— *Wie wilt u spreken?*

— *Degene die hier de verantwoordelijkheid heeft.*

— *Verantwoordelijkheid waarvoor?*

— *De verantwoordelijk voor alles wat er in New York gebeurt!*

— *Uw vrouw is verantwoordelijk voor de reis naar New York. En ze is nu op weg naar de generale repetitie. U kunt haar morgen spreken om te vragen hoe het gegaan is.*

Leo stelde zich voor hoe de agenten er in de belendende kamer bij zaten – de agenten die zijn telefoongesprek hadden afgeluisterd en die nu deze discussie hoorden. Hij stelde zich voor wat ze tegen elkaar zeiden. Eén punt was in elk geval duidelijk: hij wist niet wat er in New York aan de hand was, en zijn vrouw wist niet wat er hier gebeurde. Er was geen kans dat hij Raisa zou mogen spreken totdat ze thuis was, wat voor een scène hij ook schopte, hoezeer hij ook aandrong. Ze moest het alleen zien te rooien.

Manhattan
Hotel Grand Metropolitan
44th Street

Dezelfde dag

Raisa eiste met de hoorn nog in haar hand dat Michail Ivanov de verbinding met Leo zou herstellen. Michail schudde zijn hoofd, alsof hij persoonlijk over de telefooncentrale beschikte. De zelfvoldane autoriteit die hij uitstraalde was om hoorndol van te worden. Op een toon die redelijk en beheerst klonk zei hij:

— *De generale repetitie begint over nog geen een uur. De koorleden zijn klaar met de lunch. We moeten weg. Je gedraagt je irrationeel. Je bent hier om te zorgen dat het concert goed verloopt. Dat is je eerste prioriteit.*

Raisa verbaasde zich over haar intense afkeer van deze man.

— *Een minuutje extra zal geen verschil maken.*

— *Als je vindt dat jij je taak zonder je man niet naar behoren kunt doen, had hij deze reis misschien moeten leiden, en niet jij. Het stelt me teleur om te zien dat je zo onbekwaam bent.*

Het was een sluwe aanval; eventuele volgende verzoeken om met Leo te mogen telefoneren zouden een vernederende bevestiging zijn van haar zwakte. Ze zou geen tweede gesprek krijgen. En ze ging er niet om bedelen.

Raisa legde de hoorn neer, maar bleef bij het nachtkastje zitten en ging in gedachten Leo's advies na.

— *Waar is mijn dochter?*

— *Zoals ik al zei, ze zijn klaar met de lunch. Ze zijn op hun kamer. Ze wachten op het moment dat ze zich zullen verzamelen bij de bus. We wachten allemaal op jou.*

Het viel Raisa op dat hij niet vroeg welke dochter: hij wist kennelijk dat ze Elena bedoelde. Hoe wist hij dat? Had hij het gesprek afgeluisterd? Of misschien was hij er ook bij betrokken. Maar waarbij dan?

Zonder nog een woord liep ze langs Ivanov heen de kamer uit, zich er goed van bewust dat hij achter haar aan zou komen.

— *Raisa!*

Aan het einde van de gang klopte ze op de kamerdeur van de meisjes. Ivanov rende om haar in te halen:

— *Wat ga je doen?*

Elena deed de deur open. Terwijl Raisa naar binnen liep, draaide ze zich om naar Ivanov.

— *Breng de anderen naar de bus. Ik ben over een paar minuten beneden. Met mijn gezin heb je niks te maken.*

Ze wachtte niet op een reactie, maar deed de deur voor zijn neus dicht.

Zoya en Elena stonden klaar om te vertrekken naar de generale repetitie, in de kleren die ze die avond zouden dragen. Raisa zei:

— *Elena, Ik wil dat je hier blijft. Als het vanavond goed gaat, mag je morgen meedoen aan de uitvoering.*

Een fractie van een seconde later sprong Elena vol verontwaardiging op.

— *Waar heb je het over? Ik kan toch niet wegblijven bij de uitvoering?*

— *Mijn besluit staat vast. Er valt niets meer over te zeggen.*

Elena kreeg een rood hoofd, en in haar ogen glinsterden tranen.

— *Ben ik van Moskou hiernaartoe gevlogen om te moeten horen dat ik op mijn kamer moet blijven!*

— *Er is iets misgegaan!*

— *Wat is er misgegaan?*

— *Ik weet het niet. Maar ik heb Leo gesproken, en hij is het ermee eens dat...*

Zodra ze Leo's naam had genoemd, had Raisa er al spijt van. Elena haakte meteen in op de gedachte dat Leo hierachter zat.

— *Leo! Hij was vanaf het begin al tegen deze reis. Wat heeft hij gezegd? Hij is paranoïde. Hij ziet overal intriges, bedrog en verraad. Hij is niet goed bij zijn hoofd. Echt, hij is gestoord. Er gebeuren geen slechte dingen. Dat zweer ik. Er is geen reden om me op mijn kamer op te sluiten, alleen omdat een verbitterde ex-agent zich niet kan voorstellen dat niet iederéén doortrapt en sinister is.*

Elena refereerde aan Leo als voormalige geheim agent in plaats

van als haar vader. Raisa had Leo's relatie met de meisjes ondermijnd.

Elena begon te huilen.

— *Ben ik de enige die in zijn kamer wordt opgesloten? Zonder een
enkele reden? Terwijl alle anderen meedoen aan de uitvoering? Moet ik
hier blijven zitten? Mijn echte moeder zou zoiets nooit hebben gedaan.
Een echte moeder zou begrijpen hoe vernederend het is...*

Zoya stak haar hand uit en legde die op de arm van haar zusje.
Het was een omkering van hun gebruikelijke rolverdeling, en ze
probeerde haar te sussen.

— *Elena...*

Elena rukte haar arm los en keek Raisa aan.

— *Nee, ik laat me niet vertellen hoe ik me moet voelen. Ik laat me
niet vertellen hoe ik me moet gedragen. Ik ben geen kind meer! Jullie
kunnen me verbieden om naar het concert te gaan. Die macht hebben
jullie. Maar als jullie dat doen, zal ik het Leo nooit vergeven.*

Dezelfde dag

Het kostte Yates moeite om de vertaalster met haar zware Russische accent te volgen. Ze woonde al meer dan veertig jaar in dit land, werkte als hoogleraar taalkunde aan een chique universiteit, maar behoorlijk Engels sprak ze niet. Hij vroeg:

— *De moeder heeft toegegeven?*

— *De dochter gaat naar het concert. Ze heeft toestemming gekregen om erbij te zijn.*

— *Heeft het meisje iets over haar plannen gezegd? Of iets anders?*

— *Ze zei dat er niets sinisters zou gebeuren.*

— *Dat weet u zeker?*

— *Dat weet ik zeker.*

— *Er is niets gezegd over een complot?*

— *Ik heb mijn hele leven Russisch gesproken.*

De vertaalster mocht hem niet en was niet bang om dat te tonen. Ze keek hem over de rand van haar bril aan alsof hij zelfs haar minachting niet waardig was. Ze was de enige taalkundige die bezwaar had gemaakt tegen deze operatie; ze had gezegd dat ze een geleerde was, en geen spion.

— *Uw hele leven Russisch gesproken? Dat is lang: misschien hebt u nog steeds gevoelens voor dat land? Sentimenten die u misschien op het idee brengen een paar belangrijke details weg te laten?*

Het gezicht van de vrouw verstrakte van woede.

— *Laat iemand de transcriptie controleren, iemand die u vertrouwt, als er tenminste zo iemand is.*

Yates liet zijn handen in zijn zakken glijden.

— *Waarom geeft u niet gewoon antwoord op mijn vragen? Op dit*

*moment ben ik niet geïnteresseerd in u. Ik ben geïnteresseerd in wat er
in dat gezin werd besproken. Werd er iets gezegd over Jesse Austin?*
— *Nee.*

Yates richtte zich nu tot iedereen in de zaal, met in zijn hand de
transcriptie van Raisa's telefoongesprek met Leo.

— *Deze Russin is een betere detective dan jullie allemaal. Zij weet
dat er iets aan de hand is. Dat voelt ze aan haar water. Ik ben het met
haar eens. Jullie moeten je werk doen!*

Hij pakte het dossier op dat ze van Raisa Demidova en haar
dochters hadden. Het bevatte slechts officiële informatie van de
Russische autoriteiten: statistieken, maten, gewichten en opleidin-
gen. Hij smeet het weer neer.

Een agent riep:

— *De koorleden gaan de bus in. Wilt u met hen mee?*

Yates dacht na.

— *Laat het gezin door onze agenten in de gaten houden. Ik wil dat
ze onderweg naar de Verenigde Naties geen stap kunnen zetten zonder
dat wij daarvan weten. Verlies ze niet uit het oog, geen moment.*

Terwijl de agenten de jongeren die de bus in stapten in de gaten
hielden, liep Yates snel langs de rij bureaus van de vertalers, geërgerd dat hij zelfs bij benadering geen antwoord kon bedenken op
de vraag waarom de Russen zo graag wilden dat Jesse Austin het
concert zou bijwonen. Ze hadden dat meisje op hem afgestuurd, ze
hadden het risico genomen haar uit het hotel te laten glippen, en
dat alles terwijl Jesse Austins aanwezigheid niet eens het nieuws zou
halen. Hij riep:

— *Ik wil weten of we onlangs nog iets hebben ondernomen in Harlem.*

Een rechercheur liep op hem af.

— *Het team dat iemand in de gaten houdt die ervan verdacht
wordt voor de Sovjets te werken, heeft gemeld dat hij vanmorgen in
Harlem was. Gewoonlijk weet hij ons af te schudden in de metro, maar
vandaag niet. Vandaag hebben ze hem kunnen volgen.*

— *Waar is hij naartoe gegaan?*

— *West 145th Street.*

— *Hoe heet hij?*

— *Osip Feinstein.*

Manhattan
Global Travel Company
926 Broadway

Dezelfde dag

In de berging achter zijn bureau ontwikkelde Osip Feinstein de foto's die hij had gemaakt van de boven het Russische meisje uit torenende Jesse Austin, met op de achtergrond de verkreukelde lakens als de gefossiliseerde afdruk van hun seksuele activiteit. Het zou wel beter zijn geweest als Jesses hand om de hare geklemd was in plaats van andersom, maar het maakte niet uit: dat hier iets had plaatsgevonden wat het daglicht niet kon velen, was overduidelijk. Wie op de foto niet te zien was, was Austins vrouw. Ze viel buiten het kader. En niemand zou weten dat het bed al onopgemaakt was toen het meisje naar binnen ging. De mensen zouden de tijd niet nemen voor een zorgvuldige analyse, en de reactie zou verontwaardiging zijn. Het was duidelijk wie de boosdoener was en wie het slachtoffer. De ontmoeting was volstrekt onschuldig geweest, maar de foto die gemaakt was toonde een situatie waarin het er duimendik bovenop lag wiens schuld het was – het was het dramatische afscheid van een uitgebuit, teer, blank meisje na een vunzige escapade van een wellustige oude neger.

Osip boog schaamtevol zijn hoofd en staarde naar zijn gerimpelde handen die de foto's vasthielden. Hij constateerde dat hij tenminste nog het vermogen had om zich te schamen. Hij was dus niet helemaal dood vanbinnen – wel verdoofd door de opium, maar zich toch nog bewust van zijn tekortkomingen. Dit was niet het leven dat hij had gewild toen hij naar Amerika kwam, een leven waarin hij een man erbij probeerde te lappen die hij bewonderde, een man van grote integriteit.

Lang geleden was ook Osip een integer man geweest. Hij was nu weliswaar een spion, maar in feite voelde hij geen liefde voor de Sovjet-Unie, en juist wél voor het land dat hij verraadde. Deze tegenstrijdigheid verzachtte hij, tot op zekere hoogte, door opium te roken – dat lukte goed – en door zijn daden te rationaliseren, wat minder goed lukte. Toen hij als jongeman in New York aankwam, wist hij zeker dat hij het in zich had om succes te hebben. Hij had ook wel succes gehad, maar niet het soort succes dat hij had gewild. Nu, op zijn negenenvijftigste, was Osip een van de langst dienende Sovjetspionnen in dit land, 'de belangrijkste tegenstander', zoals de Verenigde Staten van Amerika onder spionnen bekendstond.

Als jongeman van negentien was Osip veertig jaar geleden een ambitieuze student geweest aan de universiteit van Kiev in de Oekraïne. Hij had de aspiratie om zijn leven door te brengen in de academische wereld, maar omdat hij al in zijn prille carrière last had gehad van allerlei vooroordelen – de deur van zijn kamer was beklad met een davidster, zijn docenten minachtten hem – was het voor hem duidelijk geweest dat hij nooit hoogleraar zou worden. In zijn koude kamertje met uitzicht op een besneeuwde straat had hij in Kiev geen toekomst meer gezien. Hij had geen naaste familieleden voor wie hij daar zou moeten blijven, en hij besloot te vertrekken, niet zozeer uit angst, als wel door de wens zichzelf te bewijzen. Hij had oorspronkelijk naar Frankrijk willen gaan, maar uit Kiev vertrekken was zoiets geweest als van een rots in zee vallen en dan in de woelige baren maar zien waar je terechtkwam. Uiteindelijk was hij in Riga terechtgekomen, in Letland. Hij had er twee dagen doorgebracht in een migrantenonderkomen en de vernedering moeten ondergaan medisch onderzocht en gedesinfecteerd te worden. Hij had al zijn geld afgedragen aan het bedrijf Sovtorgflor, dat gespecialiseerd was in het organiseren van reizen voor emigranten. Zes maanden nadat hij had besloten weg te gaan, was hij met zijn uitreispapieren en een doktersverklaring scheep gegaan. Toen pas had hij weer een toekomst voor zich gezien – in New York.

Hij was daar in 1934 aangekomen – sinds mensenheugenis de beroerdste tijd om werk te zoeken. Tot overmaat van ramp was hij alleen intellectueel begaafd. Desondanks had hij zijn studie niet afgemaakt, wat betekende dat hij slechts aan het werk kon als ongeschoolde arbeider. Hij miste echter de fysieke kracht om te kunnen concurreren binnen de uitgebreide, wanhopige arbeidsreserve in die tijd.

Vanuit het raam van zijn haveloze kamer, die hij deelde met vijf andere mannen, keek hij hoe de georganiseerde werklozen door de straten marcheerden, dat wil zeggen rijen werklozen die langzaam over Broadway sjokten. Een paar jaar lang had hij moeizaam zijn kostje bij elkaar gescharreld, levend van de hand in de tand, totdat hij in contact kwam met communistische activisten, die contact zochten met de teleurgestelde werklozen. Hij had hen benaderd en zijn verhaal verteld. Omdat hij joods was en vloeiend Russisch sprak, dachten ze dat hij belangstelling had voor het communisme. Hij had gelogen over de redenen waarom hij de Sovjet-Unie had verlaten en had gezegd dat hij ten tijde van het absolute dieptepunt van de grote depressie naar de Verenigde Staten was gekomen omdat hij ervan overtuigd was dat de kapitalistische maatschappij in crisis verkeerde en hij een revolutie op gang wilde brengen. Hij was bekend met het jargon, de leuzen, de aforismen en de theorie en wist deze activisten om de tuin te leiden. Bij de Communistische Partij van de Verenigde Staten konden ze het niet weten, maar de partij beleefde op dat moment haar grootste bloei. De communistische presidentskandidaat William Foster en zijn tweede man, de zwarte James Ford, hadden bij de verkiezingen van 1932 meer dan honderdduizend stemmen weten te trekken. Ze beweerden dat ze de maatschappelijke voorhoede vormden en propageerden allerlei veranderingen. Ze waren progressief en boden een radicaal alternatief voor het falende kapitalistische systeem, dat werknemers ertoe had gebracht uit hun kantoorraam te springen en mensen dwong om in geïmproviseerde sloppenwijken in Central Park te leven. Iedereen die betrokken was bij de CPUSA hoopte dat de depressie voor het kapitalisme het begin van het einde zou betekenen – iedereen, dat wil zeggen: behalve hun laatste aanwinst, Osip.

Osip was hongerig, ziek en werkloos geweest. De partij liet hem koud, maar wat hem niet koud liet, was dat de communisten geld hadden. Ze konden hem betalen – de CPUSA ontving aanzienlijke illegale subsidies van de Sovjet-Unie, die in gesloten enveloppen aan de partijfunctionarissen ter hand werden gesteld. Nu hij geld had, kon hij zich voeden en kleden. Voor het eerst sinds zijn aankomst in New York at hij goed, zonder bij elke hap te moeten bedenken wat die hap kostte. Zijn krachten keerden terug. Na een paar maanden folderen en het doen van eenvoudige klussen voor de partij, werd besloten dat hij een legitiem bedrijf zou opzetten, de

Global Travel Company, die toeristenreizen naar Oost-Europa en de Sovjet-Unie zou gaan verkopen. Onder deze dekmantel werd Osip belast met het naar Amerika halen van potentiële spionnen uit de Sovjet-Unie, academici en wetenschappers die als infiltranten aansluiting zochten bij belangrijke militaire en wetenschappelijke activiteiten in de Verenigde Staten. De Amerikaanse autoriteiten zouden hen accepteren, omdat ze te briljant waren om geen gebruik van hen te willen maken. En sindsdien had hij dit reisbureau, dat in de loop van de tijd duizenden dollars had gekost, geleid.

De winkelbel rinkelde. Er was een klant. Hij kreeg maar weinig gewone klanten, zelden meer dan vier of vijf per week. Osip veegde zijn handen af, liep de winkel in en bekeek de klant, een man van in de veertig. Hij droeg een verkreukeld pak van slechte snit en goedkope, afgetrapte schoenen, maar hij droeg zijn kleren met een branie en een bravoure die wat eraan mankeerde in zekere zin goedmaakte. Het was een FBI-agent, en Osip wist zeker dat het de man was die hij bij het appartement van Jesse Austin had gezien. De agent had hem nog niet gezien, maar bladerde in een van de brochures. Osip zei:

— *Kan ik u helpen?*

De agent draaide zich om en zei op spottend formele toon:

— *Ik vroeg me af wat een enkele reis naar de Sovjet-Unie zou kosten. Eerste klas natuurlijk, ik wil het communisme alleen maar bekijken als ik luxueus kan reizen.*

Hij schakelde over naar zijn normale manier van spreken.

— *Werkt het zo in deze business, dat mensen met veel geld er wat voor over hebben om te zien hoe mensen zonder geld leven?*

— *Het is de reiziger erom te doen eens een andere manier van leven mee te maken. Wat ze van die samenleving denken moeten ze helemaal zelf weten. Wij regelen alleen de reis.*

Osip stak zijn hand uit en stelde zich voor.

— *Mijn naam is Osip Feinstein. Ik ben de eigenaar van dit reisbureau.*

—*Yates, FBI.*

Yates nam Osips uitgestoken hand niet aan en toonde zijn identiteitsbewijs. Hij ging op een stoel zitten en zakte onderuit, alsof hij thuis voor de tv zat. Hij stak een sigaret op, inhaleerde, blies de rook uit en zei niets meer. Osip bleef staan en wachtte.

— *Ik neem aan dat u niet hier bent voor een reis.*

— *Dat is juist.*

— *Waarmee kan ik u dan helpen?*

— *Zeg het zelf maar.*

— *Wat moet ik zelf zeggen?*

— *Luister eens, Feinstein, we kunnen de hele dag kat en muis spelen, maar ik zal meteen mijn kaarten op tafel leggen. Je wordt al jarenlang in de gaten gehouden. We weten dat je communist bent. Je staat te boek als een voorzichtig man en een slimme ondernemer. Maar vandaag hebben mijn mensen je naar Harlem gevolgd. Je bent een appartementengebouw binnengegaan tegenover de woning van ene Jesse Austin. Na een paar uur ben je daar vertrokken en met de camera over je schouder terug naar je winkel gegaan. We hebben het allemaal gezien. En dat baart me zorgen. Het is niet jouw stijl om zo onzorgvuldig te werk te gaan. Alsof je ons probeert te verleiden, Feinstein. Als ik fout zit, of als ik je op de een of andere manier heb beledigd, moet je dat maar zeggen. Dan ga ik nu weg en bied ik je mijn verontschuldigingen aan omdat ik zo'n beslag heb gelegd op je kostbare tijd, waarin je ongetwijfeld veel reizen had kunnen verkopen.*

Yates stond op en liep naar de deur. Osip riep:

— *Wacht!*

Hij had niet zo beklagenswaardig willen klinken. Yates draaide zich langzaam om, met een valse glimlach op zijn gezicht.

Osip probeerde snel een inschatting te maken van het soort man met wie hij te maken had. Het liefst had hij iemand gezien die zakelijk was, maar deze agent leek emotioneel en boos.

— *Ben je soms een flikker, Feinstein? Naar mijn ervaring zijn de meeste communisten homo, neger of jood. Ik weet dat je een jood bent en ik zie dat je geen neger bent, ik ben alleen niet zo bedreven in het herkennen van flikkers. Er zijn natuurlijk ook andere soorten communisten, maar degenen die zich niet schamen om ervoor uit te komen en te zeggen: 'Ik ben er trots op dat ik communist ben' zijn altijd homo, neger of jood.*

Yates zoog aan zijn sigaret en toen hij de rook uitblies, prikte hij met zijn vinger in Osips borst.

— *Ik heb je carrière met belangstelling gevolgd, Feinstein. We weten al een hele tijd dat dit reisbureau alleen maar een dekmantel is. Of dacht je dat we zo stom waren? En dan al die spionnen die je ons op ons dak hebt gestuurd? We hebben ze binnengelaten. Waarom? Omdat we ervan overtuigd waren dat ze, zodra ze in dit land waren, in een mooi*

huis woonden, in een mooie auto reden en goed te eten hadden, die af-
schuwelijke communistische gribus zouden vergeten die ze achter zich
hadden gelaten. We wisten dat ze loyaal aan ons zouden zijn, omdat
het leven hier beter is dan bij jullie. En wat denk je? We hadden gelijk.
Jij hebt, laten we zeggen, zo'n driehonderd mensen met hun gezinnen
hiernaartoe gehaald?

Het exacte aantal was driehonderdvijfentwintig. Yates sneerde:

— *Hoeveel van hen hebben jou vertrouwelijk materiaal in handen*
gespeeld? Of maar een klein beetje informatie, of zelfs maar één blauw-
druk?

Osip had zijn twijfels wat Yates betrof, maar er was geen weg
terug. Hij moest zijn plan doorzetten.

— *Meneer Yates, ik ben uit de Sovjet-Unie weggegaan omdat ik*
voor mijn leven vreesde. Ik koester geen liefde voor het regime. Ik ben al-
leen maar als spion voor de Sovjet-Unie gaan werken omdat ik in New
York geen ander werk kon krijgen. Ik had honger. Het was ten tijde van
de grote depressie. De cpusa *had geld, en ik niet. Dat is de waarheid.*
Toen ik me bij hen had aangesloten, was er geen weg terug. Ik stond te
boek als communist. En zo moest ik me dan ook gedragen. De mannen
en vrouwen voor wie ik de visa regelde zijn naar alle waarschijnlijk-
heid nooit spionnen geweest. Het waren mensen die gevaar liepen, we-
tenschappers en ingenieurs. Ze vreesden voor hun leven en voor het le-
ven van hun kinderen. Ik heb nooit verwacht dat ze spionnen zouden
worden. Ik heb nooit verwacht dat ze ons ook maar het kleinste beetje
informatie zouden verstrekken, zoals u het noemt. Ik heb mijn bron-
nen in de Sovjet-Unie gebruikt om ze hier een veilig bestaan te geven,
onder het mom dat ze in Amerikaanse universiteiten of fabrieken zou-
den infiltreren of zelfs in het leger. Dat is de waarheid. In hoeverre ik
succesvol ben geweest, is niet af te meten aan het aantal spionnen dat ik
heb gerekruteerd, maar aan het aantal levens dat ik heb gered.

Yates drukte zijn sigaret uit in de asbak.

— *Feinstein, dat is een interessant verhaal. Zo klink je als een Ame-*
rikaanse held. Is dat wat je wilt overbrengen? Moet ik je nu een schou-
derklopje geven?

— *Meneer Yates, ik wil niet meer als agent voor de Sovjets werken.*
Ik wil voor de overheid van de Verenigde Staten werken. Door dit te
zeggen breng ik mijn leven in groot gevaar, dus u hebt geen reden om
aan mijn woorden te twijfelen.

Yates liep op Feinstein af.

— *Je wilt werken voor de Amerikaanse overheid?*

— *Alstublieft, meneer Yates, loopt u met me mee. Ik kan bewijzen dat ik oprecht ben.*

Osip ging hem voor naar de geïmproviseerde donkere kamer, waar zijn foto's van Jesse Austin lagen. Pas nu merkte Osip dat Yates zijn pistool had getrokken, kennelijk omdat hij bang was voor een valstrik. Met het pistool naar omlaag gericht vroeg Yates:

— *Waarom heb je die foto's gemaakt?*

— *Als onderdeel van een plan dat is opgesteld door een ambtelijke dienst in de Sovjet-Unie die bekendstaat onder de naam* DIENST.A. *De autoriteiten zijn van plan om de concerten tot hun eigen voordeel te exploiteren. Ze hebben Jesse Austin gevraagd om vanavond voor het* VN-*gebouw te spreken.*

— *Ze proberen al maandenlang hem over te halen om erbij te zijn. Maar wat dan nog?*

— *Hij heeft alle verzoeken afgewezen; daarom hebben ze dit meisje gestuurd, een Russisch meisje, een bewonderaarster van hem. Ze willen dat hij de mensen toespreekt. De hele wereldpers zal erbij zijn.*

— *De wereldpers zal in de zaal zijn, niet buiten op de stoep. Wou je me vertellen dat ze van plan zijn om een aan lagerwal geraakte zanger over te halen om tegen het gepeupel op straat van alles te gaan roepen over zijn communistische broeders? Laat hem zijn gang gaan! Het interesseert me geen reet.*

Yates begon te lachen en schudde zijn hoofd.

— *Feinstein, is dit echt hetgeen waarvoor je me hier hebt laten komen?*

— *Meneer Yates, na vanavond zal Jesse Austin bekender zijn dan ooit, bekender dan u zich ooit hebt kunnen voorstellen.*

Yates hield op met lachen.

— *Vertel me alles.*

Bradhurst
Harlem
West 145th Street

Dezelfde dag

Het was 's avonds net zo heet als overdag. De rode bakstenen muren, die in de volle zon hadden staan gloeien, straalden de opgenomen warmte uit, zodat de bewoners langzaam gegaard werden. Alleen vanaf een uur voor zonsopgang tot een uur erna was er enig respijt, als de stenen waren afgekoeld en niet opnieuw door de zon geteisterd werden – het enige moment van de dag dat het enigszins fris en leefbaar was. Jesse zat zonder enige hoop op een koel briesje in de vensterbank. Buiten weerklonken niet langer de geluiden van kinderen die aan het ballen of touwtjespringen waren. De mosselkar was weggereden nadat de voorraad van die dag aan de man was gebracht. Bedelaars, die naast de kar hadden gezeten in de hoop op wat losse muntjes, verwijderden zich in verschillende richtingen, op zoek naar een slaapplaats of naar een andere plek om te gaan bedelen. De kaartspelers verplaatsten zich met hun wankele klaptafeltjes vanuit de schaduwen naar het trottoir om hun spel voort te zetten. Degenen die tijdens de dag hadden geslapen, kwamen bij het vallen van de avond tot leven. Er was drank en dope en gelach – dit was de lichte kant van de nacht, met de eerste borrel en een sigaretje erbij, en dat was altijd aangenaam. Pas later zouden de vechtpartijen beginnen, het geruzie en het geschreeuw, met huilende vrouwen en ook met huilende mannen.

Jesse keek hoe met het wegsterven van het laatste zonlicht de straat in duisternis gehuld werd. Jaren geleden hadden ze hun televisietoestel verkocht, en nu was dit voor hem een pleziertje. Ze misten het ding niet. Ze hadden geen zin om naar de programma's te kijken die werden getoond en te luisteren naar de muziek die werd uitgezonden, en ze wantrouwden de machten die er het beheer over hadden, de machten die hem zomaar de toegang tot het medium hadden ontzegd. Jesse vroeg zich af of er nog andere mannen en vrouwen zouden zijn die hij had kunnen kennen en van wie hij had kunnen houden als ze in de uitoefening van hun vak niet geblokkeerd zouden zijn geweest door een overheid die afkeurde wat ze deden. Hoeveel kunstenaars, muzikanten, schrijvers en schilders zouden ten offer zijn gevallen aan dit schrikbewind? Hij wou dat hij ze bij elkaar kon brengen, deze verloren zielen, ze om zijn tafel laten zitten, een borrel voor hen inschenken en hun verhalen aanhoren, luisteren naar hun problemen en genieten van hun talenten.

Anna had haar werkkleren aan. Ze had late dienst in het restaurant waar ze werkte en dat dag en nacht geopend was. De dienst van negen uur 's avonds tot negen uur 's ochtends was er een waar zelfs de jongere serveersters zich niet vrijwillig voor opgaven. Anna zei dat ze het graag deed, omdat de zware drinkers 's avonds en 's nachts altijd meer fooi gaven dan overdag en nooit maaltijden terug naar de keuken stuurden. Ze stond bij de deur, klaar om te vertrekken. Jesse stond op uit de vensterbank en pakte haar handen. Ze vroeg:

— *Heb je al besloten?*

— *Ik weet het niet. Ik weet het gewoon niet. Op straat voor het gebouw van de Verenigde Naties een toespraak houden? Ik ben er niet te trots voor, Anna, maar het is toch wat anders dan een verzoek om op te treden in Madison Square Garden. Zo had ik me ons leven niet voorgesteld. Ik weet niet wat ik er allemaal van denken moet.*

— *Jesse, ik kan nu geen vrij nemen, niet zo laat nog. Ik moet naar mijn werk.*

— *Ik weet niet eens of ik erheen ga, dus het heeft geen zin dat jij blijft wachten.*

Ze was onrustig.

— *Ik wil niet dat je denkt dat ik ertegen ben, als je alsnog besluit om te gaan.*

— *Dat weet ik.*

— *Ik zou je nooit vragen om iets niet te doen als jij erin geloofde, als je dacht dat het goed was om dat te doen.*

— *Anna, wat is er mis?*

Ze keek alsof ze zou gaan huilen. Ze was heel emotioneel, zag hij, maar ze herstelde zich en kalmeerde. Anna huilde nooit.

— *Ik ben aan de late kant, daar komt het door.*

— *Verspil dan verder geen tijd met je zorgen te maken over mij.*

Anna kuste hem op de wang, maar in plaats van zich vervolgens van hem los te maken, bleef ze dicht tegen hem aan staan en fluisterde:

— *Ik hou van je.*

Deze vier woorden waren meer dan hij op het moment kon verdragen. Jesse keek naar de vloer, en zijn stem haperde.

— *Het spijt me, Anna. Voor alle moeite, voor dit alles...*

Ze glimlachte.

— *Jesse Austin, je moet je tegenover mij nooit verontschuldigen, en zeker niet voor wat zíj gedaan hebben. Het was jouw schuld niet.*

Ze kuste hem weer.

— *Zeg dat je van me houdt.*

— *Soms lijkt het alsof 'ik hou van je' niet genoeg is.*

— *Iets anders heb ik nooit gewild.*

Ze liet hem los, trok haar kleren recht, deed de deur open en haastte zich de trap af, zonder de deur achter zich dicht te doen en zonder achterom te kijken.

Jesse wachtte bij het raam. Anna verscheen op de straat en liep kriskras tussen de kaartspelers door. Toen ze bijna uit het zicht was, bleef ze staan, draaide zich om en zwaaide naar hem. Hij zwaaide terug, en toen hij zijn hand liet zakken, was ze verdwenen.

Het was tijd om te beslissen. Hij keek op zijn horloge. Hij had maar een uur de tijd tot het moment dat hij geacht werd een vage groep demonstranten toe te spreken. Hij wist niet eens waar ze voor of tegen demonstreerden. Naar alle waarschijnlijkheid zouden ze hem niet herkennen en zou het hem moeite kosten om zich verstaanbaar te maken. Het concert begon om negen uur. Volgens het Russische meisje zou het maar zeventig minuten duren. Jesse tikte op zijn mooie horloge, dat hij in betere tijden had aangeschaft. Terwijl hij erover nadacht of hij de uitnodiging zou accepteren, zag hij ineens weer een ander horloge voor zich, een horloge dat hij nooit had gedragen. Hij had het aan het begin van zijn loopbaan gekregen, toen hij bezig was aan zijn eerste landelijke tournee. De directeur van een concertzaal was zo blij geweest met het onverwachte succes – drie uitverkochte voorstellingen in de stad Monroe in Louisiana – dat hij Jesse een fraai doosje had gegeven met daarin een mooi horloge met een leren bandje en achterop in reliëf de tekst MADE IN MONROE. Jesse wist niet meer precies hoe het horloge eruit had gezien, maar de directeur stond hem nog levendig voor ogen. De man had na zijn laatste optreden op de deur van zijn kleedkamer geklopt, en was tersluiks, als een geheime minnares, naar binnen geslopen. Anna was er ook bij geweest en was er getuige van geweest hoe de directeur Jesse nerveus het horloge aanbood als teken van zijn dankbaarheid en zich toen haastig had teruggetrokken. Jesse had hard moeten lachen om de vreemde capriolen van deze aardige man, totdat hij merkte dat Anna niet lachte. Ze had gezegd dat de man zijn dankbaarheid niet in het openbaar had kunnen tonen. Hij had niet aan het einde van de show het podium op kunnen lopen om Jesse het horloge te geven. Hij had hen niet uit kunnen nodigen voor een etentje, omdat hij niet met Jesse en Anna in een restaurant gezien wilde worden. Hij kon het zich wel veroorloven Jesse een contract aan te bieden om in zijn zaal te zingen, hij kon ook wel in het openbaar voor hem applaudisseren, maar zodra Jesse van het podium was verdwenen, mocht hij niet in zijn buurt gezien worden. Het was een mooi horloge, en het was al helemaal een mooi cadeau voor een jongeman die nog moest bewijzen dat hij wat in zijn mars had, maar Jesse had er geen prijs op gesteld en het in de kleedkamer achtergelaten met een briefje erbij:

EEN ETENTJE ZOU AL MOOI GENOEG ZIJN GEWEEST.

Hij had geen uitnodiging meer gekregen om daar nog eens op te treden.

Iemand die op een podium danste en zong viel bij iedereen in de smaak. Dat had Jesse al op zevenjarige leeftijd gemerkt, toen hij en zijn familie in Braxton, Mississippi, woonden, voordat ze het besluit namen om naar het noorden te verhuizen. Dat was in het najaar van 1914 geweest, toen het op een avond zo warm was dat je geen honderd meter kon lopen zonder net zo kletsnat te worden als wanneer je in de stromende regen liep. Jesses vader en moeder hadden hem laten beloven dat hij die avond binnen zou blijven. Ze moesten allebei werken en lieten hem alleen. Maar juist in de week daarvoor had zijn vader hem een standje gegeven omdat het hout op was en Jesse niet genoeg deed in en om het huis. Jesse wilde niet dat dit nog een keer zou gebeuren en besloot dat hij maar beter nog wat hout kon gaan sprokkelen. Hij had toen zonder al te veel moeite een hoeveelheid hout verzameld, aangezien alles in het bos kurkdroog was. De takjes kraakten onder zijn voeten, en het gekraak van het droge hout weerkaatste tussen de bomen. Hij had het aan zijn ouders nooit toegegeven, maar Jesse was altijd bang geweest in het bos – hij liet er zijn verbeelding de vrije teugel, en wat hem allemaal inviel speelde hem parten. Hij hoorde stemmen. Hij vond van zichzelf dat hij zich maar raar gedroeg, en af en toe riep hij dat zelfs hardop:

— *Jesse, niet bang zijn. Het bos zit vol torren en vliegjes, verder niets.*

Maar toen hij ophield met praten, bleven de stemmen aanhouden. Om ze kwijt te raken had hij zijn hoofd geschud, alsof er water in zijn oren zat. Maar ze bleven klinken, niet één stem, maar wel twee of drie.

— *Je hebt het verkeerd gedaan!*
— *Zo moet het!*
— *Blijf staan.*
— *Kom eens helpen, hier!*
— *Dat is het.*
— *Stel de camera op!*

Toen hij dieper het bos in liep, waren de stemmen zachter gaan klinken. Maar toen was hij van richting veranderd, het bos uit, richting stad. De stemmen waren luider geworden. Hij had naar huis moeten rennen, hij had het bijeengesprokkelde hout op de grond moeten gooien en ervandoor moeten gaan, maar hij was doorgelopen in de richting waarvan de stemmen kwamen.

Aan de rand van het bos, niet ver van de stad, zag Jesse tot zijn verrassing een mensenmenigte staan, en hij was des te verbaasder omdat zijn ouders zo nadrukkelijk hadden gezegd dat hij die avond binnen moest blijven, terwijl blijkbaar zoveel anderen juist het tegenovergestelde hadden gedaan. De mensen stonden met hun rug naar hem toe in een halve cirkel, misschien alles bij elkaar wel honderd man, en ze vormden niet eens zozeer een menigte, bedacht hij, als wel een publiek. Degenen die achteraan en aan de zijkant stonden, hadden brandende takken en flakkerende lantaarns in hun handen, en rode vonken kleurden de nachtelijke hemel. Ze hadden de lantaarns nodig, want er was niet veel maanlicht, slechts af en toe een glimp wanneer de zware wolken voor de maan wegschoven. Jesse vond de mensen goed gekleed, in aanmerking nemend dat ze in het bos waren. Er waren vrouwen in kraaknieuwe jurken, meisjes in mantelpakjes, mannen in overhemd en nette broek. Alsof ze gekleed waren voor de kerk of het theater. Sommigen wuifden zichzelf koelte toe met strohoeden, dames mepten met sierlijke uithalen van hun sierlijke handen naar de muggen en vliegen, maar Jesse zag de zweetplekken op hun rug – kennelijk waren ze niet zo heel veel anders dan hij.

Ze hadden de kleine Jesse niet opgemerkt, die stilletjes achter een boom stond, met zijn armen vol hout, blaadjes in zijn haar en met kleren die gemaakt leken van de bladeren op de grond. Het publiek keek geboeid toe wat er voor hen gebeurde, maar Jesse begreep niet wat er zo diep in het bos nou zo interessant kon zijn. Hij was te klein om te zien wat er gebeurde, en hij durfde niet achter de boom vandaan te komen, omdat het publiek helemaal blank was, en het hem niet verstandig leek om zich ermee te bemoeien.

Alsof er een toverspreuk was uitgesproken, keken alle mannen en alle vrouwen precies op hetzelfde moment omhoog, naar de bomen. Jesse keek ook, in de hoop vuurwerk te zullen zien, een vonkenregen van schitterende sterren. Maar alles wat hij zag, alles waar ze blijkbaar voor bijeen waren gekomen, was een dans, een dans zoals hij nooit eerder had gezien: twee benen die in de lucht bungelden, een hortende, stotende dans, een dans van twee zwarte voeten zonder schoenen die de grond niet raakten, een dans zonder ritme of melodie, een stille dans die niet meer dan een minuut of twee duurde.

Tegen de tijd dat de benen klaar waren met hun dans, had Jesse alle takken in zijn armen fijngedrukt en waren zijn schoenen bedekt met boomschors. Een man in het publiek stak een grote boxcamera omhoog, een lamp flitste op in de duisternis en zette alles in een fel licht. Tot op de huidige dag heeft Jesse zich afgevraagd waarom de man tot het einde toe heeft gewacht voordat hij die foto maakte. Misschien omdat hij niets wilde missen van die onderhoudende dans?

Toen het Russische meisje hem vroeg waarom hij altijd zoveel offers had gebracht voor het communisme, toen onbekenden, vrienden en familieleden hem vroegen waarom hij niet eens een keer zijn mond kon houden over de politiek en van zijn geld genieten, had hij nooit de waarheid gezegd. Waardoor was hij communist geworden? Niet door de haat die zijn familieleden hadden ondervonden toen ze naar New York verhuisden, niet door alle beledigingen die in de loop van de tijd naar zijn hoofd waren geslingerd. Niet door de armoede of de strijd die zijn ouders hadden moeten voeren om rond te komen. Op de avond van zijn eerste grote concert, op het podium in een overvolle zaal, uitkijkend over alle welgestelde blanken, die klapten als hij danste en zong, realiseerde hij zich dat ze alleen van hem hielden als hij zijn benen ritmisch bewoog – en als zijn lippen een lied zongen, niet als die een toespraak hielden. En als de show afgelopen was, als zijn benen niet meer dansten, wilden ze niets meer met hem te maken hebben.

Dat ze van hem hielden als hij op het podium stond, was niet genoeg. Zingen was bij lange na niet genoeg.

Manhattan
Hoofdkantoor van de Verenigde Naties
Zaal van de Algemene Vergadering
Hoek 1st Avenue / East 44th Street

Dezelfde dag

Onder het publiek bevonden zich de belangrijkste diplomaten uit de hele wereld – alle gezanten bij de Verenigde Naties waren uitgenodigd. De grote vergaderzaal zat vol. Het concert zou zo beginnen. Als een kind dat op school haar eerste toneelstuk zal gaan opvoeren, keek Raisa vanuit de coulissen even de zaal in en vroeg zich af of haar nervositeit over de opvoering van die avond niet paranoïde was geweest. Was haar fantasie niet met haar op de loop gegaan, geïnspireerd op dingen uit haar verleden, toen elk woord beladen was en overal gevaar en intriges dreigden? Dat ze dacht dat ze eruitzag als een provinciaal lag niet aan haar kleren, maar kwam doordat ze in paniek raakte en onrustig werd als ze op zo'n groot podium moest staan. Ze schaamde zich een beetje voor de manier waarop ze zich had gedragen. Doordat de generale repetitie goed was verlopen, was ze gekalmeerd en had ze haar evenwicht hervonden.

Ze bekeek haar pupillen. Die stonden in een rij, klaar om het podium op te gaan. Het was haar taak om hen gerust te stellen, niet om nerveus te zijn. Ze had voor elk een glimlach en een bemoedigend woord, en zo liep ze op Elena af. Raisa had met tegenzin toegegeven aan Elena's verlangen om mee te zingen, en dat had ze gedaan uit angst dat Elena anders Leo erop aan zou kijken en hem erom zou haten. Maar ze hadden sindsdien niet met elkaar gesproken, en ze had er nog geen goed gevoel over. Raisa hurkte neer en fluisterde:

— *Dit is ook voor mij een nieuwe situatie. De druk werd een beetje te veel. Het spijt me. Ik ben ervan overtuigd dat je het fantastisch zult doen. Ik hoop dat je van de avond kunt genieten. Ik hoop dat ik het niet voor je bedorven heb – dat is nooit mijn bedoeling geweest.*

Elena huilde. Raisa veegde snel de tranen van haar dochter weg.

— *Niet huilen. Alsjeblieft, want anders moet ik zo meteen ook huilen.*

Raisa glimlachte om te verbergen dat ook zij op het punt stond in huilen uit te barsten en zei:

— *Het is mijn schuld. Niet die van Leo. Wees niet boos op hem. Concentreer je alleen op de uitvoering. Veel plezier. Geniet van de avond.*

Raisa wilde teruglopen naar voren toen Elena haar hand vastpakte en zei:

— *Moeder, ik zal nooit bij iets betrokken raken als jij daardoor niet trots op me zou zijn.*

Dat ze het woord 'moeder' gebruikte, was opzettelijk. Bang dat ze zichzelf niet meer in de hand zou kunnen houden, zei Raisa snel:

— *Weet ik toch.*

Raisa haastte zich terug naar haar plaats, werd weer rustig en bereidde zich erop voor het koor voor te gaan, het podium op. Ze ademde diep in, vastbesloten hier een succes van te maken. Dit was een bijzondere gebeurtenis. Vele jaren geleden, als vluchteling tijdens de Grote Vaderlandse Oorlog, had ze alleen aan overleven kunnen denken. Als lerares in Moskou tijdens het bewind van Stalin had ze er alleen maar aan kunnen denken hoe ze een arrestatie kon voorkomen. Als ze terug had kunnen keren naar het verleden en als ze die bange jonge vrouw even in de toekomst had kunnen laten kijken, dan zou die jonge vrouw niet hebben kunnen geloven wat ze nu zag – optreden voor een deftig internationaal publiek in deze bijzondere zaal, met twee prachtige dochters aan haar zijde. Ze wenste alleen dat Leo hier bij haar had kunnen zijn, niet vanwege een complot of verraad – ze betreurde het dat ze hem dat idee had gegeven – maar omdat niemand anders begrip kon hebben voor alle omzwervingen die ze achter de rug had.

Daar was de opmaat. Het publiek viel stil. Het orkest zette in. Zij aan zij met de Amerikaanse hoofdonderwijzer ging Raisa haar pupillen voor. Het applaus klonk beleefd en voor haar gevoel niet zonder een ondertoon van onzekerheid. Niemand wist hoe deze bijzondere uitvoering zou uitpakken.

Terwijl ze het podium op liep, probeerde Elena zichzelf gerust te stellen dat ze niet had gelogen. Haar moeder zou zeker trots op haar zijn als ze begreep wat ze had geprobeerd te bereiken: een broodnodig blijk van liefde en bewondering voor Jesse Austin, een man die ten onrechte vervolgd was om zijn overtuiging, een briljant man die omwille van zijn geloof in rechtvaardigheid en liefde door de overheid gekortwiekt werd. Raisa zou natuurlijk aanvankelijk boos op haar zijn omdat ze het voor haar geheim had gehouden, ze zou boos zijn omdat ze het niet had verteld. Maar zodra die woede was gezakt, zou ze het zeker begrijpen; misschien zou ze zelfs Elena's moed bewonderen.

Toen ze haar blik door de zaal liet gaan en de versieringen in zich opnam, de vlaggen, het deftige publiek, al die aristocratische politici in hun mooie kleren, vond Elena het een kunstmatig spektakel, dat geen enkele relatie had met alle zaken die ertoe deden, met alle echte problemen. Het concert hield geen belofte in van verandering of vooruitgang in sociaal opzicht, het was steriel, er was geen sprake van woede of verontwaardiging, want daardoor zouden de gastheren zich alleen maar beledigd hebben gevoeld. De demonstratie op straat was niet gericht tegen de een of andere overheid, nee, die was universeel, gericht tegen alle onverdraagzaamheid en haat, tegen alle ongelijkheid en alle onmenselijkheid in het menselijk leven. De wereld had behoefte aan een tweede revolutie, een revolutie van de burgerrechten. En het communisme was het beste voertuig voor zo'n revolutie. Het zou toch gewoon niet kunnen dat Raisa niet trots was op wat zij en Jesse Austin op het punt stonden te bereiken? Het applaus hield op.

Harlem
Bradhurst
Hoek 8th Avenue/West 139th Street
Nelson's Restaurant

Dezelfde dag

De prijzen in het restaurant waren redelijk, en het was er altijd druk. Het was vernoemd naar de eigenaar, Nelson, een man die zeer geliefd was bij de mensen in de buurt. Hij behandelde zijn personeel goed en zat nooit verlegen om een goede grap, maar hij kon ook goed naar zijn klanten luisteren als ze problemen hadden. Anna had nooit iemand ontmoet die een beter gevoel had voor datgene waar de mensen naar op zoek waren. Toen ze wanhopig geld nodig had en op zoek was naar werk, had hij haar geholpen. Hij had niet iemand van haar leeftijd zonder ervaring een baan hoeven geven, hij had ook jongere, mooiere meisjes kunnen aannemen, die met de klanten konden flirten en voor extra omzet zouden zorgen. Anna had hem voor zijn goedgunstigheid beloond door nooit te laat te komen of te vroeg weg te gaan. Ze vertelde iedereen dat hij met haar zeker een risico liep, maar dat hij geen moment bang was geweest voor de gevolgen. De klanten waardeerden het dat Nelson haar een baan had gegeven, en misschien had hij dat ook wel ingecalculeerd. En ten slotte had de FBI er nooit herrie over geschopt, zoals ze met Jesse hadden gedaan. Anna dacht dat het idee hun wel zou bevallen dat zij zich bezighield met afwassen en het schoonmaken van dienbladen. Maar als ze dachten dat hard werken een vernedering voor haar betekende, dan hadden ze het mis.

Terwijl ze het restaurant in liep en zich voorbereidde op haar werk, drong het ineens met grote helderheid tot haar door dat Jesse de uitnodiging van het meisje om die avond een redevoering te houden zou aannemen. Hoeveel redenen er ook te bedenken waren om niet op straat voor de deur van de Verenigde Naties te gaan spreken, het was wel typisch iets voor Jesse om zich in zo'n chaotische demonstratie te begeven. Maar ze kon het niet goedvinden dat hij daar in zijn eentje zou zijn.

Anna liep snel naar Nelson en nam hem apart.

— *Je weet dat ik zoiets als dit nooit eerder heb gedaan, en ik zal het ook nooit meer doen, maar ik moet terug naar huis. Ik kan vanavond niet werken. Ik moet bij mijn man zijn.*

Nelson keek haar in de ogen, zag haar uitdrukking, registreerde de toon waarop ze had gesproken en knikte.

— *Is er iets mis?*

— *Nee, er is niks mis. Maar mijn man moet iets doen, en ik moet bij hem zijn als hij dat doet.*

— *Oké, Anna. Doe wat je moet doen. Maak je geen zorgen over het restaurant. Desnoods serveer ik zelf het eten.*

Anna kuste hem op de wang voor zijn welwillendheid.

— *Dank je wel.*

Ze draaide zich om, deed haar schort af, liep het restaurant uit en haastte zich zo snel als ze kon terug naar huis. Ze rende het hele eind, baande zich een weg tussen de kaartende mannen en de waas van sigarettenrook door, en toen ze bij het pand kwam waar ze woonden, rende ze met twee treden tegelijk de trap op. Onderweg naar boven voelde ze de blikken van haar buren op zich gericht. Ze zouden wel medelijden met haar hebben en denken dat ze leed omwille van Jesse. Maar dan hadden ze het mis. Ze was de gelukkigste vrouw op aarde, omdat ze haar leven met hem deelde.

Ze gooide de deur van het appartement open. Jesse stond op het bed voor het open raam, alsof hij een publiek van duizenden toesprak. Om hem heen lagen de met de hand beschreven vellen papier met alle redevoeringen die hij ooit had gehouden.

Manhattan
Hoofdkantoor van de Verenigde Naties
Zaal van de Algemene Vergadering
Hoek 1st Avenue / East 44th Street

Dezelfde dag

Jim Yates glipte achter in de zaal naar binnen en keek naar de voorstelling. Communisten en Amerikaanse jongeren door elkaar, identiek gekleed: wit overhemd en zwarte broek voor de jongens, witte blouse en zwarte rok voor de meisjes; in niets verschilde de ene nationaliteit van de andere. Volgens het programma, dat was opgesierd met talloze internationale vlaggetjes, waren de nummers gecomponeerd door musici uit de hele wereld. Zelfs de progressieve organisatoren van dit evenement konden niet toestaan dat er communistische propagandaliederen werden gezongen, of Russische strijdliederen waarin de machtigste natie ter wereld al haar vijanden, waaronder de Verenigde Staten, zou vernietigen. Die zouden de communisten ongetwijfeld zingen als ze weer thuis waren, zodra ze in Moskou uit het vliegtuig stapten. De Russen konden dus hun liederen niet zingen, maar dat konden de Amerikanen ook niet, bang als ze waren om hun gasten te beledigen. Je eigen liederen niet eens kunnen zingen in je eigen land! Al was het natuurlijk hier niet zijn eigen land – het hoofdkantoor van de Verenigde Naties was geen Amerikaans grondgebied, al stond het in New York. Zonder dat er een schot was gelost, was het terrein overgedragen aan een internationale organisatie. Yates was hier niet eens een agent van de FBI. Hij was hier te gast.

Toen het lied uit was en het publiek applaudisseerde, bekeek Yates de diplomaten. Blanken leken in de minderheid. Een aantal diplomaten stond op om te applaudisseren. Yates kon ze vanaf de plek waar hij stond niet goed zien – waarschijnlijk waren het Cubanen of Zuid-Amerikanen. De realiteit was natuurlijk dat terwijl deze jongeren arm in arm op het podium stonden te zingen, de landen waar ze vandaan kwamen bezig waren elkaars vernietiging voor te bereiden. Het was een groteske poppenkast. Hij was ontzet over het feit dat Amerikaanse ouders ermee hadden ingestemd dat hun kinderen aan dit concert deelnamen. Die vaders en moeders moesten nader aan de tand worden gevoeld.

Yates keek op zijn horloge en tikte met zijn nagel op de wijzerplaat. De voorstelling waar het werkelijk om ging stond op het punt om buiten van start te gaan.

Manhattan
Op straat voor het hoofdkantoor van de Verenigde Naties
Hoek 1st Avenue / East 44th Street

Dezelfde dag

Jesse Austin had een fruitkist bij zich die afkomstig was uit de keuken van Nelson's Restaurant. Hij had wel eerder op straathoeken gesproken, en hij wist dat hij zonder een verhoginkje om op te staan geen schijn van kans had om gehoord te worden, zelfs hij niet, die toch een lange man en een ervaren spreker was. Iedereen die optrad moest een podium hebben, en al stelde een fruitkist niet veel voor, het was beter dan het trottoir. Toen hij uit de metro stapte, zag hij al dat First Avenue deels voor het verkeer was afgesloten. De stemming werd door de afwezigheid van het verkeer echter niet gedempt, er heerste eerder het gevoel dat de demonstratie echt iets bijzonders was. Toen hij de situatie opnam, met op de achtergrond het gebouw van de Verenigde Naties, zag hij dat zich honderden mensen hadden verzameld, veel meer dan hij had verwacht. Anna pakte zijn vrije hand. Ze was zenuwachtig.

De politie stond in een halve cirkel opgesteld: sommigen droegen de uitrusting van de oproerpolitie, anderen reden te paard heen en weer voor de voorste linies van de demonstratie. De paarden snoven alsof ze walgden van het gepeupel. De demonstranten waren als vee gescheiden van de rest van het publiek, en vanuit de menigte staken opzichtige, zelfgemaakte spandoeken omhoog: beddenlakens in schitterende kleuren, strakgespannen op stokken – als een alternatief tapijt. De letters waren losjes vormgegeven, waardoor ze van een kinderlijke naïviteit leken. Toen Jesse de spandoeken las, concludeerde hij dat de demonstranten een allegaartje van verschillende groepen vormden. En dat was iets bijzonders, iets wat hij nooit eerder had gezien in New York: demonstranten tegen de Vietnamoorlog met gitaren en drums zij aan zij met netjes geklede mannen en vrouwen die de Communistische Partij aanvielen, sommigen met borden waarop geëist werd dat Hongarije bevrijd zou worden van het Sovjetbewind, anderen met de versleten slogan:

DE ENIGE GOEDE RODE IS EEN DODE RODE

Je zag de zin zo vaak dat Jesse zich afvroeg of ze niet iets anders hadden kunnen bedenken – hij kreeg er des te meer zin in om te gaan spreken. Hoe meer ze hem bedreigden, hoe sterker hij zich voelde.

Hij was te laat om helemaal voor in de demonstratie een plaats te veroveren en hij kon niet bij de ingang gaan staan, zoals Elena had gevraagd. Anna en hij zouden genoegen moeten nemen met een plekje aan de andere kant, daar waar de menigte minder dicht begon te worden. Het was niet ideaal, en het irriteerde hem dat hij niet eerder was gekomen. Toen ze langs de demonstranten liepen, riep een stem:

— *Jesse Austin!*

Toen hij zich omdraaide, zag hij een man bij het hek naar hen gebaren dat hij naar hem toe moest komen. Ze deden het, hoewel ze geen idee hadden wie de man was. Hij was jong en glimlachte vriendelijk.

— *Ik heb hier een plekje voor je! Speciaal bezet gehouden!*

De plek was naast de hoofdingang, zoals Elena had gevraagd. Hij nam de fruitkist over van Jesse en tilde hem over de barricade. Hij probeerde of hij wel stevig genoeg was en keek toen Jesse aan.

— *Klim eroverheen!*

Jesse lachte.

— *Dertig jaar geleden had ik dat misschien gekund!*

Met Anna's hand in de zijne liep hij door de menigte, en langzaam vorderden ze. De man schermde het geïmproviseerde podium af van de demonstranten, van wie sommigen opdrongen en probeerden erop te gaan staan. Toen hij Jesse zag, legde hij een hand op diens schouder.

— *Dit is jouw moment. Geef ze alles! Hou je niet in!*

Jesse schudde hem de hand.

— *Wie ben je?*

— *Een vriend. Jij hebt meer vrienden dan je denkt.*

Dezelfde dag

Yates verliet het gebouw van de Verenigde Naties al voordat het concert was afgelopen. Doorgaans mocht een demonstratie nooit zo dicht bij het vn-gebouw komen, maar zou ze de kant op zijn gestuurd van het Ralph Bunche Park of de Dag Hammarskjöld Plaza, de kruising van 47th Street en First Avenue, op ruime afstand van de bezoekersingang en nog verder weg van de ingang die gebruikt werd door de topdiplomaten. De beslissing om de demonstratie zo ongekend dicht bij het gebouw toe te laten, was symbolisch, en het idee erachter was dat Amerika, in tegenstelling tot de Sovjet-Unie, niets te vrezen had van openlijke kritiek. En daar had je hem – Jesse Austin, die ten volle gebruikmaakte van de vrijheden die zijn land hem bood, de vrijheid van meningsuiting, een vrijheid die niet bestond in de natie die hij zo ophemelde.

Toen hij de straat op liep, zag Yates een geüniformeerde politieagent op Jesse aflopen. Hij onderbrak zijn toespraak en wees naar het kistje waar hij op stond. Yates haastte zich naar voren, pakte de dienstdoende inspecteur bij de arm en schreeuwde boven het kabaal uit:

— *Zeg tegen je agent dat hij zich op de achtergrond houdt! Niemand haalt Jesse Austin daar weg!*

— *Wie is Jesse Austin?*

De naam betekende niets voor deze politieman. Dat deed Yates goed.

— *Die lange daar, die neger op dat kistje! Laat hem staan!*

— *Hij mag daar niet zo staan, zo dicht bij de hoofdingang.*

Yates verloor zijn geduld.

— *Ik heb lak aan jouw regels. Je doet wat ik zeg! Die man wordt daar niet weggehaald. De Russen hebben hem uitgenodigd om hier te spreken, in de hoop dat wij hem zullen dwingen om te vertrekken. Als we dat doen, zal hij zich verzetten en zal op elke voorpagina van elke krant te zien zijn hoe wij hem hebben weggesleept. Daar is het hem juist om te doen! Daarom is hij hier! Hij is een beroemdheid die met de communisten sympathiseert, een boegbeeld. En dat is niet het soort beeldvorming waar we om zitten te springen: vijf blanke politieagenten die een oude negerzanger wegslepen. We zijn verstrikt in een propagandaoorlog. Ik wil vanavond geen machtsvertoon. Kan me niet schelen hoe ze ons provoceren. Is dat begrepen? Niemand haalt die man daar weg!*

Dezelfde dag

Jesse kon bijna niet geloven dat de politieagent zich terugtrok, wegliep en het blijkbaar in orde vond dat hij op de fruitkist bleef staan. Hij keek Anna aan. Zij leek net zo verbaasd als hij. Gezien de aanwezigheid van de pers zouden ze wel de opdracht hebben om zich terughoudend op te stellen, zich er niet mee te bemoeien en de demonstranten de vrije hand te geven. Het zou wel een tactische beslissing zijn, om te kunnen pronken met de vrijheid van meningsuiting zoals die in Amerika gold. Het was een cynische beslissing, maar als die vrijheid van meningsuiting daadwerkelijk gold, al was het maar voor één avond en voor de show, dan zou Jesse daar graag gebruik van maken.

Vanaf de fruitkist kon hij de hele demonstratie overzien: honderden gezichten, sommige beschilderd met bloemen, andere vertrokken van woede en verontwaardiging. Jesse begon te spreken. Aanvankelijk enigszins verlegen, waardoor niemand behalve zijn vrouw naar hem luisterde, zelfs niet de mensen die vlak bij hem stonden. Het leek minder op een redevoering dan op gemompel van een oude man die in zichzelf praatte.

— *Ik ben hier vanavond...*

Een aarzelend begin, en hij wist niet goed of hij zijn tekst moest voorlezen of beter kon gaan improviseren. Hij besloot om uit te gaan van de tekst die hij thuis had geschreven en probeerde het feit te negeren dat niemand luisterde. Hij concentreerde zich op een vast punt in de menigte, alsof hij weer op een podium stond en een publiek van duizenden toesprak die ervoor hadden betaald om hem te horen spreken. Zijn ritme werd echter verstoord door het onophoudelijke getrommel van de vredesdemonstranten. Hij husselde zijn woorden door elkaar, hield soms halverwege een zin op en begon dan aan de volgende, hield dan weer op en begon opnieuw aan zijn vorige zin, zich afvragend of het wat uitmaakte of hij Russisch of Engels sprak, aangezien toch niemand luisterde. Hij werd er moedeloos van en voelde toen dat Anna zijn hand pakte. Hij keek haar aan. Ze kneep in zijn hand en zei:

— *Zeg gewoon wat je voelt. Praat tegen ze zoals je tegen mij praat, vanuit je hart – dáárom hebben de mensen altijd naar je geluisterd. Omdat je nooit liegt en nooit doet alsof, maar alleen dingen zegt waar je zelf in gelooft.*

Jesse sloot zijn oren voor het geluid van de trommels en hief zijn hand op, klaar om het woord te nemen. Maar nog voordat hij een woord had gezegd, riep een van de demonstranten iets, een oudere man met pezige armen, een vieze baard en een gitaar om zijn nek. Zijn ontblote bovenlijf was beschilderd met een rood vredesteken.

— *Jesse Austin!*

Dat hij herkend werd, verraste Jesse, en hij raakte er de draad van zijn verhaal door kwijt. Voordat hij zich had kunnen herstellen, kwam de demonstrant op hem af, schudde hem de hand en zei:

— *Ik hield altijd van je muziek. Vertel eens, Jesse, hebben ze Malcolm x om het leven gebracht omdat hij tegen de oorlog in Vietnam was? Volgens mij wel. Ze vermoorden iedereen die zich tegen deze oorlog uitspreekt. Malcolm x heeft gezegd dat alle zwarte mannen en vrouwen de Vietnamezen zouden moeten steunen, en niet de Amerikaanse soldaten, dus daarom zullen ze hem wel hebben doodgeschoten, denk je ook niet? Wie steun jij? De Vietnamezen of de Amerikanen?*

Malcolm x was aan het begin van het jaar doodgeschoten. Het was wel bij Jesse opgekomen dat de moord misschien meer was dan het leek. Dat de Nation of Islam er de schuld van kreeg, kwam goed uit, maar zoals wel vaker het geval is: als een verklaring goed uitkomt, is er meestal iets anders aan de hand.

Toen hij wilde antwoorden, riep de man tegen zijn vrienden:

— *Hé! Dit is Jesse Austin!*

De mensen hadden niet gereageerd toen ze hem op het kistje hadden zien staan, maar bij het horen van zijn naam draaiden ze zich om en keken ze naar hem. Uit het anticommunistische deel van de menigte klonken rauwe stemmen vol afschuw op:

— *Waarom voel jij je in Amerika niet thuis?*

— *Jij hebt gezegd dat je graag tegen Amerikaanse soldaten zou vechten!*

De oude demonstrant knipoogde naar Jesse.

— *Nou, je hoort het. Je kunt maar beter voorzichtig zijn met wat je zegt.*

Jesse riep terug:

— *Dat soort dingen heb ik nooit gezegd! Ik geloof in vrede, niet in oorlog.*

Met de eerste beschuldiging leek er een dam te zijn doorgebroken, en een hele serie lasterlijke leugens werd over hem uitgestort, steeds extremer. De anticommunistische demonstranten kenden Jesse voornamelijk als iemand die haat en spot verdiende.

— *Is het waar dat je hele series blanke meisjes hebt verleid?*

— *Waarom betaal jij geen belasting?*

— *Jij hebt toch in de gevangenis gezeten, hè?*

— *Je bedriegt je vrouw, hè?*

— *Ik heb gehoord dat je haar slaat als je dronken bent!*

Jesse zag niet elke keer het gezicht van degene die hem belasterde; de stemmen leken van overal te komen. Anders dan de lasteraars deed hij moeite om zich in te houden, en hij ging in op de beschuldigingen:

— *Ik betaal wél belasting! Ik heb nog nooit één dag in de gevangenis doorgebracht, behalve om die mensen te bezoeken die hulp nodig hadden. En ik heb nog nooit een blank meisje aangeraakt, niet op die manier, net zomin als ik ooit iemand geslagen heb, en zeker mijn vrouw niet, de vrouw van wie ik meer hou dan van wie ook. Wat jullie nu zeggen is alleen maar laster! Jullie praten anderen na, het is een haatcampagne!*

Zijn stem trilde. De leugens kwetsten hem diep: weer moest hij hulpeloos meemaken dat zijn naam door het slijk werd gehaald.

Anna begreep dat hij in moeilijkheden verkeerde en kwam naast hem op het kistje staan. Ze sloeg haar arm om zijn middel om haar evenwicht te bewaren.

— *Zou ik hier nu naast mijn man staan als dat waar was? Zou ik bij hem zijn gebleven toen de overheid ons ons huis afnam? Toen we zonder werk kwamen te zitten? Toen ze ons geld afnamen en we niets meer te eten hadden? Alles zijn we kwijtgeraakt. Jullie hebben deze leugens geloofd, maar ik zal jullie de waarheid zeggen. Jesse heeft in zijn hele leven nog nooit een ander kwaad gedaan. Hij heeft nooit in cafés gevochten of op straat ruzie geschopt. En tegen mij heeft hij nog nooit zijn stem verheven! En wat oorlog betreft: het zou niet bij hem opkomen om de wapens tegen anderen op te nemen. Hij gelooft niet in geweld. Hij gelooft in de liefde! Meer dan wie ook gelooft hij in de liefde! Hij gelooft in de rede, van iedereen, waar hij of zij ook geboren is of welke huidskleur hij of zij ook heeft. Jullie kunnen het oneens zijn met hem als jullie dat willen, jullie kunnen ons voor gek verslijten om wat we denken, maar zeg niet tegen ons dat wij niet van elkaar houden.*

Terwijl ze van het kistje stapte, zag Jesse aan de mensen dat ze hen met haar woorden voor hem gewonnen had, dat ze steeds meer aandacht voor hem hadden. Hij betreurde het dat hij was opgehouden in het openbaar te spreken en zich er niet tegen had verzet dat insinuaties het ontstane vacuüm hadden gevuld. Het was zijn plicht om de waarheid te laten horen, ook als de reguliere kanalen voor hem niet meer toegankelijk waren. Het was zijn plicht om zich tegen zijn vijanden te verzetten, hoezeer de kansen zich ook tegen hem gekeerd leken te hebben. Hij had zich ervan laten overtuigen dat de waarheid geen waarde had. Maar dat had ze wél: de waarheid was krachtiger dan alle leugens, en de mensen hadden dat aan hun stem gehoord toen ze spraken. Hij vatte moed en probeerde van het gesprek een polemiek te maken. Hij moest nu datgene gaan zeggen waarvoor hij hiernaartoe was gekomen om het te zeggen.

— *Kunnen we, nu we de valse beschuldigingen hebben weerlegd, misschien overgaan tot zaken die er echt toe doen? Tot wat er voor miljoenen Amerikanen overal in dit hele, geweldige land werkelijk toe doet? Kunnen we het nu hebben over de onredelijkheid, de vooringenomenheid, de intolerantie en de geïnstitutionaliseerde discriminatie, niet alleen van zwarte Amerikanen, maar van alle arme Amerikanen?*

Hij stak zijn voorbereide speech in zijn zak en begon voor de vuist weg te spreken. Net zoals hij ineens weer vloeiend Russisch had kunnen spreken, zo kwamen bij hem nu de woorden van verontwaardiging weer over de lippen die hij in honderden eerdere toespraken en in vele jaren van protest steeds meer had vervolmaakt. Het publiek luisterde nu wel, smeedde zich onder zijn leiding tot een eenheid – mannen en vrouwen van verschillende leeftijden en rassen. De vredesdemonstranten sloten zich er deels bij aan en hielden op met trommelen om te kunnen horen wat hij zei. Zo'n groot publiek had hij in bijna tien jaar niet toegesproken, en deze mensen waren hier niet voor zijn songs of om vermaakt te worden, ze waren hier om de wereld te veranderen. En de menigte bleef maar aangroeien, steeds meer mensen kwamen aanlopen en drukten zich achter de ijzeren hekken tegen elkaar aan.

Een boze vrouw riep:

— *Als je zo van de Sovjet-Unie houdt, waarom ga je dan niet samen met die lui terug naar Rusland!*

Jesse voelde zijn vertrouwen groeien en genoot van de tegenstand die hem geboden werd.

— *Waarom zou ik ergens naartoe gaan als ik hier thuis ben! Ik woon hier al mijn hele leven. Mijn ouders zijn hier begraven! Hun ouders zijn hier begraven! Ik ben net zo Amerikaans als u, misschien wel meer, zéker meer, omdat ik echt geloof in de vrijheid van meningsuiting en in gelijkheid, terwijl ik betwijfel of u daar ooit aan denkt. U hebt het te druk met zwaaien met de Amerikaanse vlag om te bedenken waar die vlag voor staat!*

De vrouw kreeg gezelschap van een groepje dat zich had afgescheiden van de anticommunistische demonstranten en die nu om beurten Jesse begonnen aan te vallen en van alles riepen. Hun opmerkingen gingen deels in het geroezemoes verloren, maar soms drongen ze door.

— *Je woont in Amerika en je beledigt ons land!*

— *De enige mensen die ik ooit heb beledigd, waren mensen zoals u, mensen die niet begrijpen dat elke man en vrouw op deze aarde deel uitmaakt van een en dezelfde mensheid. U weet het misschien niet, maar de hoop op een beter leven is iets wat overal ter wereld begrepen wordt. Het verlangen om goed behandeld te worden hangt niet af van de plek waar je woont of de taal die je spreekt.*

Jesse gebaarde naar het hoofdkantoor van de Verenigde Naties.

— *In dat gebouw wordt de hele wereld onder één dak vertegenwoordigd. Dat is de realiteit van ons bestaan. We leven onder één hemel. We ademen dezelfde lucht. We worden verwarmd door dezelfde zon. De mensenrechten zijn niet het product van de overheid. Die rechten waren er altijd al! Regeringen bestaan om de fundamentele mensenrechten te dienen en te beschermen. Die rechten hebben niets te maken met je stemgedrag, de plek waar je woont, de kleur van je huid of de hoeveelheid geld in je portemonnee. Het zijn onvervreemdbare rechten. En ik zal voor die rechten vechten zolang er lucht door mijn longen en bloed door mijn hart stroomt!*

Jesse wist dat het concert ieder moment afgelopen kon zijn. De

Sovjetdelegatie zou naar buiten komen, de jongeren zouden zich mengen in de menigte om hem heen. Hij moest glimlachen bij die gedachte.

Global Travel Company
926 Broadway

Dezelfde dag

Osip Feinstein, die met handboeien vastgeketend was aan de radiator in de donkere ruimte achter de winkel, had geen idee meer hoe laat het was. Hij had last van onthoudingsverschijnselen, en het klamme zweet was hem uitgebroken. Normaal gesproken zat hij op dit moment van de dag aan zijn pijpje met opium, en het verlangen naar het middel overstemde alle andere gevoelens, waaronder zelfs de emotie die ieder normaal mens in deze omstandigheden parten zou spelen – angst. Hij had het in zijn broek gedaan, die nu doorweekt was. Zijn polsen deden pijn doordat het ijzer zich in zijn huid groef. Hij kon zijn vingers niet meer bewegen. De foto's van Jesse Austin en het Russische meisje waren hem afhandig gemaakt, en Osips eerste indruk van Yates was juist gebleken: de man was zeer gevaarlijk.

In zijn versufte toestand drong het langzaam tot hem door dat er iemand aankwam. Voorzichtig werd de deur geopend. Hij knipperde met zijn ogen in het licht. Degene die zich over hem heen boog, was de Russische agent die hem de camera had gegeven. Toen Osips ogen aan het licht gewend waren, zag hij dat de man een pistool in zijn hand had.

— *Een verkeerde beslissing van je om de* FBI *in vertrouwen te nemen. Ik had het niet van je gedacht, vroeger was je zo slim.*

Osip had niet de energie om weerstand te bieden – hij bezat niet eens de energie om voor zijn leven te vechten.

— *Ik ben al dertig jaar voor je op de vlucht.*

— *Het is gedaan met vluchten, Osip.*

De man pakte een fles hydrochinon, een van de chemicaliën die gebruikt worden bij het ontwikkelen van films, een hoogst ontvlambaar goedje, en goot dat uit over Osips kleding en gezicht en spetterde het over zijn keel en zijn ogen. Het was een krachtig bleekmiddel en het prikte zo hevig dat Osip, nog voordat de man zijn aansteker naar hem toe bewoog, het gevoel had dat hij in brand stond.

Manhattan
Hoofdkantoor van de Verenigde Naties
Zaal van de Algemene Vergadering
Hoek 1st Avenue / East 44th Street

Dezelfde dag

Het concert was afgelopen. Het publiek applaudisseerde. De Amerikaanse jongen die naast Zoya stond was zo overdonderd door de staande ovatie dat hij in haar hand kneep. De jongen, die niet ouder dan twaalf of dertien was, glimlachte naar haar. Het kon hem op dit moment niet schelen dat ze een Russische was – ze waren vrienden, maakten deel uit van een winnend team. Het succes behoorde hun beiden toe. Nu pas waardeerde ze het dat de opzet van haar moeder zich niet slechts had beperkt tot de kwaliteit van de voorstelling. Het was een idee van Raisa geweest dat de Amerikaanse en de Russische jongeren gelijk gekleed zouden zijn, en het was ook haar idee geweest om aan componisten uit de hele wereld opdrachten voor het componeren van nieuwe muziek te verlenen. Topdiplomaten uit de hele wereld applaudisseerden voor het feit dat ze bij de uitvoering talloze risico's hadden weten te vermijden, omdat er niemand beledigd was en iedereen zich erbij betrokken had kunnen voelen. Raisa had met haar diplomatieke sensitiviteit de vele gevoeligheden weten te omzeilen, en het publiek van diplomaten toonde daarvoor nu zijn waardering.

Terwijl het applaus nog door de vergaderzaal golfde, liep Zoya achter de Amerikaanse jongen aan het podium af. In de gang stapten de koorleden uit het gelid en omarmden elkaar, blij met hun succes. Raisa was in gesprek met het Amerikaanse schoolhoofd, en anders dan tijdens de generale repetitie, toen ze argwanend met elkaar waren omgegaan, stonden ze nu te lachen. Zoya was blij voor haar moeder. Ze was terecht trots op wat ze tot stand had gebracht. Zoya had er spijt van dat ze zo cynisch was geweest over het hele gebeuren en wenste dat ze haar meer had gesteund, zoals Elena had gedaan.

Zoya keek om zich heen, maar zag haar zus niet. Ze waren bij het verlaten van het podium maar een paar plaatsen van elkaar verwijderd geweest, maar nu was ze nergens meer te bekennen. Ze ging op zoek naar haar en baande zich een weg door de menigte, waarin nu ook leden van het publiek liepen, die de grote zaal uit liepen. Steeds meer mensen drongen de gang in en feliciteerden hen enthousiast. Mannen die ze niet kende, schudden haar de hand. Ze zag hoe Michail Ivanov, de propagandaofficier, zich tussen de koorleden een weg baande, kennelijk zonder enige belangstelling voor hen, ondanks het feit dat ze werden gefotografeerd.

Zoya liep achter hem aan.

Overdonderd door het succes was Raisa enthousiast op zoek gegaan naar haar dochters. Het viel niet mee om ze te vinden, omdat het zo vol was in de gangen. Ze bleef staan en draaide zich langzaam om, terwijl ze de mensenmassa afspeurde. Ze waren nergens te bekennen. Een tinteling van angst rees vanuit haar benen omhoog naar haar maag; ze besteedde geen aandacht aan de mensen die haar wilden feliciteren en negeerde uitgerekend die mensen op wie ze volgens de organisatoren indruk had moeten maken. Toen ze even verderop Zoya zag, voelde ze zich opgelucht. Ze haastte zich naar haar toe.

— *Waar is Elena?*

Bleek van bezorgdheid keek Zoya haar aan.

— *Ik weet het niet.*

Zoya hief haar hand op en wees voor zich uit.

Raisa zag Michail Ivanov met zijn rug naar haar en de jongeren toe staan. Hij keek door de grote ramen van de hal naar de demonstratie die buiten op straat gaande was. Achter hem stonden de fotografen met flitslichten op hun camera's de kinderen te fotograferen. Toch draaide hij zich niet om, en hij concentreerde zich op wat er buiten gebeurde. Ze liep naar hem toe, pakte zijn arm, dwong hem zich om te draaien en keek hem zo indringend in zijn knappe gezicht aan dat hij schrok. Maar ze liet zijn arm niet los.

— *Waar is Elena?*

Hij wilde liegen, ze zag zo duidelijk wat er in hem omging alsof ze toekeek hoe de radertjes van een uurwerk bewogen.

— *Lieg niet tegen me, of ik zweer dat ik dan zal gaan gillen, met al deze belangrijke mensen erbij.*

Hij zei niets. Ze keek naar de demonstratie en fluisterde:

— *Als haar iets overkomt, vermoord ik je.*

Manhattan
Op straat voor het hoofdkantoor van de Verenigde Naties
Hoek 1st Avenue/East 44th Street

Dezelfde dag

Elena liep ongehinderd door wie ook het hoofdkantoor van de Verenigde Naties uit. Alles was voorbereid, de route was uitgezet en ze zou geen last krijgen met de beveiliging. Er was een uitgang waar ze zo naar buiten kon. Terwijl ze naar buiten liep kreeg ze een donkerrode jas met een capuchon aangereikt, zodat ze niet herkend zou worden. Er was niets aan het toeval overgelaten. Ze hadden haar van de groep gescheiden zodra het concert afgelopen was. Michail was niet met haar meegekomen. Het was belangrijk dat hij niet op de foto zou staan, want de aanwezigheid van een officiële propagandaofficier zou de authenticiteit van het gebeuren tenietdoen. Tijdens de generale repetitie waren de plannen veranderd. Michail had gezegd dat het onmogelijk was om een groepje koorleden aan de demonstratie te laten meedoen. Ze konden alleen Elena naar buiten smokkelen. De Amerikaanse autoriteiten hadden een bus geregeld om de koorleden van deur tot deur te vervoeren, rechtstreeks van de Verenigde Naties naar het hotel. FBI-agenten zouden optreden als chauffeur. Elena moest het in haar eentje doen. De operatie hing geheel en al van haar af. Het was een kans om voor het oog van de hele wereld een ander beeld te geven van het communisme, een modern, progressief beeld, dat zou afstralen van de foto van een jonge Russin, hand in hand met een oudere Amerikaan – twee naties, twee generaties die elkaar hadden gevonden. De foto zou een krachtige boodschap uitdragen van een allesomvattende ideologie en de mensen eraan herinneren dat de Sovjet-Unie het vermogen bezat om de verschillende rassen en culturen uit geografisch zeer uiteenlopende werelden te verenigen. Eindelijk zou Elena uit de schaduw van haar zus tevoorschijn komen en zou ze Michail bewijzen dat ze zijn vertrouwen en liefde waard was.

De uitgang van het gebouw van de Verenigde Naties was iets verderop in de straat, op enige afstand van de grote massa demonstranten. Om Jesse te bereiken zou ze langs de politielinies moeten lopen. Met de capuchon over haar hoofd, doodsbang dat ze zou worden tegengehouden, haastte ze zich in de richting van de demonstratie. Ze hield haar hoofd gebogen, en met bonzend hart probeerde ze een glimp op te vangen van Jesse op de fruitkist. Hij ging geheel op in zijn speech en had niet in de gaten dat zij eraan kwam. De gemakkelijkste manier om bij hem te komen, zou zijn door over de barricade te klimmen, maar omdat ze bang was dat de politie haar zou tegenhouden en arresteren, sloot ze zich aan bij de grote massa van demonstranten. Eenmaal in de menigte haalde ze vrijer adem en deed ze haar capuchon af. Ze voelde zich minder bedreigd dan toen ze voor iedereen zichtbaar over straat liep, en langzaam drong ze zich nu naar voren. Gaandeweg merkte ze dat dit geen chaotische menigte was, maar een aandachtig luisterend publiek – iedereen keek dezelfde kant op en luisterde naar Jesse Austin, de man die boven de massa uitstak, die met zijn stem het publiek in zijn ban hield. Hij had geen microfoon en geen voorbereide tekst in de hand. Hij was een totaal ander mens dan de rustige, beleefde man die ze in zijn appartement had gesproken. Nu hij voor een mensenmassa stond, was hij boos en straalde hij kracht uit. Elena was geboeid door zijn optreden. Het protesteren was iets wat bij hem hoorde, het was voor hem net zoiets als ademhalen.

Vergeleken met het nietszeggende concert binnen, met de zorgvuldig gekozen, onschuldige songs, ontdaan van elke provocatie en van elk oprecht verlangen naar verandering, was dit een lawaaierig, rauw gebeuren, wat het des te overtuigender maakte. Elena had nog nooit meegedaan aan een demonstratie. Ze had er in Moskou zelfs nog nooit een gezien en kon zich niet voorstellen dat zo'n protest toegestaan was, dat de politie erbij stond en niets deed. De New Yorkse agenten stonden op de rijweg, niet op het trottoir, lieten de menigte blijkbaar haar gang gaan en bleven vreemd afstandelijk. Dat er een behoorlijke politiemacht op de been was, leek Austin geen zorgen te baren. Op haar tenen staand zag Elena hoe hij zijn armen op het ritme van zijn zinnen bewoog, hoe hij daarmee elke zin onderstreepte. Hij droeg een wit overhemd waarvan hij de mouwen had opgerold, alsof het spreken een intense fysieke inspanning vereiste. Wat hij overdroeg oversteeg zijn woorden – het had iets magisch. Jesse Austin was in haar ogen de meest intens levende man die ze ooit had gezien, zeker als je hem vergeleek met Leo, die zo cynisch en zo aan stemmingen onderhevig was.

Ze drong naar voren alsof ze tegen de stroom in zwom, en haar frêle gestalte werd van links naar rechts heen en weer geduwd door een menigte die niet van wijken wilde weten. Niemand wilde van zijn plaats verdrongen worden en Jesse uit het oog verliezen. Elena had niet veel tijd. De autoriteiten zouden al snel beseffen dat ze verdwenen was, en als ze haar te pakken kregen, zou ze gestraft worden. Maar dat gaf niet, zolang ze er maar in slaagde om met Jesse op de foto te komen. Uit haar zak haalde ze de Sovjetvlag tevoorschijn. Dit was haar kans om iets te doen dat verschil zou maken; op deze manier kon ze Jesse bewijzen hoe zijn inspanningen werden gewaardeerd, hem tonen dat hij nooit vergeten zou worden. Met deze wapperende vlag achter zich aan zou ze hem omhelzen, zo moest de foto worden – met hen tweeën naast elkaar. Elena gaf niet meer om goede manieren, duwde de mensen opzij en baande zich een weg door het publiek. Jesse zag haar pas toen ze vooraan stond. Hij bukte zich, pakte haar hand en trok haar omhoog op de fruitkist. Hij was opvallend sterk voor een man van zijn leeftijd. Toen zag Elena voor het eerst zijn vrouw. En Anna Austin deed iets wat ze niet eerder had gedaan: ze glimlachte.

Toen de mensen Elena op de kist zagen staan, brak er een golf van commentaar los. Elena begreep niet wat ze zeiden, maar ze wist heel goed wat haar te doen stond. Ze liet de vlag in zijn volle lengte uitrollen. Jesse ving hem op. Even was er vrees in zijn ogen te zien: hij begreep haar provocatie. Elena vroeg zich af of hij zich misschien zelfs zou terugtrekken. Maar hij liet de vlag gaan, zodat die achter hen bleef hangen. Het publiek drong op naar voren, alsof er een golf op de kist beukte. In de menigte flitsten tal van camera's, journalisten stelden vragen, sommige demonstranten reageerden woedend, andere opgetogen. Jesse maaide met zijn arm door de lucht alsof het een zeis was en zei:

— *Ik wil u allemaal voorstellen aan een vriendin van me, een jonge vrouw uit de Sovjet-Unie!*

Hij moest het hard roepen, want het publiek brulde, sommigen goedkeurend, anderen vol afkeer. Het publiek reageerde geschokt, alsof de mensen niet konden geloven wat zich voor hun ogen afspeelde. Elena begon onwillekeurig te lachen. Austin, die haar hand nog vasthield, hief die met de vlag erin omhoog.

— *Er is wat onze achtergrond betreft een wereld van verschil tussen ons, maar we zijn verenigd in ons verlangen naar gelijkheid. Onze geboorteplaatsen liggen op verschillende continenten, maar we geloven in hetzelfde! In gelijkheid! In gerechtigheid!*

De camera's bleven flitsen. Elena was euforisch over haar succes. Dit was het moment waarop alles werd gerealiseerd waarop ze had gehoopt.

Met een oorverdovende knal werden Jesse Austin en de hele menigte ineens het zwijgen opgelegd. Het was een geluid als van een donderslag, zo hard en plotseling alsof heel Manhattan in tweeën werd gespleten. De kist schudde. De trillingen plantten zich voort in haar botten. Toen het geluid verstomde, restte slechts een verbijsterde stilte, zo schokkend en vreemd alsof aan de nachthemel ineens de zon was doorgebroken. De stilte duurde niet langer dan een seconde en werd gevolgd door een suizen dat steeds harder klonk, totdat het pijn deed aan haar oren. Er hing rook, en ze rook metaal. Sommige demonstranten stonden onbeweeglijk stil, met stomheid geslagen. Andere hadden hun mond opengesperd. Elena liet langzaam haar armen zakken – de Sovjetvlag was weg, lag uitgespreid als een picknicklaken op het trottoir. Austin stond naast haar, met een hand op zijn borst, alsof het volkslied gespeeld werd. Hij kwam steeds dichter naar Elena toe, boog zich naar haar toe, alsof hij haar een geheim toe wilde fluisteren. Maar hij zei geen woord en viel, viel om als een boom, een reusachtige oude eik. Beiden vielen, maar werden verschillende richtingen op geduwd. Austin smakte tegen het hek, terwijl Elena tussen de demonstranten viel, met haar hoofd tegen iemands borst stootte, om zich heen grijpend naar vastigheid, en ten slotte op het trottoir neerkwam.

Elena lag aan de voeten van de betogers en voelde schoppen van de in paniek geraakte mensen. Ze sloeg haar armen om haar hoofd en keek tussen de voeten en benen door hoe Anna Austin bij haar man neerknielde. De menigte brak door de afzetting heen en stormde de straat op, nog meer hekken omverlopend. Een spandoek belandde naast haar op de grond. Ze probeerde op te staan, maar het enige resultaat was dat ze nu tegen haar knieën werd geschopt. Ze probeerde het opnieuw, en met tuitende oren slaagde ze erin om overeind te komen. Van de andere kant naderde nu de politie, de knuppels omhooggeheven, waarmee ze de betogers afrosten.

Elena hinkte en viel naast Jesse neer. Zijn witte overhemd was nu rood, en die kleur verspreidde zich snel en nam elk zichtbaar plekje wit in beslag. Door het suizen in haar oren heen hoorde ze Anna Austin roepen:

— *Help ons!*

De politie vormde een kring om de plaats van de misdaad. Slechts een paar demonstranten waren achtergebleven.

Iemand pakte Elena's hoofd en keek haar in de ogen.

— *Elena! Ben je gewond?*

De vrouw sprak Russisch.

Toen ze haar dochter bekeek, zag Raisa het bloed op Elena's hemd niet; voor zover ze kon zien, was ze ook niet gewond. Ze trok de rode jas uit die ze droeg, een jas die Raisa nooit eerder had gezien. Er zat iets zwaars in de zak. Ze stak haar hand erin en voelde een koude ijzeren handgreep. Het was een pistool.

Ze wist meteen, zonder een spoor van twijfel, dat dit het wapen was waarmee op Jesse Austin was geschoten.

Manhattan
Bellevue Hospital Center
462 1st Avenue

Dezelfde dag

Anna klemde zich vast aan de spoelbak omdat ze zeker wist dat ze op de grond zou vallen als ze losliet. Voor elke ademtocht moest ze moeite doen, ze moest de lucht in een onnatuurlijk ritme naar binnen zuigen, en onderwijl herhaalde ze telkens dezelfde vijf woorden, nog steeds niet in staat om te geloven dat ze waar waren:

Jesse is dood.
Ik leef.

Voorzichtig tilde ze haar rechterhand van de spoelbak, pakte de kraan en draaide die open, zodat er koud water uit stroomde. Ze schulpte haar hand en stak die in het water – ze wilde haar gezicht ermee bevochtigen, maar als ze haar hand ophief, lekte het water tussen haar vingers weg, zodat haar handpalm nog maar een paar druppels bevatte toen ze die tegen haar voorhoofd drukte. Deze druppels liepen over haar gezicht en in haar ogen, alsof het tranen waren – alsof ze in staat zou zijn om te huilen.

Ze probeerde de woorden hardop uit te spreken en vroeg zich af of ze daardoor meer werkelijkheid voor haar zouden worden.

— *Jesse is dood. Ik leef.*

Ze kon zich het leven onmogelijk voorstellen zonder hem, ze kon zich niet voorstellen dat ze de volgende dag wakker zou worden zonder hem naast zich, dat ze naar haar werk zou gaan en dan thuiskomen in hun appartement zonder dat hij er was. Ze hadden samen alle tegenslagen het hoofd geboden en samen van het succes genoten. Ze hadden samen het hele land afgereisd en samen deze krappe ruimte in Harlem gedeeld. Wat ze ook deden, ze hadden het samen gedaan.

Het had de overheid bijna vijftig jaar gekost, maar eindelijk hadden ze hem te pakken gekregen. Er was dan misschien geen eind touw aan te pas gekomen, ze hadden hem niet aan de rand van een bos opgeknoopt en de moordenaars hadden elkaar na afloop niet tevreden op de schouders kunnen kloppen, maar vergis je niet: het was net zo goed een lynchpartij geweest, compleet met fotografen en publiek erbij. Ze wilde niet huilen, nog niet. Ze zou niet als een weduwe rouwen en huilend aan zijn graf staan. Zo had ze dat niet van Jesse geleerd. Jesse verdiende beter.

Toen ze het idee had dat ze haar lichaam enigszins onder controle had, ging ze staan en draaide de koude kraan dicht. Ze liep naar de deur van het toilet en deed die open. In de gang, in de verte, zag ze de politie, die wachtte tot ze haar konden verhoren. Ze draaide zich om en liep weg in tegenovergestelde richting. Ze wist precies wat haar te doen stond.

Manhattan
17de Politiedistrict
167 East 51st Street

Dezelfde dag

Raisa had het gevaar voorvoeld, ze had er met Leo over gesproken, ze had hem horen bevestigen dat het gevaar reëel was, en vervolgens had ze de dreiging weggedacht. Vele jaren lang had ze niets of niemand vertrouwd, had ze getwijfeld aan elke belofte en was ze ervan uitgegaan dat alle menselijk verkeer gebaseerd was op eigenbelang en bedrog. Het was een vermoeiende en ondermijnende manier van leven gebleken, maar het had zijn nut gehad: zij was in leven gebleven, terwijl talloze anderen door het regime waren vermoord. Het was echter geen levenshouding of levenswijze die ze voor haar dochters wenste. Ze had hun niet geleerd om te liegen als een onbekende naar hun naam vroeg. Ze had hen niet doordrongen van de noodzaak om voorzichtig te zijn en om a priori alles en iedereen te wantrouwen. Ze had niet gewild dat ze elk blijk van genegenheid of vriendschap zouden betwijfelen. Maar door dat te doen, had ze juist gefaald als moeder en als lerares. Dat Leo zijn verleden achter zich had gelaten, betekende nog niet dat die duistere krachten niet meer bestonden. Hij was veranderd. Maar zij had zich vergist door te geloven dat ook de wereld was veranderd.

Raisa werd bewaakt door een politieagente en weigerde te gaan zitten. Ze bleef in de hoek van de cel met haar rug tegen de muur en haar armen over elkaar staan. Er was geen nieuws van Elena geweest. Ze was gearresteerd, en zij en Raisa waren in de chaotische nasleep na de moord van elkaar gescheiden en in aparte auto's weggevoerd. In de paar seconden dat Raisa haar dochter had kunnen vasthouden, was Elena weer een klein meisje geweest, dat meisje dat ze twaalf jaar geleden had geadopteerd – verloren en verward op zoek naar bescherming tegen een wereld die ze niet begreep. Ze had haar gezicht in Raisa's schouder begraven en als een kind gehuild, terwijl haar handen nog nat waren van het bloed van Jesse Austin. Raisa had willen zeggen dat alles in orde zou komen, maar dat zou het niet, deze keer niet; ze had niet eens een geruststellende leugen kunnen bedenken en was ook te verbijsterd geweest om tegen Elena te zeggen dat ze van haar hield. Dat zou ze als eerste zeggen als ze haar weer zag, al was dat maar voor een seconde. Raisa kende de bijzonderheden niet van het complot waarin Elena verwikkeld was geraakt. Maar wat het ook was, ze konden haar er alleen maar bij betrokken hebben met de belofte van een betere wereld. Ze leek in haar kalme optimisme erg op Leo, ze was net als hij een dromerig type dat uiteindelijk bloed aan haar handen had. Raisa vond het verschrikkelijk om te bedenken dat haar lieve, idealistische dochtertje nooit meer dezelfde zou zijn, wat haar ook gezegd zou worden, of hoe ze ook gerustgesteld zou worden. Leo zou haar helpen. Hij had hetzelfde moeten doormaken – hij zou wel weten wat hij moest zeggen. Ze moesten gewoon naar huis.

De deur ging open, waarna de agent uit het hotel, die Yates, binnenkwam. Voor iemand die belast was met de beveiliging en zojuist een ramp had zien gebeuren, maakte hij een merkwaardig tevreden indruk. Er was maar één interpretatie mogelijk: hij was er op de een of andere manier bij betrokken. Naast hem stond een oudere vrouw – niet in uniform. Zij sprak als eerste, in perfecte Russisch.

— *U moet met ons mee.*

— *Waar is mijn dochter?*

De vrouw vertaalde het voor Yates. Hij zei:

— *Ze wordt verhoord.*

Raisa liep met hen naar buiten en zei in het Russisch:

— *Mijn dochter heeft niemand gedood.*

De vrouw vertaalde het, en Yates luisterde, maar reageerde niet en liep met hen de kantoorzaal in – een open ruimte met tafels en stoelen en veel mensen, vooral politieagenten, rinkelende telefoons en mensen die door elkaar heen liepen en hard riepen.

— *Waar word ik naartoe gebracht?*

Toen hij de vertaling had gehoord, zei Yates:

— *Naar een andere plek.*

— *Mijn dochter ook?*

Op deze vraag kreeg ze geen antwoord. Yates praatte druk met een andere man.

Raisa keek de zaal rond terwijl ze gedesoriënteerd en bang wachtte. Ze voelde zich duizelig. Ze stond op het punt om een glas water te vragen toen ze te midden van alle andere mensen een glimp opving van een vrouw – de enige zwarte vrouw in de kamer. Ze droeg burgerkleding. Naast haar stond een agent in uniform, die tegen haar praatte. Zij besteedde echter geen aandacht aan hem, maar staarde met een opvallend intense blik naar Raisa en Yates. Yates zag de vrouw ook, maar te laat. Hij riep een paar bevelen, de agent in uniform pakte de vrouw bij haar arm en probeerde haar weg te trekken, maar ze rukte zich los en hief haar andere arm op. Ze had een pistool in haar hand.

Raisa had de vrouw eerder gezien, bij het lichaam van Jesse Austin, naar de hemel roepend om hulp, terwijl geen hulp mogelijk was. Ze zag liefde en pijn in de gelaatsuitdrukking van de vrouw, liefde die in woede was verkeerd. Toen het pistool witte lichtflitsen uitbraakte, wenste ze dat het laatste wat ze Elena had gezegd, geweest zou zijn dat ze haar helemaal niets kwalijk nam en dat ze heel veel van haar hield.

Harlem
Bradhurst
Hoek 8th Avenue / West 139th Street
Nelson's Restaurant

De volgende dag

Van het personeel was niemand aan het werk, van de klanten was niemand aan het eten, en allemaal hadden ze zich naar de radio gekeerd en luisterden ze naar de nieuwsuitzending. Nelson stond op, legde zijn hand op de volumeknop en zette het geluid zo hard mogelijk. Een aantal vrouwen huilde. Verscheidene mannen ook. De stem van de nieuwslezer klonk daarentegen vlak en zonder emotie.

— *Afgelopen avond is de eens zo populaire zanger Jesse Austin vermoord, hij is op straat doodgeschoten. De verdachte is een Russin, een communiste, die zijn geliefde zou zijn geweest. Een bron binnen de* NYPD *meldt dat de Russin de politie na de moord heeft verteld dat ze Austin heeft doodgeschoten omdat hij zijn belofte niet nakwam om met haar te trouwen en zo te voorkomen dat ze naar de Sovjet-Unie teruggestuurd zou worden. Austin was al getrouwd. De tragische geschiedenis was hiermee niet afgelopen. Afgelopen nacht is zijn vrouw uit wraak voor de moord met een pistool naar het politiebureau gegaan, waar ze de Russin heeft doodgeschoten. Nadat ze de verdachte had gedood, richtte mevrouw Austin het pistool op zichzelf...*

Nelson pakte de radio van de bar, trok de stekker uit het stopcontact en hief het toestel omhoog. De klanten keken toe. Hij dacht even na en zette het toestel toen weer neer. Even later zei hij tegen de aanwezigen:

— *Wie naar dat soort leugens wil luisteren, moet dat maar ergens anders gaan doen.*

Hij liep naar zijn kantoor en kwam terug met een grote glazen pot, die hij naast de kassa op de bar zette.

— *Ik begin een collecte. Niet voor de begrafenis, want het is nu niet*

de tijd voor bloemen, en Jesse zou die toch niet gewild hebben. Ik ga ie-
mand inschakelen om uit te zoeken wie Jesse en Anna echt hebben ver-
moord. We hebben advocaten nodig. Privédetectives. Ik spreek uitslui-
tend voor mezelf. Maar ik moet erachter zien te komen. Ik moet het
weten.

Hij pakte zijn portefeuille en stopte de inhoud ervan in de pot.
Aan het einde van de ochtend was de pot vol. De serveersters
hadden hun fooien erin gestopt, en ook klanten hadden gestort.
Terwijl Nelson het geld telde en de bedragen noteerde in een kas-
boek, hoorde hij een van Jesses songs. Hij liep zijn kantoor uit en
trof zijn klanten en serveersters aan bij het raam, waar ze stonden te
luisteren naar de muziek, die vanbuiten kwam. Hij liep het restaurant door, deed de deur open en liep naar buiten. Een jongeman die
William heette en wiens ouders Nelson goed kende, stond op een
kist een van Jesses songs te zingen. Hij had geen bladmuziek in zijn
handen. Hij kende het nummer uit zijn hoofd.

De mensen op straat bleven staan en groepeerden zich om de
zanger. Hij had een publiek. De mannen namen hun hoed af. Kinderen onderbraken hun spel, kwamen erbij staan en luisterden
mee, terwijl ze de jongeman met grote ogen aanstaarden.

I'm only a folk singer
And that's enough for me
I'm only a folk singer
Dreaming one day we'll all be free.

Toen Nelson dit zag, bedacht hij dat het een kleine moeite zou zijn
om een menigte van duizenden bij elkaar te krijgen – een menigte
die hijzelf zou toespreken. Hij had genoeg te zeggen, misschien niet
zo welsprekend als Jesse, maar hij zou zijn eigen stem laten horen.
Hij dacht terug aan wat Jesse vroeger antwoordde als hem werd gevraagd waarom hij zoveel in de waagschaal stelde, en nu begreep
Nelson het eindelijk. Een restaurant uitbaten was, zelfs als je succes
had, gewoon niet genoeg.

Een week later

Sovjet-Unie
29 km ten noordwesten van Moskou
Luchthaven Sjeremetjevo

4 augustus 1965

Frol Panin keek naar de slagregens op de verlaten landingsbaan. Het weer was omgeslagen en in plaats van de blauwe lucht en de brandende zon waren er nu zware, dreigende wolken te zien. De grond naast de landingsbaan was tijdens de wekenlange hitte gebarsten, en het gras was geel geworden en zo droog dat het de regen niet meer opnam. Toen het weer verslechterde, had de verkeersleiding overwogen om de inkomende vlucht ergens anders heen te dirigeren. Ze waren overmatig voorzichtig. Panin had zich er echter tegen verzet, en toen hadden ze uitgebreide voorzorgsmaatregelen getroffen. Behoudens noodgevallen zou de landing hier plaatsvinden.

De terugkerende koorleden konden niet weten hoezeer de berichten over de moord op Jesse Austin de media in de Sovjet-Unie en in het buitenland hadden overheerst. Het verhaal had overal ter wereld voor sensatie gezorgd. In hun eigen land had men gekozen voor een minder hysterische en wat gematigder benadering, en in de *Pravda* was getwijfeld aan de juistheid van de officiële lezing van de gebeurtenissen, zonder dat met zoveel woorden was gezegd dat deze onwaar was. Evengoed moesten deze jongeren goed voorgelicht worden en dienden ze te worden geholpen bij het verwerken van de schok. Tal van KGB-agenten, psychologen en propagandamensen liepen op de luchthaven rond. Waren ze bij hun vertrek nog uitgeluid met een feestelijke ceremonie, nu, bij hun terugkeer, was geen sprake van festiviteiten, muziek, kleurige linten en alcohol, terwijl slechts een zeer beperkt aantal journalisten aanwezig was. Familie en vrienden hadden ondanks verzoeken daartoe niet mogen komen. Het vliegveld was gesloten.

Frol Panin had op zijn eenenzestigste een indrukwekkende zilverwitte haardos en zag eruit als een goed geknipte oude tovenaar. Hij had een slank postuur, en de lijnen in zijn gezicht leken minder op rimpels dan op onderscheidingstekens voor behaalde overwinningen, stuk voor stuk verkregen naar aanleiding van de grote triomfen tijdens zijn loopbaan. De meest recente had hij verworven naar aanleiding van zijn nauwe samenwerking met partijsecretaris Brezjnev teneinde de oude, steeds labieler wordende Chroesjtsjov af te zetten. Uiteindelijk was het geen probleem geweest, want Chroesjtsjov was wel teleurgesteld geweest over zijn degradatie, maar was zonder zich te verzetten afgetreden. De man die ooit boer was geweest, had het er levend afgebracht en was zo wijs zich in vergetelheid op het platteland terug te trekken, wat een toepasselijk einde van diens loopbaan was, aangezien hij ook zo was begonnen. Panin was een machtige politicus achter de schermen en een van de belangrijkste mannen in het Kremlin. Toch was hij hier aanwezig om een op het oog triviale klus te klaren. Kennelijk was hij bereid om te wachten op de landing van het vliegtuig en voelde hij zich persoonlijk betrokken bij deze operatie, hoewel hij er onwetend van was geweest en er zeker zelf de hand niet in had gehad. Onder het wachten maakte hij de aantekening om alle protocollen met betrekking tot DIENST.A nog eens tegen het licht te houden, want hij had deze inlichtingendienst over het hoofd gezien en hun vermogen om te provoceren duidelijk onderschat.

Agenten en ambtenaren drongen om hem heen, verstrekten informatie en beantwoordden vragen en verzoeken. Zelfs personeel van de verkeersleiding kwam naar hem toe, alsof hij een bijzondere relatie had met de weergoden en wellicht iets voor hen zou kunnen doen. Zijn lijfwacht en zijn chauffeur stonden achter hem, vroegen zo nu en dan of hij iets nodig had en brachten hem op gezette tijden een kopje thee toen bleek dat het vliegtuig steeds meer vertraging op liep. Hij was hier voor één man – Leo Demidov. Ze hadden in het verleden met elkaar samengewerkt, en uit een merkwaardig gevoel van loyaliteit, of misschien zou je het zelfs genegenheid kunnen noemen, had Panin besloten dat deze speciale opdracht hem behoorde toe te vallen.

De lucht was zo donker en de regen zo hevig dat Panin het vliegtuig niet zag totdat het een paar honderd meter boven de grond was. De vleugels zwiepten op en neer terwijl het de landing inzette. De landing verliep kalm. Toen het toestel langzaam tot stilstand kwam, stond hij op. Zijn chauffeur, een jongeman die zijn taak serieus opvatte, stond al klaar met een paraplu.

Van onder zijn paraplu bekeek Panin de leden van de delegatie die uit het vliegtuig stapten. Een van de eersten die naar buiten kwamen, was Michail Ivanov, de propagandaofficier die met deze slecht doordachte opdracht belast was geweest. Het was een knappe jongeman, maar hij leek zenuwachtig toen hij de trap af kwam. Misschien dacht hij wel dat hij gearresteerd zou worden zodra hij op de grond stond. Hij zag Panin staan, en hoewel hij hem niet herkende, vreesde hij het ergste. Panin stapte naar voren.

— *Ivanov?*

Terwijl de regen van zijn gezicht droop, knikte hij.

— *Ja?*

— *Mijn naam is Frol Panin. U krijgt een andere taak. U wordt overgeplaatst. Ik heb geregeld dat er een auto op u wacht om u naar het station te brengen, vanwaar vanavond nog een trein vertrekt. Ik weet niet waar u naartoe wordt gebracht; dat merkt u wel in de trein. Er is voor u een nieuwe baan geregeld. U hebt geen tijd om nog naar huis te gaan of in te pakken. Wat u nodig hebt, kunt u ter plaatse kopen.*

Michail Ivanov was bang en uitgeput en wist niet of dit een verhulde arrestatie was of alleen maar een degradatie. Panin zei:

— *Ivanov, u kent mij niet. Maar ik weet wat u gedaan hebt, en ik ken Leo Demidov, Elena's vader. Als hij te horen krijgt wat er gebeurd is, zal hij u weten te vinden, en dan zal hij u doden. Daar ben ik heel zeker van. U moet de stad onmiddellijk verlaten. Het is van belang dat ik niet weet waar u terecht zult komen, want Demidov zal het mij vragen, en hij zal het weten als ik lieg. Om diezelfde reden mag u het aan niemand vertellen, niemand van uw familie, want dan zal hij u vinden. Uw enige kans is om te doen wat ik zeg en zonder iets los te laten te verdwijnen. Maar natuurlijk is de beslissing aan u. Ik wens u veel geluk.*

Panin legde even een hand op zijn arm en liet hem toen stomverbaasd achter in de regen.

Terwijl hij naar de jongeren keek die het vliegtuig verlieten, dacht hij terug aan de beelden die er in het nieuws te zien waren geweest toen ze op die zonovergoten dag aan boord gingen voor de heenvlucht, glimlachend, zwaaiend naar de camera's, zich verheugend op de trans-Atlantische vlucht. Nu waren ze moe en bang. Hij wachtte op de meisjes die hij wilde spreken, meisjes die hij al sinds ze heel jong waren niet meer had gezien – Zoya en Elena.

Toen hij ze de vliegtuigtrap af zag komen, liep Panin naar voren, gevolgd door zijn chauffeur, zodat de paraplu nog boven zijn hoofd hing toen hij de twee meisjes aansprak.

— *Mijn naam is Frol Panin. Jullie kennen me niet. Ik ben hier om jullie naar huis te brengen. Ik ben een vriend van jullie vader. Ik kende jullie moeder maar een beetje. Ik vind het vreselijk voor jullie. Ze was een bijzondere vrouw. Het is een afschuwelijke tragedie. Maar kom, laten we niet hier in de regen blijven staan. Mijn auto staat hier vlakbij.*

De twee meisjes keken hem uitdrukkingsloos aan. Ze waren ziek van verdriet. De jongste, Elena, keek uit over de startbaan en knipperde met haar ogen de regen weg terwijl Michail Ivanov naar zijn auto werd gebracht. Hij keek niet achterom. Het deed Elena pijn. Panin verbaasde zich erover dat ze zelfs nu, na alles wat er gebeurd was, blijkbaar nog van hem hield en nog geloofde dat hij van haar gehouden moest hebben.

In de auto lichtte Panin de meisjes in en vertelde hij hoe er op het gebeurde in New York was gereageerd, hoe de beeldvorming was, die al dan niet klopte. De Amerikaanse versie van het verhaal, zoals die stond afgedrukt in de kranten, van New York tot San Francisco en van Londen tot Tokio, was makkelijk aan het publiek te verkopen: het was drama en sensatie. In dat verhaal werd de mooie Raisa Demidova voorgesteld als een vrouw die een relatie had met rokkenjager Jesse Austin. Die relatie zou dateren van 1950. Ze zou Jesse hebben ontmoet tijdens een van zijn tournees. Hij had haar school bezocht en haar uitgenodigd voor een concert in een fabriekshal. Er waren zelfs filmopnamen van hen samen: een propagandafilm, waarin Raisa hem aan het einde van het concert feliciteert. Ze was verliefd op hem geworden en had hem gesmeekt haar weg te halen uit de Sovjet-Unie. Ze hadden een seksuele ontmoeting gehad, wat voor hem niets bijzonders was, maar wat haar leven ingrijpend had veranderd. Ze was door hem geobsedeerd geraakt, had hem regelmatig geschreven en was ooit zelfs zo ver gegaan dat ze, toen ze hoorde van zijn problemen met de Amerikaanse overheid, onder haar leerlingen een actie op touw had gezet om hem te bedelven onder brieven. Op dit moment onderbrak Elena hem en riep:

— Dat is niet waar!

Panin gebaarde dat ze moest zwijgen. Hij vertelde alleen maar wat de mensen als waarheid zagen. In deze waarheid was Raisa een romantische vrouw die dol was op Jesse Austin en die in de waan leefde dat ze een volmaakte liefde hadden, maar van elkaar gescheiden waren doordat ze in verschillende landen woonden. Voor Jesse was het niet meer dan een avontuurtje geweest, waar hij niet meer aan terugdacht. Toen ze had gehoord dat er een Russische delegatie naar New York zou gaan, had ze zich aan de organisatie van de reis opgedrongen, met de bedoeling met hem herenigd te worden. Het was haar droom om asiel aan te vragen, bij hem in te trekken en te scheiden van haar man, die ze haatte: Leo, een geheim agent. Toen ze Jesse in Harlem opzocht, hadden ze een tweede aangename seksuele ontmoeting gehad. Er was een foto van Raisa Demidova naast een onopgemaakt bed met gekreukte lakens en naast haar de rijzige figuur van Jesse Austin. Elena riep weer:

— Dat was ik, niet Raisa!

Ongeduldig zei Panin dat Elena dit verhaal moest accepteren als de versie die de Amerikaanse overheid in het leven had geroepen om het werkelijke verhaal te ontzenuwen. Hij praatte verder en zei dat Jesse tijdens deze ontmoeting met Raisa had gezegd dat hij zijn vrouw nooit zou verlaten en dat zij terug moest gaan naar haar man in Rusland. Verteerd door jaloezie en wanhoop had Raisa toen een pistool gekocht en had voor het gebouw van de Verenigde Naties Jesse Austin doodgeschoten. Toen ze gearresteerd werd, had ze het pistool nog in haar hand.

Elena kon zich niet meer beheersen.

— Het is gelogen! Het is allemaal gelogen!

Panin knikte, het was gelogen. Maar dit was de versie van de gebeurtenissen die men in de Verenigde Staten aan de pers had verteld, en dit was de versie van de gebeurtenissen waarvan ze eisten dat de Sovjet-Unie die zou onderschrijven. En de Sovjet-Unie had er onvoorwaardelijk mee ingestemd. Eén enkele dader, geen samenzwering en geen geheime machten of krachten die erachter zouden zitten – een onbeantwoorde liefde van een vrouw die het niet had kunnen verkroppen dat ze was afgewezen, dat was alles. De overige vredesconcerten waren afgelast. Frol Panin en vele anderen in het Kremlin hadden er alles aan gedaan om te zorgen dat de delegatie zonder al te veel vertraging kon terugkeren. En uiteindelijk hadden de jongeren toestemming gekregen om naar huis te gaan. Niet bekend was wanneer het lichaam van Raisa Demidova zou kunnen worden gerepatrieerd.

Toen Panin achter in de limousine had gadegeslagen hoe de twee meisjes het verhaal dat om hen heen was gesponnen opnamen, begon hij tegen hen over een heel andere kwestie.

— *Jullie moeten begrijpen dat Leo een ander mens is geworden. Het bericht dat zijn vrouw dood is heeft hem...*

Panin zocht naar het juiste woord.

— *Heeft hem aangegrepen. En dan heb ik het niet over een normale uiting van verdriet. De manier waarop hij erop reageert gaat veel verder. Hij is niet de man die jullie kennen. En eerlijk gezegd hoop ik dat hij door jullie terugkeer weer wat vaste grond onder de voeten krijgt.*

Het oudste meisje, Zoya, sprak nu voor het eerst.

— *Wat kunnen we tegen hem zeggen?*

— *Hij zal precies willen weten wat er gebeurd is. Hij is erin geschoold om te weten wanneer mensen liegen. Hij is ervan overtuigd dat de officiële versie van het verhaal gelogen is. Wat natuurlijk ook zo is. Er is in zijn denken geen twijfel aan dat er sprake was van een samenzwering. Jullie moeten voor jezelf uitmaken wat je hem vertelt. Ik stel geen grenzen aan wat jullie met hem mogen bespreken. Misschien ben jij, Elena, bang om hem de waarheid te vertellen. Maar gezien zijn huidige psychische toestand zou ik eerder bang zijn om hem iets te vertellen wat niet waar is.*

Moskou
Novye Tsjerjomoesjki
Chroesjtsjovs sloppenwijk
Appartement 1312

Dezelfde dag

De lift was nog steeds kapot, en omdat ze de dertien verdiepingen omhoog moest lopen, stond Elena wankel op haar benen en voelde ze zich slap. Toen ze de laatste trap op liep en hun voordeur zag, kon ze niet verder en bleef ze staan. Ze raakte in paniek bij de gedachte aan de man in het appartement. Hoe zou Leo veranderd zijn? Ze ging op de trap zitten.

— *Ik kan het niet.*

Leo had hun nooit pijn gedaan, had nooit in boosheid gedreigd hen te slaan of hun zelfs maar toegeschreeuwd. Toch was ze bang. Hij had altijd iets gehad wat haar onrustig maakte. Van tijd tot tijd betrapte ze hem erop dat hij, als hij zich onbespied waande, naar zijn handen zat te kijken alsof hij zich afvroeg of ze wel van hem waren. Of dat hij afwezig uit het raam zat te kijken. Iedereen had natuurlijk weleens dagdromen, maar bij hem leek het alsof hij dan niet alleen beziggehouden werd door onbenulligheden. Dan leek het alsof hij de duisternis naar zich toe trok, alsof die duisternis uit pakketjes ruimtestof bestond. Als het tot hem doordrong dat er iemand naar hem zat te kijken, forceerde hij een brede glimlach, maar die maakte een onechte, oppervlakkige indruk, waarna alleen het duistere gevoel bleef hangen. Hoe Leo het zonder Raisa zou moeten stellen, was een vraag die Elena beangstigde.

Zoya fluisterde:

— *Hij houdt van je. Onthoud dat.*

— *Misschien heeft hij alleen maar van ons gehouden omwille van Raisa.*

— *Dat is niet waar.*

— *Misschien wilde hij alleen maar kinderen vanwege haar? Stel dat alles waarom we van hem houden alleen maar vanwege haar bestond?*

— *Je weet dat dat niet waar is.*

Zoya klonk niet helemaal overtuigd. Frol Panin hurkte neer.

— *Ik zal bij jullie blijven. Jullie hoeven je nergens zorgen over te maken.*

Ze liepen de trap verder op. Frol Panin klopte op de deur. Hoewel ze Panin niet vertrouwden en ook niets van hem wisten, was Elena toch blij dat hij er was. Hij was kalm en beheerst. Fysiek was hij geen partij voor Leo, maar ze kon zich niet voorstellen dat iemand zich niets zou aantrekken van wat hij zei – hij straalde een enorme autoriteit uit. Gedrieën wachtten ze. Ze hoorden voetstappen. De deur ging open.

Ze herkenden de man die voor hen stond niet als hun vader. Zijn ogen waren opgezwollen van het verdriet en leken onmenselijk groot. Zijn wangen waren vaal en ingevallen. In zijn bewegingen had hij iets van een krankzinnige. Zonder reden vouwde hij soms ineens zijn handen, alsof hij op het punt stond te gaan bidden, en dan weer gingen ze van elkaar en liet hij ze langs zijn lichaam afhangen. Als hij in een bepaalde richting wilde kijken, draaide hij niet alleen zijn hoofd, maar zijn hele lichaam. Hij keek over hun schouders naar de gang en de trap, misschien in de hoop dat Raisa daar toch nog tevoorschijn zou komen, en in zijn grote ogen flakkerde dan even iets van hoop, ondanks alles wat men hem had verteld. Elena vond hem met deze vergeefse hoop in zijn ogen zo beklagenswaardig dat ze al meteen begon te huilen, nog voordat er iets was gezegd. Zo stonden ze enige tijd tegenover elkaar, want Leo leek niet tot spreken in staat. Toen nam Panin het initiatief en liep met hen naar binnen.

Gedesoriënteerd als ze was door de lange vlucht, het tijdsverschil en alle emoties van de afgelopen week en van deze hereniging, had Elena even het idee dat ze bij een ander appartement naar binnen waren gegaan. De meubels waren verplaatst, hun bedden waren op elkaar gestapeld en de stoelen waren opzijgeschoven, alsof er ruimte gemaakt was om te dansen. De keukentafel stond midden in de kamer, pal onder de lamp. Het tafelblad was bezaaid met knipsels uit allerlei Russische kranten over de moord op Jesse Austin. Er lagen vellen papier die volgekrabbeld waren met aantekeningen.

Foto's van Jesse. Foto's van Raisa. Voor de tafel stond een stoel. De opstelling was niet mis te verstaan. Hier zou een verhoor plaatsvinden. Leo's stem was hees en kraakte.

— *Vertel me alles.*

Met opnieuw verkrampte vingers luisterde Leo intens geconcentreerd toen Elena verslag deed van wat er in New York was gebeurd. Ze werd emotioneel, haalde een aantal dingen door elkaar, verwarde namen en probeerde zichzelf zo goed en zo kwaad als het ging te rechtvaardigen. Op dat soort momenten viel Leo haar in de rede, vroeg haar alleen de feiten te vermelden, en dan vroeg hij om opheldering en stond hij erop de exacte details te horen. Hij bleef redelijk en begon niet te schreeuwen, en juist dit gebrek aan emotie was zo verwarrend. Iets in hem was gestorven, dacht Elena toen ze aan het eind van haar verslag kwam. Leo zei:

— *Geef me je dagboek.*

Elena keek verward. Leo herhaalde het verzoek:

— *Je dagboek, geef het me.*

Elena keek naar haar zus en toen weer naar Leo.

— *Mijn dagboek?*

— *Je dagboek, ja. Waar is het?*

— *Alles is in beslag genomen door de Amerikanen. Ze hebben onze kleren, onze koffers, alles in beslag genomen. Mijn dagboek zat daarin.*

Leo stond op en beende de kamer door.

— *Ik had het moeten lezen.*

Boos op zichzelf schudde hij zijn hoofd. Elena begreep het niet.

— *Mijn dagboek?*

— *Ik heb het voor jullie vertrek gevonden, onder je matras. Ik heb het teruggelegd. Er zouden dingen in kunnen staan over die man, die Michail Ivanov. Heb ik gelijk? Je zult je er misschien in hebben afgevraagd wat hij voor jou voelde. Je zult er misschien gedetailleerd in hebben vermeld wat hij je vroeg om te doen. Je was verliefd op hem. Je was verblind. Dan zou ik hebben gezien dat hij een bedrieger was.*

Leo bleef ineens staan en sloeg zijn handen voor zijn gezicht.

— *Als ik het dagboek had gelezen, had ik het allemaal kunnen weten. Dan had ik dit alles kunnen voorkomen. Dan had ik kunnen voorkomen dat jullie daarheen zouden gaan. Dan zou Raisa nu nog leven. Had ik me nou maar gedragen als een geheim agent. Ik dacht dat het verkeerd was om jouw spullen te doorzoeken. Maar zo ben ik nou eenmaal. Dat is mijn werk. Dat is het enige wat ik kan. Ik had Raisa's leven kunnen redden.*

Hij sprak zo snel dat zijn woorden over elkaar leken te struikelen.

— *Jij houdt van hem, van deze man, Michail Ivanov, die voor een geheime dienst werkte? Hij heeft tegen je gezegd dat hij gemotiveerd werd door zijn verlangen naar gelijkheid en rechtvaardigheid. Maar Elena, hij hield niet van je. Zijn 'liefde' diende alleen om je te manipuleren. Sommige mensen zijn op geld uit. Andere op macht. Jij wilde liefde. Dat was jouw prijs. En je dacht dat je die kreeg. Het was allemaal gepland. Die liefde was een leugen, de meest voor de hand liggende, simpele truc.*

Elena veegde haar tranen weg en voelde nu voor het eerst een golf van woede in zich opstijgen.

— *Dat kun je niet zeker weten. Je weet niet wat er is gebeurd.*

— *Dat weet ik wél zeker. Ik heb zelf immers operaties als deze gepland. En wat nog het ergste is, is dat ze zich ervan bewust waren dat alleen iemand die niets wist van het complot Jesse Austin kon overhalen om het concert bij te wonen. Ze hadden iemand nodig die verliefd was. Ze hadden iemand nodig die vol liefde en optimisme was. Want anders zou Jesse Austin hebben aangevoeld dat het een val was. Hij zou het hebben aangevoeld als je tegen hem zou hebben gelogen of als je niet echt geloofde in de dingen die je zei. En hij zou nooit aan dat concert hebben deelgenomen als jij het hem niet had gevraagd.*

Elena stond op.

— *Ik weet dat het mijn schuld is! Ik weet het!*

Leo schudde zijn hoofd, en zijn stem klonk zachter.

— *Nee, ik geef mezelf de schuld. Ik heb je niets geleerd. Ik heb je onbeschermd en naïef de wereld in laten gaan, en dan gebeurt er dit. Raisa en ik wilden jullie behoeden voor deze dingen, voor leugens, bedrog en trucs, maar dat zijn de essentiële dingen van het bestaan. Ik heb gefaald. Ik heb gefaald tegenover Raisa. Ik had haar maar één ding te bieden, en dat was bescherming, en zelfs daarin heb ik gefaald.*

Leo richtte zich tot Frol Panin.

— *Waar is Ivanov nu?*

— *In een trein, voor zover ik weet. Ik weet niet waar die trein naartoe gaat.*

Leo zweeg even. Hij voelde dat dit waar was, maar bleef evengoed nog achterdochtig.

— *Wie heeft mijn vrouw vermoord?*

— *Voor het grote publiek is het antwoord daarop: Anna Austin.*

— *Dat is niet waar.*

— *We weten niet wat er gebeurd is.*

Leo werd boos.

— *We weten dat de officiële versie van de gebeurtenissen niet waar is! Dat weten we wél.*

Frol Panin knikte.

— *Ja, die versie lijkt onwaarschijnlijk. Maar om een diplomatieke crisis te voorkomen hebben we afgesproken de Amerikaanse versie van wat er gebeurd is niet tegen te spreken.*

— *Wie heeft Jesse Austin vermoord? Waren wij dat? Of waren het de Amerikanen? Wij waren het, hè?*

— *Voor zover ik weet, hield het plan alleen in dat we Jesse Austin wilden laten verschijnen voor het gebouw van de Verenigde Naties. We hoopten dat hij daar zou worden gearresteerd en door de politie weggevoerd zou worden, en als een van de koorleden verwikkeld zou raken in het tumult, zou dat om propagandaredenen nuttig kunnen zijn. Het was een complot dat bedacht is door een dienst die wanhopig probeert beweging te krijgen in de anticommunistische houding die in de Verenigde Staten heerst. Ze wilden Jesse Austin weer in het zadel helpen. Ze wilden dat hij weer beroemd zou worden.*

Leo begon weer op en neer te lopen door de kamer.

— *Ik wist altijd al dat jullie het niet zouden kunnen opbrengen om niet iets te proberen. Jullie konden je niet tot alleen dat concert beperken. Jullie moesten meer doen.*

— *Het was een slecht plan, dat slecht is uitgevoerd.*

— *Laat mij naar New York gaan. Laat mij het onderzoeken.*

— *Leo, mijn vriend, luister naar me. Wat jij vraagt is onmogelijk.*

— *Ik moet erachter komen wie mijn vrouw heeft vermoord. Ik moet ze opsporen en afmaken.*

— *Leo, je zult geen toestemming krijgen om daarheen te gaan. Dat zal niet gebeuren. En daar kun je niets aan doen.*

Leo schudde zijn hoofd.

— *Er zit niets anders voor me op! Dit is het enige wat ik nog kan doen! Ik beloof je dat ik haar moordenaars zal vinden. Ik zal degenen vinden die daarvoor verantwoordelijk waren. Ik zal ze vinden.*

Dezelfde dag

Leo wist niet precies hoe lang hij op het dak van de flat had gezeten – een aantal uren op zijn minst. Nadat Panin was vertrokken, hadden hij en de meisjes het huis weer op orde gebracht, zoals het eruit hoorde te zien, als een huis waarin gewoond werd, met de bedden naast in plaats van op elkaar. Leo was begonnen met het klaarmaken van het eten, maar had de voorbereidingen abrupt afgebroken, en de maaltijd was niet op tafel gekomen. De enige plek die hij kon bedenken om naartoe te gaan, was het dak.

Daar kwamen weleens tieners om te zoenen en – als ze geen betere plek wisten – wat te rotzooien. Maar die avond, in de stromende regen, was er niemand. Leo had het niet koud, zelfs al waren zijn kleren doorweekt. Hij had uitzicht over de hele stad, al waren de lichtjes van Moskou wazig in de regen. Hij stond op, liep naar de rand van het gebouw en keek in de diepte. Hij bleef er minutenlang staan en probeerde een reden te bedenken waarom hij daar weg zou moeten gaan. Toen herinnerde hij zich zijn belofte. Hij liep weg van de rand, draaide zijn stad de rug toe en ging op weg naar het appartement beneden, dat hij ooit had beschouwd als zijn thuis.

Acht jaar later

Grens tussen de Sovjet-Unie en Finland, bij de Sovjet-Russische grensbewaking 760 km ten noordwesten van Moskou 240 km ten noordoosten van Helsinki

Nieuwjaarsdag 1973

De rugzak behoorde toe aan een man die was neergeschoten terwijl hij de grens met Finland probeerde over te steken. Ondanks de strenge winter en het feit dat de sneeuw in de bossen tot aan je middel reikte, had de man geprobeerd de gevaarlijke oversteek te maken, misschien in de hoop dat hij door het weer en de bijna permanente duisternis makkelijker onopgemerkt zou kunnen blijven. Of men er nu per ongeluk of moedwillig aanwezig was, iedereen die zich in dit streng bewaakte gebied waagde, werd ervan verdacht naar het Westen te willen vluchten en als landverrader beschouwd. De soldaten die patrouilleerden in de bossen, veelal op ski's, hadden opdracht om overtreders van het verbod dood te schieten. Als zo'n landverrader erin slaagde om erdoor te glippen, in het buitenland asiel aan te vragen en daar geheime informatie over de Sovjet-Unie te onthullen, kon dat verreikende gevolgen hebben. Als dat bijvoorbeeld in het gebied zou gebeuren waarvoor hij, Eli Romm, verantwoordelijk was, zou hij voor een tribunaal moeten verschijnen en, beschuldigd van nalatigheid, of misschien zelfs wel van het moedwillig toestaan van sabotage, vrijwel zeker zijn baan kwijtraken en misschien ook zijn vrijheid.

Eli onderzocht de inhoud van de rugzak. Hij bevatte de basisvoorzieningen om in leven te kunnen blijven – water, brood, vlees in blik – en verder een paar donkerkleurige verschoningen, een dikke wollen deken, een aantal doosjes lucifers, wat eerstehulpartikelen, een scherp jachtmes en een stalen beker, een standaarduitrusting en bepaald niet opzienbarend. Eli hield de rugzak ondersteboven. Er viel niets uit. Hij betastte de voering en liet zijn vingers langs de naden gaan, in de vaste overtuiging dat er toch iets te vinden moest zijn. Hij had gelijk. Er zat iets hards in de stof, in een verborgen zak. Hij sneed de stof open en ontdekte dat het geheime vakje een aantal dunne gouden munten bevatte, bij elkaar in een stuk plastic gewikkeld, wat een bewijs was dat het hier om een serieuze vluchtpoging ging. De verrader had zich goed voorbereid – het was voor een gewone burger praktisch onmogelijk om aan goud te komen. De conclusie was gerechtvaardigd dat hier een ander land bij betrokken was en dat de man een professionele spion was.

Het geheime vakje bevatte niet alleen goud. Romm vond er ook twee foto's in. In de verwachting dat hij geheim materiaal had gevonden, moest hij tot zijn verbazing vaststellen dat ze voor een geheime dienst volkomen waardeloos waren: het waren foto's van twee vrouwen van achter in de twintig, genomen op hun trouwdag. Er was ook een aantal vellen papier. Hij vouwde ze open, en zijn verbazing nam alleen maar toe toen hij zag dat het een aantal al wat vervagende artikelen uit Sovjetkranten betrof met betrekking tot ene Jesse Austin, ooit een populaire communistische zanger, die in New York vermoord was door zijn minnares, ene Raisa Demidova. De moord had enkele jaren geleden plaatsgevonden, de krantenartikelen gingen terug tot 1965. Verder waren er velletjes met, in een klein, keurig handschrift, uitgebreide aantekeningen over de krantenartikelen, gedachten over het voorval en een lijst namen van mensen die de man had willen spreken. Uit de notities bleek dat het doel van de reis New York was geweest, in de Verenigde Staten – de grootste tegenstander. De motivatie die erin te lezen was, was zo vreemd dat Eli zich afvroeg of de papieren niet in een soort code waren opgesteld. Hij zou de zaak rechtstreeks naar Moskou moeten rapporteren, bij de hoogste autoriteiten.

De gevangene zat beneden in een cel – hij was door een patrouillerende soldaat neergeschoten, maar niet gedood. Nadat hij hem van grote afstand met een geweer had beschoten, had de grenswacht de gewonde achtervolgd, maar was er niet in geslaagd hem te vinden. De man was in de sneeuw verder gestrompeld. De bewaker was naar de basis teruggekeerd om versterking in te roepen en het gebied te doorzoeken. Uitcindelijk en met behulp van honden hadden ze de man gevonden, die van geluk mocht spreken dat hij levend gevangen werd genomen. Zijn verwonding was een niet-levensbedreigende schotwond, die in de kazerne rudimentair behandeld was. Door de taaiheid van de man, de manier waarop hij urenlang uit handen had weten te blijven van een grote overmacht en door de streng systematische ordening van de inhoud van zijn rugzak, leek het vermoeden gerechtvaardigd dat hij een militaire achtergrond had. Hij weigerde met zijn bewakers te spreken en zijn naam te noemen.

Eli ging de cel in en keek naar de man die op de stoel zat. Zijn rug zat in het verband: de kogel was in zijn rechterschouder terechtgekomen. Voor hem stond een onaangeroerd bord eten. Hij zag bleek door het bloedverlies. Ze hadden een deken over zijn schouders gelegd. Eli stond geen foltering toe. Zijn enige zorg was de grens goed te bewaken, en zodoende ook de zekerheid van zijn baan. Met de krantenknipsels en de foto's ging hij voor de man zitten en zorgde ervoor dat hij de papieren in het blikveld van de man hield. Ze brachten hem tot leven. Eli vroeg:

— *Hoe heet je?*

De man reageerde niet. Eli merkte op:

— *Je zult misschien geëxecuteerd worden. Het is in je eigen belang om met ons te praten.*

De man leek er met zijn aandacht niet bij en keek naar de krantenknipsels, naar de foto van de zanger Jesse Austin, die in New York op straat was doodgeschoten. Eli liet de knipsels knisperen.

— *Wat heeft dit te betekenen?*

De gevangene stak zijn hand uit en pakte de knipsels en omklemde ze. Eli had het gevoel dat als hij niet losliet, de man ze uit zijn handen zou scheuren. Uit nieuwsgierigheid liet hij de knipsels los en keek hoe de man ze met een eerbied alsof het een schatkaart betrof voor zich uitspreidde.

Zeven jaar later

Stadsgewest Kaboel
Qargha-meer
9 km ten westen van Kaboel

22 maart 1980

Leo liep volledig gekleed het meer in. Ook toen het water tot zijn knieën reikte, bleef hij doorlopen. Zijn kakibroek verspreidde rode stofringen op het water. In de verte staken de met sneeuw bedekte tanden van het Koh-e-Qrough-gebergte een lichtblauwe hemel in. De lentezon was fel, maar niet sterk genoeg om het ijskoude smeltwater uit de bergen te temperen. Hij had het meer koud gevonden toen hij zijn handen door het smaragdgroene water liet glijden, maar het water, dat inmiddels om zijn bovenbenen kabbelde, bleek aangenaam warm. Als hij op zijn gevoel afging, zou hij zweren dat dit een tropische rivier was, die net zo prettig aanvoelde als de zon op zijn gekloofde, gebruinde huid. Hij hield zijn armen niet omhoog, maar sleepte ze bij het lopen achter zich aan. Al snel kwam het water tot aan zijn schouders – hij bevond zich op de rand van een ondiepte, en de bodem begon nu steil af te lopen. Nog één stap en hij zou onder water verdwijnen, waarna de stenen in zijn zakken hem naar beneden zouden trekken – waarna hij op de bodem zou rusten op een bed van slib. Op die grens wachtte hij, hij voelde het kabbelende water op zijn bovenlip, dicht bij zijn neus, en het oppervlak trilde bij elke trage ademtocht.

Zijn bloed zat vol opium. Totdat die verdund raakte, zou de drug hem beschermen tegen de kou en tegen al het andere – teleurstelling over het leven dat hij leidde en wroeging over het leven dat achter hem lag. Nu, op dit moment, was hij vrij van problemen en voelde hij nauwelijks nog enige binding aan het leven. Hij voelde geen emoties, alleen tevredenheid. Geen tevredenheid in de vorm van geluk, maar tevredenheid als afwezigheid van pijn en van ontevredenheid – een plezierige emotionele leegte. De opium had hem leeggemaakt, had alle bitterheid en verwijten uit hem geschept. Dat hij wraak had gezworen, rechtvaardigheid had beloofd en uiteindelijk niets had gedaan, stoorde hem niet. Zijn mislukkingen waren uitgebannen door de drug, maar dat was een tijdelijke ballingschap; ze werden op afstand gehouden, maar stonden klaar om terug te keren zodra de opium was uitgewerkt.

Het kabbelende water aan zijn lippen drong er bij hem op aan om door te lopen:

Nog één stap.

Waarom genoegen nemen met een kunstmatige leegte die afhing van een verdovend middel als de ware leegte zo dichtbij was? Nog één stap en hij zou op de bodem van het meer terechtkomen, een reeks luchtbelletjes van zijn lippen naar het smaragdgroene oppervlak zou nog het enige spoor van zijn bestaan zijn. De stenen in zijn zakken voegden zich in het koor van fluisterstemmen dat hem aanspoorde de laatste stap te zetten.

Leo sloeg geen acht op hun aansporingen en bleef bewegingloos staan. Hoe vaak hij hier ook had gestaan, hoe zeker hij er ook van was dat dit de dag was dat hij de oversteek zou maken, hij kon zichzelf er niet toe brengen om de laatste draad die hem aan het leven bond door te snijden. Hij kon de laatste stap niet zetten.

De opium raakte uitgewerkt. Zijn zintuigen maakten weer contact met de werkelijkheid, stemden zich op elkaar af als planeten in conjunctie. Het water was koud. Hij had het koud. Hij rilde, tastte in zijn zakken en haalde de gladde stenen eruit, liet ze naast zich vallen en voelde de aarde aan zijn voeten trillen toen ze neerkwamen op de bodem van het meer. Hij wendde zich af van de bergen en waadde door het water langzaam terug naar de kust, terug in de richting van Kaboel.

Kaboel
District Karta-i-Seh
Darulaman-boulevard

Dezelfde dag

Tegen de tijd dat Leo bij zijn appartement aankwam, was de zon ondergegaan en waren zijn kleren droog. Hij had een spoor van waterdruppels in het stof achtergelaten terwijl hij terugfietste van het meer. Met het teruglopen van de concentratie opium in zijn bloed, als zand dat in een zandloper wegzakt, hadden de gevoelens van mislukking en somberheid weer de overhand gekregen, alsof het virussen van de geest waren, die zich maar tijdelijk hadden laten onderdrukken. Hij had geen contact met zijn dochters en was alleen in deze stad, slechts vergezeld door de herinneringen aan zijn vrouw, die echter niet konden bestaan zonder dat hij zich er daarbij bewust van was dat haar moordenaar onbestraft was gebleven. Zijn nekspieren spanden zich aan bij de herinnering aan zijn vernederende poging om New York te bereiken; het litteken van de kogel in zijn schouder prikte alsof de wond nog vers was, en hij fronste onwillekeurig zijn voorhoofd toen de details van het gebeuren bij hem opkwamen. Waarom was Jesse Austin doodgeschoten, en wat had zijn vrouw daarmee te maken gehad? Wat was er die avond werkelijk gebeurd? Een gevaarlijke onrust begon in hem op te borrelen – hij kon de zaak niet laten rusten, en toch was hij verder van de waarheid verwijderd dan ooit tevoren. De opium was niet het antwoord, maar slechts een manier om dit soort gedachten gedurende ongeveer een half etmaal weg te maken.

Hij nam niet de moeite om schone kleren aan te trekken, maar liet zich op zijn bed vallen, dat slechts bestond uit een dunne matras op de vloer, midden in de kamer. Het appartement was ongezellig en spartaans ingericht. Hij had niet ondergebracht willen worden in een van de woningen van de overheid, waarin ambtenaren veilig achter zwaarbewaakte hekken met prikkeldraad huisden in nieuwbouwblokken met in elk appartement airconditioning en een op dieselolie draaiende reservegenerator voor het geval de stroom weer eens uitviel, wat om de haverklap gebeurde. Hij at nooit met andere officieren in de kantines waar geïmporteerd, vacuümverpakt Russisch eten werd geserveerd, en evenmin zocht hij contact in de bars die ten behoeve van de door heimwee geplaagde Russische soldaten waren ingericht. Het was alsof hij op een verre maan leefde, die wel in een baan om het bezettingsleger cirkelde, maar die zelden werd waargenomen en slechts af en toe op zo geringe afstand voorbijging dat men aan zijn bestaan werd herinnerd, om vervolgens weer in een eenzame elliptische baan te verdwijnen in de diepten van het heelal.

Hij had zich niets aangetrokken van alle voorschriften, was zelf op zoek gegaan naar een appartement en had het rechtstreeks van de eigenaar gehuurd, in plaats van via de officiële Sovjetkanalen. Hij had maar één criterium gehad: het mocht in geen enkel opzicht lijken op het appartement waarin hij vroeger met zijn vrouw en dochters had gewoond. Daarom ook was hij wel ingenomen met het feit dat daar vlakbij een theehuis was met luidsprekers ervoor waaruit de oproepen van de muezzin tot gebed weerklonken, een geluid waaraan hij in zijn appartement niet kon ontkomen en dat hij in familieverband nooit had hoeven horen. Hij wilde zijn leven vullen met van alles, als het hem maar niet deed denken aan Raisa; zijn bestaan moest zo exotisch worden dat hij niet de kans liep ineens door iets te worden herinnerd aan het leven dat hij was kwijtgeraakt. Door de grote ramen had hij uitzicht over de stad en de omliggende bergen, en dat uitzicht had niet meer kunnen verschillen van dat over Moskou. Ook het appartement zelf was bijzonder: het bestond uit slechts één enkel vertrek, dat groot genoeg was om te dienen als slaapkamer, woonkamer en keuken tegelijk. Het was voor hem van belang dat er geen aparte kamers waren. Bij gesloten deuren begon zijn fantasie op te spelen. Zijn eerste appartement in Bala Hissar, het centrum van het oude Kaboel, was ontworpen voor een traditioneel islamitisch gezin, met een achterkamer voor de vrouw en de dochters. Toen hij daar woonde, had Leo vaak de gedempt klinkende stem van Raisa gehoord. Dan was hij naar die achterkamer gerend en had hij de deur opengegooid, maar er was natuurlijk nooit iemand. Op een andere nacht had hij de stem van Elena gehoord en even later die van Zoya, en in beide gevallen was hij ernaartoe gerend. Hoe wereldvreemd de gedachte ook was dat zijn gezin daar aanwezig zou zijn, elke keer als hij meende hun stemmen te horen, kon hij niet anders dan de lege kamers controleren, soms wel drie of vier keer op een nacht. Krankzinnigheid lag voortdurend op de loer. Een tijdelijke oplossing was het verwijderen van de deuren geweest, in combinatie met het ophangen van spiegels in de gang, zodat hij steeds het hele huis kon overzien. Maar uiteindelijk was hij op zoek gegaan naar een geschikter onderkomen.

Leo pakte zijn pijp – een dunne houten buis met daaraan een ijzeren kop op ongeveer twee derde van de lengte vanaf het mondstuk. De rand was enigszins ruw bewerkt, en de binnenkant van de kop, waar de opium brandde, was zwart. Ze hadden het er nooit met hem over gehad, maar voor zijn superieuren was zijn verslaving geen geheim. Ambtenaren en militairen konden rekenen op stilzwijgende toestemming wat betreft allerlei soorten genoegens, die werden beschouwd als een vorm van compensatie voor de gevaren van het dienstdoen in Afghanistan, want de wedde kon nooit hoog genoeg zijn om daartegen op te wegen. Voor Leo had het gebruik van opium niets te maken met plezier; hij deed het om dezelfde reden als waarom hij zijn appartement had uitgekozen: om zijn fysieke omstandigheden zoveel mogelijk te laten verschillen van de wijze waarop hij vijftien jaar lang bijna elke nacht naast Raisa had geslapen – het was niet te ontkennen dat het een verslaving was, maar het was ook een strategie om met zijn verdriet om te gaan.

Hij haastte zich naar zijn geheime bergplaats en brak een stukje ter grootte van een erwt af, maar hij liet het uit zijn vingers vallen. Het kwam op de stoffige vloer terecht. Hij ging op zijn knieën zitten, pakte het op en bekeek het met stof bedekte brokje. Hij blies erop. Het stof bleef zitten – de opium was kleverig. Het maakte niet uit. Hij stopte het in het ijzeren pijpje, stak een kaars aan en wachtte ongeduldig tot deze vlam vatte. Opium brandde niet makkelijk, zoals tabak, en vereist een constante warmtetoevoer. Op zijn buik liggend op het bed hield hij de kop boven de kaars. Hij hield zijn blik gericht op de opium, verlangend naar het moment dat die zou smelten en de rook door het pijpje omhoog zou komen. De opium begon te branden, het brokje veranderde van vorm. Hij inhaleerde diep en vulde zijn longen met rook, die langzaam zijn rusteloosheid verdreef en andermaal zijn frustraties en tekortkomingen oploste.

Nu hij zijn gevoelens had verdoofd, ongeveer zoals een anesthesist een te opereren patiënt in slaap brengt, kon Leo zich weer richten op zijn herinneringen aan Raisa en ze overdenken met door de opium geïnduceerde afstandelijkheid, alsof het de herinneringen waren van iemand anders, iemand op een verre planeet. In Moskou waren overal tal van herinneringen geweest aan het leven dat hij met haar had geleid – thuis, maar ook in de stad, in de parken, langs de rivier; ja, zelfs het geratel van een passerende tram kon hem midden in een zin tot zwijgen brengen, getroffen door een bijna fysieke pijn in zijn borst. De bitterkoude winters, de hete zomers – er was niets waarop de herinneringen aan haar niet hun stempel drukten. In de eerste maanden nadat ze vermoord was, had het verlangen om op onderzoek uit te gaan fel in hem gebrand, zo fel dat alle zorgen erbij in het niet vielen. Hij dacht aan niets anders meer, vanaf het moment dat hij wakker werd totdat hij uitgeput weer op zijn bed neerviel en hem slechts enkele uurtjes onrustige slaap vergund waren. Hij diende verzoekschriften in bij autoriteiten, schreef brieven en smeekte om toestemming om naar New York te mogen gaan, maar kreeg slechts te horen dat wat hij vroeg onmogelijk was.

Raisa's lichaam was teruggebracht naar Moskou. Leo had om een tweede autopsie gevraagd. Tot zijn verbazing werd hiermee ingestemd, misschien in de hoop dat hij dan in staat zou zijn om een begin te maken met het rouwproces en zijn onophoudelijke verzoeken zou staken. De Russische artsen bevestigden de Amerikaanse conclusie dat ze vanaf een afstand van ongeveer tien meter was beschoten. De kogel was afkomstig geweest uit een handvuurwapen met een grote vuurkracht en had haar vlak onder haar ribbenkast geraakt. Na lezing van het rapport had hij vastgehouden aan zijn verzoek om het lichaam te zien. Ze hadden zijn vrouw op een stalen tafel gelegd, met een dun wit laken over haar heen. Hij had het laken vastgepakt en tot aan haar taille omlaag getrokken. Het was een hereniging geweest van de meest afschuwelijke soort. Haar huid, die altijd al bleek was geweest, was nu van een blauw dooraderd vaalwit. Hij had het verzoek haar niet aan te raken genegeerd en haar ogen geopend. Haar blik was altijd zo vol intelligentie geweest, slim en speels tegelijk, maar ook behoedzaam en ondeugend. Nu was er in deze naar het plafond starende ogen niets meer te zien. Hij schrok zo van de verandering dat hij zich zelfs even had afgevraagd of dit dezelfde vrouw was, alsof haar levendigheid en intelligentie te krachtig waren geweest om ooit volledig te kunnen worden uitgedoofd, alsof daar zeker iets van moest overblijven. Nadat hij weer tot rust was gekomen, was hij als een rechercheur aan een objectief onderzoek begonnen. Hij had een opschrijfboekje tevoorschijn gehaald en een pen gepakt. Toen hij keek wat hij op de eerste pagina had opgeschreven, had hij alleen het dunne, onregelmatig gevormde lijntje gezien van een beverige hand. Hij had zich vermand, had de bladzijde eruit gescheurd en had opnieuw een aantal opmerkingen genoteerd, die hij met de arts naast hem afstemde. Ze was overleden als gevolg van het bloedverlies. Bij het zien van de wond wist hij als ex-militair uit eigen ervaring maar al te goed dat de dood niet onmiddellijk zou zijn ingetreden, maar dat die langzaam en pijnlijk moest zijn geweest. Hij vroeg de dokter om een schatting van de tijd die zou zijn verstreken tussen het moment dat ze door de kogel was geraakt en haar dood. Ze was in Manhattan geweest toen de schietpartij plaatsvond, slechts enkele minuten verwijderd van enkele van de beste ziekenhuizen ter wereld. De dokter kon geen tijdsduur noemen en zei dat die per persoon erg kon variëren; daar was geen vaste formule voor. Toen Leo aandrong, had hij geschat dat het ergens tussen de twintig en dertig minuten geweest moest zijn – wat in elk geval betekende dat de officiële versie van de gebeurtenissen een fictie was. Raisa had gered kunnen worden. Nu hij dit wist, werd zijn verlangen des te intenser – hij móést naar New York, of hij nu toestemming had van de overheid of niet.

Hij had nergens anders meer aandacht voor gehad, en Zoya had hem moeten dwingen om de gevolgen van zijn obsessie onder ogen te zien. In de maanden na hun terugkeer uit New York had Elena grote vertraging opgelopen in haar studie en was ze sterk vermagerd – ze leefde teruggetrokken, ging geen nieuwe vriendschappen aan en was achterdochtig jegens mensen die ze al jaren kende. Ze voelde het als een plicht om Leo niet alleen te laten in zijn ellende, hoewel ze er moeite mee had onder ogen te zien hoe het met hem gesteld was. Zoya had hem erop gewezen dat zijn manier van leven eigenlijk die naam niet waard was. Ze moesten als gezin verder met elkaar. Haar vastberadenheid en intelligentie herinnerden hem aan Raisa, en hoewel hij zijn naspeuringen niet staakte, had hij zich wel gerealiseerd dat de kans op een spoedige doorbraak niet groot was. Hij had zijn preoccupatie naar de achtergrond gedrongen, tegenover zijn dochters het onderwerp New York laten rusten en ermee ingestemd zijn energie beter te gebruiken. Met dit soort compromissen hadden ze zeven jaar geleefd. In die zeven jaar waren er wel momenten geweest waarop Leo gelukkig was, maar dat geluksgevoel verdween altijd meteen weer als hij aan Raisa dacht. Hij leerde zijn gevoelens voor zijn dochters te maskeren. Hij leerde liegen en te doen alsof. Elena was opgeknapt. Ze was afgestudeerd. Zoya was arts geworden. Allebei vonden ze een man. Elena was de eerste die trouwde, op haar eenentwintigste, met iemand aan wie ze verslingerd was geraakt. Zoya wachtte iets langer met trouwen. Toen beide dochters onder de pannen waren, vond Leo dat hij zijn belofte gestand had gedaan. Hij was nu weer op zichzelf en besloot zich weer te concentreren op de taak die hij steeds voor ogen had gehouden.

Jarenlang had hij over de zaak nagedacht, en toch bleef hij even verbijsterd. Hij snapte niet wat er achter het plan zat om Jesse Austin te vermoorden. Hij besloot dat hij zich allereerst moest richten op de opsporing van propagandaofficier Michail Ivanov, de man die zijn dochter had bedrogen. Niet uit een verlangen naar wraak, maar omdat Ivanov over belangrijke informatie zou beschikken over de gebeurtenissen van die nacht. De meest logische stap was om te proberen hem te vinden alvorens naar New York te gaan.

Ivanov was niet meer in Moskou, en het kostte veel moeite en smeergeld om erachter te komen dat hij naar Perm was verhuisd, in Centraal-Rusland. Toen Leo in Perm aankwam, waar hij zonder toestemming naartoe was gereisd, had hij ontdekt dat Ivanov daar na zijn terugkeer uit New York heen was gestuurd, dat hij werkzaam was geweest bij de lokale overheid en dat hij graag een borrel dronk. Een aantal winters geleden was hij in beschonken toestand een bevroren meer op gelopen, waar hij door het ijs was gezakt en aan de gevolgen van een daarbij opgelopen longontsteking was overleden. Er waren mensen die geloofden dat het een ongeluk was geweest; anderen meenden dat het zelfmoord was. Leo had de begraafplaats bezocht. Dat hij zich er pas zeven jaar na dato mee bezighield, had het moeilijker gemaakt om de waarheid te achterhalen. Bewijsmateriaal, herinneringen en de verklaringen van getuigen waren vervaagd, net als de inkt van de verzamelde krantenartikelen.

Er was geen tijd meer te verspillen. Hij was begonnen erover na te denken hoe hij naar New York zou kunnen komen, en hoewel hij slechts een bescheiden salaris had, had hij gespaard om op de zwarte markt goud te kopen, dat hij nodig zou hebben zodra hij de grens over was, en had hij zorgvuldig zijn route naar de Verenigde Staten uitgezet. Deze voorbereidingen boden hem in elk geval een vaag vooruitzicht van een oplossing, al zou die moeilijk te realiseren zijn.

Met Kerstmis 1973 had hij met zijn familie gegeten, dat wil zeggen met zijn dochters en hun echtgenoten. Hij had hun cadeautjes gegeven. Zonder hun iets over zijn plannen verteld te hebben, had hij aan het einde van de avond afscheid van hen genomen, en de volgende dag was hij op reis gegaan. Hij was vertrokken in de richting van de Finse grens. Die had hij bijna weten te bereiken, op een paar kilometer na, toen ze hem neerschoten en gevangennamen. Voor wat hij gedaan had, had hij eigenlijk geëxecuteerd moeten worden, maar weer was Frol Panin tussenbeide gekomen. De oude Panin, die inmiddels zwak en ziek was, had hem gewaarschuwd:

Ik kan je niet nog een keer in bescherming nemen.

Het waren dezelfde woorden die Leo ooit tegen zijn eigen protegé had gezegd. De staat, die zijn poging de grens over te steken eerder in verband bracht met zijn verdriet dan haar te beschouwen als landverraad, had Leo voor de keuze gesteld: ofwel hij kon de gevangenis in, ofwel hij kon een opdracht krijgen die zo gevaarlijk was dat niemand zich er ooit vrijwillig voor zou opgeven.

Kaboel
District Karta-i-Seh
Ambassade van de Sovjet-Unie
Darulaman-boulevard

De volgende dag

Kapitein Anton Vasjtsjenko werd om vijf uur wakker. Toen de wekker afging, treuzelde hij geen moment, hij zwaaide zijn voeten onder de dekens vandaan en zette ze op de koude vloer. Hij hield van dit soort discipline en tastte in het donker naar zijn veldfles met daarin de koude koffie die hij de vorige avond had gezet. Hij nam een slok voordat hij in het donker zijn hardloopkleren aantrok – joggingbroek, sweater, loopschoenen, waarna hij de schouderholster met daarin zijn semiautomatische Makarov-pistool omdeed en strak aantrok. Zijn parcours was ongeveer vijf kilometer lang: via de Darulaman-boulevard, de Kaboelrivier over en dan het stadscentrum in. Ze hadden weleens tegen hem gezegd dat als hij wilde trainen, hij ook zijn rondjes kon lopen op de startbaan op de zwaarbewaakte luchthaven, maar dat had hij geweigerd. Hij wilde lopen in de buurt waar hij woonde, zoals hij altijd had gedaan. In Stalingrad, waar hij na de Grote Vaderlandse Oorlog was opgegroeid, had hij langs verwoeste gebouwen en niet-ontplofte bommen gerend, springend over de brokken puin – de verwoeste stad was het decor geweest van zijn jeugd. Hier in Kaboel voerde zijn parcours langs sloppenwijken en ministeries met kogelgaten in de gevels. Hij wilde niet geïsoleerd in een beschermde omgeving leven, zoals in het goed beveiligde militaire garnizoen buiten de stad. Niet iedereen was het ermee eens geweest, en er was van verscheidene zijden bezwaar tegen gemaakt omdat het ongepast zou zijn, maar hij had erop gestaan dat hem tijdelijk een bescheiden onderkomen in de ambassade zou worden toegewezen. Hij stelde zich op het standpunt dat hij moest zorgen voor de veiligheid in Kaboel en dat wonen buiten de stad dan niet zinnig was. Als ze geen invloed meer hadden op de veiligheid op straat, zou dat voor de vijand een psychologische overwinning betekenen. Het was essentieel dat ze handelden en zich gedroegen alsof dit hun stad was. Sterker nog, Kaboel wás nu hun stad, of het de Afghanen beviel of niet.

Kapitein Vasjtsjenko liep de poort van de ambassade uit en rende in de richting van het centrum. Thuis in Rusland zou hij doorgaans de eerste kilometer last hebben van spieren, die nog loom waren van de slaap, en zou hij pas gaandeweg dat gevoel kwijtraken, als hij in zijn ritme kwam en de cafeïne zijn werk deed, maar in Kaboel was hij vanaf de eerste stap alert en was zijn snellere hartslag geen gevolg van de inspanning, maar omdat de kans bestond dat iemand zou kunnen proberen hem te doden.

Al na een paar honderd meter weerklonk geweervuur. Hij onderdrukte zijn neiging om stil te blijven staan en dekking te zoeken, want het geluid kwam van ver weg, uit een andere wijk. Dat je af en toe mitrailleurvuur hoorde, was nou eenmaal iets wat bij het leven in deze stad hoorde, net als alle penetrante geuren – etensluchtjes en de stank van ongezuiverd rioolwater door elkaar heen. Maar zelfs terwijl zijn hand onwillekeurig naar zijn wapen tastte, had hij niet de wens om elders te zijn. De kapitein bloeide op in extreme omstandigheden. Het leven in Rusland met zijn vrouw en kinderen interesseerde hem niet zo. Als hij thuis was, werd hij al na een paar dagen prikkelbaar. Hij was geen goede vader, dat was een kwaliteit die hem vreemd was – en dat accepteerde hij. Hij had elke dag een uitdaging nodig: alleen zo kon hij het gevoel hebben dat hij leefde. Er was voor een Sovjetmilitair geen gevaarlijker klus denkbaar dan naar Afghanistan te worden uitgezonden, en om die reden alleen al was de kapitein nergens liever dan hier.

Hij maakte hier onderdeel uit van de Spetsnaz-troepen, een elite-eenheid die drie maanden geleden was aangekomen als voorhoede van een invasiemacht om de één jaar oude communistische revolutie te redden van de ondergang als gevolg van inefficiënt bestuur. Er waren al Sovjetadviseurs in de stad, maar dat waren diplomaten, die gasten waren van de onafhankelijke Afghaanse republiek. De kapitein maakte deel uit van de Sovjettroepen, die nu voor het eerst sinds twee decennia een ander land binnentrokken. Het was een complexe logistieke operatie in een groot land. Dat ze snel in hun opzet zouden slagen was, was een verwachting die berustte op de aanname dat het Afghaanse communistische regime zou ontkennen dat de Russen hun land waren binnengevallen, aangezien ze immers hun bondgenoten waren. Het was in strategisch opzicht een gewaagd uitgangspunt, maar wel een waar de kapitein het mee eens was. Op kerstavond 1979 was hij op de luchthaven van Kaboel aangekomen, op hetzelfde moment dat de Spetsnaz-troepen op de luchtmachtbasis Bagram in het noorden van het land waren geland, onder het mom dat het hier niet meer dan een uitbreiding betrof van de toch al aanzienlijke militaire steun die het regime reeds kreeg. De eerste keer dat de kapitein op de proef werd gesteld, was op de luchthaven van Kaboel. Hij en zijn mannen werden daar geconfronteerd met de soldaten die de Afghaanse regering er had gestationeerd en die niet op de hoogte waren van hun komst. De Afghanen hadden hun Russische machinegeweren op hun Russische bondgenoten gericht. De invasie verkeerde in een kritieke situatie, en de kapitein had als eerste gereageerd. Hij had zijn geweer laten vallen en was zwaaiend met zijn armen naar voren gelopen, alsof hij zijn geliefde wapenbroeders begroette. Hij had verwacht met kogels doorzeefd te zullen worden, maar er was geen schot gelost, en de invasie kon worden voortgezet onder het mom van een militair hulpprogramma. Ze beloofden de Afghaanse 7e en 8e divisies nieuwe munitie, met als gevolg dat ze helemaal niets meer hadden toen ze in afwachting van deze – valse – belofte de oude granaten netjes in het gelid in het zand hadden opgesteld. Afghaanse tankeenheden kregen te horen dat ze nieuwe tanks zouden krijgen, met tegelijkertijd het bevel om de brandstoftanks van de oude te ledigen. Toen ze dat gedaan hadden en de brandstof was afgevoerd, waren hun tankeenheden nutteloos toen de Russische tanks de grens overstaken.

De kapitein had al deze misleiding met gemengde gevoelens gevolgd. Wat er gebeurd was, was maar op één manier te interpreteren: de Afghaanse soldaten waren onervaren, de discipline die een modern leger vereiste, zat hun niet in het bloed. Ze waren lichtgelovig, want ze waren georganiseerd volgens westerse militaire concepten en hadden nooit iets anders gehoord dan dat ze moesten doen wat hun gezegd werd. Ze misten het vermogen om een inadequaat bevel als zodanig te herkennen. En dit waren dan de soldaten op wie hij en zijn kameraden zouden moeten vertrouwen bij het neerslaan van opstanden, mannen die er in grote wanorde het bijltje bij neer hadden gegooid toen gemotoriseerde infanteriedivisies Afghanistan vanuit Turkmenistan en Oezbekistan waren binnengereden, soldaten die geen schot hadden gelost toen hun land werd bezet door een leger van vijftigduizend buitenlanders. Het was niet de kracht van de Afghaanse troepen die hem zorgen baarde; hij was bezorgd omdat ze zo zwak waren. De invasie was bedoeld om de Afghaanse militaire machinerie over te nemen, die in de loop der jaren met grote subsidies gefinancierd en opgebouwd was. De Sovjetsoldaten waren niet in Afghanistan om zelf oorlog te voeren, maar om leiding te geven aan een door het Afghaanse leger te voeren oorlog. Maar al voordat het door het invasieleger opgeworpen woestijnstof weer was neergedaald, was duidelijk geworden dat er helemaal geen sprake was van een Afghaans leger dat tot oorlog voeren in staat was. Terwijl de Sovjettroepen in een welhaast volmaakte serie manoeuvres van tanks en troepen de over het land verspreide grote steden innamen – Herat, Farah, Kandahar en Jalalabad – was de Afghaanse strijdmacht volkomen ineengestort. Op nieuwjaarsdag was de Afghaanse 15e divisie in Kandahar in opstand gekomen. Toen de 201e divisie van de Russen Jalalabad binnentrok, was de 11e divisie van het Afghaanse leger gewoon gedeserteerd: binnen enkele uren was een hele divisie verloren gegaan. Het was de kapitein toen duidelijk geworden dat de echte oorlog nog maar net was begonnen.

Hij was nooit een van die onbehouwen officieren geweest die het verzet tegen de communistische staat beschouwden als primitief, gefragmenteerd en ongeorganiseerd, als tribale tegenstand van opstandelingen met ondeugdelijke geweren die soms wel vijftig jaar oud waren, geleid door kibbelende facties. Bij zo'n oordeel, hoewel juist voor zover het de analyse van de materiële uitrusting betrof, werd een belangrijk voordeel over het hoofd gezien dat de vijand wel degelijk bezat. Zij waren hier thuis. Een superieure bewapening garandeerde in dit mysterieuze landschap niet de overwinning. De kapitein, die onder de indruk was van de mystiek van dit land, had vele uren doorgebracht met lezen over de geschiedenis van het Afghaanse verzet, over de nederlaag van de Britten en hun smadelijke aftocht uit Kaboel. Eén feit vooral had hem getroffen:

De Afghanen hebben nog nooit een oorlog verloren.

Welke tegenstander kon je je beter wensen als je uit was op een mooie militaire carrière? Hij was aan deze oorlog begonnen met groot respect voor zijn tegenstanders, maar hij had hij er ook het volste vertrouwen in dat hij de eerste militair zou zijn die deze strijders in het zand zou doen bijten. Maar als ze dat liever wilden, mochten ze voor zijn part ook strijdend ten onder gaan.

Toen hij aan het einde van zijn parcours kwam, was in het oosten het eerste licht van de zonsopgang te zien. Sommige winkels waren al open: in de achterkamers zag je pas aangemaakte vuren van kooltjes en takken branden. De kapitein bleef met een ruk stilstaan, trok zijn pistool en draaide om zijn as. De loop van zijn pistool kwam tot stilstand tegen het voorhoofd van een kind dat hem had geïmiteerd en vlak achter hem was gaan rennen, een jongetje dat indruk had willen maken op een klein publiek van vriendjes. Bij het zien van het pistool verstomde het lachen. De mond van de jongen zakte open, hij was doodsbang. De kapitein bukte zich en tikte met de loop van zijn pistool zachtjes tegen de voortanden van de jongen, alsof hij op een deur klopte.

Een magere verwilderde hond dwaalde naar het midden van de straat, de ogen gloeiend als kooltjes in de laatste duisternis, en rende weg. Voor kapitein Vasjtsjenko was de dag begonnen.

Kaboel
District Karta-i-Seh
Darulaman-boulevard

De volgende dag

Toen Leo wakker werd, tilde hij zijn hoofd van het kussen. Beverig kwam hij overeind en keek naar zijn omtrekken die in de matras waren achtergebleven. Zijn spieren deden pijn. Hij had een strak gevoel in zijn maag, die aanvoelde als oud, gedroogd leer. Een droge hoest leek bezit te nemen van zijn hele lichaam. Hij droeg nog dezelfde kleren als de vorige dag, toen hij het meer in was gelopen. Ze waren stijf opgedroogd. Hij trok de plooien in zijn hemd recht, strompelde naar de voordeur en deed in het voorbijgaan een paar donkergroene slippers aan. Toen hij de trap af liep, klepperden de plastic zolen bij iedere stap. Hij gooide de voordeur open en wierp een blik op straat. Wat een verschil: de duisternis van zijn appartement en deze zonovergoten stad. Een *kharkar*, een vuilnisophaler, reed met zijn rammelende kar voorbij, zweepslagen uitdelend aan een droevig uitziende ezel die de met allerlei soorten afval beladen kar met piepende wielen voorttrok. Zodra de kharkar voorbij was, haalde Leo diep adem en snoof hij de geur van dieselolie en kruiden op. Hij vroeg zich af hoeveel uur het nog zou duren voordat het weer nacht werd. De zon brak door de smog heen, en toen hij met half toegeknepen ogen naar de hemel keek, schatte hij dat het al middag was. In de regel rookte hij niet voordat het donker was.

Zonder zich om te kleden, zich te wassen of iets te eten, liep hij naar buiten en trok de deur dicht zonder die op slot te doen, aangezien in het appartement toch niets het stelen waard was. Hij schuifelde door de steeg naar de plek waar zijn roestige fiets als een trouwe viervoeter stond te wachten. De fiets stond ook niet op slot en werd alleen niet gestolen omdat hij niets waard was. Hij sloeg zijn been over het zadel, zocht zijn evenwicht, zette zich tegen de muur af en reed slingerend de steeg uit naar de hoofdstraat, waar hij zich in het verkeer van fietsen en door muilezels voortgetrokken karren voegde. Gebutste auto's toeterden, wat beantwoord werd door het gesputter van krakkemikkige uitlaten. Leo had moeite om overeind te blijven en reed heen en weer slingerend door, totdat hij in de verkeerschaos een wankel evenwicht wist te vinden.

Het was zijn zevende jaar als Russische adviseur hier; hij adviseerde het Afghaanse communistische bewind op het gebied van het functioneren van geheime diensten. Hij was gedwongen geweest deze baan aan te nemen, die geen enkele KGB-officier ambieerde. Er waren vele gevaren. Ettelijke adviseurs waren op wrede wijze aan hun einde gekomen, in de provincie waren vestigingen onder de voet gelopen en er hadden in het openbaar onthoofdingen plaatsgevonden. Hij deed het meest gehate werk in een samenleving waarin hij werd gehaat, omdat hij geheim agent was, maar ook omdat hij deel uitmaakte van een bezettingsmacht. Zijn taak, zowel nu als vóór de bezetting door de Sovjets, was om een Afghaanse politieke politiemacht op te richten ter bescherming van de nog jonge communistische partij. Het communisme kon niet naar Afghanistan worden geëxporteerd zonder daar ook een politieke politie naartoe te exporteren: ze hoorden bij elkaar, de partij en de politie, de ideologie en de arrestaties. Hij had in zijn vaderland zijn beroep opgegeven, maar was gedwongen geweest om het werk weer op te vatten waar Raisa zo'n afkeer van had gehad. Als hij zijn post zou verlaten, zijn plicht zou verzaken of zou proberen te vluchten, zou hij dat met de dood moeten bekopen. Een kwestie van militaire discipline. En daar men terecht vermoedde dat de doodsdreiging hemzelf niet bepaald zou afschrikken, had men hem duidelijk gemaakt dat ook de gevolgen voor zijn dochters ernstig zouden zijn: hun reputatie zou schade lijden, evenals hun vooruitzichten. Dat was voldoende om hem aan het werk te houden. Gevangen als hij was in dienstbaarheid aan de staat had hij geen andere keus dan zich te kwijten van de verantwoordelijkheden zoals men die had geschetst, en hij was zich er terdege van bewust dat zijn superieuren niet verwachtten dat hij het er levend af zou brengen. Toch had hij zich geschikt in dit ellendige bestaan, en er was nu geen Sovjetadviseur die langer in Afghanistan had gediend dan hij.

De Afghaanse Communistische Partij was nog maar een paar

jaar geleden opgericht toen hij in 1973 in een gammel propellervliegtuig op de luchthaven van Kaboel landde. Ze droeg de weidse naam Democratische Volkspartij van Afghanistan en stond onder leiding van een man die Nur Mohammad Taraki heette en die een agent van de Sovjet-Unie was, waar hij bekendstond onder de codenaam NUR. Aangezien de partij niet aan de macht was, was het voor Leo niet mogelijk om een normale, officiële politiemacht op te richten, en in eerste instantie had hij er slechts voor moeten zorgen dat de partij niet door haar vijanden in binnen- en buitenland om zeep zou worden geholpen. Het was alsof hij in de tijd terug was verplaatst, naar de beginjaren van Lenin, toen de Communistische Partij nog zwak was en voortdurend van alle kanten met de ondergang werd bedreigd. Het was een harde strijd geweest om de vele complotten van de CIA af te weren en allerlei interne gevechten om de macht in goede banen te leiden. Slechts weinigen waren verbaasder geweest dan Leo toen in april 1978 een coup werd gepleegd en de Communistische Partij de macht greep. Agent NUR was president van Afghanistan en voorzitter van de Revolutionaire Raad geworden. Toen was Leo's taak van karakter veranderd en kon hij advies geven over het opzetten van een geheime dienst, met uniformen en gevangenissen, een dienst met maar één doel: machtsbehoud voor de communisten.

In een poging om de wreedheid en bruutheid te voorkomen die zijn vroegere jaren als geheim agent hadden gekarakteriseerd, had Leo voorgesteld een dienst op te richten die gematigd en terughoudend te werk zou gaan. Zijn voorstellen waren als naïef afgedaan. De politiemacht die door het nieuwe communistische bewind was ingesteld, was er een volgens het stalinistische model. Men voerde vendetta's en arresteerde in het wilde weg mensen. Nadat de president jarenlang voorzichtig was geweest en moeite had gedaan om aan de macht te komen, ging hij zich al snel te buiten aan terreur. Dagelijks moest hij beslissen over leven of dood van burgers, waartoe hij lijsten met namen voorgelegd kreeg die hij maar af hoefde te vinken of door te halen. De ironie was dat Leo's positie door het succes van de Partij werd gemarginaliseerd. Ze hadden hem niet meer nodig. Hij hield het Kremlin op de hoogte van de ontwikkeling van het monster dat hij had helpen creëren.

Zonder dat hem juridisch een strobreed in de weg werd gelegd, was de nieuwe president begonnen moskeeën te ontheiligen en religieuze leiders te arresteren. De antireligieuze campagne was op zich al een kwalijke zaak, maar deze werd zo rigoureus doorgezet dat Leo niet anders kon dan denken dat ieder godsbegrip voor een kersverse dictator die zichzelf goddelijke kwaliteiten toedichtte blijkbaar onverdraaglijk was. De pogingen van de president om Afghanistan van de ene dag op de andere een communistisch model op te leggen, waren eveneens gebaseerd op een verkeerde inschatting. Bij decreet verordonneerde de president dat niemand meer dan zes hectare grond in bezit mocht hebben, de rest werd in beslag genomen door de staat. De bevolking had gereageerd door in opstand te komen. In de Afghaanse cultuur waren de mensen zeer gehecht aan hun grond. Families woonden daar waar ze geboren waren, hun identiteit was nauw verbonden met de plek waar ze woonden, en deze gevoelens waren veel sterker dan welke grieven ook van de boeren die zelf geen land bezaten maar pachtten. De opstand was in een stroomversnelling geraakt, terwijl de president zich onledig hield met zaken waar hij wel macht over had: niet de gedachten of de overtuigingen van de mensen, maar het veranderen van de vlag door de *minbar*, de preekstoel in de moskee, van die vlag te verwijderen en te vervangen door een vijfpuntige ster. Op de dag dat de nieuwe vlag voor het eerst zou worden gehesen, besloot de president dat de kleur rood benadrukt diende te worden. Duiven werden ingesmeerd met rode inkt, de inwoners van Kaboel kregen het consigne hun woningen vanbuiten rood te schilderen, en studenten verfden hun stoelen en bureaus rood. Leo kreeg een schrijven waarin hem werd gevraagd zijn fiets rood te verven. Hij stuurde de brief dezelfde avond nog door naar het Kremlin, vergezeld van een rapport waarin hij de catastrofale mislukking beschreef waar het bewind van deze satellietstaat van de Sovjet-Unie op afstevende en een spoedige ineenstorting van het regime voorspelde.

De enige optie voor de Sovjet-Unie was om zelf direct in te grijpen. Dat deden ze door met Kerstmis 1979 het land binnen te vallen, nu drie maanden geleden. Met zoveel Russische soldaten in de stad was Leo daar geen eenzame Rus meer. Russische tanks patrouilleerden in de straten van Kaboel. De oude president werd vermoord, en een nieuwe president, Babrak Kamal, iemand die deed wat de Russen hem opdroegen, werd geïnstalleerd. In een radiouitzending werden de excessen van de vorige leider aan de kaak ge-

steld en werden behoorlijk bestuur en handhaving van de rechts-
staat toegezegd. Het nieuwe regime werd gepresenteerd als rechtvaardig, en niet misdadig zoals het vorige, als een bewind met visie
in plaats van een stel kwaadwillende woestelingen. Maar elke mogelijke welwillendheid op grond van de afzetting van de oude, ver-
achte leiding werd tenietgedaan door de afkeer die de aanwezigheid
van buitenlandse troepen opriep, een aanwezigheid die de president had gelegitimeerd met zijn verzoek om hulp – alsof ze er al niet
waren – en met het vriendschapsverdrag als wettelijk kader. Het
was een schertsvertoning, die zelfs voor een niet-ingewijde waarnemer doorzichtig en cynisch was. In februari hadden demonstraties
in Kaboel tot rellen geleid. Driehonderd mensen waren daarbij gedood, maar zelfs dat aantal was niet voldoende om het geweld te keren: de winkels in Kaboel hielden voor een week hun deuren gesloten. Men besloot om vliegtuigen en helikopters over de stad te laten
vliegen om de kracht van het regime te tonen en zo impliciet te drei-
gen lastige wijken met de grond gelijk te zullen maken, indien men
zich niet voegde.

De behoefte aan een krachtige en effectieve geheime dienst werd
steeds urgenter. De geheime dienst werd omgedoopt tot een staatsveiligheidsdienst onder de naam KHAD, het Afghaanse equivalent
van de KGB. Er werden beloften gedaan die men niet nakwam: de
tijd van zinloze wreedheden zou afgelopen zijn, geen bloedvergieten meer, nooit meer rode duiven. President Kamal verordonneerde dat 13 januari 1980 een dag van nationale rouw zou zijn voor allen die door de vorige president gedood waren, en meteen de dag
daarna was Leo begonnen met zijn lessen voor de pas aangeworven
Afghaanse agenten.

Omdat hij zo'n zware, grijze baard had en zijn huid door de hete
Afghaanse zomers sterk verouderd en gerimpeld was, zeiden zijn
Russische collega's voor de grap weleens dat speciaal adviseur Leo
Demidov zich had vermomd als inboorling. Hij droeg dan wel
geen *shalwar kameez*, de traditionele plaatselijke dracht, maar
evenmin een uniform. Hij was niet een van hen. Hij ging gekleed in
een ratjetoe van stijlen: in Afghanistan geweven hemden, Russische legerbroeken, Amerikaanse Ray-Ban-zonnebrillen en plastic
teenslippers zoals die in groten getale in China werden geproduceerd. Hij was een van de weinige Sovjetadviseurs die vloeiend Dari spraken, een Perzisch dialect en de taal van de heersende klassen

in Afghanistan, die minder werd gesproken dan het Pasjtoe. Het Dari was de eerste vreemde taal die Leo had geleerd, en hij sprak nu vaker Dari dan Russisch. In zijn vrije tijd las hij over de cultuur en de geschiedenis van dit land, en hij ontdekte het studeren als de enige vorm van escapisme die het kon opnemen tegen de opium. Afgezien van communistische dogmatische teksten had Leo dertig jaar lang nauwelijks een boek ingezien, en nu deed hij maar weinig anders.

Zijn bazen tolereerden Leo's onorthodoxe en excentrieke gedrag met een in de Sovjet-Unie ongekende inschikkelijkheid. Regels en bepalingen die thuis golden, werden hier stilzwijgend genegeerd. Het hele concept 'discipline' had een transformatie ondergaan. Kaboel was een vooruitgeschoven post, de revolutie was hier nog kwetsbaar, kon elk ogenblik teloorgaan en in anarchie overgaan. Veel adviseurs smeekten om terug naar huis te mogen, ze namen ontslag of ze wendden problemen met hun gezondheid voor; sommigen zorgden er zelfs voor dat ze dysenterie kregen. Ze beweerden dat een acculturatieproces zoals Leo dat had ondergaan voor hen onmogelijk was. Maar al had hij als adviseur in Afghanistan meer dienstjaren dan wie ook, Leo vond zichzelf niet Afghaanser dan hij vanaf de eerste dag al geweest was. Degenen die beweerden dat hij zich had vereenzelvigd met de Afghanen waren bange Russische soldaten die net uit het transportvliegtuig waren gestapt en veelal nooit eerder in het buitenland waren geweest. Geen van de Afghanen met wie Leo in contact was gekomen, had hem ooit beschouwd als een van de hunnen. Hij kende veel Afghanen, maar hij was met geen van hen bevriend. Hij was een buitenlander, en buitenlanders werden over het algemeen over één kam geschoren. Ze erkenden wel dat hij anders was dan de andere Russen. Hij leek geen enkele ideologie en geen enkel geloof aan te hangen, hij was niet religieus en hij zong niet de lof van zijn vaderland. Hij maakte wel een rusteloze en enigszins verwarde indruk, maar hij leek geen heimwee te hebben naar de plek waar hij geboren was. Hij had het nooit over een echtgenote. Hij praatte niet over zijn dochters en liet geen foto's van hen zien. Hij liet niets los over zichzelf. Hij hoorde niet thuis in dit land, maar ook niet in het land dat hij had achtergelaten. Het was in allerlei opzichten makkelijker om begrip op te brengen voor de gewone Russen, de mannen in uniform, met hun ideologie, hun doelstellingen, hun motieven, hun strategieën en hun tijdsperspectief. Wat zij dachten was tenminste duidelijk, ook al werd dat door de Afghanen veracht en werden ze beschouwd als vijanden die moesten worden verslagen. Bij Leo ontbrak dat allemaal. En nihilisme was een begrip dat hun nog wezensvreemder was dan het communisme.

Leo kneep in zijn remmen. Voor hem was een vrachtwagen met een van zijn wielen in een mangat terechtgekomen, en duizenden plastic flessen drinkwater waren over straat gerold. De betrokkenen riepen elkaar allerlei verwensingen toe. Er was een file ontstaan. Ongeduldige automobilisten toeterden. Leo liet zijn blik langs de daken van de huizen en de nieuwsgierige voorbijgangers gaan – hij had genoeg verkeersongelukken in Kaboel gezien om te weten wanneer die geënsceneerd waren om een aanslag te kunnen plegen. Er stonden geen Russische voertuigen in de file, en omdat hij geen andere reden voor de ontstane situatie zag dan het slechte onderhoud van de wegen, slingerde hij op zijn fiets tussen de flessen door, genegeerd door de boze wachtenden, waarna hij langs de vrachtwagen reed. Toen hij over zijn schouder keek, zag hij hoe kinderen hun haveloze hemden vulden met flessen, waarna ze zich met hun buit uit de voeten maakten. Hij was het ongeluk gepasseerd alsof hij niet bestond.

Terwijl hij weer snelheid maakte, reciteerde hij voor zichzelf een gedicht van Sabbah, dat eeuwen geleden was geschreven:

Ik ben alleen in de woestijn
En ben verdwaald:
De weg is lang, ik heb
Geen hulp en geen metgezel,
En weet niet welke kant ik op moet.

Anders dan voor de persoon in het gedicht was het voor Leo altijd duidelijk geweest wat zijn bestemming was. De kwelling was alleen dat hij die niet kon bereiken. Hij wist wat hij wilde bereiken, maar kón het niet bereiken. Nu er geen verkeer meer was, deed Leo zijn ogen dicht en haalde, terwijl hij de tekst van het gedicht voor zich uit mompelde, zijn handen van het stuur, strekte ze opzij en reed slingerend van links naar rechts verder.

Kaboel
Hoofdbureau van politie
Dih Afghanan

Dezelfde dag

Leerling-agente Nara Mir zat rustig een boek te lezen terwijl ze wachtte tot haar leraar kameraad Leo Demidov er zou zijn. Hij was een paar uur te laat, wat niet ongewoon was. Je kon niet op hem vertrouwen en hij was grillig, maar hij was misschien wel de meest bijzondere man die ze ooit had ontmoet, en zeker de merkwaardigste: hij was in haar ogen heel vreemd. Toch keek ze uit naar zijn lessen, ook al kon ze zich moeilijk voorstellen dat hij ooit had gewerkt bij de vermaarde KGB. Ze was drieëntwintig, haar opleiding was bijna afgerond, en binnenkort zou ze als agent van de veiligheidsdienst toezicht gaan houden op het ideologisch gehalte van het onderwijs op scholen en ook op de leerlingen, van wie ze zou moeten beslissen wie er waarschijnlijk voor het bewind van nut zou kunnen zijn en dus in aanmerking zou moeten komen voor een baan bij de overheid, en wie er waarschijnlijk problemen zouden veroorzaken of misschien zelfs een bedreiging zouden vormen. Ze beschouwde dit soort werk niet als spionage: alle leerkrachten evalueerden hun leerlingen; dat hoorde er nou eenmaal bij, of ze voor de inlichtingendienst werkten of niet. Dit vooruitzicht wond haar op, ze streefde maatschappelijke veranderingen na en zag hierin een gelegenheid om te doen wat nog maar een paar jaar geleden voor een vrouw ondenkbaar zou zijn geweest.

Nara was nog maar onlangs gerekruteerd in het kader van de hervormingen die de Afghaanse gehcime dienst nog geen drie maanden geleden had doorgevoerd. De vorige organisatie, de KAM, had een slechte naam en was een allegaartje geweest van houwdegens en sadisten die geen idealen koesterden en geen enkele ideologie aanhingen. Voor die organisatie zou ze nooit hebben willen werken. Maar de duistere periode van hun heerschappij was voorbij. De nieuwe president had een tijdperk van terughoudendheid en rechtschapenheid in het vooruitzicht gesteld. De Sovjets waren van plan haar land op te stoten in de vaart der volkeren, totdat ze een grootse natie zouden zijn, net zo groots als de Sovjet-Unie zelf. Nara wilde in die ontwikkeling een rol spelen. De naburige Oezbeekse Socialistische Sovjetrepubliek kon bogen op een bevolking die geheel gealfabetiseerd was, terwijl in Afghanistan van de mannen maar tien procent kon lezen en van de vrouwen maar twee procent. De levensverwachting was veertig jaar, terwijl die in Oezbekistan zeventig jaar was. Bijna de helft van alle kinderen stierf vóór het bereiken van de leeftijd van vijf jaar. Niemand kon beweren dat de statusquo het behouden waard was. En om deze doorbraken te realiseren, waren ingrijpende veranderingen nodig. Tegenstand daartegen was onvermijdelijk. Om de vooruitgang een kans te geven, waren mensen als zij nodig om het bewind te beschermen. Waakzaamheid was geboden jegens hen die zich wilden vastklampen aan het verleden. Er waren in Afghanistan gebieden waar de mensen vastzaten in een levenswijze die in duizenden jaren niet was veranderd, en dientengevolge was er geprotesteerd en zou er ook in de toekomst geprotesteerd worden tegen de hervormingen. Dat was onvermijdelijk. En helaas zou dat levens kosten. Dat was betreurenswaardig. In Herat was vorig jaar een opstand tegen de leerplicht voor vrouwen geweest. Sovjetadviseurs die in die stad werkten waren over straat gesleurd en onthoofd, waarna hun verminkte lijken in een groteske vertoning door de stad gedragen waren. De enige oplossing was een stelselmatig bombardement geweest, en de opstand was pas onderdrukt nadat veel burgers gedood waren. Geweld was een noodzakelijk instrument. Ze was ervan overtuigd dat dit oplaaiende, bloedige verzet georkestreerd werd door enkele vooraanstaande invloedrijke traditionalistische elementen, mannen die haar graag gestenigd zouden zien omdat ze een baan had aangenomen en een uniform droeg. Door die dissidenten te isoleren zouden uiteindelijk vele duizenden levens worden gered en zou het leven van miljoenen anderen aanzienlijk worden verbeterd.

Ze keek op haar horloge. Omdat er nog geen teken van leven was van kameraad Demidov, bladerde ze door haar boek met oefeningen en bekeek ze de verzamelde citaten:

Ideeën zijn sterker dan wapens. We gunnen onze vijanden geen wa-
pens, waarom zouden we ze dan wel ideeën gunnen?

De opstand was er een van voornamelijk analfabeten, de meeste strijders konden lezen noch schrijven. Toch waren ze bezeten van een krachtig idee – dat dit een onrechtvaardige invasie was, dat het communisme een uit het buitenland afkomstige gruwel was en dat zij uiteindelijk zouden zegevieren, ongeacht de aantallen goed uitgeruste soldaten die hierheen gestuurd waren om te sterven. Ze hadden God aan hun zijde. Ze hadden de geschiedenis aan hun zijde. En ze hadden het noodlot aan hun zijde. Deze ideeën waren veel gevaarlijker dan hun verouderde wapens. De uitdaging was hoe je iemand de overtuiging ontnam dat de overwinning onvermijdelijk was.

Toen ze de deur open hoorde gaan, keek ze op. Daar was haar leraar. Met zijn zilvergrijze haar, zijn grijzende stoppels en een huid die aanmerkelijk donkerder was dan van veel van zijn landgenoten, stak hij af bij alle andere buitenlanders – niet alleen qua uiterlijk, maar ook als persoonlijkheid. Ze had hem nog nooit een uniform zien dragen. Ze had hem er ook nog nooit op betrapt dat hij iets aan zijn uiterlijk deed. Hij leek voortdurend verstrooid te zijn, alsof hij permanent aan het dagdromen was en de realiteit slechts zelden zijn aandacht eiste. Hij was knap, dacht ze, hoewel ze die observatie al snel afdeed als niet ter zake doende. Toen pas zag hij dat Nara als enige in de klas zat. Met raspende, droge stem zei hij:
— *Waar is iedereen?*
Ze zei:
— *De anderen zijn naar huis gegaan.*
Hij keek om zich heen naar de lege tafeltjes. Hij was niet geïrriteerd of geamuseerd, zijn gezicht was uitdrukkingsloos. Bij wijze van verklaring, maar bang dat het zou worden opgevat als kritiek, zei ze:
— *De les zou om twaalf uur beginnen.*
Kameraad Demidov keek op de klok aan de muur. Hij was drie uur te laat. Hij keek Nara weer aan en zei:
— *Je zit hier al drie uur?*
— *Ja.*
— *Hoe lang was je van plan om te wachten?*
— *Ik heb lekker kunnen werken. Het is hier rustiger dan thuis.*

Hij liep naar haar toe, pakte haar oefeningenboek en las de lijst met citaten door. Ter verklaring zei ze:

— *Ik wilde ervoor zorgen dat ik de wijsheden van onze partij begreep.*

Elke keer als ze het over de partij had, keek kameraad Demidov haar even oplettend aan, ongetwijfeld om haar loyaliteit te peilen. Hij las hardop wat er stond:

— *Vertrouw, maar controleer.*

Ze legde het uit en probeerde daarmee indruk op hem te maken:

— *Hoezeer je iemand ook vertrouwt, je moet hem of haar altijd in de gaten houden. Het gaat erom dat wij als agenten ons de luxe niet kunnen veroorloven om ervan uit te gaan dat iemand onschuldig is.*

— *Weet je wie dit heeft gezegd?*

Nara knikte en zei trots:

— *Kameraad Stalin.*

Leo zag hoe zijn stagiaire Stalins naam uitsprak alsof hij een wijze en vereerde dorpsoudste was, voor allen een vriend en geenszins een tiran. Nara's gelaatstrekken waren opvallend zacht. Ze had nauwelijks een scherpe lijn in haar gezicht, ronde jukbeenderen, een kleine ronde neus en vooral had ze grote, lichtgroene ogen. Dat die kleur zo onnadrukkelijk was, maakte ze juist opvallender in plaats van omgekeerd, alsof er slechts een paar druppels kleurstof aan te pas waren gekomen. Ze wekte een indruk van grote nieuwsgierigheid, en omdat ze zo ernstig was, leek het alsof ze elk detail van de wereld om haar heen in zich opzoog. Haar gezicht en haar houding deden hem denken aan die van een jong hert, een dier dat groot en machtig wil lijken, de behoeder van het woud, maar dat evengoed nog jong en angstig is. Het was vreemd om haar zo sterk te associëren met een wezen dat ze nog nooit had gezien en waarvan ze misschien zelfs nooit had gehoord. Op het eerste gezicht had hij niet gedacht dat ze de persoonlijkheid van een agent had. Ze had een soort zachtheid en openheid die het hem moeilijk maakten om zich voor te stellen dat ze 'noodzakelijke maatregelen' kon nemen, zoals dat doorgaans genoemd werd. Kon ze landgenoten arresteren? Maar hij accepteerde dat de schijn kon bedriegen, en hij had in zijn oordeel over mensen te vaak ongelijk gehad om zo'n oppervlakkige observatie als een onomstotelijk oordeel te beschouwen.

En wat haar begrip voor de woorden van Stalin betrof: ze had die abstracties in haar geheugen opgeslagen om haar ambities waar te kunnen maken. Ze had die woorden nooit zelf toegepast of gezien hoe een hele samenleving erdoor was veranderd, hoe uiteindelijk een heel volk er niet meer toe in staat was om wie dan ook te vertrouwen, zelfs familie, vrienden en geliefden niet. 'Vertrouw maar controleer' was voor haar een communistisch aforisme, dat je kon citeren en waar je vervolgens om geprezen kon worden. Ze was niet alleen ambitieus, maar ook idealistisch, een utopist die werkelijk geloofde in dit visioen van een ideale samenleving. Ze nam de belofte van vooruitgang serieus, zonder een spoor van cynisme, en twijfel kende ze niet. In dit opzicht deed ze Leo sterk denken aan Elena. Misschien dat hij daarom haar fanatieke trouw aan het communisme tolereerde, omdat hij die zag binnen de context van haar karakter, dat haar niet toestond te leven zonder een of andere droom. Misschien voelde hij ook sympathie voor haar omdat er onder haar zekerheid een vleugje melancholie schuilging, alsof haar optimisme een innerlijke onrust diende te verbergen. Hij geloofde niet dat ze alleen maar in het klaslokaal was blijven zitten omdat ze wilde werken. Ze verschool zich voor iets bij haar thuis. En daardoor had haar assertiviteit iets gedwongens, iets wat ingestudeerd leek. Soms betrapte ze zichzelf op iets en kwam ze terug op een opmerking of observatie, alsof ze bang was dat ze te ver was gegaan. En zoals Raisa haar schoonheid een gevaarlijk voordeel had gevonden, zo was dat ook het geval bij deze jonge vrouw, die bewust probeerde zo gewoon mogelijk te zijn en een uniform droeg dat haar te groot was en waarvan het armzalige ontwerp haar figuur geen recht deed. Ze droeg het haar altijd opgebonden, er was nooit ook maar enige suggestie dat ze make-up gebruikte en nooit rook je een zweem van parfum. Leo had haar weleens zien blozen als iemand aandacht aan haar besteedde; ze had er een hekel aan om bekeken te worden, en misschien had ze daarom wel een hekel aan haar eigen schoonheid. Haar schoonheid en haar triestheid raakten hem altijd precies op hetzelfde moment, alsof het onmogelijk was om het een te zien zonder tegelijk ook het andere te moeten zien.

Omdat er geen andere stagiairs waren, wilde Leo haar naar huis sturen, maar net op dat moment kwam kapitein Vasjtsjenko binnen. Het amuseerde Leo dat de kapitein kloppen blijkbaar een teken van zwakte vond en onaangekondigd komen binnenvallen een blijk van kracht, een triomf over de etiquette. Ze hadden elkaar sinds de invasie met Kerstmis bij verschillende gelegenheden gesproken, en Leo vond hem in het contact rechtdoorzee. Hardheid was vaak veel makkelijker te begrijpen dan matigheid. Voor de keuze gesteld, opteerde de kapitein altijd voor de agressiefste benadering. Hij maalde niet om ceremonieel, privileges interesseerden hem niet, en hij liet zich niet verleiden door comfortabele zaken die voor legerofficieren beschikbaar waren. Hij was niet bijzonder lang, maar robuust en goed gevormd, en alles aan hem leek stevig en compact: zijn lichaam, zijn schouders, zijn borst en zijn hoofd. Tot zijn verbazing vond Leo het moeilijk om een afkeer van hem te hebben – dat zou hetzelfde zijn als afkeer hebben van een haai of een ander gevaarlijk roofdier. Zowel in zijn uiterlijk als in zijn karakter was geen duisternis te bespeuren, geen sadisme of pervers genoegen in geweld – doelmatigheid was het enige wat hem interesseerde. Kortom, hij zou alles doen wat nodig was en zich nooit terugtrekken.

De kapitein sprak Leo ongeduldig toe, in het Russisch:

— *Er is gisteravond een hoge officier van het 40e leger verdwenen. Er was niets mis met de beveiliging op het hoofdkwartier. Geen teken van een verstoring. We denken dat het om een desertie gaat. Op het terrein ontbreekt een auto. Mijn mannen zijn naar hem op zoek. We hebben controleposten op alle wegen ingesteld, maar er is geen spoor van hem. We hebben jouw hulp nodig. Niemand kent Kaboel zo goed als jij.*

— *Niemand, behalve de Afghanen.*

De kapitein had geen tijd voor Leo's kletspraatjes en zei nog eens nadrukkelijk:

— *Als hij in de stad is, zul jij hem vinden, daar ben ik van overtuigd.*

— *Hoe belangrijk is deze man?*

— *Heel belangrijk. En wat nog belangrijker is, is dat we moeten tonen dat desertie niet wordt getolereerd.*

Het was de eerste desertie waar Leo van hoorde. Hij was ervan overtuigd dat er nog veel meer zouden volgen. De zomer was lang en heet, veel mensen werden ziek, en iedereen was ver van huis.

De kapitein leek Nara Mir nu pas voor het eerst op te merken.

— *Is zij een van je leerlingen?*

— *Een stagiaire.*

— *Neem haar mee.*

— *Ze is nog niet klaar.*

De kapitein wuifde het bezwaar weg met een handbeweging.

— Ze zal nooit klaar zijn als ze hier blijft zitten. Kijk maar eens hoe ze het in een echt onderzoek doet. We hebben agenten nodig, geen leerlingen. Neem haar mee.

Nara Mir begreep dat zij het onderwerp van gesprek was en bloosde.

Hoofdkwartier van het 40ste Leger
Tapa-e-Tajbegpaleis
10 km ten zuiden van Kaboel

Dezelfde dag

Het paleis lag op een heuvelrug en bood uitzicht op een vallei die op haar beurt in de verte werd gedomineerd door een bergketen – een schilderachtige omgeving om Afghanistan vanuit te overheersen. Naar internationale maatstaven was het een bescheiden paleis; het leek eerder op een statig herenhuis, een buitenpost in een van de koloniën, of de datsja van een president, en het was zeker geen paleis dat zou kunnen wedijveren met de schitterende residenties van de tsaren. Omdat het in lichte kleuren was geschilderd en vele pilaren en boogramen telde, had het iets weg van een zomerpaviljoen waar een vorst zich kon terugtrekken wanneer hij genoeg had van de drukte in zijn hoofdstad. De hellingen waren steil, het paleis nam de hele top van de heuvel in, terwijl de paleistuin zich uitstrekte over de terrassen daaronder. Ooit was die tuin besproeid en verzorgd geweest door een stoet van bedienden en had de koning daar met zijn gevolg verpozing gezocht, maar nu was de tuin overwoekerd en werd hij door de elementen geteisterd, terwijl de grond tussen de uitgedroogde rozenstruiken bezaaid was met sigarettenpeuken en kogelhulzen.

Tegelijk met Nara stapte Leo uit de auto, nog steeds met zijn groene slippers aan en in de kleren waarin hij het meer in was gelopen. Hij had eerder in het paleis moeten verschijnen om, als een onderdaan die zich had misdragen, te worden berispt voor het feit dat hij geen uniform droeg en er ongeschoren bij liep. Zijn superieuren waren hier destijds nog maar kort en klampten zich, nog niet bewust van de omvang van hun taak, vast aan onbenullige regeltjes, terwijl hele divisies overliepen en het Afghaanse leger de ondergang tegemoet ging. Hij had hun kritiek niet ter harte genomen en was nog even slordig gekleed, maar hij betwijfelde of ze hem nu opnieuw zouden berispen. Er waren sindsdien enkele maanden verstreken, en dat was lang genoeg om je zorgen te gaan maken over grotere problemen.

Ze werden onder escorte het gebouw binnengebracht en kregen kortaf enkele instructies meegedeeld. De Russische officieren voelden zich kennelijk acuut in verlegenheid gebracht door het uiterlijk van een van de hunnen en hadden bovendien moeite met Nara's aanwezigheid, omdat daar de suggestie van uitging dat zij hen zou kunnen helpen op een punt waarop hun eigen mensen hadden gefaald. Het interieur van het paleis was beschadigd geraakt bij de strijd, het sierlijke vorstenverblijf was ten offer gevallen aan oorlogsgedruis. Fraaie en decoratieve antieke voorwerpen hadden een nieuwe bestemming gekregen en gingen schuil onder uitgebreide zendapparatuur. De spullen van de legerleiding waren lelijk en hier niet op hun plaats: het paleis was immers bedoeld geweest voor plezier, decadentie en schoonheid, en niet ingericht op de zorgen van de grimmige nieuwe bewoners. Daar waar eens schilderijen en portretten op de aanwezigen neerkeken, hingen nu kaarten met vlaggetjes die tankformaties en infanteriedivisies moesten voorstellen.

Ze werden naar boven gebracht, naar het woongedeelte. De vermiste officier was vooruitlopend op de resultaten van het onderzoek al tot deserteur verklaard, en Leo kon zich ook eigenlijk niet voorstellen wat hem anders overkomen zou moeten zijn. Hij heette Fjodor Mazoerov en hij was jong voor zo'n belangrijke post – voor in de dertig. Hij had de rangen met een bewonderenswaardige snelheid doorlopen. Bij het lezen van zijn dossier viel het Leo op dat de man nog nooit in het buitenland had gewoond en maar weinig gevechtservaring had. Hij was beroepsmilitair, en Leo had er geen moeite mee om zich voor te stellen wat een schok het voor hem zou zijn geweest om in Afghanistan te zijn, zo ver van zijn vertrouwde wereld. Nara zei:

— *Ik snap niet waarom we hier zijn. We weten dat hij in Kaboel is. Ze hebben zijn kamer hier al doorzocht en niets gevonden. Wat denk je te vinden?*

Leo haalde zijn schouders op en zei:

— *Misschien hebben ze iets over het hoofd gezien.*

Nara hield aan.

— Zoals wat?

— Iemands kamer zegt veel over de persoon.

Nara trok haar gezicht in een frons van concentratie en probeerde te bedenken in welk opzicht dit waar zou kunnen zijn. Toen dat niet lukte, zei ze:

— Het doorzoeken van het huis van een verdachte kan in de Sovjet-Unie zin hebben, maar in de meeste Afghaanse huizen vind je maar weinig persoonlijke bezittingen: kleren, een paar meubels en wat keukengerei. Bij ons zegt een kamer niets over de mensen. En geldt dat ook niet voor Russische militairen? Die hebben een standaarduitrusting. Wat zou er in de ene kamer anders kunnen zijn dan in de andere?

— Er zijn altijd verschillen, zelfs als twee mensen precies dezelfde dingen hebben. Hoe ze die neerleggen, kan bijvoorbeeld van belang zijn. En er zijn genoeg dingen die niet gestandaardiseerd zijn. Geld bijvoorbeeld, sigaretten, flessen alcohol, brieven, documenten, een dagboek...

Nara dacht hierover na.

— Een dagboek? Houden veel Russen een dagboek bij?

— Meer vrouwen dan mannen, maar militairen vinden het vaak nuttig om op te schrijven wat er op een dag gebeurt.

— Het zou me verbazen als je in heel Kaboel vijftig dagboeken zou kunnen vinden, misschien wel in heel Afghanistan. Denk je dat deze militair een dagboek bijhoudt?

— Dat gaan we onderzoeken.

Fjodor Mazoerov had een kleine slaapkamer op de bovenste verdieping toegewezen gekregen. Het was een merkwaardig onderkomen voor een officier die een bloedige bezetting gaande hield. In plaats van het ijzeren ledikant waarin militairen meestal sliepen, had Fjodor Mazoerov een groot hemelbed tot zijn beschikking, omdat het daar nou eenmaal stond. Tot de inrichting van de kamer behoorde een aan gruzelementen geslagen kroonluchter die eruitzag als een vernield gebied en een walnoten bureautje, een van de weinige meubels in het paleis die onbeschadigd waren gebleven. Boven het bed hing een portret van Lenin, haastig vastgespijkerd en te klein voor de ruimte die het aan de muur innam, op een plek waar gezien de verkleuring van het behang een veel groter object gehangen moest hebben.

Leo liep naar de verste hoek van de kamer en nam de ruimte in zich op. De man had deze kleine ruimte toegewezen gekregen en zou daar iets eigens van hebben willen maken – er zouden zeker kenmerken van zijn karakter in terug te vinden zijn. Nara bleef bij de deur staan, als een sceptische waarnemer, bang om hem te storen bij datgene waar hij mee bezig was. Leo vroeg haar:

— *Wat zie je?*

Ze keek zonder er veel vertrouwen in te hebben de kamer door. Ze betwijfelde of ze iets van belang zou opmerken. Leo zei dat ze naar hem toe moest komen.

— *Kom hier bij mij staan.*

Ze voegde zich bij hem en bekeek de kamer vanuit hetzelfde standpunt. Ze zei:

— *Ik zie een bed.*

Leo liep ernaartoe en keek onder het bed. Er stond een paar laarzen. Hij bekeek de zolen: het waren zware, zwartleren dienstlaarzen, te warm voor Afghanistan en ongebruikt omdat ze onpraktisch waren. Hij stond op, schoof zijn hand onder de matras en draaide die om. Er lag niets onder. Hij liep naar het bureautje en constateerde dat hij het had opgeruimd. Er lagen geen papieren. Hij keek in de prullenbak. Geen weggegooide rommel. Leo zei tegen Nara:

— *Niets vinden kan een nuttige ontdekking zijn. We weten nu in elk geval iets. Namelijk dat het geen spontane of impulsieve beslissing was om te vertrekken. Hij heeft er zorgvuldig over nagedacht. Hij heeft de kamer opgeruimd. Hij verwachtte al dat we zouden komen kijken.*

Leo trok de la open en zag tot zijn verrassing zijn eigen spiegelbeeld naar hem opkijken. Het was een fraaie spiegel, groter dan het portret van Lenin, een wandspiegel. Hij hield hem omhoog en bekeek hem. Het was een zware, antieke spiegel, met een verzilverde achterkant en een bewerkte rand. Hij liet zijn blik door de kamer gaan.

— *Waar komt deze vandaan?*

Nara wees naar het portret van Lenin:

— *Heeft hij de spiegel vervangen door het portret van Lenin?*

— *Nee, die is veel kleiner dan wat er eerst heeft gehangen.*

Leo tuurde naar het glas. De randen waren bedekt met vingerafdrukken.

— *De spiegel is vaak vastgepakt.*

Hij schakelde over naar het Russisch en richtte zich tot de soldaat bij de deur.

— *Weet je waar deze spiegel vandaan komt?*
De soldaat schudde zijn hoofd. Leo vroeg:
— *Waar is het toilet?*
Met de spiegel onder zijn arm liep Leo met Nara achter de soldaat aan naar het toilet, een sombere ruimte die zwaar beschadigd was in de strijd. De ramen waren kapot en vervangen door houten borden. De spiegels waren verbrijzeld.
— *Er is hier geen spiegel.*
Leo keek de soldaat weer aan.
— *Hoe scheer jij je dan?*
— *Ik woon hier niet.*
Leo haastte zich de kamer uit, liep de gang weer in en bekeek de verkleurde plekken aan de muren aandachtig. Toen hij er een vond die in aanmerking leek te komen, hing hij de spiegel er op. Hij paste precies en hing dus weer op de plaats waar hij vandaan kwam. Hij keek Nara aan.
— *Hij heeft een van de weinige onbeschadigde spiegels van de muur gehaald en in zijn kamer bewaard.*
Nara deed een stapje dichterbij. Langzaam begon ze iets te begrijpen van de denkwijze waarvan ze getuige was, en de betekenis van de ontdekking wond haar op.
— *De officier besteedde aandacht aan zijn uiterlijk?*
— *En wat betekent dat?*
— *Dat hij ijdel was?*
— *Hij heeft een vrouw ontmoet.*

Kaboel
District Murad Khani

Dezelfde dag

Nara bleek van onschatbare waarde bij de beoordeling van de lijst met namen van de vrouwen met wie de gedeserteerde officier in contact was gekomen. Ze kende het merendeel van de vrouwen persoonlijk of van horen zeggen en wist snel de namen door te halen van degenen die het zichzelf nooit zouden hebben toegestaan verwikkeld te raken in een liefdesgeschiedenis. Leo was er niet van overtuigd dat zijn jonge protegee wel begreep dat, als er liefde in het spel was, zelfs de meest betrouwbare personen zich onvoorspelbaar konden gedragen, maar omdat hij maar heel weinig wist van de vrouwen op de lijst, besloot hij zich aan te sluiten bij haar eerste conclusies.

Fjodor Mazoerov had al drie maanden in het land doorgebracht, maar er hadden zich maar heel weinig gelegenheden voorgedaan waarbij zich een romantische verhouding had kunnen ontwikkelen. Anders dan in veel andere oorlogsgebieden en hoofdsteden waren er in Kaboel geen bordelen, al had Leo van enkele hoge militairen wel gehoord dat men ze wilde oprichten ten behoeve van de vele militairen die hiernaartoe kwamen. De vrouwen zouden uit het buitenland gehaald worden, wellicht uit de landen van de communistische bondgenoten in het westen, vanwaar ze dan ingevlogen zouden worden zoals kratten artilleriegranaten. De bordelen zouden geen commerciële ondernemingen worden, maar onderdeel vormen van de militaire infrastructuur – en dan wel in het geheim natuurlijk, om ervoor te zorgen dat de plaatselijke bevolking niet in haar vrome gevoelens gekwetst werd. Dit project, dat zonder twijfel een of andere obscene codenaam zou dragen, was echter nog niet van de grond gekomen, en dus moest de jonge officier verliefd zijn geworden op een Afghaanse vrouw. De status van de vrouw in het land bracht met zich mee dat er geen vrouwelijk winkelpersoneel was, in de theehuizen trof je geen vrouwen aan en er was weinig kans op een toevallige ontmoeting op straat. Nara was er vast van overtuigd dat de vrouw afkomstig was uit de hogere klassen, de enige sector in de samenleving waar de segregatie van mannen en vrouwen niet totaal was. Bij het nalopen van de lijst van ontmoetingen en afspraken van de officier sprong de naam van één vrouw eruit. Hij had regelmatig gesproken met een Afghaanse minister in de nieuwe regering, en deze man had een dochter van halverwege de twintig, die universitair was opgeleid, vloeiend Russisch sprak en optrad als tolk van die minister.

Het adres bleek dat van een honderden jaren oud, in traditionele stijl gebouwd huis te zijn, met lemen muren en decoratieve krullen. Veel van deze huizen waren verwoest, en in de meeste wijken waren niet veel voorbeelden van dit soort vakmanschap te zien, maar alleen hier en daar nog enkele geïsoleerde gevallen. Het huis lag in een smalle, oude straat, het was geschilderd in warme kleuren rood en bruin, en het leek Leo wel toepasselijk dat deze liefdesgeschiedenis zich afspeelde in een van de weinige mooie architectonische ontwerpen die nog overeind stonden. De wijk was ooit relatief rijk geweest en door mensen uit de hogere standen bewoond geweest, maar nu was er nog maar weinig aanleiding om dit stadsdeel als geprivilegieerd te beschouwen. Nergens was het nog veilig, nergens was bescherming tegen al het oplaaiende geweld.

Leo klopte niet aan, maar stak zijn mes in het zware ijzeren slot. Het was een oud slot, en in de decoratieve wijze waarop het bewerkt was, was het vakmanschap van de makers te herkennen, wat echter ook betekende dat het moeilijker te openen was dan een modern slot. Nara werd er nerveus van.

— *Wat gebeurt er als ik het mis heb? Deze man is minister.*

Leo knikte.

— *Dan krijgen we een hoop ellende. Maar als we eerst achter toestemming aan moeten, zullen we de minister beledigen en krijgt de verdachte de tijd om te vluchten. Het gaat er dus om…*

Leo zette zijn vinger op zijn lippen om Nara duidelijk te maken dat ze moest zwijgen. Als ze het mis hadden, zouden ze weer naar buiten sluipen en zou uit niets blijken dat ze binnen waren geweest.

Toen Leo ten slotte het zware slot hoorde klikken, duwde hij de deur open.

Als hun veronderstellingen inderdaad juist waren, leek het hem niet erg waarschijnlijk dat de minister er persoonlijk bij betrokken was; waarschijnlijk wist hij niet eens waar zijn dochter mee bezig was. Het risico dat de minister dan zou lopen was te groot, en afgaande op wat er over hem bekend was, leek hij een te gewiekst politicus om zich niet te realiseren wat de gevolgen ervan zouden zijn, niet in zijn relaties met zijn Russische bondgenoten, maar in die met zijn Afghaanse collega's. Samenwerken met de Russen was één ding, maar je dochter met een Russische militair laten trouwen was iets van een geheel andere orde. Leo betwijfelde of het stel al uit de stad gevlucht was, hoewel hij hoopte dat dit wel het geval was. Het was voor hem geen vraag naar wie zijn sympathie uitging – hij koos zonder meer voor het verliefde stel. De dochter, die Ara heette, had haar minnaar vrijwel zeker onderdak geboden, en ze zouden nu bezig zijn met het voorbereiden van hun volgende stap, in de overtuiging dat ze konden wachten totdat de eerste huiszoekingen achter de rug waren en konden vertrekken als de aandacht verslapte.

Het was een bijzonder groot huis, en op de benedenverdieping was niemand te zien. Als inbrekers slopen Leo en Nara stiekem de trap op. Nara was nog zo jong en onervaren dat ze het eigenaardige gevoel had dat ze een toneelstukje opvoerden, alsof het een oefening in de vaardigheden van een geheim agent was, in plaats van het echte werk. Ze kwamen bij een gesloten deur. Leo duwde hem open. Ara zat met haar rug naar hen toe aan een schrijftafel met een stapel papieren voor zich uitgespreid. Ze hoorde hen binnenkomen, stond op en draaide zich geschrokken en bang om. Ze hadden geen andere keuze meer dan te zeggen naar wie ze op zoek waren. Nadat ze even de tijd had genomen om zich te herstellen, zei ze in het Russisch:

— *Wie bent u? Wat doet u in mijn huis?*

Ze was een opvallend mooie, zelfverzekerde en stijlvolle jonge vrouw, typisch iemand die gestudeerd had en een geprivilegieerd leven leidde. Dat ze geschokt was, was duidelijk, maar haar verontwaardiging had iets gedwongens; haar stem trilde niet van woede, maar van nervositeit, wat iets heel anders was. De deserteur was hier, daar was Leo zeker van.

Leo's blik schoot door de kamer. Er was hier geen voor de hand liggende schuilplaats. Hij sprak Ara toe in het Dari.

— *Mijn naam is Leo Demidov. Ik ben speciaal adviseur van de geheime dienst. Waar is hij?*

— *Wie?*

— *Luister goed naar me, Ara.* We kunnen dit tot een goed einde brengen. We kunnen het zo regelen dat Fjodor Mazoerov weer aan het werk gaat. Hij kan bijvoorbeeld zeggen dat hij dronken was, dat hij heimwee had, of dat hij dacht dat hij een vrije dag had, het maakt niet uit. We bedenken wel iets. Hij is pas achttien uur vermist. Hij heeft een smetteloos personeelsdossier, en dit is de eerste keer dat hij in het buitenland is. Bovendien is je vader minister. Niemand is op een schandaal uit of wil iemand anders in verlegenheid brengen, en de Russen zullen dit net zo lief in de doofpot stoppen als dat ze hem willen arresteren. We kunnen het oplossen als we samenwerken. Maar dan moet jij me helpen. Waar is hij?*

Ara was bereid om te liegen, maar dit aanbod was ook verleidelijk voor haar. Leo deed nog een stapje in haar richting en probeerde haar duidelijk te maken dat dit geen valstrik was.

— *We hebben niet veel tijd. Als je tegen me liegt en anderen zouden hem te pakken krijgen, dan zullen die jou niet hetzelfde bemiddelingsvoorstel kunnen doen. En ze zullen hem zeker vinden, dat is een kwestie van een paar uur. Wij zijn niet de enigen die naar hem op zoek zijn. Wij zijn niet de enigen die in staat zijn om de conclusie te trekken die ons hier heeft gebracht.*

Ara keek Leo aan en vervolgens Nara en probeerde de situatie goed in te schatten.

— *Ik weet niet waar u het over hebt.*

Het klonk niet overtuigend, ze kon de ontkenning maar nauwelijks over haar lippen krijgen, en haar stem stierf weg. Leo zuchtte.

— *Moet ik dan het leger roepen om het huis te doorzoeken? Ze kunnen binnen enkele minuten hier zijn. En dan trekken ze de muren omver en slaan ze al het meubilair in stukken.*

Nu ze geconfronteerd werd met deze mogelijkheid, gaf Ara haar verzet op en boog het hoofd. Ze liep naar de deur, maar draaide zich toen om en keek Leo smekend aan.

— *U belooft ons te helpen?*

— *Dat beloof ik.*

Ze bestudeerde zijn gelaatsuitdrukking en probeerde er iets in te zien waaruit ze zou kunnen opmaken dat hij een goed mens was.

Het was lastig om te weten wat haar conclusie was. Waarschijnlijk accepteerde ze het feit dat ze geen keuze had. Ze ging met hen naar beneden, ontgrendelde een deur en liep met hen een kelder in. De kelder, met een laag, gewelfd plafond, waar de lucht van nature koel was, werd gebruikt als voorraadruimte. Ara stak een kaars aan, waarna ze in een hoek Fjodor Mazoerov zagen zitten, die verbijsterd naar haar en de twee geheim agenten keek. Leo zei in het Russisch:

— *Blijf kalm. Ik kan je helpen. Maar je moet precies doen wat ik zeg.*

Mazoerov zweeg. Leo zag dat hij zijn vuisten had gebald. Het was vrijwel zeker dat hij gewapend was. Hij was bereid om te sterven voor de vrouw die hij liefhad. Oprecht nieuwsgierig en zonder een spoortje spot of cynisme vroeg Leo:

— *Vertel eens, wat waren jullie van plan te gaan doen? Samen vluchten?*

Ara pakte de hand van haar geliefde. Het was een gewaagd vertoon van affectie voor een Afghaanse vrouw, en Nara reageerde zichtbaar op het gebaar. Mazoerov antwoordde:

— *We wilden naar Pakistan.*

Hij zei het zonder overtuiging. Het was een dwaas plan. Ze zouden niet alleen te maken krijgen met controleposten van de Sovjets, maar ook met het bolwerk van de opstandelingen aan de grens. Leo bevond zich echter niet in de positie om kritiek te hebben op bizarre ondernemingen. Hij voelde met hen mee, maar realiseerde zich dat dit meer was dan alleen maar begrip of mededogen – hij had ook het verlangen om met hen mee te gaan. Hun plannen herinnerden hem aan zijn eigen poging om naar New York te gaan, wat een even dapper als dom plan was geweest. Hij vroeg:

— *En dachten jullie daar gelukkig te kunnen zijn, in Pakistan?*

Fjodor stond op het punt om hem tegen te spreken, maar hij hield zich in en slikte zijn woorden in. Leo had geraden wat hun werkelijke doel was.

— *Wilden jullie asiel aanvragen? Bij wie? Bij de Amerikanen? Wilden jullie dat zij jullie zouden beschermen?*

Dit feit was voldoende om hem voor het executiepeloton te brengen. Om Leo in staat te stellen tot een akkoord te komen en Fjodors leven te redden was het van het grootste belang dat dit aspect van het plan niet bekend werd. Ze zouden zijn afwezigheid gedurende achttien uur wijten aan een tijdelijke inzinking of aan een nacht van seksuele genietingen. Afgaande op de preoccupatie met bordelen van zijn superieuren, zou dit excuus wel op enige sympathie kunnen rekenen, dacht hij.

Terwijl iedereen zat te wachten totdat Leo het woord zou nemen, dacht hij na over zijn aanpak.

— *Om te beginnen moet je me beloven dat je alles zult doen wat ik je zeg. Je moet dat plan om naar Pakistan te gaan opgeven. Het was sowieso een idioot plan. Als de Sovjets jullie niet zouden doden, deden de moedjahedien het wel. En dan moet je terug naar je post en je loyaal betonen aan het leger. Je moet hen geruststellen en hun verzekeren dat dit nooit meer zal gebeuren.*

De uitwerking van zijn inderhaast geïmproviseerde plan werd afgekapt doordat boven hen ineens geluid weerklonk. Er was iemand aan de deur. Leo keek langs de trap naar boven, en toen hij stemmen hoorde, vroeg hij aan Ara:

— *Je vader?*

Ara schudde haar hoofd. Er klonken voetstappen, en ineens verscheen een aantal Sovjetsoldaten in de kelder. Mazoerov greep naar zijn wapen. De Sovjets hieven hun pistolen op en richtten die zowel op Ara als op hem. Nu hij in de val zat en omringd was, gooide de jonge officier zijn pistool op de grond en stak zijn handen omhoog.

Ara keek Leo aan, en haar verwijt klonk fel.

— *U had het beloofd!*

Leo begreep niet hoe ze hier kwamen. Hij had niemand van zijn plannen verteld, niemand verteld waar ze naartoe gingen.

Langzaam draaide hij zich om naar Nara. Ze stond achter hem, met haar handen op haar rug. Toen ze zijn vorsende blik zag, zei ze:

— *De kapitein had me gevraagd hem op de hoogte te houden waar we naartoe gingen.*

Leo had een beginnersfout gemaakt. Hij had aangenomen dat Nara met hem mee had gemoeten om het vak te leren, maar hij had haar gecharterd om hem te bespioneren. Gezien zijn achtergrond was het niet meer dan logisch dat de kapitein zo'n voorzorgsmaatregel had getroffen nu hij te maken had met een deserteur.

Fjodor Mazoerov werd weggevoerd door een gewapende soldaat. Ara keek naar hem en zweeg, wel wetend dat elk vertoon van affectie provocerend zou werken op de Afghaanse militairen. Zij werd niet gearresteerd: zoiets zou de minister te schande maken.

Haar straf zou vastgesteld en uitgevoerd worden door haar vader. Als ze slim was, zou ze ontkennen dat ze van hem hield en hem overal de schuld van geven, zeggen dat hij smoorverliefd op haar was. Maar ze was verliefd, en het leek Leo onwaarschijnlijk dat ze dat zou ontkennen, ook al zou haar dat veel ontberingen en schande brengen.

Terwijl zij als laatsten de kelder verlieten, zei Leo zei tegen Nara Mir, zijn stagiaire:

— *Je hebt alles in je om een uitstekend agent te worden.*

Ze vatte de opmerking letterlijk op, zonder de implicaties te begrijpen, en glimlachte.

— *Dank je wel.*

Kaboel
District Murad Khani

Dezelfde dag

De elektriciteit in de wijk was uitgevallen, en Nara was gedwongen om haar avondgebed te bidden bij het licht van een beroete gaslamp. Ze dacht daarbij aan het leven van deserteur Fjodor Mazoerov en zijn geliefde, Ara, een vrouw die Nara vroeger had bewonderd als een progressieve figuur. Ara was als intelligente, hoogopgeleide werkende vrouw een rolmodel voor haar geweest. Nara had weliswaar gehandeld in overeenstemming met haar plicht, maar toch vroeg ze zich af of ze er wel goed aan had gedaan om kapitein Vasjtsjenko ervan op de hoogte te brengen dat Ara hun voornaamste verdachte was. Als ze dat niet had gedaan, had Leo hen misschien allebei kunnen redden. Maar het feit dat het stel nu in benarde omstandigheden verkeerde, was toch niet haar schuld. Ze had alleen maar doorgegeven wat ze deden. De verantwoordelijkheid lag bij hen. Toch kon ze zichzelf niet overtuigen, en haar gebeden werden gekleurd door twijfels. Ara zou te schande worden gezet en misschien zelfs fysiek geweld te verduren krijgen. Hoe liberaal haar vader als communistische minister ook mocht zijn, de seksualiteit stond los van elke politieke overtuiging, en hij zou zeker conservatief reageren op deze escapade van zijn dochter. Fjodor zou berecht worden door een militaire rechtbank, en Ara zou be- en veroordeeld worden door haar vader.

Ze ademde diep in en uit, maar miste het gevoel van rust en evenwicht dat bij haar doorgaans het resultaat was van haar gebed, en ze rolde haar mat op. Een vrouw werd niet geacht samen met anderen te bidden, haar godsdienstigheid was een privéaangelegenheid. Er waren dan wel geen theologische redenen waarom ze niet in de moskee zou bidden, maar de voorwaarden waaronder ze daar aanwezig kon zijn waren zo streng dat het lastig was om in het openbaar haar godsdienst te belijden. De laatste keer dat ze in de moskee was geweest, had men haar ervan beschuldigd dat ze parfum gebruikte en had ze ten slotte moeten toegeven dat de zeep waarmee ze haar handen waste mogelijk enigszins geparfumeerd was. Omdat ze niet nog eens de vernedering wilde ondergaan om door een stel mannen besnuffeld te worden, bad ze nu privé.

Terwijl ze haar blik door haar kamer liet gaan en keek naar de gebedsmat, haar kleren, de kast, de stoel en de lamp, dacht ze aan de les van kameraad Demidov. Als een agent haar kamer zou doorzoeken, zouden de enige dingen die eruit sprongen en controversieel waren, die voorwerpen zijn die ze van de Sovjets had gekregen – een oefeningenboek en een goedkope pen. Als ze wilde leren, moest ze doorgaans de lesboeken naar haar kamer smokkelen. Ze hield ze buiten verborgen in een spleet in een lemen muur in de smalle straat, ingepakt in plastic tegen de weersinvloeden en het vuil. Het viel niet mee om ze daar telkens weg te halen zonder gezien te worden door de buren of de jongens die daar speelden, en ze had zich vaak afgevraagd of ze niet overdreven voorzichtig was en of ze niet veranderd was door de opleiding die ze volgde. Voorzichtigheid was nuttig als tactiek: haar ouders hadden koel gereageerd toen ze zich wilde inschrijven bij de universiteit, dus ze kon zich indenken hoe kwaad ze zouden zijn als ze erachter kwamen dat ze in haar nieuwe baan voor de Afghaanse geheime dienst werkte.

Nara's vader, Memar, was een van de meest vooraanstaande architecten van het land. Als leider van zijn beroepsvereniging had men hem uitgekozen om het contact met de overheid te onderhouden, waardoor hij een invloedrijke stem had als het ging om welk groot bouwproject dan ook in Kaboel. Hij was een oudgediende in zijn vak en werd beschouwd als een *ustad*, een meester. Hij had een aantal leerlingen, onder wie Nara's oudste broer. Maar haar broer leidde een verkwistend leven. Hij was lui, en het grootste deel van de tijd racete hij door de straten van Kaboel op een door hemzelf aangepaste, geïmporteerde motor, om indruk te maken op zijn vrienden. Hij was knap en populair, en was meer geïnteresseerd in zijn sociale contacten dan in de studie. Aan Nara was nooit gevraagd of ze misschien die opleiding wilde doen, en ook was ze nooit bij een van de bouwplaatsen van haar vader geweest. Dat ze hetzelfde vak als hij zou uitoefenen, was niet alleen uitgesloten, het idee was zelfs nooit bij hem opgekomen. Hij wilde zijn zaken niet met haar bespreken en deed dat ook niet. Altijd als ze iets over hem te weten wilde komen, was ze gedwongen geweest om zelf op onderzoek uit te gaan en zijn gesprekken af te luisteren of zijn post te lezen – en zo had ze zich thuis al getraind in het vak dat ze uiteindelijk had gekozen.

Ze had ontdekt dat hij als jongeman van het platteland naar Kaboel was gestuurd door zijn vader, een smokkelaar van schapenvachten in het grensgebied van Afghanistan en China. Hij was naar de stad gekomen met de bedoeling zijn familie op het platteland te ondersteunen, die leefden in een dorp dat ten gevolge van de ergste droogte sinds mensenheugenis te lijden had van slechte oogsten. Omdat hij zich graag wilde aansluiten bij de gevestigde middenklasse, was hij bang dat hij door zich religieus conservatief te betonen een provinciale indruk zou maken. De twee drijvende krachten in zijn leven waren echter de godsdienst en de handel, en dat waren twee zaken geweest die niet altijd te combineren waren. Zijn zakelijk inzicht had het hem echter mogelijk gemaakt om compromissen te sluiten. Nara was naar school gestuurd, omdat zijn cliënten hun dochters ook naar school stuurden. Hij tolereerde haar beslissing om de chador niet te dragen alleen maar omdat de dochters van zijn klanten die ook niet droegen. Dat je dochter geen sluier droeg, was een belangrijk sociaal signaal, dat terugging op het jaar 1959, toen vrouwen uit de bourgeoisie zich bij de herdenking van de onafhankelijkheid in Kaboel zonder sluier hadden vertoond. Nara had echter niet de illusie dat haar vaders tolerantie meer was dan een commerciële strategie. Hij was in hart en nieren een streng en vroom man, en dat ze naar school ging, was hem een doorn in het oog geweest. In zaken had hij alles bereikt wat hij had willen bereiken, maar in zijn gezinsleven niet. Hij was de vader van een onnozele zoon en een ongetrouwde dochter.

Nara bracht vele uren door met zich zorgen te maken over alles wat er misging in de familie. Niet alleen was ze ongehuwd, er was ook niemand die haar het hof maakte, zelfs niet onder de zonen van de elite, die toch voorgaven voorstanders te zijn van een goede opleiding voor vrouwen. In de praktijk gaven echter zelfs de meest liberale mannen de voorkeur aan een traditionele vrouw, en dat was ongetwijfeld de reden geweest dat de goed opgeleide Ara het risico had genomen een relatie aan te gaan met een Russische militair. Niemand anders werd verliefd op haar. En hetzelfde gold voor Nara. Het verschil was dat zij zich had neergelegd bij haar lot.

Nara zou besloten kunnen hebben met haar familie te breken en ergens anders te gaan wonen. Maar hoeveel problemen er ook waren, ze hield van haar ouders en begreep maar al te goed dat weggaan zou betekenen dat ze hen helemaal kwijt zou raken. Ze zouden niet bij haar op bezoek komen. Ze kon niet accepteren dat er geen compromis mogelijk was. Haar vader was een man van compromissen: zijn hele carrière was erop gebaseerd geweest. De toekomst van het land hing af van compromissen. De nieuwe Afghaanse president begreep dat. Hij had een compromis gesloten ten aanzien van het geloof. Velen die zich tegen de staat keerden, zeiden dat je als moslim niet voor de Democratische Volkspartij van Afghanistan kon werken, dat communisme inhield dat moskeeën gebombardeerd en korans verbrand moesten worden. De nieuwe president had gekozen voor een verzoenende houding tegenover de islam, ook ten aanzien van de hoogst ontvlambare kwestie van onderwijs voor vrouwen: het argument om daarvóór te zijn was ontleend aan de Koran, namelijk aan die passage waarin de schepping van man en vrouw wordt beschreven:

Eén enkele cel en schiep daaruit zijn gezellin, en uit die twee kwamen mannen en vrouwen voort in groten getale.

Er was een religieuze grondslag voor het idee van gelijkheid. Nara moest proberen dit op de een of andere manier aan haar ouders duidelijk te maken. Haar geloof zou er anders uit kunnen gaan zien dan de manier waarop zij daar uiting aan gaven, maar het was net zo sterk. Ze beschouwde haar familie als een testmodel, een microkosmos van het hele land. Als ze het al opgaf met haar familie, hoe kon ze dan iets doen om het land te verenigen?

Nara ging naar bed en was te moe om nog wat te lezen of na te denken. Ze was uitgeput door wat er die dag gebeurd was en wilde slapen. Ze wilde net de lamp uitblazen toen ze een geluid hoorde. Haar ouders en haar broer waren niet thuis. Die waren de stad uit, op familiebezoek op het platteland in de omgeving van Kaboel, bij mensen met wie Nara niets had. Het was verre familie, en deze mensen belichaamden de slechtste kant van de traditie. Ze wilden niets van haar weten en zouden haar zelfs niet in hun huis willen ontvangen. Ze hurkte neer op haar bed en opende het raam. Het pand was gebouwd op een steile helling, en ze woonden in het appartement op de bovenste verdieping. Ze keek in de steeg, waar ze haar leerboeken had verstopt. Er was niets te zien. Maar daar was het geluid weer, een krakend geluid. Het was in huis, leek het. Ze stapte uit bed en liep op blote voeten geruisloos haar kamer uit en naar de voordeur. Hun appartement was bereikbaar via een smalle stenen trap, en als iemand die trap op liep, kraakte het houten deurkozijn. Doorgaans was Nara niet bang, zelfs niet als ze alleen was. Onder aan de trap was een stevig hek met dikke ijzeren spijlen, en dat was afgesloten met een hangslot. Het was onmogelijk dat een indringer de voordeur zou kunnen bereiken. Nara liep naar de deur en hield haar oor tegen het hout. Ze wachtte.

Of het nu kwam door de kracht waarmee de deur werd ingeslagen of door de schrik, in elk geval viel Nara op de grond, en toen ze opkeek, zag ze twee mannen het appartement in komen, die de restanten van de deur opzij schopten. Nara's lichaam reageerde sneller dan haar bewustzijn; ze stond meteen op en rende struikelend naar haar kamer. Een van de mannen sloeg haar tegen de grond, maar ze slaagde erin zich onder hem uit te wurmen en wist haar kamer te bereiken. Toen gaf de tweede man haar een schop. Zo'n pijn had ze nog nooit gevoeld – het was alsof haar maag explodeerde. Ze viel neer, kromp in elkaar en hapte naar adem.

De man keek op haar neer met een van haat vervuld gezicht. Het was een vreemde, maar er klonk zoveel woede in zijn stem dat het was alsof hij haar persoonlijk kende.

— Jij hebt je land verraden.

Terwijl hij sprak viel de andere man op Nara neer en drukte haar tegen de grond. Hij ging op haar borst zitten, en door zijn gewicht perste hij de adem uit haar longen. Toen hij haar schriften aangereikt kreeg, begon hij die uit elkaar te scheuren, en de snippers met daarop in haar keurige handschrift de citaten van Stalin, de lessen van Leo Demidov, vielen op haar gezicht. Hij probeerde een handvol papier in haar mond te duwen. Ze perste haar lippen op elkaar. De man reageerde door overeind te komen, waardoor de druk op haar longen verlicht werd, maar toen liet hij zich weer vallen. Toen ze haar mond opende om naar lucht te happen, zette hij zijn knokkels tegen haar tanden en duwde de prop papier in haar mond. De man die naast hen stond zei:

— Je wilde een opleiding…

Nara kreeg geen lucht meer. Ze krabde de man in zijn gezicht. Hij sloeg haar handen weg en propte nog meer papier in haar mond. Het was zoveel dat ze het in haar keel voelde drukken, waardoor ze begon te kokhalzen. Ze zwaaide hulpeloos met haar armen heen en weer en trok haar beddenlakens naar beneden.

Ze kon niet scherp meer zien, alles was wazig, maar toen voelde ze iets tegen haar hand – de pen die ze gebruikte om aantekeningen te maken. Ze pakte hem vast, klikte de punt naar buiten en zwaaide ermee naar de man die haar aan had gevallen. Ze stak hem in zijn hals. Ze was verzwakt door de aanval, maar de pen ging er wel zo diep in dat de man het uitschreeuwde. Hij liet haar los. Uit zijn greep bevrijd, spuugde ze een deel van het papier uit en zoog wat lucht naar binnen. Nu ze weer kon zien en in staat was om te denken, keerden haar krachten terug en perste ze de pen verder in zijn hals, zo hard als ze kon, en ze voelde zijn bloed langs haar hand lopen. Hij verloor zijn evenwicht en viel opzij.

Vol ongeloof om haar plotselinge vrijheid spuugde Nara de rest van het papier uit. Ze sprong op het bed en verwijderde zich in de kleine ruimte zo ver mogelijk van de mannen. De tweede man stond bij zijn maat. Hij trok de pen weg, waardoor het bloed uit de wond stroomde. In de daaropvolgende verwarring, waarin de man tevergeefs probeerde het bloeden te stelpen, schatte Nara in of ze de deur zou kunnen bereiken. Maar nee, dan moest ze te dicht langs haar belagers. Zelfs als het haar wel zou lukken, zouden ze haar in de huiskamer of op de trap wel te pakken weten te krijgen. Ze voelde de koele nachtelijke bries op haar blote voeten, draaide zich om en keek uit het raam. Het was haar enige kans om te ontsnappen. Ze stapte op de vensterbank en klom op het dak.

Omdat de elektriciteit was uitgevallen, was er ook geen strooilicht vanaf de straat. De stad was in het donker gehuld, de duisternis had zich als een olievlek over de buurt uitgestrekt, maar ook over de vallei en de heuvels in de verte, met alleen hier en daar het flakkerende licht van gaslampen en kaarsen. De duurdere panden en de overheidsgebouwen hadden dieselgeneratoren, en die straalden zeeën van licht uit.

Ze hoorde de hand van de overgebleven aanvaller naast zich op het dak neerkomen en rende het dak op, met haar blote voeten op het beton, en holde in de richting van het huis van de buren. Ze zag geen onderscheid tussen de donkere daken en de duisternis daartussen, maar toen ze voelde dat ze met haar voeten op de rand van het dak stond, zette ze zich af en sprong ze zo hoog op als ze kon. Haar voeten maaiden door de lucht in afwachting van het moment dat ze op het aangrenzende dak zou neerkomen. Ze tuimelde naar voren, kwam weer overeind en rende door. Het dak trilde hevig toen haar achtervolger achter haar neerkwam. Ze keek niet om maar rende zo hard als ze kon door, en terwijl ze het ruwe beton aan haar voetzolen voelde, deed ze moeite om haar ogen aan het donker te laten wennen. Ze maakte weer een sprong en landde behendig op het volgende dak. Maar al nadat ze een paar passen had gezet, voelde ze dat dak weer trillen – hij haalde haar in. Ze kon de neiging om achterom te kijken niet onderdrukken, en toen ze dat deed, zag ze zijn donkere omtrekken op maar enkele meters achter zich. Hij stak zijn armen al naar voren. Wanhopig draaide ze zich weer naar voren en schatte de afstand naar het volgende dak. Het was te ver. Dat haalde ze nooit. Maar ze had niets te verliezen.

Haar voeten maakten zich los van het dak, haar lichaam steeg omhoog. Even was ze ervan overtuigd dat ze veilig neer zou komen, maar toen begon ze te vallen, kort voordat ze het volgende dak zou bereiken, en ze sloeg tegen de zijkant van het huis. Ze werd naar achteren geworpen en stortte naar beneden. Met één hand greep ze naar een vensterbank, maar ze kon zich niet vasthouden, haar vingers verloren hun grip, waarna ze verder naar beneden viel en onhandig op de grond terechtkwam.

Ze bleef stil liggen, onzeker of ze zich wel kon bewegen. Toen ze het probeerde en overeind wilde komen, voelde ze wel pijn, maar niet genoeg om van haar voornemen af te zien. Ze wachtte met ingehouden adem. Hij was niet gesprongen, dan zou ze het gehoord hebben. Ze keek omhoog naar de sterrenhemel en zag zijn donkere omtrekken daartegen afsteken op de rand van het dak. Hij verdween. Hij ging op zoek naar een andere manier om beneden te komen.

Ze krabbelde overeind, strompelde door de steeg, struikelde, rende, sloeg blindelings een aantal hoeken om. Haar enige voordeel was dat de elektriciteit was uitgevallen, waardoor het lastiger was om haar te volgen. Ze wist niet waar ze was en had geen idee hoe ver ze gerend had, maar toen ze bij een hoofdstraat kwam, zag ze een vrouw een huis binnengaan. Ze rende naar haar toe en smeekte:

— Help me.

Nara zag er niet decent uit, ze was half ontkleed en besmeurd met vuil. De vrouw deed de deur dicht.

Haperend kwam er een einde aan de stroomstoring. De straatverlichting flakkerde op en begon te zoemen – waardoor weer duidelijk te zien was waar ze was.

Kaboel
District Karta-i-Seh
Darulaman-boulevard

Dezelfde dag

Sinds hij na de arrestatie van de gedeserteerde officier weer thuis was, had Leo urenlang gerookt om te proberen zijn bijna ondraaglijke onrust te onderdrukken. Dat de twee geliefden plannen hadden gemaakt om een onmogelijke reis te gaan ondernemen, herinnerde hem niet alleen aan zijn eigen gefnuikte ambitie om naar New York te gaan, maar ook aan de reizen die hij met Raisa had gemaakt, in de Sovjet-Unie en naar Boedapest. Toen hij zag hoe vastberaden ze waren, hoe fout hun plan ook was, was hij gedwongen geweest zich af te vragen of hij afstand had genomen van zijn droom om de moord op Raisa op te lossen. Hij had zich weer gerealiseerd onder welke voorwaarden hij hier was. Hij kon niet uit Afghanistan weggaan zonder zijn dochters thuis in Moskou in het ongeluk te storten. Maar hoe je het ook bekeek, het advies dat hij Fjodor en Ara had gegeven was realistisch: ze zouden met onoverkomelijke moeilijkheden te maken krijgen als ze naar Pakistan wilden. De wegen stonden onder controle van de Sovjetstrijdkrachten, het luchtruim werd beheerst door hun straaljagers en helikopters en in de bergen hadden de Afghaanse opstandelingen het voor het zeggen, en zij zouden elke Rus zonder meer doden, of hij een deserteur was of niet. En per slot van rekening was het stel er nog niet eens in geslaagd Kaboel te verlaten. Toch had hun mislukking iets heldhaftigs. Hij kon niet ontkennen dat zo'n onderneming iets romantisch had. Hij dacht aan Elena: als zij hier in Kaboel geboren was, zou zij ook in zo'n situatie verwikkeld hebben kunnen raken.

Tijdens deze overpeinzingen werd hij zich er langzaam van be-

wust dat er een geluid te horen was: er werd dringend aan de deur geklopt. Hij had geen zin om zijn pijp neer te leggen en bleef languit op zijn bed liggen. Hij was benieuwd of het geluid echt was of dat hij het zich maar had ingebeeld. Hij was niet van plan om op te staan en besloot af te wachten. Weer werd er geklopt, nog dringender nu, en er werd ook geroepen. Het was een vrouwenstem. Leo zoog aan zijn pijp en bleef met de kostbare rook in zijn longen doodstil liggen. Hij maakte geen aanstalten om op te staan of open te doen. Passief en roerloos bleef hij liggen. De stem riep zijn naam:
— *Leo Demidov!*

Hij ademde uit en keek naar de figuren die door de opiumrook in de lucht werden gevormd, waarna hij met zijn hand over zijn ongeschoren wang streek en tot de conclusie kwam dat de vrouw wel degelijk echt was, niet denkbeeldig. Onwillig riep hij:
— *De deur is niet op slot.*

Het was nauwelijks hoorbaar geweest. En zij had hem dan ook niet gehoord. Ze klopte opnieuw. Het kostte hem een enorme inspanning om zijn stem te verheffen:
— *De deur is niet op slot.*

De deur werd opengegooid, en een met modder en straatvuil besmeurde vrouw kwam binnen Ze deed de deur dicht en op slot, waarna ze op de vloer ineenzeeg en begon te huilen. Het was een zielig hoopje mens. Haar haren hingen in haar gezicht, en met een verwilderde blik in haar ogen keek ze wanhopig naar Leo. Het was Nara Mir, zijn meest veelbelovende stagiaire.

Ze was maar een paar stappen van hem verwijderd en praatte smekend, en hoewel ze er vies en gekneusd uitzag en ongetwijfeld de sympathie zou wekken van elke normale man, had Leo het gevoel dat hij zich op grote afstand van haar bevond. Het was een beetje alsof hij zich onder water bevond en vanuit die positie naar de vrouw keek. Ze behoorden tot verschillende werelden: de zijne was warm en kalm, de hare koud en in rep en roer. Het was geen onverschilligheid van hem, of een harteloos ontkennen. Hij wilde weten wat ze zei en was geïnteresseerd in wat er gebeurd was. Hij nam nog een trek van de pijp en bedacht dat als de goden bestonden, ze naar de mensheid zouden kijken zoals Leo nu naar Nara keek, als waarnemers die van een afstand toekeken hoe de gebeurtenissen zich voltrokken.

Leo deed zijn ogen dicht.

Nara hield op met praten. Haar mentor, de ondoorgrondelijke Leo Demidov, de man bij wie ze op het moment van haar grootste nood had aangeklopt, had een blik op haar geworpen, had gezien in welke deplorabele toestand ze zich bevond en was vervolgens in slaap gevallen. Hij had niet zijn armen om haar heen geslagen en haar getroost met de belofte dat hij haar zou beschermen. Haar leraar liet haar gewond en onder het bloed op de grond liggen, zonder aan te bieden haar te helpen of zelfs maar een blijk van medeleven. Vreemd genoeg had zijn gebrek aan aandacht echter een kalmerend effect op haar. Hoe je het ook bekeek, zij was in deze kamer nu in elk geval wel de enige die blijkbaar tot iets in staat was.

Ze stond op, liep naar het bed en keek naar haar mentor, die er met de pijp in zijn hand slap bij lag, het hoofd en het lichaam onder een vreemde hoek, als een marionet waarvan de touwtjes waren doorgeknipt. Ze rook de opium. Ze had niet geweten dat hij verslaafd was, maar nu viel alles op zijn plaats – zijn grilligheid, zijn afwezigheid en zijn onbetrouwbaarheid. Maar ja, als het om een buitenlander ging, viel het natuurlijk ook niet mee om te bedenken dat zijn rare eigenschappen niet te wijten waren aan het feit dat hij uit een ander land kwam.

Zij was nu degene op wie alles neerkwam, en ze maakte snel de balans op. Ze was binnen, achter een gesloten deur. Als de straatverlichting niet aangefloept was, had ze misschien ongezien zijn appartement kunnen bereiken, maar de realiteit was dat ze haar belager niet had kunnen afschudden en dat hij haar hiernaartoe was gevolgd. Ze haastte zich naar het raam, hurkte neer en keek naar buiten. Ze had verwacht maar één man te zien staan, maar er was een oploopje van zeker vijf of zes mensen. Ze kon hun gezichten niet onderscheiden. Het was wel duidelijk dat ze boos waren. De aanblik van een half ontklede vrouw die bij donker de woning van een Russische adviseur binnenging, had ongetwijfeld de gemoederen van de omwonenden in beroering gebracht. Haar belager was slechts enkele seconden later dan zij gearriveerd, en hij stookte de mensen op. Hij wist van geen ophouden. De mensen zouden in actie komen, het zou een volksgericht worden en ze zouden allebei gedood worden, net zoals gebeurd was in Herat, waar ze zowel Afghaanse vrouwen als Russische adviseurs hadden afgemaakt.

Nara probeerde te bedenken waar ze zich in de stad bevond en of er overheidsgebouwen in de buurt waren, waar hulp vandaan zou kunnen komen. De Russische ambassade lag aan het zuidelijke uiteinde van de Darulaman-boulevard. Die moest ze bellen. Ze ging weg bij het raam en liep terug naar Demidovs bed. Hij was buiten westen. Ze liet haar leraar liggen en doorzocht het appartement, maar zag nergens een telefoon. Vreemd, dat een man die meende dat je iemands karaktertrekken te weten kon komen door zijn persoonlijke bezittingen te bekijken zelf maar zo weinig bezat. Er stonden in zijn hele appartement minder meubels dan in haar kamertje thuis, en tenzij ze door haar paniek ziende blind was geworden, was er geen telefoon. Ze doorzocht het appartement opnieuw, ervan uitgaande dat ze in haar haast de telefoon over het hoofd had gezien. Bij die tweede zoektocht vond ze de lege wandcontactdoos voor de telefoon. Ze keek er wezenloos naar, en pas toen drong het tot haar door dat hij inderdaad geen telefoon had. Het was typisch iets voor hem. Hij wilde niet gebeld of lastiggevallen worden. De kans om te ontkomen was vervlogen. Ze voelde de paniek in haar borst, knielde bij haar mentor neer, pakte hem bij zijn nek en schudde hem heftig door elkaar. Hij had dan misschien geen telefoon, maar wellicht wel een pistool.

— *Word wakker!*

Zijn ogen rolden in hun kassen heen en weer, en af en toe was alleen zijn oogwit te zien. Nara rende naar de keuken, vulde een vuil glas met koud water, liep terug naar het bed en gooide het in zijn gezicht.

Leo opende zijn ogen en tastte naar het water op zijn gezicht. Hij was vergeten wat er in de afgelopen minuten was gebeurd, en toen hij opkeek en zijn meest veelbelovende stagiaire aan het voeteneinde van zijn bed zag staan, vroeg hij zich af wat zij hier in zijn appartement deed. Ze zag er verfomfaaid uit. Hoe lang was ze hier al, en waar kwam ze vandaan? Hij probeerde te bedenken hoe ze ook alweer heette, maar ook dat lukte niet. Hij had het gevoel dat hij in een comfortabele cocon lag en wilde niets anders dan slapen. Terwijl hij zijn ogen dicht voelde vallen, vroeg hij met schorre stem:

— *Wat doe jij hier?*

Ze hurkte vlak bij hem neer. Hij zag dat haar lip bebloed was en dat ze een wond aan haar wang had. Ze was in elkaar geslagen. Haar stem klonk luid en schel, en het irriteerde hem dat ze hem op deze manier stoorde. Ze zei:

— Ze hebben geprobeerd me te vermoorden. Ze hebben me thuis overvallen.

Leo voelde de opiumpijp uit zijn hand rollen. Hij probeerde hem nog op te vangen door zijn hand dicht te knijpen, maar het was te laat. Zijn stagiaire riep:

— Snap je het niet? Ze staan buiten! Ze hebben me hiernaartoe gevolgd! We zijn in gevaar!

Leo knikte, maar hij wist niet goed wáár hij het precies mee eens was. Hij haalde diep adem en zag dat Nara de kaars pakte en onder zijn uitgestrekte hand hield. Zijn huid begon te branden. Hij voelde iets wat door zijn hersens maar langzaam geregistreerd werd als pijn. Er ontstond een blaar op zijn huid. Hij trok zijn hand weg – de snelste beweging die hij in uren had gemaakt – en bekeek hem, zag een stuk rode, geïrriteerde huid opbollen. Langzaam ontstonden er barsten in zijn ijle opiumroes. Hij was misselijk en voelde een mengeling van pijn en een door de opium geïnduceerde tevredenheid, twee botsende gevoelens. Toen hij onzeker overeind kwam, bevond hij zich in twee werelden tegelijk: de wereld van de opium en de echte wereld, waar pijn, verdriet en verlies heersten. Hij leunde tegen de muur, maar voelde de misselijkheid toenemen. Hij liep naar de wasbak en hield zijn hand onder de koude kraan. De pijn werd afwisselend sterker en zwakker en vervolgens steeds heviger.

Leo wist zijn misselijkheid te beheersen. Hij draaide zich om, keek naar de verwondingen van zijn beschermeling en reconstrueerde langzaam wat er aan haar komst vooraf moest zijn gegaan. Ze was gedeeltelijk ontkleed. Hij gebaarde naar de paar kledingstukken die hij zelf bezat en die verspreid over de vloer en zijn ene stoel lagen.

— Pak maar wat je nodig hebt.

Terwijl ze zijn schamele garderobe bekeek, vroeg hij:

— Wie heeft je dit aangedaan?

Voordat ze kon antwoorden, werd het echter donker in het appartement. De stroom was weer uitgevallen.

Leo keek naar buiten. Bij de buren brandde wel licht. Zij hadden wel stroom. De elektriciteitsdraden naar zijn appartement moesten doorgesneden zijn. Hij keek naar beneden. Buiten op straat stonden minstens tien mensen.

— Wie waren het?

— *Weet ik niet. Ik ben thuis door twee mannen overvallen. Ik heb er één verwond. De andere heeft me achtervolgd.*

— *Hebben ze iets tegen je gezegd?*

— *Ze hadden ontdekt dat ik voor de geheime dienst werkte.*

Hij dacht even na en bekeek zijn blaar. Nara kwam naast hem staan. Ze had zijn wijde grijze broek aan.

— *Heb je een pistool?*

Hij schudde zijn hoofd en zag Nara ineens moedeloos worden. Ze klonk nu ook hulpeloos.

— *Wat moeten we dan?*

Als de mensen zijn huis binnen zouden vallen, zou het niet in hun voordeel zijn dat Leo al lang in Afghanistan was, dat begreep hij heel goed. Ze zouden precies hetzelfde van hem denken als van al die soldaten die gekleed in het uniform van het Rode Leger onlangs hun land waren binnengekomen. Ze zouden hem zonder omhaal van kant maken.

Er werd op de deur geramd. Een tweede harde klap weerklonk, en er ontstond een scheur in het hout. Binnen een paar seconden zouden ze binnen zijn.

Leo tilde zijn matras op en hield die tegen de deur. Onderaan legde hij zijn lakens en zijn boekenverzameling. Hij sloeg zijn enige stoel kapot en schopte de stukken hout op de stapel. Toen hij om zich heen keek, zag hij het bundeltje brieven die hij begonnen was aan zijn dochters te schrijven. Het waren minstens vijftig gedeeltelijk beschreven vellen papier, allemaal pogingen die hij vroegtijdig had opgegeven, ontmoedigd door zijn onvermogen om op te schrijven wat hij voelde. Wat er op papier terecht was gekomen, was allemaal feitelijk en emotieloos: hoe de stad eruitzag, of dat hij van een ander soort voedsel was gaan houden. Hij was niet in staat geweest om onder woorden te brengen dat hij zijn dochters miste en dat het hem speet als zij door zijn afwezigheid misschien meer zorgen hadden.

Nara riep:

— *Leo!*

De aanvallers bleven tegen de deur rammen. Met de brieven in zijn hand pakte Leo de bolle, ouderwetse petroleumlamp. Hij smeet hem tegen de deur, en hij brak. De petroleum stroomde eruit. Hij pakte de kaars en stak de petroleum aan. De vlammen verspreidden zich razendsnel over de vloer, de matras en het hout. De matras begon te sputteren, en binnen een paar seconden stonden de lakens in lichterlaaie.

Terwijl hij de reservejerrycan met petroleum pakte, gebaarde hij naar Nara dat ze met hem mee moest gaan naar het raam aan de andere kant van de kamer.

— *Klim op het dak.*

Het was een houten dak, dat met zink was bekleed, en Nara begreep dat dat ook in brand zou vliegen. Ze zei:

— *Het dak?*

Leo knikte.

— *Dan moeten we maar hopen dat we gered worden voordat het instort.*

Hun belagers waren in verwarring gebracht door het vuur en deden niet langer moeite om de deur open te breken. Terwijl Nara op het dak klom, pakte Leo zijn opiumpijp. Op de vensterbank zittend gooide hij de tweede jerrycan met petroleum in het vuur. Het plastic smolt snel. Terwijl hij zich uit de voeten maakte, voelde hij een plotselinge, hevige golf warme lucht, en toen hij achteromkeek, zag hij hoe de matras verteerd werd door het vuur en omgeven werd door dikke, zwarte, walmende rook.

Hij keek hoe de rookkolom opsteeg in de nachtelijke hemel. Straks zou de brandweer wel komen. Nara zat ineengedoken in de verste hoek van het dak. Leo ging naast haar zitten. Hij bezat nu helemaal niets meer, afgezien van de kleren die hij droeg, de bundel onvoltooide, onduidelijke brieven aan zijn dochters en de opiumpijp in zijn zak. Met de benen over elkaar geslagen keek hij toe hoe de vlammen door het dak heen begonnen te lekken. Ze hadden niet veel tijd meer. Voor het eerst die avond gedroeg hij zich als een normale man: hij sloeg een arm om de schouders van zijn gewonde stagiaire.

Provincie Kaboel
District Surobi, Barqi-Sarobidam
50 km ten oosten van Kaboel

Dezelfde dag

Vlak onder de top van een heuvel, met uitzicht over de rivier de Kaboel, stopte Fahad Mohammad af en toe een gesuikerd amandelnootje in zijn mond. Boven de kloof hing een heldere maan, maar ook zonder het maanlicht kon hij zijn weg door de heuvels, die hier steil afliepen naar de rivier, wel vinden. Daarbeneden lag de Sarobidam, een gigantische betonnen wand ingeklemd tussen de heuvels. De hoofdstad was er voor zijn elektriciteitsvoorziening voornamelijk van afhankelijk, en het strategisch belang van de dam was niet te onderschatten. Langs de toegangsweg lagen controleposten en prikkeldraadversperringen. Boven op de dam waren twee tanks gestationeerd, een met de loop gericht naar het noorden en een naar het zuiden – alsof ze bang waren dat de bergen zelf in opstand zouden komen en het kostbare bouwwerk zouden verpletteren. Hoe indrukwekkend de Russische ontwerpers de veiligheidsmaatregelen ook vonden, Fahad hechtte er weinig waarde aan. De moedjahedien zouden een aanval nooit via die weg ondernemen. Hij zei altijd tegen zijn mannen:

De Sovjets willen graag de wegen beheersen. Maar dit is geen land van wegen. Laat ze onze wegen maar beheersen. Wij beheersen de rest van Afghanistan.

De nutsvoorziening werd beveiligd door een groep van in totaal misschien vijftig soldaten, bestaande uit Afghaanse rekruten onder bevel van de bezetter. Dat de relatie tussen Afghanen en Russen een coalitie van gelijken zou zijn was een gotspe – de Afghanen stonden onder bevel van de Russen en waren aan hen ondergeschikt, ze waren slaven in hun eigen land, en dat was Fahad een doorn in het oog. Het aantal soldaten was natuurlijk niet onbelangrijk, maar dat er maar zo weinig verdedigers waren ingezet, onderstreepte hun overtuiging dat er in het dal voldoende mijnen lagen om een mogelijke aanval te voorkomen.

Terwijl Fahad op zijn laatste nootjes kauwde, zag hij een van die mijnen liggen, een rond voorwerp, niet meer dan tien meter voor hem. Je zou hem kunnen aanzien voor een rotsblok, want deze mijnen waren niet door een gespecialiseerd team ingegraven, maar door vijandelijke vliegtuigen vanuit de lucht verspreid. Met speciaal ontworpen vleugeltjes om ze te vertragen maakten ze een zachte landing, als een groteske imitatie van het neerdalen van op luchtstromen voortbewogen boomzaadjes. De mijnen zagen er volstrekt onschuldig uit. Kinderen zagen ze aan voor speelgoed, en de kleur van de plastic behuizing varieerde, afhankelijk van de plek waar ze werden gedropt – rood of geel op de bergachtige grond, groen voor gebieden met vegetatie. Als je goed oplette, kon je ze met het blote oog zien, maar voor een metaaldetector waren ze zo goed als onzichtbaar, omdat het enige metaal eraan een dun aluminium ontstekingsmechanisme was. Ze waren niet bedoeld om te doden, en Fahad schatte dat er in deze heuvels enkele duizenden moesten liggen. Onderzoek had uitgewezen dat ze niet genoeg explosief materiaal bevatten om iemand met zekerheid te doden. Ze waren ontworpen om te verminken. Een gewonde strijder van de moedjahedien was de bezetter meer waard dan een dode. Als een strijder gewond raakte, kon dat betekenen dat een hele operatie werd afgeblazen, zodat hij door overlevenden naar huis gedragen kon worden. Een dode strijder werd gewoon achtergelaten waar hij lag.

Fahad keerde terug naar zijn team.

— *Allahoe akbar.*

De uitroep golfde door de groep, en toen het stil was geworden, ging Fahad de groep voor, de kloof in. Zijn team bestond uit in totaal vijf mannen, onder wie zijn jongere broer Samir – een jongeman met fijne, vrouwelijke trekken. Fahad was veel langer en slanker. Als hij stilstond, leek hij een houterige figuur, maar zijn bewegingen waren sierlijk en behendig. Hij bewoog zich snel voort en kon grote afstanden afleggen zonder te pauzeren, waarbij hij alleen af en toe halt hield om een slok water te drinken uit een bergbeek. Fahad hield van zijn drie broers, ook van Samir, maar hij twijfelde aan diens capaciteiten als soldaat.

Samir ging over de explosieven, en hij had voor deze missie gekozen voor *kama*, een stabiel mengsel dat niet voortijdig kon ontploffen. Het kon alleen tot ontploffing gebracht worden door een inwendig ontstekingsmechanisme. Je kon het laten vallen of ertegenaan schoppen, en degene die het droeg kon desnoods op de grond vallen zonder dat de groep gedood werd. Samir bracht een groot deel van zijn tijd door met het bedenken van nieuwe soorten bommen, het uitproberen van verschillende ontstekingsmechanismen, het experimenteren met tijdklokken en het vergroten van de destructieve kracht van zijn bommen door bijvoorbeeld spijkers of kogellagers om de explosieve lading aan te brengen. Hij was geen type voor het gevecht van man tegen man en hij was geen leider, maar vanwege zijn vaardigheden in het maken van bommen was hij van onschatbare waarde. Een bijkomend voordeel was dat hij nog zo jong was dat hij geen littekens of verminkingen had die zijn dagelijkse bezigheden zouden kunnen verraden – hij miste geen vingers en was nooit door een granaatscherf getroffen. Russische soldaten koesterden nooit enige verdenking tegen hem, wellicht omdat ze misleid werden door zijn zachte gelaatstrekken. Hij mocht bij controleposten altijd doorlopen, terwijl Fahad altijd tegengehouden en gefouilleerd werd, alsof ze aan zijn gezicht konden zien hoezeer hij door woede en destructieve driften gedreven werd. Fahad had Samir bij deze missie thuis willen laten, maar die had gezegd dat hij de meeste ervaring had met explosieven en dat hij op de dam nodig was om de ladingen aan te brengen en eventueel aan de omstandigheden aan te passen. Na veel geruzie had Fahad toegegeven, maar de beslissing zat hem nog steeds niet lekker. Hij had een knagend gevoel dat maar niet wilde verdwijnen.

Als ze beneden aankwamen, zouden ze een kilometer stroomafwaarts op de dam af lopen, buiten het zicht van de patrouilles. Er was geen manier om de mijnen onschadelijk te maken, maar Fahad had overdag een pad uitgezet en gemarkeerd als een veilige route die ze bij donker konden volgen. Ze bewogen zich langzaam voort, achter elkaar aan en uiteraard zonder fakkels, en ze lieten zich leiden door de voetafdrukken in de grond. Als je misstapte, moest je blijven staan en je evenwicht zien te hervinden, want je kon je handen niet uitstrekken om je ergens aan vast te houden: dan liep je de kans een mijn aan te raken. Ze hadden bijna een uur nodig om onder in de kloof te komen.

Het maanlicht weerkaatste in de rivier. Bij alle voorzorgsmaatregelen tegen een mogelijke aanval had de vijand de rivier niet in aanmerking genomen. Ze dachten conventioneel, en die starheid zou hun ondergang worden. Fahad liep de rivier in en moest de neiging onderdrukken om hardop te roepen dat het koud was. Hij hoorde hoe bij de mannen achter zich plotseling de adem in de keel stokte. Ze droegen geen speciale kleding, maar hadden hun gebruikelijke loszittende hemden vervangen voor Amerikaans aandoende T-shirts, omdat je die niet achter je aan hoefde te slepen in het snelstromende water. Bij deze temperatuur overleefde je niet lang als je kopje-onder ging. Ze moesten het bovenlichaam droog zien te houden door de ondiepe plekken in het water op te zoeken. Hun enige kans om te overleven was door zoveel mogelijk in het verborgene te werk te gaan. Op die manier moesten ze de explosieven aanbrengen, zich terugtrekken en die bommen dan tot ontploffing brengen.

Het doel van de operatie was niet om de dam in zijn geheel te laten instorten. Dat zou wel een prachtig gezicht zijn, maar het was een onmogelijke opgave, zelfs met de expertise van Samir. Ze wilden proberen de tunnel eronder te beschadigen en zo de stabiliteit van het bouwwerk te ondermijnen, zodat de voorziening buiten werking gesteld zou moeten worden om de reparaties uit te voeren. Het zou de operaties in Kaboel ondermijnen. Het Sovjetregime zou moeite krijgen met de continuïteit van de energievoorziening en zou de strijdkrachten in de buurt van de hoofdstad houden, waardoor het verzet aan kracht zou kunnen winnen. Het zou een grote psychologische overwinning zijn: een aanslag op het hart van het energiecentrum van de bezetter, op dezelfde dag dat Fahads oudste broer Dost Mohammad een hele klas geheim agenten in opleiding om het leven bracht.

Toen ze de laatste bocht in de rivier rondden, zagen ze recht voor zich uit de dam liggen. Ze konden de meldkamer duidelijk zien, met de opzichters aan het raam. De stroming van de rivier was hier op haar sterkst, in het smalste deel van de kloof, en de snelheid waarmee het water stroomde werd bepaald door de hoeveelheid water die door de dam werd doorgelaten. Door alleen een knop in te drukken in de meldkamer kon zoveel water worden doorgelaten dat de rivierbedding zou overstromen, zodat het team stroom-afwaarts meegesleurd zou worden. Een paar zoeklichten zwaaiden zigzaggend over het dal en de rivier, vlak voor Fahad langs. Hij liet zich in het water zakken, zodat alleen zijn hoofd er nog bovenuit stak. De lichtbundel gleed verder.

Toen ze zo dicht bij de steile betonnen wand waren dat ze hem konden aanraken, begon Samir zijn werk. De rest van het team nam om hem heen positie in. Nu ze zich niet meer voortbewogen, rilde Fahad van de kou. Hij kon het trillen van zijn handen niet laten ophouden. Hij was bezorgd of het zijn broer allemaal wel lukte en liep naar hem toe om hem te helpen. Toen zag hij echter dat Samir niet bezig was de explosieven klaar te maken, maar dat hij in het beton aan het hakken was.

— *Wat ben je aan het doen?*

Het lawaai van het uit de dam neerstortende water maakte het gesprek bijna onmogelijk. Samir zei:

— *Als de explosieven iets dieper in het beton worden aangebracht, zal de kracht van de ontploffing meer naar binnen gericht zijn, en dan stort misschien het hele ding in!*

Fahad werd woedend.

— *Dat was het plan niet. We zouden de dam alleen maar beschadigen, verder niet. Een gat maken is te riskant. Ze zullen ons horen! We hebben geen tijd!*

— *De rivier maakt lawaai genoeg om ons onhoorbaar te maken.*

Fahad sprak zijn broer smekend toe.

— *Je hoeft mij niet te imponeren. Breng de explosieven aan en laten we dan gaan! Hou je aan het plan! Jouw eergevoel is niet in het geding!*

Beledigd wendde Samir zich af en begon weer in het beton te hakken.

Een lichtbundel kronkelde langs de oever van de rivier in de richting van de damwand. Deze keer zagen ze hoe de lichtbundels doelgericht en omzichtig over het water bewogen. Ze hadden kennelijk iets gehoord. Fahad gebaarde dat zijn mannen zich moesten bukken en trok zijn broer mee. De lichtbundel weerkaatste in het water, waardoor de omgeving in een zee van licht baadde. Fahad begon te bidden.

Hij reageerde traag op het eerste geluid van het geweervuur. Hij hoopte eerst dat het niet echt was, en hij verbaasde zich er zelf over dat hij zo in die ontkenning geloofde. Wat had hij de klok graag terug willen zetten om zijn broer alsnog thuis te laten. In de rivier neerhurkend zag Fahad hoe het water om hem heen rood kleurde. Hij stond op. Het was een hevig geweervuur, de kogels weerkaatsten van de damwand en schoten door het water. Een van de mannen dreef bewegingloos in de rivier. Zijn broer leefde nog en drukte zich tegen de damwand, maar was verlamd van angst en niet in staat om zich te bewegen. Fahad strekte zijn handen uit naar de explosieven. Ze moesten nú tot ontploffing gebracht worden. Daar zouden ze dan zelf bij omkomen, maar de schade was dan ook zo groot mogelijk. Een kogel trof zijn broer vol in het gezicht, en ineens had hij geen gelaatstrekken meer. Hij liet de tas vallen. De explosieven werden weggeschoten.

De twee overige mannen vuurden terug, maar het was hopeloos: ze konden niet zien waar ze op richtten. Fahad loste geen schot, maar zonk op zijn knieën en sloeg zijn armen om zijn dode broer heen. Hij had gefaald. Hij was verblind geweest door de liefde voor zijn broer. De jongen was geen soldaat. Hij had nooit goed moeten vinden dat hij meeging.

Er klonk gerommel, en ineens steeg het waterpeil van zijn middel tot aan zijn schouders. De rivier zwol op. Ze lieten ineens veel meer water door. Een enorme hoeveelheid water golfde van de dam naar beneden en stortte om hem heen neer. Fahad werd gescheiden van het lichaam van zijn broer, hij werd opgetild en ging kopje-onder in de wit bruisende stroomversnelling. Hij werd met de stroom meegesleurd en kon niets doen. Hij kon niet goed zwemmen en werd naar beneden gezogen, hij sloeg tegen de rivierbedding aan, zette zich ertegen af, maar werd toen verder meegesleurd door een volgende golf, die hem om zijn as deed tollen. Hij klapte tegen een rots en verloor even het bewustzijn. Toen hij weer kon denken, dreef hij op het water. Het water stroomde nu een stuk minder snel; de vloedgolf had zich verbreed, en hij kon nu voorkomen dat hij weer kopje-onder zou gaan.

Binnen enkele seconden was hij op honderden meters stroomafwaarts van de dam terechtgekomen. Het geluid van het mitrailleurvuur klonk nu ver weg. In zijn eentje liet hij zich meevoeren op de rivier. Hij voelde zich ellendig en vroeg zich af waarom hij het had overleefd.

Kaboel
Hoofdbureau van politie
Dih Afghanan

De volgende dag

Leo en Nara werden een paar minuten voordat het dak instortte gered uit de brand. Mensen in de menigte hadden een paar keer geprobeerd omhoog te klimmen op plaatsen waar het gebouw niet in lichterlaaie stond, en omdat ze zo fanatiek waren, was Leo gedwongen geweest ze eraf te schoppen en op hun handen te gaan staan. Maar toen het vuur om zich heen greep en ook de winkel onder het appartement in brand vloog, beperkten de mensen zich ertoe om af te wachten totdat het stel in de vlammen zou omkomen. Nara had haar gezicht tegen Leo's schouder gedrukt omdat ze het niet kon aanzien hoe de vlammen steeds dichterbij kwamen. De zinken bedekking van het dak krulde om, en omdat het dak zo heet werd, moesten ze op en neer springen als huppelende kinderen. Maar net op het moment dat ze moesten beslissen of ze in de vlammen ofwel in de menigte beneden op straat zouden springen, arriveerde er een Russisch militair detachement om te kijken waar alle onrust om begonnen was.

Nadat ze naar beneden waren gehaald, werden ze naar het politiebureau gebracht, waar ze onderzocht werden door een arts, te eten kregen en hoorden dat hun bevrijding door de militairen te maken had met de staat van beleg die in de stad was afgekondigd. Dat Nara bedreigd was, was geen geïsoleerd incident geweest. Al Leo's stagiairs waren in een gecoördineerde actie aangevallen, en Nara had het als enige overleefd. De moorden hadden binnen kort tijdsbestek op verschillende locaties plaatsgevonden, zodat duidelijk was dat ze niet door maar één ploeg gepleegd waren. In totaal waren er vijftien doden gevallen, negen stagiairs en zes familieleden van die stagiairs, hetzij omdat ze zich hadden verzet, hetzij omdat ze beschouwd werden als medeverantwoordelijk voor het feit dat hun jeugdige familielid die opleiding volgde. De stagiairs waren op beestachtige wijze afgeslacht, met de bedoeling dat hun dood zou dienen als afschrikwekkend voorbeeld. Enkele slachtoffers waren met doorgesneden keel en afgesneden tong gevonden. Een man was onthoofd, en in zijn voorhoofd was een hamer en sikkel gekrast. Deze regelrechte aanvallen op de geheime dienst pasten in een propagandaoorlog, die in dit geval niet via de ether werd gevoerd, maar in een bloedige strijd, die overal in de stad en met grote afschuw werd besproken. Het was een boodschap aan al degenen die overwogen zich te verbinden met het uit ongelovigen bestaande landsbestuur – hun wachtte de dood. Leo putte geen troost uit het feit dat hij tegenover zijn stagiairs altijd open kaart had gespeeld over de gevaren die het beroep waarvoor ze hadden gekozen met zich meebracht en had hen ervoor gewaarschuwd dat ze een haat zouden ondervinden zoals ze nog nooit hadden meegemaakt.

Anders dan de andere officieren leek kapitein Vasjtsjenko niet van slag of vermoeid toen hij met zijn gewoonlijke bruuske doortastendheid het vertrek betrad.

— *Nara Mir, goed dat je het hebt weten te overleven. We zijn onder de indruk van je karakter. Hieraan kunnen de mensen zien dat we niet zo gemakkelijk zijn te verslaan, en als enige overlevende heb je ook de sleutel in handen voor de oplossing van deze misdaden.*

Leo hief zijn hand op om hem te onderbreken.

— *Nara is pas kortgeleden begonnen Russisch te leren. Misschien moet ik het even vertalen.*

De kapitein knikte en schaamde zich geenszins voor zijn onjuiste aanname. Zodra Leo klaar was, vervolgde hij:

— *De moorden zijn een sensatie. Dat was ook de bedoeling. In de stad wordt nergens anders over gepraat. Daarom moeten we dit vandaag nog oplossen. Het lijkt me geen toeval dat op hetzelfde moment dat de agenten in opleiding werden vermoord, een brutale aanval is ondernomen op de Sarobidam. Als die was gelukt, zou de hele stad van stroom verstoken zijn geweest, en die twee acties bij elkaar zouden onze autoriteit drastisch hebben ondermijnd, zodat de mensen er niet meer in geloofd zouden hebben dat wij wel degelijk alles in de hand hebben. Gelukkig is de aanslag op de Sarobidam verijdeld. We zijn nu bezig de lichamen van de terroristen te identificeren.*

Nadat ze de vertaling had gehoord, vroeg Nara:

— *Hoe is het met de man die ik heb verwond?*

— *Ze hebben zijn lichaam uit je huis weggehaald voordat wij kwamen. We hebben wel bloedsporen gevonden, maar verder niets. Eén ding is wel zeker: dit kunnen we niet tolereren. Zoals die gedeserteerde officier geëxecuteerd moet worden om onze soldaten een duidelijk signaal te geven, zo moeten ook de Afghanen een signaal krijgen dat degenen die onze operatie bedreigen gedood zullen worden.*

Leo vertaalde dit niet, maar vroeg:

— *Moet Fjodor Mazoerov geëxecuteerd worden?*

Hij keek naar Nara om te zien of ze het had begrepen. Haar geschrokken uitdrukking bevestigde het. Deze les had hij haar niet kunnen leren – ze moest zelf ondergaan dat zij verantwoordelijkheid droeg voor de dood van een ander. De kapitein had echter geen oog voor de nuances van deze emoties en vatte de kwestie luchtig samen:

— *Zoals ik al zei, hij moet als voorbeeld dienen. Om dezelfde reden moeten we het leven in de stad weer een normaal aanzien geven, als een signaal aan de moordenaars. Ik heb bevel gegeven dat de staat van beleg moet worden opgeheven. De indruk die deze misdaden hebben gemaakt moet worden verminderd, niet overdreven. Het leven moet gewoon doorgaan. En we zullen de moordenaars te pakken krijgen.*

Er viel een stilte. Nara zei in moeizaam Russisch:

— *En de vrouw, Ara?*

De kapitein werd ongeduldig over deze belangstelling voor kwesties die hij als afgedaan beschouwde.

— *Dat is een zaak van haar vader. Zij is haar baan kwijt, en hij is vernederd. Ik kan me voorstellen dat ze het nu moeilijk heeft. Maar ze heeft het helemaal aan zichzelf te wijten.*

Leo omklemde het stapeltje onvoltooide brieven in zijn zak. Hij stelde zich voor dat zijn dochters dit gesprek zouden horen en dat Raisa naast hem stond. Hij wist precies hoe ze zouden reageren. Verontwaardigd zouden ze pleiten voor clementie, ze zouden Vasjtsjenko vragen om barmhartig te zijn voor Fjodor en Ara. Ze zouden niet begrijpen dat Leo er niets aan kon doen. Ze zouden het niet accepteren dat hij dat als excuus zou aanvoeren om werkeloos toe te zien. Maar zelfs nu hij zich hun woede voorstelde, voelde Leo zich te verslagen en te moe om zich tegen deze beslissing te verweren – hij voelde hoe onvermijdelijk het was, wat hij ook zou doen of zeggen. Hij was niet meer dan een adviseur, een marginale figuur, iemand die betaald werd voor zijn adviezen, of ze nu werden opgevolgd of niet. Hij had geprobeerd het stel te redden, maar zij zouden niets hebben aan de tevredenheid die zijn woede en verontwaardiging hemzelf zouden opleveren. Hij mompelde:

— *Ik heb mijn best gedaan.*

Vasjtsjenko en Nara keken hem aan. De kapitein vroeg:

— *Wat zei je?*

Leo bracht het gesprek weer op het onderzoek en zei:

— *Hoe kunnen we de moorden oplossen als we niet eens een verdachte hebben? Je zei zelf dat het lichaam van de terrorist is weggehaald.*

— *We hebben getuigen.*

— *Wie dan?*

De kapitein hield er geen rekening mee dat Nara niet goed Russisch sprak en richtte zich rechtstreeks tot haar.

— *Je ouders.*

Ze keek geschokt; kennelijk begreep ze wat er was gezegd, en ze herhaalde het met een zwaar accent:

— *Mijn... ouders?*

De kapitein registreerde Nara's geschrokken reactie. Hij keek Leo aan.

— *Haar ouders zijn opgepakt en in hechtenis genomen. Ik wil dat zij hen ondervraagt. En ik wil dat jij haar daarbij helpt.*

Nara zei opnieuw, en gaandeweg begon haar Russisch wat beter te klinken:

— *Mijn ouders?*

Stadsgewest Kaboel
8 km ten oosten van Kaboel

Dezelfde dag

Leo, die niet gewend was een legervoertuig of überhaupt enig ander voertuig dan een fiets te besturen, reed langzaam. Om zijn veiligheid te verzekeren hadden ze hem een UAZ-469 toegewezen, de Russische versie van de Amerikaanse jeep, met kogelvrij glas en gepantserd plaatwerk. Voor als de nood aan de man kwam, waren er vuurpijlen, een extra jerrycan met benzine, een EHBO-uitrusting, water, noodrantsoenen, wapens en munitie aan boord. Toch gaf hij veruit de voorkeur aan een fiets om zich te verplaatsen. De stofwolken die door de achterbanden van de jeep werden opgeworpen, rezen zeker twintig meter de lucht in, waarmee ze in de hele vallei de aanwezigheid van het voertuig verrieden. Kapitein Vasjtsjenko had erop aangedrongen dat ze de UAZ-469 zouden nemen, niet begrijpend dat je in zo'n opvallend Russisch voertuig veel meer kans loopt om beschoten te worden. Het was een misvatting om te denken dat de risico's van de opstand door de techniek omzeild konden worden. Leo en Nara zouden nu misschien beschermd worden door de bepantsering en het kogelvrije glas, maar over een paar maanden zou de vijand iets nieuws bedenken om dood en verderf te zaaien. De Russische reactie zou zijn om de beveiliging van het voertuig te verbeteren, de portieren verder te verstevigen en de onderkant te bepantseren. Maar destructie was altijd makkelijker dan beveiliging, en daarom was Leo ervan overtuigd dat de bezetting uiteindelijk zou mislukken: er was te veel dat beschermd moest worden, en er waren er te veel die eropuit waren dat te vernietigen. Hoeveel troepen ze ook zouden sturen, hoeveel geld ze er ook aan uitgaven, die onbalans zou in stand blijven.

Nara, die naast hem zat, had nauwelijks meer iets gezegd sinds ze opdracht had gekregen om haar ouders te ondervragen. Kort na het aanbreken van de dag waren haar vader en moeder in hun geboortedorp opgehaald door een Spetsnaz-team dat eerst de omgeving had veiliggesteld en ze toen uit hun huis had gehaald en in een helikopter gestopt. Toen ze het hoorde, had Nara gevraagd of ze daarbij niet gewond waren geraakt. Ze was bezorgd om hun welzijn en ervan overtuigd dat ze onschuldig waren. Voor zichzelf was ze met maar één oogmerk op weg naar de gevangenis: om ervoor te zorgen dat ze vrijkwamen.

Leo had het gevoel alsof hij Nara kon horen denken, het was voor hem alsof ze haar gedachten daadwerkelijk uitsprak. Hij hoorde hoe ze het bewijs probeerde te weerleggen en het gedrag van haar ouders te verdedigen.

Ze houden van me.
Ze zouden me nooit kwaad doen.
Het zijn vredelievende mensen.
Het zijn goede mensen.
Ik ben hun dochter.

Ze zat te piekeren wat de beste manier was om hun onschuld te bewijzen en was bezig een verklaring te bedenken voor het feit dat haar ouders toevallig weg waren toen de overval plaatsvond. Uiteindelijk kon Nara de verleiding niet weerstaan haar argumenten op hem uit te proberen.

— *Mijn vader heeft in Kaboel meer gebouwd dan wie ook. Hij is een maker, een visionair, geen terrorist. Hij mag dan misschien ouderwets zijn, maar dat zijn de meeste mannen. Ik ben misschien in sommige opzichten teleurgesteld in hem, maar daarom is hij nog geen moordenaar.*

Leo's blik ging van de weg naar deze mooie jonge vrouw met haar grote, lichtgroene ogen. Ze was heel anders dan Raisa, zo naïef en ernstig – hij kon zich niet voorstellen dat Raisa ooit zo goedgelovig had kunnen zijn. Raisa was een overlever en de slimste vrouw die Leo ooit had gekend. Hij wist niet zeker of Nara Mir wilde dat hij haar zou tegenspreken. Leo reageerde niet en richtte zijn aandacht weer op de onverharde weg. Door de stofwolken heen doemden de omtrekken van de Pul-i-Charkigevangenis langzaam voor hen op.

De bouwplannen en het ontwerp voor de gevangenis dateerden van vóór de communistische revolutie, maar de voltooiing van de bouw was toevalligerwijze samengevallen met het uitbreken van de Revolutie, wat de indruk wekte dat de een niet zou hebben bestaan zonder de ander: bij een beruchte politieke gevangenis hoort net zozeer een revolutie als dat bij een revolutie een beruchte politieke gevangenis hoort. Vreemd genoeg was dit de eerste keer dat Leo hier was. Hij had vermeden er ooit naartoe te gaan en had alle opdrachten afgewezen waarbij hij er mogelijkerwijs mee te maken zou kunnen krijgen. Hij hoefde er niet naar binnen te gaan om te weten hoe het daar was. De omstandigheden zouden er onmenselijk zijn. Verloedering en vernedering zouden er onderdeel van het systeem zijn. Onder het bewind van de vorige president hadden de bewakers bij voorkeur gebroken frisdrankflessen als martelwerktuigen gebruikt, waarbij ze een onverklaarbare voorkeur aan de dag hadden gelegd voor een Amerikaans frisdrankmerk dat in Kaboel te koop was, een soort naar sinaasappels smakend suikerwater met prik dat Fanta heette. Maar ook vertrouwdere methoden werden er beoefend, soms direct ontleend aan de Russische praktijk, waarbij elektrodes, blote handen en wapenstokken te pas kwamen. Ook wreedheid kende haar clichés.

En niet alleen de werktuigen waarmee de terreur werd uitgeoefend kwamen Leo vertrouwd voor; dat gold ook voor de uitspraken van de betrokkenen. Aarif Abdullah, een van de voormalige bewakers in Pul-i-Charki, had ooit tegenover Leo gepocht:

Eén miljoen Afghanen, meer moeten er niet blijven leven – één miljoen communisten. De rest hebben we niet nodig. We zullen ons van hen allen ontdoen.

Deze onverschilligheid jegens het menselijk leven en deze absurde, ijzingwekkende gewichtigdoenerij horen onverbrekelijk bij een autoritaire samenleving. Deze pompeuze uitspraken waren afkomstig van mannen die dronken waren van hun macht over leven en dood, zonder zich ervan bewust te zijn dat ze zich min of meer hetzelfde gedroegen als de Russische bewakers en gevangenisdirecteuren dat dertig of veertig jaar tevoren op duizenden kilometers afstand hadden gedaan – in een wereld van sneeuw en ijs in plaats van stof en woestijn. Ze hadden grote macht, maar toonden geen spoor van individualiteit of persoonlijkheid, alsof de macht bezit had genomen van hun geest en van deze zogenaamde godenzonen marionetten had gemaakt.

Toen Leo de jeep stilzette, werd Nara nog nerveuzer en begon ze met haar handen te friemelen. Ze deed het dashboardkastje open. Er lagen een pistool en een volle patroonhouder in. Ze sloot het dashboardkastje. Even vroeg Leo zich af of ze zou gaan overgeven. Ze keek Leo aan met een verwezen blik.

— *Maar ik ben hun dochter.*

Leo haalde zijn zonnebril tevoorschijn, keek even naar de vuile glazen, maar nam niet de moeite ze schoon te maken. Ze waren op hun plaats van bestemming.

Stadsgewest Kaboel
10 km ten oosten van Kaboel
Pul-i-Charkigevangenis

Dezelfde dag

De gevangenis zag eruit als een groot woestijnfort en was omringd door gele bakstenen muren, drie keer zo hoog als een mens, die kriskras over het terrein liepen en verbindingen vormden tussen wachttorens met puntdaken. In het halfduister onder die daken gingen graatmagere bewakers in slecht zittende uniformen met antieke geweren over de schouder schuil. Het toneeltje zou niet hebben misstaan in een Amerikaanse western: een grenspost, opslagplaatsen voor buskruit en whisky en stallen voor de paarden. Leo bekeek de instelling door de vuile glazen van zijn vliegenierszonnebril, maar zijn blik ging niet zozeer naar het gebouw zelf als wel naar de uitgestrekte vlakte eromheen. Het gebouw stond in een dor, totaal verlaten landschap, alsof het hier helemaal niet thuishoorde: een vesting die niets te verdedigen had, geen rivier en geen vallei, geen gewassen en geen mensen, alsof het duizenden jaren geleden was gebouwd en bewaard was gebleven, terwijl de redenen waarom het in deze zandwoestijn was opgericht allang vergeten waren. De symboliek was onmiskenbaar: deze afgelegen plek lag geografisch en moreel buiten het bereik van de beschaving en was een wereld op zich. Leo had horen zeggen dat hier vijftienduizend mensen waren geëxecuteerd, maar deze statistieken deden hem niets. Zo'n beruchtheid deed hem niets. In de loop van zijn leven had hij zoveel getallen gehoord over zoveel gevangenissen, zoveel lijsten van verdachten gezien en zo vaak over wreedheden horen fluisteren. Hoeveel het er in werkelijkheid ook waren geweest, het was wel zeker dat geen van die mannen en vrouwen een fatsoenlijke begrafenis had gehad. Hun lichamen waren buiten de muren in ondiepe graven gegooid. Misschien was dat de reden dat de gevangenis eruitzag als een fort, als een verdediging tegen de wraakzuchtige zielen die in het zand vastzaten. Maar dit was niet meer dan een fantasie, die Leo wellicht serieuzer zou hebben genomen als hij had geloofd in een leven na de dood.

Hij liep het gevangenisfort in door de hoofdpoort, wat iets weg had van het betreden van een middeleeuws kasteel. En net als bij een middeleeuws kasteel was ook dit gebouw uitsluitend gericht op het in stand houden van macht. Deze muren waren niet opgericht omwille van de rechtvaardigheid. De Russische bezettingsmacht had onmiddellijk het belang van de gevangenis erkend en er een detachement soldaten naartoe gestuurd, net als naar de elektriciteitscentrales en de ministeries. Hier werd het vuile werk van de instandhouding van het regime gedaan, hier werden die elementen uit de bevolking die een risico vormden 'behandeld'. De bezwaren van de Sovjets tegen de technieken die de vorige president hanteerde stoelden niet op enige moraal: er was niets mis met een bloedige zuivering, maar het moorden diende met verstand uitgevoerd te worden, ten dienste van de Partij, en niet vanuit persoonlijke grieven. Willekeurig moorden was tactisch verkeerd, het ondermijnde het communistische regime; moord diende voor rust te zorgen en niet om te provoceren; de bezetting moest er soepeler door worden, niet ingewikkelder.

Hij kende ze niet, maar de Russische soldaten knikten Leo toe toen hij hen passeerde – de ene buitenlander groette de andere. Dat soort kameraadschap bestond niet tussen soldaten van verschillende nationaliteiten: de Afghanen en de Russen mengden zich niet onder elkaar. Ze werden niet alleen van elkaar gescheiden door de taal, maar ook door een diep wantrouwen. Nog maar drie maanden geleden had Pul-i-Charki rechtstreeks onder het bevel gestaan van een tirannieke president die door de Sovjets was doodgeschoten. Ook enkele van zijn adjudanten waren daarbij gedood, maar het door hem aangestelde gevangenispersoneel was hier grotendeels nog en diende nu onder een nieuwe leiding. Binnen enkele minuten kon Leo drie verschillende groepen onderscheiden: de Russische soldaten, de nieuwe Afghaanse bewakers en de oude garde. Als iemand hem zou vragen er een rapport over uit te brengen, zou hij opschrijven dat de kans op een opstand hem groot leek. Corruptie, verraad en het overbrieven van geheime informatie aan de vijand waren onvermijdelijk. Hij zou aanbevelen dat de Russische troepen het beheer van de gevangenis volledig zouden overnemen. Deze mengeling van loyaliteiten zag je overal bij leger en politie. Leo kende militaire adviseurs die meenden dat er maar één oplossing was, namelijk dat de Sovjets álles moesten overnemen. Integratie en samenwerking waren een fictie, die slechts gepropageerd werd door politici die geen zin hadden om meer troepen te sturen.

Nara was weer wat tot zichzelf gekomen, maar was bang dat ze zich in deze vijandige omgeving niet staande zou houden. Voor zover Leo kon nagaan, was zij de enige vrouwelijke overheidsdienaar. Honderden ogen volgden haar met een mengeling van geilheid en verachting. De gevangenisdirecteur die hun voorging bleek een zeer onderdanig man, die pas door het regime benoemd was en graag wilde behagen. Hij gaf een toelichting op de veranderingen die hij had doorgevoerd en maakte hun opmerkzaam op een aantal bijzonderheden, zoals het feit dat de keukens onlangs schoongemaakt waren en nu eenvoudige maar voedzame maaltijden verschaften. Leo zei:

— *Niet zo moeilijk om de kwaliteit van het eten te verbeteren als de gevangenen vroeger helemaal niets te eten kregen.*

De directeur keek verbaasd toen hij merkte dat Leo het Dari niet alleen verstond en sprak, maar er ook grappen in kon maken. Hij lachte luid.

— *U hebt gelijk: elk voedsel is beter dan geen voedsel. Dat is waar.*

Tenzij de man met zijn goede humeur een duistere geest verborg, had hij geen schijn van kans. Leo schatte in dat hij het niet langer dan een maand zou uithouden.

Nara was wat achtergebleven, wat haar manier was om aan te geven dat ze buiten gehoorsafstand van de anderen met hem wilde spreken. Leo wachtte totdat de directeur zich vooruit haastte om een deur te openen, bleef staan en keek Nara aan. Haar stem trilde van emotie.

— *Ze mogen me zo niet zien.*

— *Hoe?*

— *In uniform… Mijn ouders.*

— *Weten ze niet dat je bij de geheime dienst werkt?*

Ze schudde haar hoofd en zei:

— *Je hebt me niet geleerd hoe je verdachten ondervraagt. Ik volg een opleiding tot lerares. Ik zou hier niet moeten zijn. Het slaat nergens op. Anderen zijn hiervoor beter geschikt.*

— *Je kon mensen arresteren, dus dan kun je dit ook.*

— *Ik kan het niet.*

— *Dat het familie van je is, moet geen verschil maken. De staat is je familie.*

— *Ik ben bang.*

Als ze niet zo meedogenloos had opgetreden tegen de gedeserteerde soldaat, zou Leo medelijden met haar hebben gehad.

— *Je bent hier niet om hun vragen te stellen. Je bent hier om hen te provoceren. De kapitein heeft je niet hiernaartoe gestuurd omdat hij denkt dat je een ervaren ondervrager bent. Er zijn hier anderen die het verhoor af zullen nemen. Jij bent alleen maar een decorstuk.*

— *Een decorstuk? Ik begrijp het niet.*

— *Zo'n verhoor is maar theater: er worden mensen bij gehaald om het effect te vergroten. Je zult aan je ouders getoond worden. Verder niets. Er wordt niet van je verwacht dat je vragen stelt.*

— *Ik kan dit niet.*

De directeur kwam weer bij hen staan en probeerde te begrijpen wat het probleem was. In Leo's stem klonk iets ongeduldigs door.

— *Nara Mir, je bent geheim agent. Je werkt voor de staat. Je kunt je niet veroorloven om te zeggen dat een taak je niet aanstaat en hem weigeren. Uiteindelijk doe je wat je gezegd wordt. Je doet wat gedaan moet worden. Als ik je dat niet duidelijk heb gemaakt, heb ik als leraar gefaald.*

Nara viel even uit haar rol en beet hem toe:

— *Zou jij je eigen ouders verhoren?*

Leo legde zijn hand op haar schouder in een gebaar van bemoediging dat niet werd ondersteund door wat hij zei.

— *Dit soort dilemma's zijn voor jou nog nieuw en onverteerbaar, maar ik ken ze al heel lang. Het is voor mij net als een liedje dat ik te vaak heb gehoord. Probeer je te realiseren dat de ellendige positie waarin je je nu bevindt niet opmerkelijk of uitzonderlijk is. Het is gewoon.*

Dezelfde dag

Er was een hele vleugel met cellen en verhoorkamers gereserveerd voor de belangrijkere politieke gevangenen. De stenen vloeren waren er schoner, de bewakers waren alerter en de plafondventilators deden het, wat duidelijk een teken was dat er Sovjetambtenaren in de buurt waren. Ze werden er begroet door een man die ook als adviseur naar Afghanistan was gestuurd. Hij was gespecialiseerd in het omgaan met gevangenen en wist precies hoe je informatie van hen los kon krijgen – hij was een professionele ondervrager.

— *Mijn naam is Vladimir Borovik.*

Borovik, die van gemiddelde lengte was en grijzend haar en zachte handen had, had de anonimiteit van een bureaucraat van middelbaar niveau. Hij was jonger dan Leo, een jaar of veertig jaar, en was onnodig eerbiedig. De implicatie dat hij op een plek als deze blijkbaar een soort autoriteit bezat, irriteerde Leo. Maar het leek waarschijnlijker dat de man naar vriendschap hengelde en behoefte had aan het gezelschap van een landgenoot, die hem kon laten zien hoe hij de komende maanden kon overleven, die hem de plekken kon wijzen waar je kon drinken en waar vrouwen te vinden waren. Borovik negeerde Nara totaal, ondanks het feit dat zij een sleutelrol zou spelen bij het verhoor. Hij sprak Russisch, en hij deed dat zo snel dat Leo geen tijd had om te vertalen wat hij zei.

— *Ik ben hier nog maar een paar weken. Ze hebben me ondergebracht op een militaire basis. Ik kan niet zeggen dat ik veel van dit land hou, maar het betaalt zo goed dat ik geen nee kon zeggen. Ik verdien vijf keer zoveel als thuis. Ik ben van plan het zes maanden vol te houden, misschien een jaar als ik het aankan, en om dan met pensioen te gaan.*

Dat is mijn droom. Maar het zal er wel op uitdraaien dat ik thuis al mijn geld in een maand of twee, drie opmaak en dan weer hiernaartoe ga.

Na een tijdje voelde Nara zich gedwongen hem in de rede te vallen, en ze vroeg in gebroken Russisch:

— *Neem me niet kwalijk, dat laatste heb ik niet verstaan.*

Leo zei in het Dari:

— *Niet de moeite van het vertalen waard.*

De gevangenisdirecteur wilde er kennelijk niet bij betrokken worden en had zich uit de voeten gemaakt. Terwijl ze naar de cel liepen, begon Borovik tegen Leo te fluisteren, alsof ze het risico liepen afgeluisterd te worden.

— *De ouders van de vrouw hebben niet geïnformeerd of het goed met haar ging en of alles in orde was met haar, niet één keer.*

Hij knikte naar Nara en vervolgde:

— *Ik heb gezegd dat ze op een afschuwelijke manier is overvallen. Het lijkt ze niet te kunnen schelen. Ik twijfel er voor mezelf niet aan dat ze erbij betrokken waren. De vader is een trotse man, en in mijn ervaring zijn trotse gevangenen het makkelijkst te breken.*

Nara keek Leo vragend aan, maar Leo vertaalde het niet, waarna Borovik verderging.

— *De vader is een beetje saai. Als hij niet met een ernstig gezicht zit te zwijgen, is hij aan het vloeken en tieren over allerlei politieke kwesties. De moeder zwijgt voortdurend, ook als ik haar een directe vraag stel. Ik ben heel benieuwd hoe ze op hun dochter zullen reageren.*

Hij keek oplettend naar Nara en voegde eraan toe:

— *Ze is een lekker ding. Is er een kansje dat ze naderhand in is voor een beetje lol? Volgens mij is zij het wat meer relaxte type, hè? Ik heb horen zeggen dat je hier alleen met de vrouwen in uniform wat kunt rommelen. Als ze strak kijken, betekent het dat ze niet neuken, hè?*

Gefrustreerd zei Nara tegen Leo:

— *Wat zei hij?*

Leo antwoordde:

— *Je ouders werken niet mee.*

Toen ze bij de cel kwamen, instrueerde Borovik hen precies hoe ze naar binnen zouden gaan.

— *Ik ga als eerste naar binnen, dan jij en ten slotte Nara Mir. Het is belangrijk dat er minstens een minuut verstrijkt tussen jouw binnenkomst en de hare, zodat de ouders denken dat er niemand meer komt.*

Als zij dan de cel in komt, zal dat een verrassing voor hen zijn.
Een bewaker maakte de celdeur open terwijl Leo het voor Nara vertaalde. Ze had moeite om haar aandacht erbij te houden. Uiteindelijk gaf ze Leo een knikje om aan te geven dat ze begreep wat haar aandeel in de voorstelling was.

Borovik ging als eerste naar binnen, gevolgd door Leo. Haar ouders zaten op twee stoelen naast elkaar. Haar moeder droeg geen chador; haar gezicht was onbedekt. Beschaamd bleef ze voorovergebogen zitten; ze keek niemand aan, maar staarde naar het stukje van de stenen vloer tussen haar voeten. Haar vader zat met zijn handen op zijn knieën en het hoofd rechtop. Leo hoefde geen vragen te stellen. Hij twijfelde er niet aan dat de plannen om zijn dochter te vermoorden ofwel de goedkeuring hadden gehad van de vader, ofwel dat hij daar direct bij betrokken was geweest. Borovik had ook gelijk gehad wat betreft de trots van de man. Die zinderde om hem heen.

Borovik stuurde de Afghaanse tolk de cel uit. Nu Leo er was, hadden ze hem niet nodig. Zijn vertrek verraste Nara's vader, maar hij bleef zwijgen en wachtte totdat ze iets zeiden. Op dat moment kwam Nara de cel in. Bij de deur bleef ze even wachten, en toen liep ze met haar handen onhandig langs haar lichaam de cel in. Het was amateurtoneel, maar wel effectief. Haar vader keek naar haar uniform; hij nam alle details van haar kleding in zich op: de kleuren, de symbolen van het nieuwe regime. Uit zijn reactie viel op te maken dat hij al wist dat ze voor de overheid werkte. Hij kreeg zijn gelaatsuitdrukking weer onder controle en schoof wat naar achteren op zijn stoel.

Borovik boog zich voorover naar Leo.

— *Vraag hem of hij zich schaamt dat hij een overval op zijn dochter heeft beraamd.*

Leo vertaalde de vraag. Maar voordat de vader kon antwoorden, deed Nara een stap naar voren.

— *Vader, laat me u helpen. Er is een vergissing in het spel. Ik ben hier om uit te leggen dat u niets met de aanslagen te maken had. Als u met ons samenwerkt, kunnen we hier over een paar uur weg zijn.*

Als ze met geweld had gedreigd, zou dat minder kwellend voor hem zijn geweest dan nu ze hem hulp aanbood. Hij moest slikken bij de naïviteit van zijn dochter en zei:

— *Jij gaat mij helpen?*

— *Vader, het moet een schok voor u zijn om te weten wat voor werk ik doe.*

Ze recapituleerde de fictie die ze tijdens de rit naar de gevangenis had geconstrueerd, de fantasie van zijn onschuld, alsof ze geen enkel begrip had voor de realiteit.

— *We hebben onze verschillen. Maar ik weet wat deze mannen niet kunnen weten. Er is liefde tussen ons. Ik weet nog dat ik uw hand vasthield. U hield van mij toen ik nog een kind was. Toen ik volwassen werd, was het niet makkelijk. Ik wil u vertellen hoe ik ertoe gekomen ben om dienst te nemen. U moet het zo zien: u werkt voor de overheid — u ontwerpt gebouwen. En ik werk ook voor de overheid. Ik ga lesgeven op de universiteit, misschien wel in een van de gebouwen die u hebt gemaakt.*

Haar vader schudde zijn hoofd. Hij was ernstig in verlegenheid gebracht door de toon waarop zijn dochter had gesproken, over emoties en liefde. Hij vond het vernederend en legde haar het zwijgen op.

— *We hebben je boeken gevonden, politieke manifesten en je aantekeningen hoe je mensen kunt selecteren om voor de overheid te werken en hoe je diegenen kunt herkennen die een bedreiging kunnen vormen. Wou je ons verklikken? Dat zou je op een gegeven moment zeker gedaan hebben, als we iets verkeerds zeiden of kritiek hadden op de indringers.*

— *Nee, nooit. Ik wil u helpen.*

— *Je kunt mij niet helpen. Je hebt me geruïneerd. Zelfs als hoer zou je onze familie niet meer te schande hebben kunnen maken dan je nu hebt gedaan.*

Nara's mond viel open. Leo zag haar aarzelen, en even vroeg hij zich af of ze steun zou zoeken door tegen de muur te leunen. Dat deed ze niet. Haar vader, die voelde dat ze niet sterk in haar schoenen stond, ging door, eerder uit een wens om haar te kwetsen dan uit zelfbehoud.

— *Ik heb je een opleiding laten volgen, en jij hebt jezelf geleerd om blind te zijn. Je ziet niet wat er met je land gebeurt. Het is overvallen. Het is je afhandig gemaakt terwijl je erbij stond, en jij gaat erin mee.*

Nara was nog niet over de schok heen, klampte zich vast aan een van haar eerdere argumenten en wees haar vader op zijn rol als bouwer, iemand die iets positiefs bijdraagt, geen terrorist.

— *U werkt voor de overheid. U bent architect.*

— *Zal ik je vertellen wat ik heb geleerd van de geschiedenis van de*

gebouwen om ons heen? Honderden jaren geleden hebben de Britse in-
dringers de oude bazaar van Charchata vernietigd als vergelding voor
de moord op hun gezant. Zo denken de indringers over het leven van
een van de hunnen. Het leven van een van hun officieren was meer
waard dan een hele stad, die ze met plezier in puin hebben geschoten.
En zo zal het ook gaan met de Russen. Ook zij zijn hier niet thuis, dit is
niet hun land. Hoe ze het ook kapotmaken, ze kunnen altijd terug
naar hun steden en hun families. Ik heb nooit voor de Russen gewerkt.
Ik heb voor het volk van Afghanistan gewerkt, voor de inwoners van
Kaboel.

Nara deed nog een stap naar voren en stond nu maar drie passen
voor haar vader. Leo dacht dat hij haar misschien zou slaan, zelfs in
de cel. Hij was niet gebonden aan handen of voeten. Nara vroeg:

— *U wist van die overval op mij?*

— *Of ik het wist? Ik heb een plattegrond van ons appartement voor*
ze getekend en een kruis gezet op de plek waar je sliep.

Leo vertaalde er geen woord van en keek naar Borovik. De
ondervrager leek precies te weten wat er gaande was en zei:

— *De vader erkent zijn schuld, ja?*

Leo knikte. Borovik zei:

— *Dat was het makkelijke gedeelte. Nu moeten we nog de namen*
van de daders te weten zien te komen.

Leo fluisterde:

— *Er is geen kans op dat hij die namen zal noemen.*

Borovik was het met hem eens.

— *De trots die ons geholpen heeft zal nu tegen ons werken. Je hebt*
gelijk, de vader zal ons die namen niet geven. Maar zijn vrouw, dat is
een andere zaak.

Borovik gebaarde naar de bewaker bij de deur. Ze hoorden hoe
een naburige cel werd geopend. In de deuropening verscheen een
jongeman, geblinddoekt en met de handen op zijn rug gebonden.
Leo kende hem niet. Nara's moeder stond op, waardoor voor het
eerst haar gezicht te zien was, en terwijl ze haar handen ineenklem-
de, zei ze smekend:

— *Nee!*

Het was een wanhopige schreeuw, als van een dier. Leo vroeg aan
Borovik:

— *Wie is die man?*

— *Het is Nara's broer. De moeder houdt blijkbaar van haar zoon.*

Ze heeft toegestemd in de dood van haar dochter; ik vraag me af of ze
ook zal instemmen met de dood van haar zoon.
Nara was bijna net zo bleek geworden als haar moeder. Borovik
fluisterde in Leo's oor:
— *Ik wed dat ik binnen vijf minuten een naam te horen krijg.*
Als een sultan die zich een maaltijd wil laten voorzetten, klapte
Borovik in zijn handen. Een bewaker kwam binnen met een roestvrijstalen dienblad in
zijn handen. Erop stond één enkel flesje sinaasappellimonade,
waarvan de inhoud oplichtte in de sombere cel en contrasteerde
met het verschoten blauw van het Fanta-logo. De bewaker zette het
dienblad op tafel. Met de plichtplegingen van een kelner in een
luxehotel haalde hij een flesopener uit zijn zak. De dop van het flesje stuiterde over de vloer. Borovik stapte naar voren en zette het limonadeflesje aan zijn mond. Hij nam lange teugen – een dun
oranje straaltje lekte uit de zijkant van zijn mond – totdat het leeg
was. Hij zette het lege flesje op de rand van de tafel en liet het los.
Zoals de bedoeling was, viel het kapot. Borovik raapte het grootste
stuk glas op en hield het met de gekartelde rand omhoog. Het was
een adembenemend wrede dreiging, in overeenstemming met de
faam van de plek waar ze waren. Leo had genoeg gezien. Zonder een woord te zeggen liep hij weg, schoof langs de geschokte
Nara en liep de cel uit. Borovik riep hem vanuit de deuropening na,
maar Leo keek niet om. Toen hij de weggestuurde tolk zag staan,
zei Leo:
— *Ze hebben je nodig.*
Met de hulp van een van de bewakers verliet Leo de gevangenis.
Hij was blij om buiten te zijn en liep uiteindelijk een stoffige
binnenplaats op, waar niemand te zien was. Hij liep naar de verste
hoek, ging tegen de muur zitten, sloot zijn ogen en strekte zijn benen, zodat die in de zon lagen en de rest van zijn lichaam zich in de
schaduw bevond. Na zijn doorwaakte vorige nacht was hij moe, en
omdat het lekker warm was, viel hij al snel in slaap.

Toen Leo wakker werd, was de schaduw opgeschoven en lag hij met
meer dan de helft van zijn lichaam in de zon. Met de rug van zijn
hand veegde hij zijn mond af. Pas toen zag hij dat hij niet alleen was.
Nara zat op de stoffige binnenplaats, niet ver van hem vandaan,
met haar rug tegen de muur. Hij had geen idee hoe lang ze daar al

zat. Toen hij haar met knipperende ogen bekeek, zag hij dat ze niet had gehuild. Met schorre stem vroeg Leo:

— *En?*

— *Mijn moeder houdt van mijn broer. Ze heeft ons een naam gegeven.*

Nara was veranderd. Ze was anders geworden. Gevoelloos.

Kaboel
Sar-e-Chowk-rotonde

Dezelfde dag

Leo liet zijn blik gaan over de rotonde, een van de drukste kruispunten van de stad. Sar-e-Chowk was veel meer dan een kruispunt – het was een markt, en niet alleen voor materiële goederen, maar ook voor de uitwisseling van informatie en diensten. Aan de rand van de rijweg stonden karren opgesteld met een veelheid van landbouwproducten. In de drukke theehuizen daarachter waren mannen op de plastic stoelen neergestreken die de activiteiten gadesloegen, ongeveer zoals uitkijkposten op schepen. Zoals ze daar zaten, een glas thee in de hand en tussen de lange, dunne vingers een sigaret gevaarlijk dicht bij hun wollige baard, leken ze de wijsheid in pacht te hebben. Er werd gehandeld, gedebatteerd en geroddeld. Dit was het brandpunt van de wereld – een geroezemoes van roddels, geruchten en handeldrijven, terwijl het verkeer om hen heen zijn gang ging, een brandpunt waar het communistische regime geen enkele zeggenschap had, waar ze geen telefoons konden aftappen of brieven onderscheppen.

Met gemaakte nonchalance kuierde Leo tussen marktkramen door en liet zich meedrijven op de stroom van de honderden mensen die aan het einde van de dag huiswaarts gingen. Sommigen waren nog niet klaar met hun inkopen, sommigen hielden stil voor een praatje, sommige marktlui begonnen al met inpakken nu het daglicht begon te minderen. Hij had niet veel tijd meer om degene te vinden die hij hier zocht. Kapitein Vasjtsjenko was erop gebrand hun hoofdverdachte vandaag nog in hechtenis te nemen. Nara Mirs moeder had hun de naam van een jongeman gegeven – Dost Mohammad. Ze had gezegd dat hij de voornaamste organisator was van de gepleegde aanslagen. Hij had Nara's vader benaderd met zijn plan en had gevraagd of hij ervoor wilde zorgen dat hij op een specifieke datum niet thuis zou zijn.

Voor de kapitein had snelheid van handelen prioriteit, niet voorzichtigheid. Leo begreep dat de schuldvraag van ondergeschikt belang was. Er was geen serieus onderzoek gedaan naar de feiten, de verificatie was minimaal geweest. De Afghaanse politie wist heel weinig van de man, afgezien van het beroep dat hij uitoefende. Ze konden in hun dossiers geen foto van hem vinden. Hun organisatie was rudimentair. En dat terwijl informatie de ruggengraat van een geloofwaardig autoritair regime vormde – zo'n regime diende van de hoed en de rand te weten. Maar ondanks alles wat er mank aan ging, wilde de kapitein niet afzien van zijn voornemen om binnen vierentwintig uur na de aanslagen over te gaan tot arrestatie.

Toen Leo zich had verzet tegen het plan om inderhaast naar de markt te gaan, zonder zelfs maar te weten hoe de verdachte eruitzag, had de kapitein hem berispt en erop gewezen dat ze in Afghanistan niet konden doen wat de KGB in Leo's dagen had gedaan: arrestaties verrichten om vier uur 's nachts, als iedereen sliep. Dat zou bij de vijand een indruk wekken van ontwijkend en onmannelijk gedrag. Als ze Afghanistan wilden onderwerpen, moesten ze moed tonen, moed en durf. List en sluwheid waren hier ondeugden, geen deugden. Een openbare afrekening op een van de drukste pleinen van de stad zou een robuuste en adequate reactie zijn op de wrede moorden van gisteravond. En wat eventueel verzet vanuit de menigte aanging: de kapitein zag dat niet als een probleem. Hij hóópte zelfs dat de vijand zichzelf zou vertonen. Laat ze de wapens maar opnemen. Ze zouden worden gedood.

Ze beschikten niet over een foto en wisten alleen dat de verdachte een kraam had waarmee hij normaliter hier op de markt stond en waarin hij allerlei typisch Afghaanse lekkernijen verkocht: gedroogd fruit en gesuikerde en in honing gedoopte noten. Met zo'n armzalig signalement van een verdachte had Leo het nog nooit moeten doen. Volgens sommigen was Dost Mohammad vijfentwintig jaar, volgens anderen dertig. Maar omdat veel mensen niet konden tellen, werd leeftijd vaak gebruikt als aanduiding voor iemands uiterlijk. Leo zou in gesprek met de man moeten raken en moest dan maar zien of hij meende dat hij te maken had met Dost Mohammad of niet. Dan moest hij teruggaan naar het team dat in de buurt op hem wachtte, waarna ze de markt op zouden stormen en de arrestatie verrichten. Er werd stilzwijgend van uitgegaan dat niemand verdenking zou koesteren jegens een man met groene teenslippers en in zijn ogen en gezicht de kenmerken van opiumgebruik. Leo zelf was daar niet zo zeker van.

Terwijl hij op zoek was naar de kraam, dacht Leo na over de problemen die dit kon opleveren. Het was onmogelijk om het hele terrein in de gaten te houden, zelfs met een groot team: ze konden op allerlei manieren wegkomen. De vijand kon zich op talloze manieren oriënteren. Er zouden spionnen kunnen rondlopen. De verdachte werkte hier al jarenlang. Hij kende de dynamiek van de markt, hij wist wanneer het druk en wanneer het stil was en zou het instinctief in de gaten hebben als er iets mis was. Leo besloot om iets te kopen, zodat hij minder uit de toon viel. Een oude man verkocht alleen maar eieren; de kartonnen dozen lagen hoog opgestapeld. De man was opvallend kalm te midden van alle drukte, waarin het voortdurend leek alsof zijn handelsvoorraad elk moment omver kon vallen. Bij een fruitkraam kocht Leo granaatappels, die hem aangereikt werden in het dunst mogelijke plastic zakje, dat uitgerekt werd door het gewicht van de vruchten – de laatste partij van het seizoen. Hij had nu bijna de hele markt rondgelopen. Alleen op het noordelijk deel van het plein was hij nog niet geweest.

Hij stak de straat over en kwam ten slotte bij de laatste paar kramen, voor de theehuizen. Er stonden twee klaptafels met ijzeren schalen met pompoenpitten, groene linzen, peulvruchten en granen. Geen van de beide mannen leek ook maar in de verste verte geïnteresseerd in Leo. Hij liep door en kwam bij een kraam met stukken vlees. Een koeienkop lag er naar de hemel te staren, met de wangen vol vliegen. Vermengd met de geur van het slachtafval rook hij iets zoets, en toen hij doorliep, kwam hij bij een smalle kraam die vol stond met kistjes. De kistjes waren gevuld met allerlei zoetigheid, zoals *nuql-e-nakhud*, gesuikerde kikkererwten, *nuql-e-badam*, gesuikerde amandelen, *nuql-e-pistah*, gesuikerde pistachenoten. Leo keek niet naar marktkoopman, maar naar zijn koopwaar, en pas toen hij iets had uitgekozen, maakte hij oogcontact en zei hij tegelijkertijd:

— *Nuql-e-badam, driehonderd gram.*

Het was een nog jonge man, niet ouder dan dertig, met intelligente ogen. In tegenstelling tot de twee andere mannen keek hij wel geïnteresseerd naar Leo. Zijn gelaatsuitdrukking verried weinig en verried zodoende alles. Hij had zichzelf in de hand, hij wist zijn haat te verbergen. Hij vulde een papieren zak met gesuikerde amandelen. Leo tastte naar zijn portemonnee, terwijl hij de granaatappels op de rand van de kraam liet rusten. De man nam het geld van hem aan en keek toe hoe Leo wegliep. Er was geen gelegenheid geweest om hem, zonder hem achterdochtig te maken, naar zijn naam te vragen, en hij had niet met hem gepraat. Leo schatte de kans dat hij de verdachte was hoog in. Het waren echter niet alleen de opstandelingen bij wie je de haat van het gezicht kon aflezen.

Aan het einde van de straat, ongeveer vijfhonderd meter van de rotonde, voegde Leo zich bij de ongeduldige kapitein. Nara stond naast hem. Leo zei:

— *Er staat daar aan de noordkant van de markt een man die gesuikerde amandelen verkoopt.*

— *Is dat hem? Is dat Dost Mohammad?*

— *Ik kon hem niet naar zijn naam vragen.*

— *Jij hebt een instinct voor deze dingen. Is het hem?*

Leo had veel mensen geobserveerd en veel mensen gearresteerd.

— *Waarschijnlijk is het hem. Maar kapitein, ik moet je waarschuwen. Dit loopt slecht af.*

De kapitein knikte.

— *Ja, maar niet voor mij.*

Leo ging op het trapje van een huis zitten en keek naar de papieren zak met de kleverige gesuikerde amandelen. Er landde een vlieg op, die aan de nootjes bleef plakken en hulpeloos spartelde met zijn pootjes en zijn vleugels vol suiker en stroop.

De soldaten die zich verborgen hadden gehouden liepen naar voren, het geweer in de aanslag. De kapitein ging voor, zijn team volgde, met de bedoeling de man te arresteren en de stad een niet mis te verstane boodschap duidelijk te maken. Leo deed zijn ogen dicht en luisterde naar het geluid van de piepende banden en de commotie op de markt. Er klonk gegil en geschreeuw in een mengeling van Dari en Russisch. Er werd geschoten. Leo stond op. Naast zich zag hij de figuur van Nara, misschien wel de eenzaamste mens die hij ooit had gezien.

Samen liepen ze naar de rotonde, langs de blokkade van de soldaten op het overvolle marktterrein, waar ze op hetzelfde moment aankwamen als de helikopter die laag boven hun hoofd rondcirkelde. De door de rotorbladen veroorzaakte windvlagen kregen vat op de dekzeilen van de marktkramen, die opbolden alsof het zeilen waren. Hier en daar werd een kraam omvergeblazen, en de koopwaar rolde over de grond. Leo keek hoe het bij de eierenkraam was. Ze waren kapot gevallen; op de grond was het een rommeltje van eierschalen en struif.

Leo en Nara liepen tussen de Afghanen door, die op hun knieën zaten, de handen achter het hoofd en de loop van een pistool in de rug. De man die hem de granaatappels had verkocht, keek hem vervuld van haat aan. Nu de invasie een feit was, kon Leo zich geen positie in de marge meer veroorloven; hij kon niet meer ongezien blijven, alsof hij er niet toe deed, en een onzichtbaar bestaan leiden. Hij was geen spook meer, hij was het gezicht van de bezetter, net zo goed als de overijverige kapitein.

De verdachte was niet dood. De Afghaanse en Russische soldaten hadden hem vlak bij een kruidenkraam in het nauw gedreven. Ze hadden hem in zijn arm geschoten, en het bloed droop van zijn hand. Nara raakte Leo even aan; ze was achter hem blijven staan, zodat de verdachte haar niet kon zien. Leo, die het antwoord eigenlijk al wist, vroeg:

— *Was dit de man die je heeft aangevallen?*

Ze knikte.

De verdachte tilde zijn hemd op. Hij had een stel plastic zakken aan zijn lichaam bevestigd – het soort dat gebruikt werd door de sapverkopers. Ze lekten, de vloeistof droop langs zijn lichaam naar beneden en doorweekte zijn kleren. Toen was er ineens in zijn hand een vonk, gevolgd door een vlam, alsof hij uit het niets een lucifer tevoorschijn had getoverd. Hij hield hem tegen zijn broek, die vlam vatte, waarna het vuur razendsnel om zich heen greep en de plastic tassen in lichterlaaie zette. Binnen één seconde stond hij in vuur en vlam. Zijn baard vatte vlam en zijn huid leek zich los te maken van zijn botten. Toen de pijn hem te veel werd, begon hij heen en weer te rennen en met zijn armen op en neer te zwaaien. De vlammen stegen hoog op. Een van de soldaten pakte zijn pistool en legde aan om hem te doden. De kapitein duwde de loop naar beneden.

— *Laat hem branden.*

De brandende verdachte zeeg uiteindelijk op zijn knieën neer. De vlammen doofden toen de benzine op was. Hij bewoog nog wel, maar minder als een mens dan als een smeulend lijk, dat door een of andere duistere magie leven ingeblazen krijgt. Toen bleef hij stil liggen onder een van de met specerijen beladen tafels. De tafel vatte vlam, en de kruiden begonnen door de hitte te knallen. De lucht stonk naar verbrand vlees en sumakkruiden. Leo's blik volgde de vreemd gekleurde rook die ten hemel rees in slierten blauw en groen. Zo ver hij kon kijken zag hij achter elk raam gezichten: jonge jongens, jonge mannen, de toeschouwers die de kapitein zo graag had willen hebben tijdens de arrestatie.

De oude mannen in de theehuizen pakten hun glas, en met de sigaret tussen hun vingers keken ze toe met een rust alsof ze dit alles al eerder hadden gezien en ervan overtuigd waren dat ze het op een dag weer zouden zien.

De grens van de provincies Laghman en Nangarhar, het dorp Sokh Rot
116 km ten oosten van Kaboel
9 km ten westen van Jalalabad

De volgende dag

Omdat ze pas zeven jaar was, werd het knopen van een tapijt beschouwd als iets wat voor Zabi te moeilijk was, dus bracht ze de ochtend niet daarmee door maar met het maken van twee kleurstoffen die gebruikt zouden worden om weefsel te verven. Haar nagels waren rood van het pletten van de granaatappelschillen. Ze sabbelde aan haar vingertoppen omdat ze wilde weten of een kleurstof ook een bepaalde smaak had: het rood smaakte net zo zuur als vruchtensap en bitterder en scherper dan de smerige *chai-e-siay*, de zwarte thee die haar vader elke ochtend dronk en die zo sterk was dat hij vlekken op de rand van het glas achterliet. De tweede urn bevatte een bruine kleurstof, gemaakt van gemalen walnootdoppen en bewerkelijker dan het rode pigment. Ze moest de noten kraken, vervolgens met een gladde steen tot poeder vermalen en er dan een beetje warm water aan toevoegen en het geheel dooreenmengen. Ze smeerde er een beetje van op het puntje van haar tong. De bruine pasta had een specifieke korrelige structuur, maar niet veel smaak. Ze besloot dat de kleur bruin niet zozeer een smaak was, als wel een structuur. Maar toen ze hierover nadacht, besefte ze dat het feit dat ze dit dacht bewees dat ze zich verveelde.

Haar moeder en haar *khaha khanda*, haar groepje goede vriendinnen, zaten in een kleine kring bij elkaar te praten, terwijl ze de tapijten met de fraaie patronen knoopten. Sommige waren voor eigen gebruik bedoeld, maar de meeste zouden worden verkocht. Zabi werd verondersteld goed op te letten, zodat ze het ook zou leren. Kleurstoffen maken was voor eventjes wel leuk geweest, maar haar armen deden pijn van het pletten van de doppen, en haar moeder was nog lang niet klaar. Ze zouden de hele dag aan de tapijten werken en misschien de volgende dag ook, en zelfs de dag daarop. Een vierkante plek zonlicht verscheen op de vloer. De wolken waren weg. Ze wilde naar buiten, maar realiseerde zich dat als ze daar toestemming voor vroeg, het geweigerd zou worden. Bang om een standje te krijgen sloop ze langs de muur naar de deur, met in haar handen de urn waarin ze de pasta had aangemaakt.

— *Ik heb nog een beetje water nodig.*

Zonder op antwoord te wachten holde ze naar buiten, ondeugend en vol energie rende ze op haar blote voeten snel over het glibberige pad langs de huizen, en het dorp uit.

Haar dorp stond te midden van boomgaarden die zich in alle richtingen uitstrekten. Het hele dal was groen en weelderig begroeid en stond vol bomen, zodat er altijd een nieuwe oogst aan het rijpen was – amandelen, walnoten, abrikozen, appels en zwarte pruimen. Er was een ingenieus irrigatiesysteem aangelegd. Een diep kanaal met een betonnen bedding voerde het snelstromende water aan vanuit de bergen, vanwaar het in een fijnmazig netwerk over alle boomgaarden werd verdeeld. Volgens haar vader was hun dorp, Sokh Rot, als gevolg van hun vindingrijkheid een van de rijkste in de streek, en was het fameus vanwege de oogsten en de grote rij moerbeibomen die de bezoeker verwelkomde als hij via de hoofdweg naar het centrum van het dorp ging.

Ondanks de fraaie omgeving was Zabi het enige meisje dat graag buiten speelde. Laila en Sahar gingen weleens naar buiten, maar zij waren pas drie jaar en waagden zich nooit al te ver van hun huis, meestal alleen om de geiten te voeren. De andere meisjes, de oudere, brachten de tijd binnen door, en als zij het huis verlieten, was dat nooit om te spelen, maar altijd om een boodschap te doen, waarbij ze dan altijd formeel gekleed gingen. Zabi zat binnen weleens bij hen, en dan kon ze genieten van hun verhalen. Ze erkende dat het binnen soms wel leuk was, als het koud was of regende, en soms was het ook leuk om te koken, te naaien of kleurstoffen te maken voor de tapijten. Maar niet de hele tijd, niet elke dag.

Ze hield op met hardlopen toen ze ver genoeg van het dorp was om niet teruggeroepen te worden. Ze had de urn nog in haar hand en zette die neer aan de voet van de grootste abrikozenboom, midden in de derde boomgaard vanaf het dorp. Ze had geen schoenen aan, maar dat gaf niet. Ze had het niet koud. Terwijl ze tussen de bomen door liep, dacht ze aan iets wat haar moeder laatst had gezegd:

Je bent nu bijna een vrouw.

Het klonk als een compliment om een vrouw genoemd te worden. Toch had de opmerking haar verontrust. De vrouwen uit het dorp speelden nooit buiten, nooit liepen ze door de boomgaarden en nooit klommen ze in de bomen. Als vrouw-zijn betekende dat je deze dingen allemaal niet deed, dan bleef zij liever een meisje. Toen ze bij de rand van de boomgaard kwam, bleef ze voor het irrigatiekanaal staan waarin het water uit de bergen werd aangevoerd. Het kanaal was breed en diep, en het water stroomde snel. Ze pakte een blaadje, liet het op het water vallen en keek toe hoe het wegdreef. Dat ze had gezegd dat ze water ging halen zou geen reden zijn om haar geen standje te geven. Ze zou klappen krijgen. Maar dat kon haar niet schelen. De straf die ze meer dan wat ook vreesde, was dat ze tegen haar zouden zeggen dat ze niet meer naar buiten mocht. Ze keek op, staarde treurig naar de bergen en wenste dat ze op een goede dag helemaal naar boven kon klimmen om over de vallei uit te kijken.

Zabi schrok op toen ze een stem hoorde.

— *Hé, jij daar!*

Bang dat ze op haar kop zou krijgen, draaide ze zich om. Tussen de abrikozenbomen liep een oudere jongen. Zabi kon in het felle zonlicht zijn gelaatstrekken niet onderscheiden. Hij zei:

— *Waarom kijk je zo verdrietig?*

Zabi hief haar hand op om haar gezicht af te schermen van het zonlicht en naar het gezicht van de jongen te kijken. Het was Sayed Mohammad. Sayed was al veertien en was heel anders dan zijn oudere broers, die zich in het dorp maar zelden vertoonden. Verlegen mompelde Zabi:

— *Ik ben niet verdrietig.*

— *Je jokt! Ik zie dat je het wel bent.*

Daar wist ze niet op te antwoorden. Sayed stond in het dorp bekend om zijn talent als zanger en dichter. Hoewel hij nog jong was, zag je hem vaak bij de oudere mannen zitten, en dan nipte hij van die bittere thee alsof hij een van hen was. Om van onderwerp te veranderen, vroeg ze:

— *Wat heb je gedaan?*
— *Ik heb een gedicht gemaakt.*
— *Kun je dat onder het lopen doen?*
Sayed glimlachte.
— *Ik maak ze in mijn hoofd.*
— *Dan zul je wel een goed geheugen hebben.*
Hij leek even na te denken over deze veronderstelling. Sayed
dacht over veel dingen serieus na.
— *Ik heb een techniek om me gedichten te herinneren. Ik zing ze
voor aan andere mensen. De gedichten die niet zo goed zijn vergeet ik
weer snel. Heb jij dat niet, dat je de dingen vergeet waar je niet zo goed
in bent?*
Zabi probeerde zijn bedachtzaamheid te imiteren en knikte
langzaam. Maar voordat ze iets had kunnen zeggen, vielen hem
haar vingers op. Hij zei:
— *Waarom zijn je vingers rood?*
— *Ik heb net kleurstof gemaakt.*
Zabi wilde indruk maken op Sayed en zei toen in een opwelling:
— *Wist jij dat de kleur rood bitter smaakt?*
Tot haar verbazing was hij geïnteresseerd.
— *O ja?*
— *Ik heb de hele ochtend kleurstoffen gemaakt. Ik heb er een paar
keer van geproefd.*
— *Waar wordt die rode kleurstof van gemaakt?*
— *Van granaatappelschillen.*
Zabi was blij dat ze niet iets stoms had gezegd. Sayed krabde aan
zijn hoofd.
— *Rood heeft een bittere smaak… Dat zou ik wel kunnen gebrui-
ken in een gedicht.*
Zabi keek verbaasd.
— *Echt waar?*
— *De vlag van de Sovjet-Unie is rood, dus als je zegt dat rood een
bittere smaak heeft, is dat een politieke uitspraak.*
Hij keek naar Zabi's gelaatsuitdrukking.
— *Weet je wat de Sovjet-Unie is?*
— *Dat zijn de indringers.*
Hij knikte tevreden.
— *De indringers! Dat zou de titel van mijn gedicht kunnen zijn. In
de eerste regel zou iets kunnen staan in de trant van…*

Zijn stem stierf weer weg, en hij deed zijn ogen dicht. In opperste concentratie probeerde hij verschillende dingen uit.

— *Rode vlag zo bitter als?*

Zabi stelde voor:

— *Granaatappelschillen?*

Sayed lachte.

— *Is dat niet te aardig voor onze vijand? Dat hun ideologie naar onze nationale vrucht zou smaken? We kunnen een vrucht die hier groeit, in onze Afghaanse grond, toch niet vergelijken met de vlag van de indringers.*

Toen hij dat had gezegd, liep Sayed weg; blijkbaar dacht hij niet meer aan Zabi. Maar zij wilde meer horen en wilde niet dat hij het gesprek afbrak vanwege die stomme opmerking van haar. Ze liep hem na en haalde hem in.

— *Kun je een gedicht voor me zingen?*

— *Ik zing geen gedichten voor kleine meisjes. Ik moet om mijn reputatie denken. Ik zing alleen voor strijders.*

Gekwetst bleef Zabi staan. Sayed, die zag hoe ze reageerde, zei:

— *Je moet het niet zo zwaar opvatten.*

Zabi moest bijna huilen. Ze vond het vreselijk dat ze een meisje was. Op zachtere toon zei hij:

— *Wist je dat mijn vader niks van mijn gedichten wilde weten? Hij sloeg me en zei dat ik mijn mond moest houden. Zang en poëzie waren voor vrouwen, vond hij, en hij zei dat ik meer op mijn broers moest gaan lijken. Het is waar dat bepaalde poëzie voor vrouwen bedoeld is, zoals slaapliedjes, of een* nakhta*, die de vrouwen zingen als ze rouwen om de dood van een held. Door de nakhta ben ik op het idee gekomen dat ik misschien liederen voor helden moet maken, geen treurige, maar triomfantelijke, als ze zegevieren tegen de indringers. Poëzie moet niet alleen maar mooi zijn en prettig in het gehoor liggen. Ze moet een doel hebben. Er moet woede in zitten.*

Sayed plukte een paar blaadjes van de bomen en vervolgde:

— *Deze nieuwe gedichten heb ik voor mijn vader gezongen. En toen is hij van gedachten veranderd. Hij hield op me te slaan en is me meer gaan vertellen over wat er in ons land gebeurt, zodat mijn gedichten er realistischer door zouden worden. Sinds die omslag zing ik gedichten over het verzet, gedichten die protesteren tegen de manier waarop onze Afghaanse broeders en zusters worden behandeld. Mijn vader is trots op me. Hij neemt weleens strijders mee uit de heuvels. Zij vertellen me hun verhalen, en ik maak daar gedichten van. Ik maak een geschiedenis van onze oorlog in gedichten, duizenden verschillende gedichten. Mijn vader zal me meenemen de heuvels in, en dan ga ik ze in alle kampen voordragen. Wist je dat mijn broers strijders zijn?*

— *Nee, dat wist ik niet.*

— *Ze vechten tegen de Sovjets. Samir heeft me verteld dat hij een dam zou gaan opblazen, en dat het water dan naar beneden zou storten en de Sovjettanks zou wegvagen. Ze zullen gauw terugkeren naar het dorp, en dan zal ik hun overwinningen omzetten in de beste gedichten die ik ooit heb gemaakt. Iedereen in het dorp zal om ons heen komen zitten en luisteren.*

Sayed hurkte naast Zabi neer en sprak op fluistertoon, alsof er mensen bij hen in de boomgaard waren die hen zouden kunnen horen.

— *Wil je een gedicht horen waarvoor je gearresteerd en doodgeschoten zou worden als je het in Kaboel op straat zou zingen? Als ik het voor je zing, moet je het aan niemand vertellen, zodat niemand het ooit zal weten. Beloof je dat je het voor je zult houden?*

Zabi was nerveus en opgewonden. Ze wilde geen bange indruk maken en knikte.

— *Ik beloof het.*

Sayed begon te zingen:

— *O Kamal!*

Hij zweeg.

— *Weet je wie Kamal is?*

Zabi schudde haar hoofd. Ze kende niemand die Kamal heette.

— *Kamal is de president. Weet je wat een president is?*

— *Een soort dorpsoudste?*

— *In zekere zin wel, ja. Hij is een leider, maar hij is niet door ons gekozen, door de mensen die in dit land leven. Hij is aan de macht gebracht door de indringers, om te doen wat zij willen. Stel je voor dat onze dorpsoudsten zouden worden gekozen door een ander dorp, duizenden mijlen verderop. Dat zou toch onzinnig zijn? En stel je dan eens voor dat we een dorpsoudste hadden die niet eens geboren was in ons dorp, maar iemand vanbuiten, die hier gekomen is om ons te vertellen wat we wel en niet konden doen.*

Zabi begreep het: zoiets zou onzinnig zijn.

Sayed begon zijn lied opnieuw.

— *O Kamal! Zoon van Lenin...*

Weer stopte hij.

— *Weet je wie Lenin is?*

Zabi schudde haar hoofd. De naam klonk haar vreemd in de oren.

— *Lenin is de man die het communisme gecreëerd heeft, zo heet de religie waar de indringers in geloven. Lenin is een god voor de indringers, of een profeet, een goddelijke figuur – ze hebben foto's van hem in hun scholen en gebouwen hangen. Ze lezen zijn woorden en zingen ze.*

Sayed begon opnieuw.

> *O Kamal! Zoon van Lenin,*
> *Jij geeft niets om de godsdienst en het geloof*
> *Je kunt je ondergang tegemoetzien en*
> *Moge jou een ramp overkomen, o zoon van een verrader,*
> *O zoon van Lenin!*

Ondanks de uitleg begreep Zabi de tekst niet helemaal, maar ze vond Sayeds stem prachtig en klapte in haar handen toen het lied uit was.

Sayed glimlachte en stond op het punt om een buiginkje te maken, toen hij zich ineens als een verschrikt dier om zijn as draaide en naar de hemel keek. Zabi hoorde niets anders dan het geruis van het water in het irrigatiekanaal. Sayed verroerde zich niet en hield zijn blik gericht op de blauwe hemel, waar niets te zien was. Pas toen hoorde Zabi het ook – een geluid zoals ze nog nooit had gehoord.

Sayed pakte haar om haar middel vast en zette haar in de dichtstbijzijnde boom. Zabi klom naar boven.

— *Wat wil je dat ik doe?*

— *Kijk omhoog! Vertel me wat je ziet!*

Ze woog niet veel, maar de boom was nog jong en de takken bogen door onder haar gewicht. Het lawaai werd steeds luider. Ze voelde de trillingen in de stam. Toen ze niet hogerop kon, stak ze haar hoofd boven de kruin van de boom uit.

— *Wat zie je?*

Recht op haar af, laag boven de bomen, kwamen twee oorlogsmachines aangevlogen – reusachtige ijzeren insecten met korte vleugels, elk met draaiende messen die door de lucht maalden en het zicht op de blauwe hemel daarboven deden vervagen. Voorin was glas, glazen bollen – angstaanjagende monsterogen. De machines vlogen zo laag dat ze de mannen erin kon zien zitten. De gezichten van de piloten gingen schuil in helmen. Toen ze overvlogen, leek het net alsof je je hand ernaar kon uitstrekken en de ijzeren buik aanraken. Sayed schreeuwde naar haar, maar ze hoorde niet wat hij zei, alleen het *wham-wham* van de draaiende messen. Een windvlaag, een door zwiepende messen veroorzaakte storm ging door de bomen. Ze greep de tak stevig vast. De hele boom schudde en boog door. Ze negeerde Sayeds oproep om naar beneden te komen, Zabi keek hoe de twee reusachtige ijzeren insecten boven haar dorp rondcirkelden.

De eerste explosie was zo krachtig dat Zabi een klap tegen haar lijf voelde en achterwaarts uit de boom werd geblazen. Ze viel, de takken braken onder haar gewicht. Ze zou op de grond zijn gevallen als Sayed haar niet had opgevangen. Ze voelden een intense hitte. Boven hen uit rees een paddenstoelvormige wolk op, als een ontketende boze geest. De boomgaarden dicht bij het dorp stonden in lichterlaaie; vanuit de boomtoppen rezen de vlammen omhoog. Een tweede explosie volgde, met weer een hete windvlaag, die haar wimpers deed omkrullen. Sayed nam een besluit, pakte haar op en rende met haar als een opgerold tapijt onder zijn arm weg. Om hen heen vielen kluiten aarde neer.

Toen ze achteromkeek, zag ze zwarte rookwolken tussen de bomen door golven en op hen afkomen als boze onweerswolken. Plotseling werd de wolk uit elkaar gerukt en stormde een kudde bergpony's door de rook heen. Ze hadden grote ogen, hun manen stonden in vuur en vlam en hun huid was zwart verbrand. Sommige waren blind of verblind door paniek en botsten tegen de smalle stammen van de abrikozenbomen. De bomen versplinterden, en de pony's stortten neer. Hun hoeven maalden door de grond. Eén pony bleef zelfs doorlopen met een opengescheurde buik, hij vloog voorbij, terwijl een andere, die niet meer op zijn benen kon blijven staan, met de tong uit de mond naast hem op de grond plofte.

Het mechanisch bonzende geluid kwam terug. Een van de machines baande zich een weg door de zwarte wolk en bleef pal boven hen zweven. Sayed rende nog harder, met in zijn ogen dezelfde wilde paniek als de pony's hadden die aan weerszijden van hen neervielen. Nergens kon je je verbergen.

Zabi zag voor hen uit het irrigatiekanaal liggen. Maar voordat ze daar waren, volgde een derde explosie – de grond onder hun voeten schudde en week uiteen, elk stukje aarde en elk boomblad beefde. Sayed gooide haar naar voren. Even zeilde ze door de lucht, toen viel ze naar beneden, stortte in het kanaal en ging kopje-onder in het ijskoude water. Ze draaide zich om en keek naar boven. Van Sayed was niets meer te bespeuren. Een brandende pony sprong over haar heen, de hoeven krabbelden aan de betonnen wand. De blauwe lucht was weg en vervangen door vuur. Het ijskoude water begon te borrelen en te sissen.

Kaboel
District Jada-e-Maiwand
Appartementencomplex Microrayon

Drie dagen later

Het was een nieuwbouwappartement, een door de overheid gecreëerde woonvoorziening. Binnen rook het naar verf en lijm. Leo probeerde het raam te openen, maar het was vergrendeld, misschien wel voor zijn eigen veiligheid, want het glas van Russische makelij was onbreekbaar – het importeren van één enkele ruit kostte meer dan een Afghaanse glasblazer in een heel jaar verdiende. Hij leunde tegen het raam en keek naar de ondergaande zon, die door de dichte smog boven de stad priemde en de laag vuil transformeerde tot patronen van rood en oranje. Hij stond op de vierde verdieping, de bovenste etage van wat een anoniem betonnen appartementenblok zou zijn geweest dat je geen tweede blik waardig zou keuren als het in een Moskouse buitenwijk had gestaan, maar wat in Kaboel door zijn saaie architectuur juist opviel. Het was er door buitenlanders neergezet op basis van een Russisch ontwerp en had geen enkele relatie met de traditionele bouwwijze, waar veel stucwerk aan te pas kwam. Het was in een razend tempo gebouwd, zonder inschakeling van plaatselijke ambachtslieden met hun traditionele vakmanschap, net als het geval was bij de talloze andere appartementengebouwen die na de invasie overal in het district Jada-e-Maiwand omhoog waren geschoten alsof ze er uitgezaaid waren. Dit specifieke gebouw stond er pas sinds het einde van de vorige week. Het was omringd door prikkeldraad, het was beveiligd met schijnwerpers en het werd bewaakt door Russische soldaten, niet door Afghanen, wat kenmerkend was voor het wantrouwen tussen de twee naties. Na de spectaculaire en brute openbare terechtstelling van Dost Mohammad was uit angst voor represailles de beveiliging van gebouwen overgenomen door de Russen. Leo's bezwaren waren terzijde geschoven. Er werden geen uitzonderingen gemaakt. Binnen enkele uren was een getto voor bezettingstroepen gecreëerd – wat precies paste bij de sfeer van tweespalt en achterdocht die Dost Mohammad had willen veroorzaken.

Na zijn verhuizing had Leo meteen de vier deuren tussen de kamers weggehaald en op de vloer gelegd. Toen de deuren weg waren, kon hij vanuit een deel van de woonkamer het hele appartement overzien, zodat hij wist dat er inderdaad niemand anders in huis was, waardoor zijn verbeelding niet meer de kans had om hem te kwellen met herinneringen aan zijn gezin. Toch leek het appartement qua indeling nog te veel op dat wat hij met Raisa en de meisjes had gedeeld; het leek heel erg op zo'n typisch Russisch appartement met zijn boeken- en kledingkasten van multiplex. Leo hoefde niets uit te pakken. Zijn hele bezit lag op de koffietafel: het bundeltje onvoltooide brieven aan zijn dochters en zijn opiumpijp. Hij had besloten om de brieven die hij van Elena en Zoya ontving niet te bewaren, alleen al om te voorkomen dat hij ze steeds weer zou herlezen – dat hij de inhoud keer op keer zou uitkammen, totdat de zinnen en de woorden desintegreerden en van elke betekenis gespeend raakten. Elke keer dat hij ze las, zouden ze in betekenis toenemen, waardoor hij telkens weer gedwongen zou zijn om ze nog een keer te herlezen, totdat het een eindeloze obsessie zou worden. Hij zou de brieven onderling met elkaar gaan vergelijken en zich afvragen waarom Zoya deze keer maar achthonderd woorden had geschreven, terwijl ze er anders altijd meer dan duizend schreef, of hij zou zich afvragen waarom Elena's stijl koeler was geworden en of het slot – 'liefs' – wel oprecht was en niet met tegenzin en uit plichtsgevoel was toegevoegd. Hij kon er niet achter komen wat ze precies bedoelden. Op een warme zomeravond had hij één enkele brief van één kantje van Elena, in haar kleine, keurige handschrift, wel honderd keer gelezen, en hij zou hem nog een paar honderd keer hebben gelezen als hij niet door de opium in slaap was gevallen. Sindsdien had hij besloten om geen enkele brief meer dan drie keer te lezen, waarna hij hem verbrandde. Hij had nu echter al maandenlang geen nieuwe brieven ontvangen. Dat kon eraan liggen dat de post gebrekkig functioneerde – er arriveerden soms wel drie of vier brieven tegelijk – maar het was waarschijnlijker dat het kwam doordat hij op de laatste niet had geantwoord. Hij vond het steeds moeilijker worden om zijn gedachten te ordenen, en zijn pogingen daartoe frustreerden hem: honderd keer opnieuw beginnen en steeds maar die afkeer voelen voor alles wat hij op papier wist te krijgen.

Leo beende heen en weer over het grove synthetische tapijt en had dringend behoefte aan een pijpje. Terwijl hij zijn voorbereidingen trof, hoorde hij zachte muziek klinken uit het aangrenzende appartement, waar zijn nieuwe buurvrouw woonde – Nara Mir.

Na de poging tot arrestatie van Dost Mohammad was Leo met zijn enige nog in leven zijnde stagiaire teruggegaan naar haar ouderlijk huis om haar te helpen er een aantal dingen op te halen, waarvan de belangrijkste – haar boeken over het marxisme – buiten verstopt waren geweest in de vergeefs gebleken hoop dat haar ouders ze niet zouden vinden. Twee Russische soldaten hadden hen geëscorteerd. Tegen de tijd dat ze klaar waren om te vertrekken, had zich echter een menigte verzameld, die opdrong tot vlak bij de auto. Terwijl Leo Nara in de auto duwde, hadden de soldaten in de lucht moeten schieten om de mensen uiteen te drijven. Terwijl ze langzaam door de mensenmassa reden, had iemand een plastic zakje tegen de voorruit gegooid. Er had zuur uit gelekt en het glas was begonnen te roken en te smelten. Leo had de soldaten bevolen door te rijden en niet uit te stappen, want het was natuurlijk een provocatie geweest, en een voorbode van een hinderlaag. Nara, veracht door de gemeenschap waar ze ooit deel van had uitgemaakt, was er kalm onder gebleven. Als reactie op haar uitstoting had ze haar leerboek Russisch gepakt.

— *Mijn Russisch is niet goed. Dat wil ik graag verbeteren. We moeten voortaan meer Russisch spreken.*

Tijdens de hele rit was de voorruit blijven borrelen en sissen, maar Nara was, alsof er niets aan de hand was, stug door blijven lezen.

Leo was nieuwsgierig naar de muziek en wist het op te brengen om het roken uit te stellen. Hij trok zijn teensandalen aan, liep de gang op en klopte op haar deur. Nara maakte een aantal zware sloten los en deed open. Hoewel ze geen dienst had, was ze in uniform. Ze had het privilege in een voor Russen geschikt appartement te mogen wonen, niet in de eerste plaats om te tonen dat Russen en Afghanen op voet van gelijkheid met elkaar omgingen, maar vooral omdat ze als levend bewijs fungeerde dat de opstandelingen niet alle agenten in opleiding hadden gedood. Ze was een talisman van de bezettingsmacht, en die zou haar beschermen. Aan de andere kant van de prikkeldraadversperring en de wachtlopende patrouilles zou haar lot snel bezegeld zijn. Op de huiskamertafel stond een grote cassettespeler. Nara vroeg in het Russisch:

— *Is de muziek te... groot?*

Ze kon het juiste woord niet vinden en praatte verder in het Dari.

— *Staat de muziek te hard?*

— *Nee.*

De muziek stond op een illegaal gekopieerd bandje met westerse popmuziek van het soort dat je op elke markt kon vinden, waar ze, na vanuit andere landen te zijn ingevoerd, in de stalletjes op sjaals uitgestald met enorme winstmarges verkocht werden, speciaal aan de bezettingsmacht. Leo had geen idee wat voor muziek het was of wie de zanger zou kunnen zijn. Er werd in het Engels gezongen, met een Amerikaans accent. De man had een uitstekende stem. Nara vroeg, echt nerveus:

— *Is het verkeerd voor een communiste om muziek van een Amerikaanse zanger te kopen?*

Leo schudde zijn hoofd.

— *Ik denk niet dat het iemand wat kan schelen.*

— *De kapitein heeft me een toelage gegeven. Ik heb nooit eerder zelf geld gehad. Ik heb het uitgegeven. Alles, in één enkele middag. Ik bleef maar spullen kopen die ik niet nodig had, totdat het geld op was. Heb ik daar verkeerd aan gedaan?*

— *Nee.*

— *De zanger heet Sam Cooke. Heb jij ooit van hem gehoord?*

— *Ik hou de muziek niet bij.*

Ze luisterden nog even, en toen zei Leo:

— *Ik heb ooit een Amerikaanse zanger gekend. Hij was communist, en jaren geleden, toen ik nog jong was, is hij naar Moskou gekomen. Ik deed voor hem de beveiliging. Hij heette Jesse Austin. Zijn stem klonk een beetje als de stem van deze man. Alleen zong Jesse Austin geen popsongs.*

Nara pakte een pen en een notitieblok van de huiskamertafel en schreef de naam JESSE AUSTIN op, alsof hij een verdachte was wiens gangen nagegaan moesten worden.

— *Ik zal morgen in de bazaar kijken of ik iets van hem kan vinden.*
Leo had er nooit aan gedacht naar zijn muziek te zoeken.
— *Als je wat vindt, laat het me dan weten. Dan kunnen we er samen naar luisteren.*

Leo keek om zich heen in haar appartement en zag haar communistische boeken netjes op een rij op de planken staan – de boeken die ze gedwongen was geweest te verstoppen in gaten in het metselwerk in een steegje, de boeken die haar ouders in woede hadden doen ontsteken en die er de oorzaak van waren dat er een aanslag op haar leven was gepleegd. Zij bezat weinig anders – haar appartement was bijna net zo leeg als dat van Leo. De song was afgelopen. Het bandje kraakte. Er begon een nieuw nummer. Nara zei:
— *Je leven in Moskou zal wel heel anders zijn dan je leven hier, hè?*
Leo knikte. Hij voelde zich ongemakkelijk bij de verandering van onderwerp.
— *Dat klopt, ja.*
— *Mis je je familie?*
Ze had nooit eerder geïnformeerd naar zijn privéleven, en het beviel hem niet dat ze het nu wel deed. Hij stond op het punt om welterusten te zeggen en naar zijn appartement te gaan toen ze eraan toevoegde:
— *Ze gaan mijn vader executeren.*
Leo's irritatie verdween op slag. Hij zei:
— *Ja, ik weet het.*
— *Mijn moeder gaat de gevangenis in. En mijn broer ook. Ik heb nooit eerder alleen geleefd, zonder familie.*
— *Het zal moeilijk worden.*
Ze keek Leo aan met een mengeling van eenzaamheid en vastberadenheid, waardoor Leo met haar te doen had.
— *Zal het gaandeweg makkelijker worden?*
Leo schudde zijn hoofd.
— *Je vindt een manier om ermee om te gaan.*
Leo was niet binnengekomen in haar appartement, maar was op de drempel blijven staan, omdat hij haar niet in verlegenheid wilde brengen en haar idee van wat fatsoen was respecteerde. Ze had hem ook niet binnengevraagd. Het zou uit cultureel oogpunt ongepast zijn geweest. Maar hij voelde dat ze wilde dat hij bij haar zou blijven en haar zou vragen of hij binnen mocht komen. Ze kon het niet opbrengen om het zelf te vragen. Ten slotte zei Leo:

— *Probeer wat te slapen.*

Hij draaide zich om, ging weg en dwong zichzelf niet achterom te kijken om te zien of ze hem nakeek.

Toen hij bij zijn voordeur kwam, bleef Leo staan. Hij zag haar voor zich, in haar eentje in dat kale, pas geschilderde, zielloze appartement. Het was belachelijk dat hij erover dacht om terug te gaan. Ze had haar familie verloren. Natuurlijk wilde ze gezelschap. Maar wilde hij haar gezelschap houden omdat ze alleen was? Ze verkeerden in dezelfde positie: ze waren alleen, ze waren buitenstaanders. Het hoefde niet moeilijk te worden. Wat was er mis met vriendschap? Langzaam draaide hij zich om.

Nara stond nog bij de deur; ze had hem niet dichtgedaan. Ze keek echter niet naar Leo. Aan het einde van de gang stond kapitein Vasjtsjenko. Met een opgerolde kaart onder zijn arm liep hij op hen af.

— *Ik moet jullie allebei spreken. Laten we in Leo's appartement praten.*

Nara wachtte tot de kapitein voorbij was voordat ze haar deur dichtdeed en achter hem aan liep. Leo had geen gelegenheid om te zien hoe ze keek.

Binnen spreidde de kapitein de kaart op tafel uit zonder aandacht te besteden aan Leo, die zijn opiumpijp opborg. De kapitein haalde zijn pistool tevoorschijn en gebruikte het om de kaart plat op tafel te laten liggen. Op de kaart waren de bergen en een vallei te zien in de buurt van de stad Jalalabad, niet ver van de Pakistaanse grens. De kapitein legde uit:

— *Ik ging ervan uit dat er een verband bestaat tussen de moorden in Kaboel en de mislukte bomaanslag op de Sarobidam. Ik had gelijk. Dost Mohammad zat achter de moorden in Kaboel, en we hebben het lichaam van Samir Mohammad, een bekende bommaker, bij de dam gevonden. Het zijn broers. Volgens onze bron zijn er in totaal vier broers, de twee anderen zijn een jonge knaap die Sayed heet en een strijder die Fahad heet en als zodanig gevreesd wordt. Deze familie vormt een eenheid in de opstand. Ze hebben het op de stabiliteit van Kaboel voorzien. Drie dagen geleden hebben we mensen naar hun geboortedorp gestuurd, niet ver van Jalalabad. Hind-helikopters zouden luchtsteun verlenen aan grondstrijdkrachten. We kregen te horen dat de dorpelingen het vuur hebben geopend. De helikopters hebben wraak genomen, en het conflict is geëscaleerd.*

Hij zweeg even en wierp een blik naar Leo.

— *Er zijn enkele honderden doden gevallen, onder wie vrouwen en kinderen. We hebben nu een heel ander soort probleem. In de hele regio doen verhalen over het bloedbad de ronde. We vrezen dat ze de opstand zullen aanwakkeren, niet alleen in de provincie waar dit heeft plaatsgevonden, maar ook in Kaboel. Het nieuws van het bloedbad heeft de hoofdstad inmiddels bereikt. De mensen beschuldigen ons ervan dat we het dorp uit wraak hebben aangevallen. Veel van onze Afghaanse bondgenoten zijn erdoor op het verkeerde been gezet. Ze vinden onze reactie buitenproportioneel.*

Leo wist waar de kapitein op aanstuurde.

— *Jij gaat over de militaire binnenlandse aangelegenheden. Laat ze een onderzoek instellen. Laat zien dat we rechtvaardigheid hoog in het vaandel voeren. Het wordt geen onderzoek naar het functioneren van onze mensen. Zij deden gewoon hun werk. Dit is louter voor de bühne. We moeten ons in de regio laten zien en een soort verzoenend gebaar maken. Jij bent onze meest ervaren adviseur, jij begrijpt deze mensen. Deze terroristen veroorzaken dood meer problemen dan ze bij leven deden. Ik wil dat jij de rust min of meer herstelt en ze een soort compensatie biedt.*

Leo, die het uitgangspunt absurd vond, wreef over zijn stoppelbaard.

— *Kapitein, ik zal eerlijk tegen je zijn. Het is tijdverspilling om naar dat dorp te gaan. De mensen daar willen niets anders van ons dan dat we hun land verlaten. En om dat aan te bieden, krijg ik je toestemming vast niet, hè?*

De kapitein pakte zijn pistool, maar liet de kaart liggen. Hij leek Leo's bezwaar niet te hebben gehoord en zei:

— *We vertrekken morgenvroeg. Ik heb mensen nodig om te onderhandelen, mensen die ik kan vertrouwen, en daarom wil ik dat Nara Mir met ons meegaat. Ze heeft zich een veelbelovend agent betoond, en het zal goed zijn om er ten minste één Afghaan bij te hebben, al was het maar voor de show.*

Even abrupt als hij was aangekomen, bleef hij ineens bij de deur staan en keek hen beiden aan.

— *Jij vertaalt voor haar alles wat ik gezegd heb, hè?*

De kapitein deed de deur achter hem dicht, zodat ze weer samen waren.

De weg van Kaboel naar Jalalabad
100 km ten oosten van Kaboel
25 km ten westen van Jalalabad

De volgende dag

Leo en Nara zaten op de achterbank van de gepantserde UAZ met de ruggen naar elkaar. Al sinds het konvooi Kaboel verliet en via een van de gevaarlijkste wegen ter wereld richting Jalalabad ging, hadden ze gezwegen en ieder oogcontact vermeden. Ze hadden om de bergen heen moeten rijden, als nietige figuren in het immense Afghaanse landschap, via de Surobikloof, waar de weg zich langs steile afgronden van honderden meters diep en langs uitgebrande resten van verongelukte auto's kronkelde. In dit gebied liep je net zoveel gevaar in een hinderlaag terecht te komen als bij de uitgang van de Salangpas, waar opstandelingen zich in de bergen schuilhielden en brandstofkonvooien overvielen. Het voertuig werd bestuurd door een militair, en naast hem zat de kapitein. Een tweede auto volgde, met daarin nog eens vier Russische soldaten. Het was een bescheiden konvooi, en ze hadden radio aan boord, waarmee zo nodig luchtsteun kon worden aangevraagd. Af en toe keek de kapitein achterom en zei iets tegen Leo, maar hij keek daarbij zo ondoorgrondelijk dat deze geen enkel idee had of hij vermoedde wat er de vorige avond was gebeurd. Het zou immers stroken met het Russische protocol als de pasgebouwde flats werden afgeluisterd.

De vorige avond hadden ze een vergissing begaan, een impulsieve fout vanuit een soort adolescente heethoofdigheid. Ze hadden elkaar niet moeten kussen. Nara zou dat zeker met hem eens zijn, al waren ze twee eenzame zielen in die sombere, lege, nieuwe appartementen. Hij kon zich niet precies herinneren hoe het was gebeurd – ze hadden met elkaar gepraat, dicht bij elkaar, en de kaart op tafel bekeken. Zij had hem het dorp gewezen waar haar familie vandaan kwam, het dorp waar ze nooit welkom was geweest. Ze had Leo de route gewezen waarlangs haar grootvader vachten naar China had gesmokkeld en had verteld dat veel van die smokkelaars in de bergpassen waren omgekomen. Alsof het idee nog maar net bij haar was opgekomen, had ze gezegd dat haar grootvader wel op de hoogte zou zijn geweest van het complot om haar te doden en daar waarschijnlijk zijn goedkeuring aan had gehecht. Ze raakte erdoor in de war en legde uit waarom. Het zou kunnen dat Leo haar op dat moment even had aangeraakt, maar alleen om haar te troosten. Of misschien had hij haar per ongeluk even over haar hand gestreken. Hij wist het niet zeker. Maar al was de aanleiding in zijn herinnering niet helder, de kus was wel duidelijk geweest, een uiting van een seksueel verlangen dat al zo lang was onderdrukt door de opium, het verdriet of door beide. Even had hij een ongecompliceerd moment van geluk ervaren van een soort dat hij vergeten leek te zijn, een onstuitbare drang, en was hij ervan overtuigd geweest dat niets anders zin had dan alleen het volgen van de impuls die hij op dat moment voelde. Maar toen hij zijn armen om haar middel sloeg en haar voelde beven, overweldigd door emoties, nerveus en onervaren, had hij haar losgelaten. Ze had voor hem gestaan, ze had haar mond geopend alsof ze iets wilde zeggen waar ze geen woorden voor kon vinden. Zo hadden ze tegenover elkaar gestaan, naar het leek minutenlang, maar misschien was het slechts een kwestie van seconden geweest voordat ze uiteindelijk was weggelopen en zachtjes de deur achter zich had dichtgedaan.

Nadat Nara was vertrokken, had Leo een pijp opgestoken en zijn longen volgezogen met opium, zijn panacee voor het ontbreken van menselijk contact. Vermoeid liet hij zijn hoofd tegen het kogelvrije glas rusten en sloot zijn ogen.

Toen Leo wakker werd, stond de auto stil. Nara zat niet meer naast hem. Er zat ook niemand achter het stuur. Hij deed het zware, gepantserde portier open en stapte uit. Aan zijn kant van de weg zag hij het blauwgroene water van een meer. Aan de andere kant rees een steile berg hoog boven hem uit. Ze stonden op de Darwantadam, niet ver van hun bestemming, het dorp Sokh Rot, dat in de vallei aan de andere kant van de berg lag. De kapitein stond even verderop met zijn mannen. Nara stond daar niet bij, maar staarde in het water. Leo liep naar haar toe. Hij was zich ervan bewust dat de kapitein naar hen keek en aarzelde, wist niet goed wat hij zou gaan zeggen. Hij stak zijn voet even in het water, waardoor een rimpeling haar spiegelbeeld verstoorde.

— *Het hoeft geen probleem te zijn.*

Ze zei niets. Leo voegde er nog aan toe:

— *Ik neem de… verantwoordelijkheid. Jij hebt je onberispelijk gedragen.*

Hij wilde het daarbij laten, maar kon zich niet bedwingen om nog een extra opmerking te maken.

— *Het was een vergissing, een fout die we achter ons kunnen laten. Zo denk ik erover.*

Ze zei niets. Leo vervolgde:

— *Het beste zou zijn om gewoon door te gaan alsof het niet gebeurd is. We moeten ons toeleggen op wat ons te doen staat. Wat wij nu hebben…*

Hij haastte zich om nauwkeuriger te zijn.

— *Ik bedoel niet dat wij nu iets met elkaar hebben, door gisteravond. Ik bedoel dat we een taak hebben nu we dicht bij het dorp zijn. Ik zeg niet dat we niets met elkaar hebben, maar we zijn vrienden. Ik wil je vriend zijn. Als je wil…*

Leo vond het jammer dat de kapitein niet om transport per helikopter had gevraagd, waardoor de reis een kwestie van minuten in plaats van uren zou zijn geweest. Maar gezien het feit dat er naar verluidt een bloedbad was aangericht door twee Hind-helikopters, zou het niet verstandig zijn geweest om het gebied binnen te vliegen, want dan zouden de verontwaardiging en de paniek weer zijn opgelaaid. Leo vond het wel vreemd dat de kapitein het probleem eigenhandig wilde aanpakken. De melding van de geheime dienst dat door de slachting olie op het vuur van de opstand in Kaboel was gegooid, was niet erg substantieel, en al even vaag was het idee dat ze hun schuld zouden kunnen afkopen met een ontwikkelingsproject, een medisch centrum, een school, een waterput of een kudde vee die goed in het vlees zat. Waarom zou de kapitein hier zijn tijd aan verdoen? Leo had niets anders meegenomen dan zijn pijp en een bescheiden voorraadje opium, ervan uitgaande dat ze in het nabijgelegen Jalalabad zouden moeten blijven totdat de zaak was afgehandeld.

Toen ze hun bestemming naderden, werd kapitein Vasjtsjenko ongewoon spraakzaam. Hij zei:

— Wil je weten wat mijn grootste teleurstelling is sinds ik in dit land ben?

De vraag was retorisch, en hij ging door zonder op een antwoord te wachten.

— Tijdens de invasie was ik betrokken bij de belegering van het paleis van de president, waar het Veertigste Leger zijn basis heeft. Waar de overloper ook zat – jij bent er zelf geweest.

Nara had genoeg verstaan om de naam te kunnen noemen.

— Tapa-e-Tajbeg.

De kapitein knikte.

— We hadden het plan om de president gevangen te nemen. We hadden gedacht dat de bewaking zich zou overgeven, maar die bleek in tegenstelling tot alle andere Afghaanse divisies wel degelijk tot verzet in staat. We hebben ons naar binnen moeten vechten. Het was voor mij de eerste keer dat ik in een koninklijk paleis vocht. Overal in het paleis lag duur, aan stukken geslagen kristal. De kroonluchters vielen van de plafonds naar beneden. Schilderijen en kunstwerken werden aan flarden geschoten.

De kapitein lachte.

— Stel je voor dat je in een museum vecht, want dat was het. Dat je dekking zoekt achter antiek dat meer waard is dan ik in een mensenleven kan verdienen. Die bewakers hebben dapper gestreden, moet ik zeggen, gezien het feit dat er geen hoop bestond dat ze zouden winnen. Ik denk dat ze wisten dat ze hoe dan ook zouden sterven. We hebben het paleis zaal voor zaal veroverd. Ik wilde degene zijn die de president gevangen zou nemen of zou doden. Wat een eer zou dat zijn! Ik gokte erop dat hij zich in zijn slaapkamer verstopt zou hebben. Want zoekt niet iedereen in tijden van gevaar zijn slaapkamer op? Mensen associëren hun slaapkamer met veiligheid, of ze vinden het de meest geschikte ruimte om te sterven. Maar ik had het mis. Iemand van mijn team trof de president aan in de bar. Hij had een eigen bar. Hij zat met zijn rug naar de deur vijftig jaar oude scotch te drinken. Ze hebben hem in zijn rug geschoten, waarbij ze er wel op gelet hebben dat ze de karaf niet beschadigden. We hebben de scotch opgedronken om het te vieren, al was ik niet in de stemming om iets te vieren. Het ergert me nog steeds dat ik de verkeerde kamer had gekozen.

De kapitein schudde mistroostig zijn hoofd.

— Ik heb nog nooit een dictator doodgeschoten.

Leo merkte op:

— *Je hebt zijn opvolger geïnstalleerd. Misschien krijg je nog een kans.*

Tot zijn verbazing amuseerde dit de kapitein.

— *Als het zover is, zal ik meteen doorlopen naar zijn privébar.*

Hij draaide zich om en keek hen aan met een lichte grijns op zijn doorgaans niet bepaald expressieve gelaat.

— *Zou je dit niets eens vertalen voor haar?*

Dat was ook het laatste wat de kapitein had gezegd voordat hij Leo en Nara de vorige avond alleen had gelaten. Hij wist dat ze elkaar hadden gekust. Leo had gelijk gehad. De appartementen werden afgeluisterd.

Aan de grens van de provincies Laghman en Nangarhar, het dorp Sokh Rot
116 km ten oosten van Kaboel
9 km ten westen van Jalalabad

Dezelfde dag

Toen ze de locatie naderden waar het bloedbad had plaatsgevonden, begon het landschap te veranderen. De bomen droegen geen bloesems meer, maar waren verkoold – de takken waren zwartgeblakerd, en vaak waren de bomen zo ernstig door het vuur aangetast dat er niets meer van over was dan silhouetten van houtskool, zoals in een kindertekening. Op de plaats waar de granaten ontploft waren, was de weg verdwenen en restte nog slechts een reeks zwarte kraters, omringd door grillige staketsels op de plaatsen waar de bomen hadden gestaan.

De kapitein gaf het bevel te stoppen. Leo stapte uit en merkte onmiddellijk op dat er uit de grond een scherpe geur van chemicaliën opsteeg. Bij ieder zuchtje wind waaiden er zwarte, spiraalvormige wolkjes stof op. De as kraakte onder zijn voeten. Hij ving Nara's blik op. Hoe de oorlog buiten Kaboel was, had ze nog nooit meegemaakt. Ze was geschokt. Hij vroeg zich af hoe lang ze ervoor nodig zou hebben om deze kaalslag voor zichzelf te rechtvaardigen, om dit alles te rationaliseren en argumenten te formuleren waarom het noodzakelijk was geweest. Ongetwijfeld dacht ze hier al over na.

De lemen muren van de huizen waren niet in puin geschoten, maar leken in de lucht opgelost. Alleen aan de rand van het dorp waren nog wat hoopjes aarde te zien, maar die waren uitgedroogd en gebarsten door de hitte. Leo vroeg:

— *Hoe is dit gebeurd?*

De kapitein droeg een zonnebril, en Leo staarde naar zijn eigen vertekende spiegelbeeld in de glazen.

— *Zo'n dorp lijkt sereen en schilderachtig, een typisch primitief, af-gelegen boerendorpje met huizen van koeienstront vol potten en pan-nen en zakken met rijst en kinderen die geiten achternazitten. Maar het was een vrijplaats voor terroristen. De broers die hier vandaan kwamen bezaten explosieven genoeg om dit soort vernietiging te creë-ren, of erger nog. Ze waren van plan om een hele dam op te blazen. Weet je hoeveel mensen dat het leven zou hebben gekost, niet alleen militai-ren, maar ook burgers? Je vraagt hoe het gebeuren kon? Dit is door de dorpelingen zelf aangericht. Ze hebben dit over zichzelf afgeroepen. Onze helikopters werden zwaar onder vuur genomen.*

Leo was niet op de hoogte van de technische specificaties van de Hind-gevechtshelikopters, maar wist wel dat ze zwaar gepantserd waren en dat de rotorbladen van titanium waren. Met alleen ge-weer- en mitrailleurvuur haalde je die niet naar beneden.

— *Maar moest dan alles in brand worden geschoten?*

De kapitein stampvoette.

— *De situatie hier was niet zodanig dat we hoeven te onderzoeken of onze piloten een verkeerde beslissing genomen hebben. Die thermo-barische bommen waren een goede keus. We zijn hier om deze mensen ervan te overtuigen dat er betere en slimmere mogelijkheden zijn dan tegen ons vechten – dat tegen ons vechten miljoenen mensen veel ellen-de zal bezorgen.*

Leo's bleef nadenken over de term die hij net had gehoord en die hij niet kende:

— *Thermobarische bommen?*

Hij had er nog nooit van gehoord. De kapitein keek even naar Nara. Ook al had ze Leo bespioneerd en rapport aan hem uitge-bracht over de deserteur, ze bleef een vreemdeling, en de kapitein vertrouwde haar maar tot op zekere hoogte. Hij sprak zachtjes en snel en zorgde ervoor dat ze zijn Russisch niet kon volgen.

— *Die geven een explosie van langere duur en veroorzaken een drukgolf die veel moeilijker te overleven is. Ze zuigen zuurstof uit de omringende lucht aan. Normale explosieven bevatten een oxidatie-middel, maar thermobarische bommen bestaan voornamelijk uit brandstof.*

Nu hij de kapitein zo hoorde spreken, begreep Leo waarom de militaire autoriteiten er zo zeker van waren dat ze deze oorlog zou-den winnen. Ze hadden zulke vernuftige wapens dat iets anders dan een overwinning niet te verwachten leek. Hij zei:

— *Om ervoor te zorgen dat niemand het overleeft?*

— *Ze zijn ontworpen voor gangenstelsels in grotten. Als de bom de hele grot niet kan vernietigen, wordt in elk geval de lucht eruit wegge-zogen en verandert een basis die als veilig werd beschouwd in een hel.*

Leo vroeg:

— *En bij dorpen?*

Leo had geen verklaring verwacht, en de kapitein liep al weg, maar toen begreep hij ineens waarom ze gebruikt werden. Bij zo'n aanval verloor iedereen het leven; er bleven minder zichtbare lit-tekens achter, terwijl er evenveel dood en verderf werd gezaaid.

Nara hurkte neer. Er lag een kookpot, wel zwartgeblakerd, maar verder onbeschadigd. Ze wreef een klein stukje ervan schoon.

Buiten het voormalige centrum van het dorp was een plas water vol met as aan het ontstaan. Het giftige water kabbelde aan Leo's voeten. Het netwerk van irrigatiekanalen dat de boomgaarden van water voorzag, was bij de aanval vernietigd. Het water dat nog wel steeds vanuit de bergen werd aangevoerd, kon nu nergens meer heen. Hij schepte een handje op. Het sijpelde tussen zijn vingers door, en er bleef een dun laagje as op zijn huid liggen. Hij wreef het weg met zijn duim. De kapitein riep ongeduldig:

— *We moeten de heuvels in, met de mensen praten en erachter zien te komen wat ze willen. Uiteraard zullen we de boomgaarden herplan-ten, het water schoonmaken en het land verdelen onder de familieleden van de slachtoffers. Jij gaat de onderhandelingen doen.*

Leo ging naast Nara staan.

— *Nara en ik zullen er alleen naartoe gaan. Het beste is als jij en je mannen hier blijven.*

De kapitein peinsde er niet over. Hij schudde zijn hoofd.

— *Dat kan gevaarlijk zijn.*

— *Niet gevaarlijker dan als jij meegaat.*

De kapitein haalde een verrekijker tevoorschijn en keek erdoor naar het volgende dorp.

— *Ze krijgen een medisch centrum of een school. Daar hoeven we niet al te moeilijk over te doen.*

Het dorp dat het dichtst bij de plek van het bloedbad lag, heette Sau. Het bestond uit een groepje huizen op de berghelling, een paar honderd meter boven het dal. De dorpelingen daar moesten heb-ben gezien hoe de helikopters boven het naburige dorp vlogen, er hun raketten op afvuurden en er hun bommen op lieten vallen, waarna het vuur de bomen en de huizen had verzwolgen. Hoewel het dorp niet ver weg leek, duurde het bijna een uur voordat ze het verschroeide terrein waren overgestoken en, de betonnen rand van het irrigatiekanaal volgend, de terrassen op de helling hadden beklommen. De kapitein had er niet alleen op aangedrongen zelf mee te gaan, hij had ook zijn vijf soldaten meegenomen. Zijn aanpak beviel Leo niet. Het was natuurlijk niet zonder gevaar, maar dat er in het dorp zelf een hinderlaag zou zijn, leek niet erg waarschijnlijk. De tactiek van de moedjahedien was om de Russische posities aan te vallen zonder zelf een basis te hebben waar de Russen wraak op zouden kunnen nemen. Ze trokken zich na hun aanval gewoon terug in de bergen. Ze waren er niet op uit om de steden te heroveren, want dan zouden de Russen een doel hebben om aan te vallen. Ze wilden geen conventionele oorlog voeren, maar waren eropuit om aanvallen uit te voeren op het bezettingsleger en daar een zo groot mogelijke schade aan toe te brengen. Ze wilden de Russen laten bloeden, terwijl de Russen hun bommen lieten vallen op woestijnen en rotsen, of in dit geval abrikozenboomgaarden.

Leo's voorhoofd was nat van het zweet. Hij veegde zijn gezicht af en bestudeerde op de kaart het dorp waar ze op af liepen. Sau was maar klein. Sokh Rot stond te midden van de eens zo vruchtbare boomgaarden, maar dit dorp had duidelijk geen andere middelen van bestaan dan de veehouderij, en toen ze dichterbij kwamen, zagen ze de kudden geiten lopen. In het centrum was een voor dit kleine dorp aanzienlijke menigte verzameld, wel een paar honderd mannen, vele malen meer dan je normaal aantrof in een dorp van deze omvang. Leo haalde Nara en de kapitein in en vroeg:

— *Wat denk jij ervan?*

Hij wees naar de menigte. Er kwamen steeds meer mensen aangelopen, vanaf de bergpaden en uit de vallei. De kapitein keek onderzoekend om zich heen, bekeek de menigte en merkte toen zonder een spier te vertrekken plechtig op:

— *Ze willen het met eigen ogen zien.*

Leo schudde zijn hoofd en wees naar de overkant van de vallei.

— *Waarom steken ze de vallei over? Ze kunnen de verwoesting van daaruit toch net zo goed zien. Waarom zijn ze hiernaartoe gekomen?*

De kapitein gaf geen antwoord.

Met een onrustig gevoel klom Leo de laatste meters omhoog naar het centrum van het dorp, waar hij door de mensen omstuwd werd.

Het dorp Sau
118 km ten oosten van Kaboel
7 km ten westen van Jalalabad

Dezelfde dag

Ruw geschat stonden er niet meer dan veertig huizen, en toch was er in dit kleine dorp zo'n grote menigte bijeen dat de mensen schouder aan schouder stonden, mannen van elke leeftijd. Het was er net zo druk als op een markt in Kaboel. Vanaf de bergpaden kwamen nog steeds mannen aangelopen – zoveel dat sommigen genoegen moesten nemen met een plaatsje op een hoger gelegen terras, waar ze neergehurkt zaten als kraaien op een telefoonkabel. Het dorp was een bedevaartsoord geworden en trok mensen uit alle windstreken. Sommigen hadden geschenken meegenomen: kannen met geitenmelk en schalen met gedroogde vruchten, noten en bessen, alsof er een religieus feest of een bruiloft werd gevierd. Dat de bijeenkomst een feestelijk karakter had, zou kapitein Vasjtsjenko op zijn gemak hebben moeten stellen. Toch leek hij geagiteerd. De Spetsnaz-soldaten maakten hun wapens gereed voor gebruik en namen strategische posities in, al gingen ze niet zo ver dat ze hun wapens direct op de dorpelingen richtten, wat een provocatie zou zijn die geen terugweg meer openliet.

Leo accepteerde het feit dat de situatie snel zou kunnen ontaarden in geweld en nam de leiding. Hij hief zijn armen op om te laten zien dat hij geen wapens droeg. Hij sprak in het Dari.

— *Ik ben ongewapend. We zijn hier om te praten.*

Hij begreep wel dat zijn mededeling dat hij ongewapend was niet veel indruk maakte, gezien het feit dat hij werd geflankeerd door zwaarbewapende soldaten van de speciale eenheden. De muur van ondoorgrondelijke gezichten maakte het hem zelfs onmogelijk om te beoordelen of ze zelfs wel hadden begrepen wat hij had gezegd. Leo's Afghaans was gemakkelijk te volgen voor een stadsbewoner, maar misschien was dat op het platteland anders. Hij keek Nara aan.

— *Praat jij met hen. Stel ze gerust.*

Nara kwam naar voren en ging naast Leo staan.

— *De aanval op het dorp Sokh Rot was een afschuwelijke vergissing, die niet in overeenstemming was met de bedoelingen van de regering. Wij willen met u bespreken hoe we dit gebied kunnen opbouwen. We willen de boomgaarden herplanten en de grond reinigen. We willen dat deze akkers weer vrucht dragen. We zijn hier om naar u te luisteren. We willen met u samenwerken, onder uw leiding.*

Ze sprak op ernstige toon; ze was oprecht ontdaan over de vernietiging en was serieus in haar verlangen om de gemeenschap weer op te bouwen. Hoewel deze poging tot verzoening overeenkwam met het doel van hun bezoek, was de kapitein met zijn gedachten duidelijk elders. Hij keek links en rechts om zich heen, vroeg niet om een vertaling en gaf ook zelf geen aanwijzingen.

Onder de menigte brak een luidruchtige discussie uit; er ontstond een moment van onenigheid. De mensen verhieven hun stem en bestookten elkaar met argumenten. Maar de discussie hield even plotseling op als ze was opgelaaid, en het werd weer stil. Leo besloot een gokje te wagen en begon met het punt waarop de discussie was losgebarsten. Hij bestudeerde de gezichten van de dorpsbewoners en bleef staan bij een oudere man met een verbazingwekkend vuurrode baard. In zijn ogen brandde een opstandigheid net zo fel als de kleur van zijn baard. De man was trots als een pauw en wilde niets liever dan zich uitspreken en een verklaring afleggen. Hij moest moeite doen om zich in te houden. Leo vermoedde dat hij om het minste of geringste al in actie zou komen.

— *De aanval op Sokh Rot was een schande. Help ons. Geef ons advies. Hoe kunnen we het goedmaken?*

Zoals hij had verwacht, kon de man zich niet bedwingen. Hij wees naar het verwoeste land waar het dorp ooit had gestaan.

— *Jullie helpen? Ik zal je zeggen hoe wij jullie graag zullen helpen. We zullen jullie verslaan. We zullen jullie uit dit land verdrijven. En jullie zullen ons daar dankbaar voor zijn, want jullie horen hier niet thuis. Jullie hebben machtige wapens. Maar geen door mensenhand gemaakte wapens zijn te vergelijken met de kracht van Allah. Zijn liefde zal ons beschermen. Wij hebben een teken ontvangen dat dit de waarheid is.*

De menigte reageerde fanatiek. Mannen riepen hem toe zijn mond te houden. Leo vroeg:

— *Wat voor teken?*

Er volgden nog meer aanmaningen aan zijn adres om te zwijgen, maar de oude man wilde graag spreken.

— *Een kind heeft het overleefd! Een wonder is het! Kijk eens naar al die mensen die hier zijn gekomen om het wonder te zien! Kijk hoe het hen inspireert. Wegwezen hier. Wij willen jullie hulp niet. Wij zullen ons land zonder jullie weer opbouwen!*

Verscheidene mensen in de menigte namen zijn oproep over.

— *Wegwezen!*

Hier en daar kwam de menigte tot leven; men klapte en juichte, terwijl degenen die wat voorzichtiger waren geïrriteerd toekeken en tegen hen die al te onstuimig waren riepen dat ze hun mond moesten houden. Leo haakte er meteen op in.

— *Een overlevende? Een jongen?*

De oude man werd bij Leo vandaan getrokken. Toen hij probeerde achter hem aan te gaan, belemmerden anderen hem de doorgang.

Kapitein Vasjtsjenko baande zich een weg door de menigte om meer te weten te komen.

— *Wat is er aan de hand?*

Leo legde het uit:

— *Niet iedereen is gedood. Een kind heeft de aanval overleefd. Ze zeggen dat het een wonder is.*

De kapitein leek niet verrast. Leo vroeg:

— *Wist jij van dat kind?*

De kapitein ontkende het niet.

— *We hebben geruchten gehoord. Eerst waren er verhalen van de slachting, toen kwamen er verhalen over een jongen die het overleefd zou hebben. Ze geloven dat die jongen het bewijs is dat het communisme zal worden verslagen. Onze bronnen in Kaboel zeggen dat het gerucht van de wonderbaarlijke jongen in een paar dagen tijd heeft gezorgd voor een enorme propaganda voor de opstand. Er worden gedichten gezongen over de jongen, die beschermd zou worden door de hand van God. Het is belachelijk. Maar het aantal deserteurs uit het Afghaanse leger is alleen gisteren al met driehonderd procent gestegen. We hebben ook vijf politiemannen verloren toen een van hen zijn wapen op zijn eigen kameraden richtte. Het lijkt erop dat het wonder het bloedbad helemaal is gaan overheersen.*

Leo begon te begrijpen wat de kapitein zo bezighield – een gebombardeerd dorp was nauwelijks zijn aandacht waard, maar een wonder was dat wel. Nara kwam bij hen staan. Ze was zich niet bewust van de ontwikkelingen en zei:

— *We moeten weg. Er zijn te veel mensen. We kunnen niet onderhandelen.*

De menigte was niet tot rust gekomen. De kapitein schudde zijn hoofd.

— *Zeg tegen ze dat ik het kind wil zien.*

Leo was verbijsterd.

— *Dat zullen ze weigeren. Het zou beledigend voor hen zijn. Nara heeft gelijk. We moeten nu weg. We kunnen teruggaan als de situatie niet meer zo instabiel is.*

Alsof Leo niets had gezegd, herhaalde de kapitein:

— *Zeg tegen ze dat ik het kind wil zien. Vertaal dit.*

Leo hield voet bij stuk.

— *We kunnen teruggaan als er minder mensen zijn.*

De kapitein wendde zich tot Nara.

— *Ik wil het kind zien.*

Nu het haar werd bevolen, verhief Nara haar stem en sprak ze de menigte toe:

— *Met uw toestemming willen we de jongen die dit wonder is overkomen zelf zien.*

Het verzoek bracht woede teweeg. Sommige mannen staken hun armen omhoog, terwijl anderen begonnen te roepen. Honderdvoudig weerklonken kreten dat ze dat niet wilden. Er werd een steen naar hen gegooid, die Nara op haar hoofd raakte. Ze viel neer en greep naar haar wang. Voordat Leo haar kon bereiken, weerklonk mitrailleurvuur. De kapitein had zijn pistool opgeheven. De soldaten richtten hun wapens op de menigte. Leo schuifelde naar de kapitein toe.

— *Als we weggaan, blijft iedereen in leven. Als we blijven, krijgen we een uitbarsting van geweld.*

De kapitein was de rust zelve; hij negeerde Leo en hielp Nara overeind.

— *Alles in orde met je?*

Ze knikte.

— *Zeg nog eens tegen ze dat ze me die jongen moeten laten zien.*

Nara herhaalde de opdracht in het Dari. Zodra ze uitgesproken was, vuurde de kapitein zijn pistool nog eens in de lucht af. Toen liet hij het wapen zakken en richtte het op de menigte. Een van de soldaten pakte een handgranaat, trok de pin eruit en liet hem op de grond vallen. Ondanks de bedreigingen gaf geen van de mannen in de menigte een krimp. Het bleef onduidelijk waar de jongen zou kunnen zijn. Leo zei:

— *Ze laten hem niet zien!*

De kapitein, die dat nu ook begon te geloven, liep naar het grootste huis, waar voor de deur geschenken opgestapeld lagen. Leo liep achter hem aan. Toen de kapitein bij het huis kwam, zei hij tegen zijn soldaten:

— *Vorm een halve cirkel. Niemand komt erin. Blijf goed opletten.*

Leo en Nara gingen het huis binnen. De soldaten bleven buiten, met de geweren in de aanslag.

Binnen in het huis was het donker. Onder het dak had zich een dun laagje rook verzameld, die daar hing als een soort wolk. Ze hadden er min of meer in een halve cirkel brandende kaarsen neergezet, en er werd wierook gebrand. De geur daarvan was zwaar en allesoverheersend. Midden in het vertrek, op een podium met een fraai tapijt, zat de jongen, omhangen met witte sjaals. Hij was niet ouder dan veertien jaar, hoewel je daar niet zeker van kon zijn omdat hij er zo vreemd uitzag. Hij was helemaal kaal, had ook geen wimpers of wenkbrauwen. Hij was gekleed als een geestelijke, en zo zat hij er ook bij. Er waren geen duidelijke brandvlekken, zijn huid was niet beschadigd door het vuur en de granaatscherven; hij leek geen verwondingen te hebben opgelopen. Naast hem zaten twee oudere mannen, maar niet op het podium: ze zaten ernaast, waarmee benadrukt werd hoezeer hij in aanzien stond: een jongen van veertien die hoger zat dan de twee ouderen. Toen Leo het gezicht van de jongen bekeek, zag hij dat hij doodsbang was.

De kapitein wendde zich tot Nara.

— *Vraag hun hoe de jongen de aanval heeft overleefd.*

Nara vertaalde zijn vraag. Een van de oudere mannen sprak zachtjes, waarbij hij met één hand een gebaar maakte, terwijl de andere open in zijn schoot bleef liggen.

— *Jullie hebben bommen laten vallen, die bomen, akkers en mensen hebben verbrand. Toen jullie machines weggingen, bleven de doden achter; sommigen waren zwart als as, terwijl anderen nog leken te le-*

ven, maar er zat geen leven meer in hun longen. De huizen stonden in brand. De bomen stonden in brand. Maar toen de rook optrok, zagen we deze jongen. Al zijn lichaamshaar was verbrand. Hij was naakt. Maar zijn lichaam was ongedeerd. Hij was gespaard gebleven en liep op blote voeten door het bloedbad dat jullie met die gevechtsvliegtuigen hadden veroorzaakt.

Toen de oude man uitgesproken was, keek Nara Leo aan. Ze was niet in staat het te vertalen. De kapitein riep:

— *Vertaal!*

Leo was hem ter wille en vatte het haastig samen. De oude man keek de kapitein uitdagend aan en zei in het Dari:

— *Aan deze jongen kunnen wij zien dat we jullie zullen verslaan.*

De kapitein wachtte niet op Leo's vertaling. Hij richtte zijn pistool en schoot de jongen door het hoofd.

Dezelfde dag

Leo hoopte dat het wonder bewaarheid zou worden en dat de jongen ongedeerd zou opstaan, dat hij zou bewijzen dat hij door kogels of bommen niet kon worden gedood en werkelijk bescherming genoot van een goddelijke macht. De jongen bleef stil liggen op het tapijt met de fraaie patronen op het podium, maar zonder een spoortje bloed op zijn sneeuwwitte sjaal. Kapitein Vasjtsjenko liet zijn pistool zakken. Deze militair, die onderscheidingen had ontvangen voor betoonde moed en dapperheid, had een jongen van veertien doodgeschoten om iets te bewijzen – dat er geen God bestaat, of dat, als dat wel het geval is, deze God er niet een is die ingrijpt in oorlogen. Er was geen bovennatuurlijke macht die de Afghanen steunde, nee, maar ze streden tegen een macht die bereid was al het nodige in het werk te stellen om zijn doel te bereiken. En dit alles was samengevat in dat ene pistoolschot.

Leo liep naar voren, en toen hij bij het podium kwam, bukte hij zich en legde zijn hand in de hals van de jongen. Hij voelde zijn lichaamswarmte, maar geen polsslag. De kapitein zei:

— *We zijn hier klaar.*

Leo kende de jongen niet. Hij wist zijn naam noch zijn leeftijd. In de zeven jaar dat hij in Afghanistan was, was hij getuige geweest van wreedheden van de kant van Afghaanse communisten en van de opstandelingen, van religieuze fanatici en fanatieke communisten – van onthoofdingen, moorden, executies en vuurpelotons. Het moorden zou doorgaan, wat hij ook deed of zei. De kapitein zou terecht zeggen dat de jongen oud genoeg was om te vechten, oud genoeg om een kalasjnikov AK-47 te hebben, om een konvooi aan te vallen en om met explosieven rond te lopen. Als hij hier niet dood zou zijn gegaan, zou hij zijn omgekomen bij een bombardement of op een mijn zijn gestapt. Leo's woede was nutteloos en zou zeker de Afghanen niet aanspreken – die hadden hun eigen woede. Dit was een militaire operatie. De kapitein had zijn zelfbeheersing niet verloren, was niet gedreven geweest door haat of sadisme; hij had de situatie in ogenschouw genomen en een afweging gemaakt. De jongen was nuttig voor de vijand, net als een voorraad geweren. Wat hem te doen stond, was simpelweg het wonder weerleggen. Leo was te gepreoccupeerd geweest met zijn zorgen over het feit dat hij Nara had gekust om te beseffen dat het zogenaamde doel van de expeditie niet meer dan een excuus was geweest om deze moord te plegen. Hij was ziende blind geweest, afgestompt door opium en slaapgebrek.

Twee van de meegekomen soldaten keken naar binnen om te zien of alles in orde was met de kapitein en zagen de dode jongen liggen. Zij waren wél op de hoogte geweest van het werkelijke doel van de expeditie. Ongeduldig maande de kapitein Leo en Nara om naar de deur te lopen.

— *We gaan weg, nu!*

Niemand uit de menigte had de executie gezien, maar ze moesten het schot hebben gehoord.

Als een standbeeld dat tot leven komt, liet een van de oudere mannen in de hut een jammerklacht horen, een langgerekte kreet van smart. Opgeschrikt door het lawaai draaide Leo zich vliegensvlug om en concludeerde uit de reactie van de man dat hij de vader van de jongen was. Op hetzelfde moment openden de soldaten buiten het huis met salvo's van hun machinegeweren het vuur. Vanuit zijn positie, nog op de grond neergeknield met zijn hand in de hals van de jongen, zag Leo hoe de menigte uiteenstoof en de mannen begonnen te rennen. Hij zag verscheidene mannen vallen. De kapitein liep naar de deur, hief zijn pistool op en vuurde vanuit de deuropening.

In de verwarring verzuimde Leo de oude man te controleren. De man was wankelend overeind gekomen en beende op hem af met een mes dat als een klauw in zijn hand lag. Hij hief het boven zijn hoofd, klaar om toe te slaan. Leo's gevechtstraining en zelfverdedigingsinstinct lieten hem in de steek; hij was hulpeloos overgeleverd aan de man met het mes.

De arm van de oude man draaide naar opzij, alsof die door een koord naar achteren werd gerukt. De kapitein vuurde en raakte de man in de schouder en maag. Hij liet het mes vallen. Met het volgende schot klapte hij tegen de grond, niet ver van het lichaam van de jongen. Leo was in dezelfde positie blijven zitten, alsof hij nog wachtte totdat het mes in zijn nek zou worden gestoken. De kapitein richtte zijn pistool op de tweede Afghaanse oude man, degene die stil en in kleermakerszit op de grond was blijven zitten. De kapitein schoot hem in de borst en doodde ook hem, waarna hij weer zijn volle aandacht gaf aan de strijd buiten.

Leo kwam langzaam overeind, ervan overtuigd dat hij om zou vallen, omdat zijn benen zwaar als lood aanvoelden. Hij had het gevoel dat hij ijlde. De kaarsen flakkerden, rook kringelde omhoog. Een explosie buiten bracht hem weer bij zinnen. Hij had bij hun aankomst weliswaar geen Afghanen gezien met wapens, maar die hadden ze nu kennelijk tevoorschijn gehaald. De kapitein was in de hut gebleven, waar hij nu, steunend op één knie, zijn wapen herlaadde en vanuit de deuropening zorgvuldig aanlegde, zich totaal niet bekommerend om de dode jongen achter hem.

Mitrailleurvuur doorboorde het dak, waarna de kogels over de lemen vloer scheerden. De rook bovenin ontsnapte door de gaten, en het daglicht scheen ineens naar binnen. De dorpelingen schoten vanuit een positie op de terrassen. De kapitein beantwoordde de schoten en riep bevelen naar de soldaten. Hij rende naar buiten, de openlucht in. Nog een salvo schoot door het dak en raakte het lichaam van de dode oude man. Leo deed geen moeite om dekking te zoeken. Iemand pakte hem bij zijn pols. Het was Nara, die hem naar de achterkant van het huis trok.

Ze kwamen in de keuken. Daar stond een lemen kachel, en daarnaast zaten vier vrouwen, in elkaar gedoken, met naast hen een grote stapel platte naanbroden voor de gasten die de wonderbaarlijke jongen zouden komen bezoeken. In het vuur lag een zwartgeblakerd brood. De vrouwen waren zo bang dat ze zich niet durfden te bewegen en hadden het brood laten verbranden. Overal om hen heen klonk mitrailleurvuur. Leo hurkte neer voor het fornuis en schoof het verbrande brood eraf, terwijl hij nu voor het eerst de vier Afghaanse vrouwen aandachtig bekeek. Een van hen was geen vrouw, maar een meisje van hooguit zeven of acht jaar. Het hoofd van het meisje was bijna helemaal kaal, op een paar ongelijke plukjes haar na, die verschroeid waren door de hitte. De huid op haar hoofd was rood en ontstoken. Ze had schroeiplekken in haar gezicht en brandwonden aan haar handen. Langzaam begon Leo te twijfelen aan wat hij hier allemaal had gezien. Hoe kon het dat het haar van de jongen helemaal verbrand was, zonder dat zijn huid ook maar iets mankeerde? Tenzij er een wonder was gebeurd, was het niet logisch dat de jongen er zo uitzag. Leo had vele mannen, vrouwen en kinderen gezien die de meest uiteenlopende rampen hadden overleefd, maar geen van hen had op deze jongen geleken – ze hadden er allemaal uitgezien zoals dit meisje. Het drong nu tot hem door dat het haar van de jongen was afgeschoren. Ze hadden zijn uiterlijk veranderd en hem gekleed voor de rol die hij moest spelen. Als er slechts één overlevende was geweest, dan was dat niet die jongen geweest – maar dit meisje. De jongen had haar plaats moeten innemen, misschien wel omdat een van de dorpelingen hoopte dat hij zich zou ontwikkelen tot een strijder of tot een symbool dat in alle mogelijke dorpen die rol zou kunnen vervullen. Zo zouden ze het meisje niet hebben kunnen gebruiken. Om het wonder te kunnen exploiteren, moest het wonder een jongen overkomen zijn. Leo keek naar Nara's gezicht. Aan haar uitdrukking zag hij dat zij tot dezelfde conclusie was gekomen.

Buiten hoorden ze de kapitein hun namen roepen. Leo zette zijn wijsvinger op zijn lippen. Nara reageerde niet, maar bleef stilstaan in het schemerige licht van het fornuis; haar gezicht werd gedeeltelijk aan het zicht onttrokken door de rook van het verbrande brood. Ze zou toch wel begrijpen dat de kapitein dit meisje ook zou doden, net als de jongen? Voor hem deed het geslacht van het kind er niet toe.

De kapitein schreeuwde:

— *We gaan weg!*

Leo liep naar de deur en gebaarde naar Nara dat ze hem moest volgen. Maar ze kwam niet in beweging en riep in gebroken Russisch:

— *Kapitein Vasjtsjenko, er is hier iets wat u moet zien.*

Dezelfde dag

De kapitein, die geen idee had waarom hij naar binnen was geroepen, kwam behoedzaam de keuken in, het pistool in de aanslag omdat hij een hinderlaag vermoeddc. Verbijsterd door Nara's beslissing en in de vaste overtuiging dat ze de gevolgen van haar daad niet overzag, probeerde Leo hen snel naar buiten te duwen, zodat Nara nog een tweede kans zou hebben om het leven van het meisje te redden.

— *Laten we gaan.*

Maar Leo had de binding onderschat die Nara met de partij voelde. Ze had voor de staat gekozen en niet voor hem, ze had zijn advies genegeerd en ook haar eigen morele maatstaven, waarvan hij wist dat ze die had. Hij wilde haar niet dezelfde fouten laten maken die hij als geheim agent had gemaakt. Ze had al zo'n fout gemaakt, door geen mededogen te tonen met het stel dat ertussenuit had willen knijpen. Maar dit was onherstelbaar. Hierna zou ze anders zijn, zoals een plastic voorwerp dat vervormd wordt door hitte nooit meer zijn oorspronkelijke vorm terugkrijgt. Ze was aan sterke tegenstrijdige krachten ten prooi. Ze was loyaal aan de partij en loyaal aan de staat. De staat was nu haar familie, en Leo's kus van de vorige avond had bevestigd wat ze al wist. Geen Afghaanse man zou ooit met haar trouwen. Ze zou alleen door het leven moeten gaan, gehaat door haar eigen gemeenschap en alleen beschermd door de kapitein en mannen als hij. Haar leven hing af van de bezettingsmacht. Als de Sovjets de oorlog verloren, zou zij met hen het onderspit delven. Dan zou Leo, die geen Sovjet en geen Afghaan was, haar niets te bieden hebben.

Terwijl hij haar hand pakte, zei hij:

— *Nara, laten we gaan.*

Ze rukte haar hand los, wees naar het meisje en zei in moeizaam Russisch tegen de kapitein:

— *Dat kind.*

Het ongeduld van de kapitein verdween op slag, en hij richtte zijn aandacht op het meisje. Hij liep naar haar toe en bekeek haar. Hij had niet meer dan een paar seconden nodig om zich de betekenis van wat hij zag te realiseren. Leo riep:

— *Laat haar met rust!*

Hij legde zijn hand op de schouder van de kapitein. De kapitein kwam met een ruk overeind en gaf Leo een klap met de kolf van zijn pistool.

— *Waarom denk je dat ik hier persoonlijk naartoe ben gekomen, Leo Demidov? Waarom denk je dat ik deze expeditie aan niemand anders kon toevertrouwen? Ik ben de enige die bereid is om te doen wat er gedaan moet worden. Een ander zou zich niet realiseren hoe gevaarlijk dit meisje is. Vijanden die verslaafd zijn aan bijgeloof zullen altijd doorvechten, zelfs als ze gegarandeerd zullen verliezen. Dit meisje zou honderden Sovjets het leven kunnen kosten en duizenden Afghanen. Jouw menslievendheid zou veel groter bloedvergieten tot gevolg hebben.*

Hij pakte het meisje op en liep met haar het huis uit. Nara liep achter hem aan. Leo bleef in de keuken achter met de drie vrouwen, wier gezichten hij niet goed kon zien in het halfduister en de rook die om hen heen kringelde. Drie vreemdelingen die afwachtten welke beslissing hij zou nemen. Er was geen reden waarom Leo zich iets aan zou trekken van wat zij dachten. Hij zou ze nooit meer terugzien. Het was irrationeel dat hij onrustig werd van ogen die hij niet kon zien. Maar daar in het halfduister waren het geen vreemden meer voor hem, maar waren het de drie vrouwen uit zijn eigen leven geworden: zijn twee dochters en zijn vrouw, Raisa. En niets ter wereld kon hem méér schelen dan wat zij dachten. Het maakte niet uit dat hij Raisa's hand nooit meer zou vasthouden, dat hij haar nooit meer zou aanraken of kussen. En naar alle waarschijnlijkheid zou hij evenmin ooit nog herenigd worden met zijn dochters. Toch waren zij daar nu bij hem, in dit vertrek, en ze oordeelden over hem. De rook van het fornuis was de wolk opiumrook geworden waarin hij zich had verstopt. Zich verstoppen kon nu niet meer. Het was tijd om te beslissen of hij tegenover deze vrouwen tekort kon schieten op een manier zoals hij had gezworen nooit meer tekort te zullen schieten.

Leo liep terug naar het grootste vertrek, knielde neer bij het lichaam van de oude man en raapte diens mes op.

Dezelfde dag

Het dorp stond in brand. Op de grond lagen tientallen mannen. Enkelen drukten hun handen krampachtig op hun wonden, alsof ze zo hun lichaam bij elkaar konden houden, en het was een afschuwelijk gezicht om weer anderen te zien wegkruipen, terwijl ze bloederige sporen achterlieten in het stof. Leo liep tussen hen door en stapte over hen heen, langzaam en met – achter zijn rug – het mes in zijn hand.

Een van de huizen was verwoest door een naar binnen gegooide granaat, een muur was ingestort, het houten dak rookte. Drie Spetsnaz-soldaten waren gedood en een had een schotwond, zodat hij geen wapen meer kon hanteren. Hij steunde op de schouders van zijn enige ongedeerde collega. Deze schoot met twee geweren tegelijk op een schutter op het dak. De kogels ketsten af op de dakrand. Zijn stem was schor, en hij schreeuwde, woedend om de vertraging:

— *Laten we gaan!*

Midden in het dorp werd het meisje door de kapitein op haar knieën gedwongen, waarna hij in de richting van de bergen schreeuwde, waarvandaan door de overlevenden werd geschoten.

— *Hier is jullie wonderkind! Hier is het kind dat niet kan worden gedood!*

Hij zette het pistool tegen haar hoofd.

Leo liep van achteren op de kapitein toe, hief het mes hoog op, zoals de oude man bij hem had gedaan, en richtte het op zijn nek. Hij was niet meer zo snel als vroeger, wat waarschijnlijk te wijten was aan zijn leeftijd en zijn opiumgebruik. De kapitein hoorde hem aankomen, draaide zich om en hief zijn arm op om het mes af te weren. Het blad was scherp en sneed in de onderarm van de kapitein, zo diep dat hij gedwongen was zijn pistool te laten vallen. Leo bracht het mes weer omhoog om nog eens uit te halen. De kapitein negeerde zijn verwonding en schopte Leo's voeten onder hem vandaan. Leo viel achterover, liet het mes vallen en staarde omhoog. De Spetsnaz-soldaat liep op Leo af en richtte zijn geweer. Leo liet zich in de richting van het meisje rollen, dat nog steeds geknield op de grond zat, en riep in het Dari:

— *Rennen!*

Ze bewoog zich niet. Ze deed niet eens haar ogen open. Er klonk een salvo mitrailleurvuur, maar Leo werd niet geraakt. Leo snapte niet hoe de man hem had kunnen missen en keek op. Hij zag de Sovjetsoldaat achter zich neervallen en zijn gewonde collega in zijn val meesleuren.

In de commotie was een aantal gewapende dorpelingen al schietend dichterbij gekomen. De kapitein, die nu alleen en ongewapend was, trok zich terug toen hij onder vuur werd genomen. Hij nam de situatie op, en toen hij zag dat hij kansloos was en het meisje niet meer kon bereiken, vluchtte hij onder het geweervuur naar het pad dat naar beneden liep, de heuvel af. Leo keek naar het meisje. Ze had haar ogen nog dicht. Hij ging rechtop zitten en kroop naar haar toe. Hij streek over haar gezicht. Ze opende haar ogen, waarvan de verbrande wimpers in elkaar gedraaid zaten. Hij fluisterde:

— *Je bent veilig.*

De dorpelingen keerden terug. Ze waren gewapend en omringden hem. Een van de mannen, een lange, magere man, uitgerust met een AK-47, was kennelijk de leider. Hij liep naar de soldaten die op de grond lagen en schoot hen door het hoofd. Toen wendde hij zich tot Nara, die onbeweeglijk stil bleef staan. Hij pakte haar arm en smeet haar op de grond, naast Leo. Het wonderkind werd weggedragen. De leider, die hoog boven Leo uit torende, bekeek hem met een mengeling van minachting en verwarring.

— *Waarom heb je je eigen mensen aangevallen?*

— *Ik ben geen soldaat. Ik heb niets gemeen met mannen die bereid zijn een kind te doden.*

— *Hoe heet je?*

— *Ik ben Leo Demidov, speciaal adviseur van het Russische bezettingsleger. Hoe heet jij?*

— *Mijn naam is Fahad Mohammad.*

Leo slaagde erin om niet te tonen dat hij de naam kende. Nara niet. Hij was de broer van de man die ze in Kaboel gearresteerd en gedood hadden, de broer van de terrorist die bij de dam was doodgeschoten en de broer van de jongen die in het dorp gedood was. Fahad keek Nara aan.

— *Jij kent mij, verraadster?*

Een aantal strijders richtte het geweer op haar.

Dezelfde dag

Op veilige afstand van het dorp bleef kapitein Vasjtsjenko staan om op adem te komen. Hij zag bleek en was duizelig. Het verband waarmee hij zijn wond had verbonden was doorweekt, bloed liep over zijn hand. Het zag ernaar uit dat hij niet gevolgd werd, en hij had er alle vertrouwen in dat hij de jeeps zou kunnen bereiken. Hij keek naar het dorp. Het was goed mogelijk dat de strijders Nara Mir en Leo Demidov zouden doden. Maar het wonderkind leefde nog. Dat hij er niet in was geslaagd haar te doden, zou voedsel geven aan het idee dat ze onder goddelijke bescherming stond en zou gelden als een bewijs dat de Sovjets de oorlog gingen verliezen. Vasjtsjenko had alles zelfs nog erger gemaakt. Er waren vijf soldaten gesneuveld. Ze zouden de lijken meenemen, en hun wapens en uniformen zouden in triomf worden rondgedragen, evenals de kogels, die het meisje niet hadden kunnen doden.

De jeep was uitgerust met een radiozender. Hij zou een verzoek indienen om luchtaanvallen uit te voeren op de bergketen. Hij zou deze weelderige groene heuvels veranderen in smeulende zwarte heuvels. Hij zou elk huis plat laten bombarderen. Bij die gedachte begon de kapitein zich al een beetje beter te voelen.

Provincie Nangarhar, district Rodat
15 km ten zuiden van Jalalabad
3100 m hoogte

De volgende dag

Leo was weliswaar niet geëxecuteerd, maar verkeerde ook bepaald niet in veilige omstandigheden. Hij lag als een bal opgerold, met zijn handen op zijn buik. De krampen dienden zich in golven aan. Hij had zo'n behoefte aan opium dat het wel leek alsof hij onder water was en geen lucht kreeg – hoe kon hij zijn lijf de impuls ontzeggen om te proberen boven water te komen? Opium was voor hem net zo vanzelfsprekend als lucht dat was voor zijn longen. Zijn lichaam wist niet meer hoe het zonder de drug kon functioneren, zowel in fysiek als in psychisch opzicht. Hij was vergeten hoe het is om een normaal leven te leiden, hoe je omgaat met frustraties en angsten. Met het verdovende middel had hij pijn en verdriet onderdrukt. Zeven jaar lang had hij nergens anders behoefte aan gehad dan 's avonds die rook te inhaleren en die staat van verdoving te bereiken waar hij niet buiten kon als hij niet het risico wilde lopen rare dingen te gaan doen. Hij had zijn plannen laten varen en had moeten afzien van zijn reis naar Amerika om daar op een dag de man tegen het lijf te lopen die zijn vrouw had vermoord. Desgevraagd zou hij het niet toegeven, of hij zou misschien zeggen dat hij de reis alleen maar had uitgesteld, maar de waarheid was dat hij zijn plannen had laten varen en alleen leefde voor zijn verslaving en de dagelijkse routine van de vergetelheid. Nu hij van dit medicijn verstoken was, drong de grimmige werkelijkheid van zijn mislukking zich weer op. Hij had gefaald in wat hem het meeste ter harte ging: Raisa recht doen, het enige wat hij nog voor haar kon doen. Hij was een volwassen man die van zichzelf een kind had gemaakt en in een zelf gecreëerde baarmoeder van opium leefde.

De ontwenningsverschijnselen hadden de kop opgestoken toen ze met Fahad Mohammad uit de vallei vertrokken. Eerst had zijn lijf hem er langzaam en vriendelijk aan herinnerd dat hij verslaafd was, en toen hij de waarschuwingen negeerde, waren de symptomen erger geworden. Rillend liep Leo door; zijn hele lichaam beefde van de kou, ook al bewogen ze zich snel voort. Fahad liep zo snel, hij was zo lenig en wendbaar dat ze van tijd tot tijd even moesten hollen om bij te blijven. Leo en Nara wisselden elkaar af bij het dragen van het wondermeisje, dat Zabi heette. Ze was in shock en verkeerde in totale verwarring, maar er kwam geen klacht over haar lippen en ze stelde geen vragen. Als Fahad buiten gehoorsafstand was, wilde Nara met Leo praten, maar hij verkeerde niet in een toestand waarin hij dat zou hebben gekund. Toen de schemering inviel, was zijn toestand dramatisch verslechterd. Zijn hele lichaam werd bij elke stap door elkaar geschud, het zweet brak hem uit en hij had al zijn concentratievermogen nodig om het pad te volgen, voetje voor voetje. De eerste luchtaanvallen vonden plaats in de schemering, waardoor het eerder leek alsof een vuurrode zon opging. Ze bleven even staan om te kijken hoe het vuur zich over de berghellingen verspreidde, naar de oplaaiende vlammen en de verwoeste huizen en verbrande akkers, naar de dorpen die kapot werden geschoten. Toen de bombardementen dichterbij kwamen, gaf Fahad hun het bevel om ervandoor te gaan. Onder dekking van de duisternis liepen ze tot diep in de nacht door. Ze hoorden de bommen vallen en roken en voelden ze ook, en op een gegeven moment ontplofte er een zo dichtbij dat het pad in rook gehuld was. Straaljagers trokken strepen aan de nachthemel en namen de paden onder schot waar ze nog maar net hadden gelopen. Het landschap beefde, alsof deze oorlog werd gestreden tegen de Afghaanse grond en de bergen zelf.

Leo smeekte even te mogen pauzeren, en toen ze bij een rivier stilhielden, deed hij alsof hij water ging drinken. Hij haalde zijn pakje opium tevoorschijn, en omdat zijn pijp kapotgeslagen was, probeerde hij er op een andere manier de brand in te steken, maar Fahad had het in de gaten, pakte de opium van hem af, kneep het fijn en gooide het in de rivier. In blinde smart en met een meelijwekkend gekrijs alsof hij de liefde van zijn leven was kwijtgeraakt, sprong Leo in het water en graaide in paniek om zich heen om nog een spoortje van de drugs te kunnen pakken.

Terwijl hij daar tot aan zijn middel in het water stond te snikken als een kind, draaide hij zich om en zag toen dat ze alle drie naar hem stonden te kijken. Hij was te ziek om te voelen hoe hij zichzelf had vernederd. Fahad liep zonder een woord te zeggen weg met het meisje. Nara wachtte een paar seconden en liep toen achter hen aan, zodat Leo alleen was. Het was maar goed dat ze weg was, want Leo had geen controle meer over zijn lichaamsfuncties, en terwijl hij daar op zijn hurken in de rivier zat, braakte hij op hetzelfde moment dat zijn darmen leegliepen. Toen hij uiteindelijk de rivier uit liep, ging hij wankelend de anderen achterna. Hij kon niet rechtop lopen, slingerde van links naar rechts en was ervan overtuigd dat hij met elke stap die hij deed ter aarde zou storten om nooit meer op te staan.

Tegen de tijd dat ze mochten uitrusten, liep hij te ijlen en wist hij nauwelijks wat hij deed, waar ze waren en welke kant ze op gingen. Ze kregen in een dorp onderdak, maar hij kon niet slapen en moest telkens overgeven, totdat er op het laatst niets meer in zijn maag zat en hij alleen maar gal en maagzuur spuugde, waarna hij op de juten matras weer de foetushouding aannam. Bij het aanbreken van de dag drong Fahad erop aan dat ze haast maakten met hun ontbijt van plat brood en thee. Leo wilde niets eten en nam alleen af en toe een slokje zoete thee. Iets anders zou hij niet binnen hebben kunnen houden.

Op de tweede dag viel het lopen hem nog zwaarder. Leo was niet alleen misselijk, hij voelde zich ook zwak en volkomen uitgeput. Fahad wilde nergens halt houden of langzamer lopen en eiste telkens dat ze sneller zouden lopen. De luchtaanvallen werden hervat, maar alle Russische bommen vielen in de bergketen die ze al verlaten hadden. Leo wankelde gedachteloos voort, met alleen het beeld voor ogen van de opium op het water van de rivier. Toen ze bij een steil bergpad kwamen waarlangs ze, dacht hij, naar boven zouden moeten, stond hij op het punt van instorten. Toen Fahad aankondigde dat ze op hun plaats van bestemming waren, voelde hij geen blijdschap. Hij liet zich alleen in elkaar zakken en viel neer bij een grotopening.

Leo, die koortsig ineengedoken op de koude stenen vloer lag, realiseerde zich langzaam dat er een hand op zijn schouder rustte. Hij rolde zich om en zag dat hem een stalen mok met zoete zwarte thee was gebracht. Toen hij de mok vastpakte, voelde hij de warmte in zijn handpalmen en zag hij de vrouw die hem de thee had gebracht. Hij ging rechtop zitten, morste thee over zijn handen, maar negeerde de pijn en was alleen verbluft toen Raisa zijn voorhoofd met een koele doek afveegde. Hij wilde haar aanraken, maar was bang dat ze maar een hersenschim was die bij elke poging tot contact eerst zou vervagen en dan verdwijnen. Stom van vreugde keek hij naar haar lippen terwijl ze sprak. Elk woord dat uit haar mond kwam, was een wonder. Ze zei:

— *Probeer je thee op te drinken terwijl die nog warm is.*

Leo gehoorzaamde en nipte van de zoete, zwarte thee, terwijl hij haar geen seconde uit het oog verloor.

— *Ik droomde van de eerste keer dat we elkaar ontmoetten. Weet je nog?*

— *Toen we elkaar ontmoetten?*

— *Ik was uitgestapt op een metrostation waar ik helemaal niet moest zijn, alleen maar om je naam te vragen. Je zei dat je Lena heette. Een hele week lang heb ik tegen iedereen gezegd dat ik verliefd was op een schoonheid die Lena heette. En toen zag ik je weer, in de tram. Ik weet niet waarom ik zo vastberaden was, terwijl jij duidelijk met rust gelaten wilde worden. Ik was ervan overtuigd dat als ik nou maar in gesprek met je kon raken, jij me zeker aardig zou vinden, en dat als je me aardig vond, je op een goede dag ook van me zou gaan houden. En als dat zou gebeuren, als iemand als jij van mij zou kunnen houden, hoe zou ik dan een afschuwelijk mens kunnen zijn? Toen ik ontdekte dat je had gelogen over je naam, kon het me niet schelen, zo opgewonden was ik dat ik je echte naam te weten was gekomen. Ik heb toen tegen iedereen gezegd dat ik verliefd was op een mooie vrouw die Raisa heette. Ze lachten me uit, omdat het de ene week Lena was en de volgende week Raisa. Maar het ging steeds om jou.*

Leo durfde niet met zijn ogen te knipperen en dwong zichzelf om ze open te houden, omdat hij bang was dat hij haar zelfs met de geringste oogwenk kon wegvagen. Hij klemde de mok met thee stevig vast om te voorkomen dat hij haar bij haar handen zou pakken, en zei:

— *Het spijt me dat het me niet gelukt is naar New York te gaan. Ik heb het geprobeerd. Als jij bij me was geweest, zou het wel gelukt zijn, daar ben ik van overtuigd. De waarheid is dat ik nooit iets bijzonders heb gedaan zonder jou. Mijn liefde voor jou is het enige waar ik ooit trots op ben geweest. Sinds jouw dood ben ik niet meer dan een verstrooide vader geweest, en het ergste van alles is dat ik weer een geheim agent ben geworden – dat ik werk doe waar jij een hekel aan had.* Toen hij begon te huilen, werd het beeld van Raisa wazig. Hij riep:

— *Wacht!*

Hij veegde de tranen weg, maar het enige resultaat was dat hij zag dat de vrouw niet zijn echtgenote was, maar Nara Mir.

Nara bleef een tijdje stil zitten en zei toen:

— *Raisa was de naam van je vrouw?*

Leo deed zijn ogen dicht. Ondergedompeld in duisternis haalde hij diep adem.

— *Raisa was de naam van mijn vrouw.*

In al die jaren dat hij opium had gerookt, was het hem nooit eerder gegeven geweest zo'n duidelijk beeld voor ogen te hebben van zijn vrouw. Nooit eerder had hij zo'n hallucinatie gehad, nooit eerder had hij haar zo gezien of zelfs maar gevoeld. Geen moment. En nu, zonder drugs, had hij haar naast zich gezien. Het was verkeerd om dit een ontwenningsverschijnsel te noemen – het was eerder het tegenovergestelde: door opium te gebruiken trok je je terug uit de wereld, en dit was een teken dat hij terugkeerde.

Langzaam stond hij op. Met één hand tegen de wand van de grot zocht hij zijn weg naar buiten. Het was nacht. De maan was helder. Voor hem was een steile afgrond naar de vallei, en in de verte rezen de bergen omhoog als de ruggengraat van een slapend prehistorisch monster. De vuren in de verspreid liggende dorpen flakkerden als in ongenade gevallen sterren die uit de hemel naar beneden waren geworpen, terwijl de sterren die nog aan de hemel stonden zo talrijk waren en zo fonkelden als hij nog nooit had gezien. Nu hij niet meer verdoofd was, was Leo kinderlijk verwonderd over dit uitzicht. Hij was nog niet klaar met deze wereld. Niet alleen voelde hij dit, hij geloofde het ook.

De volgende dag

Nara zat bij de ingang van de grot en keek naar de zonsopgang. Aan het licht te zien, dat door de grillige bergtoppen in ongelijke banen werd verdeeld, zou het een mooie dag worden. Maar dat ze de zon zag, deed haar geen genoegen en wekte bij haar geen hoop. Ze was op de vlucht en werd opgejaagd door de bommen van de Russische vliegtuigen, ze was de uitputting nabij en had geen tijd en geen energie om stil te staan bij wat ze deed. Nu ze in veiligheid was, in de beschutting van de grot, kon ze alleen maar denken aan haar besluit om kapitein Vasjtsjenko erbij te roepen. Haar woorden echoden in haar hoofd: wat een afschuwelijke stem had ze, zo vol trots en zo zelfingenomen, zo ten onrechte ervan overtuigd dat ze een waardevolle taak verrichtte ten behoeve van de staat.

Er is hier iets wat u moet zien. '

Ze had precies geweten wat zijn bedoeling was toen ze hem riep om naar het gewonde meisje te komen kijken. Hij zou het meisje doodschieten, net zoals hij de jongen had doodgeschoten. Ze kon als verzachtende omstandigheid geen onwetendheid aanvoeren. Ze was bereid geweest om toe te kijken hoe een meisje van zeven zou worden geëxecuteerd.

Ze was een ander mens geworden, en die transformatie kon niet meer ongedaan gemaakt worden. Zelfs toen haar familie haar had willen laten doden, zelfs toen ze de haat in de ogen van haar vader had gezien, had ze geen moment getwijfeld aan haar ware aard. Ze was een goed mens. Ze hadden haar verkeerd behandeld en ze had zich onbegrepen gevoeld. Maar haar bedoelingen waren edel. Ze was anders dan de mannen die haar hadden overvallen, ze was anders dan haar vader, die haar dood wilde, anders dan haar moeder, die daar geen woord over had gezegd. Ze wilde niet bepaald worden door die woede. Ze wilde zich laten motiveren door hoop en idealisme, en ze was niet bang om een standpunt in te nemen. Het gevolg was dat ze alleen en onbemind was. Maar je kon beter alleen staan dan compromissen sluiten over datgene waarin je gelooft omdat je geaccepteerd wilde worden door mensen die jou niet respecteren. Liefde die afhankelijk was van onoprechtheid had geen betekenis. Zo lang ze zich kon heugen, was ze iemand geweest die de juiste beslissingen nam, hoe moeilijk haar leven daar ook door was geworden. En dat stond nu allemaal op losse schroeven.

De conclusie was onontkoombaar. Nu ze haar oorspronkelijke familie kwijt was, had ze niet ook nog eens haar nieuwe familie kwijt willen raken – de staat. Ze was laf. Het riep de vraag op of datgene waar ze voor stond misschien niet meer was dan een persoonlijke ambitie die de vorm had aangenomen van een ideologie. Net zomin als ze zich had kunnen verzetten tegen de beslissing van de kapitein, had ze Leo in zijn verzet kunnen steunen. Ze was besluiteloos geweest en had zich afzijdig gehouden. Voor de communistische staat was ze net zo'n verraadster als in de ogen van het Afghaanse volk. En in Leo's ogen was ze een zwakkeling. Had ze daarvoor al die moeite gedaan voor haar opleiding, alleen om de moord op een meisje te rechtvaardigen? Had ze daarom zoveel boeken gelezen? Ze schaamde zich intens, en dat gevoel had ook te maken met verdriet, alsof haar identiteit was afgestorven. Het vooruitzicht dat de kleine Zabi straks wakker zou worden en om eten zou vragen, terwijl ze zich niet bewust was van het feit dat Nara haar dood had gewild, benam haar de adem. Ze hapte naar adem.

Nara stond op, ging de grot uit en liep het pad af. Ze werden niet bewaakt, omdat iedere poging tot vluchten zinloos was, zelfs al kregen ze een voorsprong van ettelijke uren. Ze konden zich nergens verbergen en zouden ongetwijfeld opgespoord en gedood worden. Op maar een paar passen afstand versmalde het toch al niet brede bergpad zich en liep het langs een steile afgrond van een meter of dertig diep. Toen ze daar aankwam, keek Nara naar beneden. Zonder enig zelfmedelijden accepteerde ze datgene wat in haar ogen de enig overgebleven optie was. Ze wist niet hoe ze nog door kon leven. Ze had geen plaats meer in deze wereld. Trouw zijn aan het communistische regime kon ze niet meer, en terug naar dat meisje kon ze ook niet. Ze deed haar ogen dicht en was klaar om uit het leven te stappen, dood te vallen.

— *Wat ben je aan het doen?*

Geschrokken draaide Nara zich om. Zabi stond vlak bij haar. Met onzekere stem zei Nara:

— *Ik dacht dat je sliep?*

Zabi hief haar armen op en toonde haar brandwonden.

— *Ik heb zo'n pijn aan mijn armen.*

De zalf waarmee ze de brandwonden hadden behandeld was uitgewerkt, en de broze korsten en beschadigde huid waren aan de lucht blootgesteld. Ze had rode, ontstoken plekken. Nara duwde haar achteruit, probeerde haar weg te krijgen.

— *Ga naar de grot. Alsjeblieft, ga terug.*

— *Maar ik kan niet slapen.*

— *Ga naar de grot!*

Toen Nara haar stem verhief, draaide Zabi zich langzaam om.

Toen ze weer alleen was, keek Nara nog eens in de afgrond. In plaats van aan de dood dacht ze er nu alleen nog maar aan hoe ze nieuwe zalf zou kunnen maken. Zonder zalf zou Zabi aan haar korsten gaan krabben en zou ze een infectie kunnen oplopen. Nara wist iets van natuurlijke geneeskrachtige kruiden die op de berghellingen groeide; dat had ze als klein meisje van haar grootvader geleerd. Ze had die lessen geweldig gevonden. Hij kende alle planten die in de bergen van Afghanistan groeiden, want gedurende zijn jaren als smokkelaar had hij verscheidene keren in leven moeten zien te blijven door daarvan te eten. In plaats van aan zelfmoord dacht Nara nu aan jeneverbessen, waarvan ze zich herinnerde dat je daar een verzachtende balsem van kunt maken, zeker wanneer je ze mengt met een natuurlijke olie, zoals je die bijvoorbeeld kunt persen uit noten en zaden.

Nara keerde haar rug naar de afgrond, rende om de kleine Zabi in te halen en riep naar haar:

— *Wacht!*

Zabi bleef staan. Nara boog zich voorover en bekeek de huid van het meisje.

— *Je mag er vooral niet aan krabben.*

Zabi begon zachtjes te jammeren.

— *Het jeukt zo.*

Nu ze hoorde dat het meisje zich zo ellendig voelde, begon Nara te huilen en kon daar niet meer mee ophouden.

— *Ik zal nieuwe zalf voor je maken. En dan jeukt het niet meer, dat beloof ik.*

In de war gebracht door Nara's tranen, hield Zabi op met huilen.

— *Waarom huil je?*

Nara kon geen antwoord geven. Zabi vroeg:

— *Heb jij ook pijn?*

Nara veegde haar tranen weg.

Dezelfde dag

Nadat hij voor het eerst in drie dagen had geslapen, ging Leo moeizaam rechtop zitten. Hij had nog steeds spierpijn en last van krampen. Zijn handen beefden door uitdroging, gebrek aan voedsel en uitputting. Zijn lippen waren gebarsten, zijn nagels zwart van het vuil en zijn haren zaten in de war. Zo goed en zo kwaad als dat ging zonder spiegel begon hij zichzelf wat te fatsoeneren. Met een gekloofde lucifer schraapte hij het vuil onder zijn nagels vandaan, waardoor het stukje hout algauw bedekt was met een dikke laag vuil, die hij op de grond afveegde. Met een beker koud water deed hij een poging zijn gezicht te wassen; hij plukte de velletjes uitgedroogde huid van zijn lippen en streek met zijn hand door zijn haar.

Het inwendige stemmetje dat opium eiste, klonk voor zijn gevoel nu eerder als een constant gezeur dan als een ultimatum. Het was allengs zachter geworden – meer een gefluister van veraf. Hij voelde zich sterk genoeg om het te negeren. Er was een andere stem voor in de plaats gekomen, zijn eigen stem, en die eiste van hem dat hij zich zou concentreren op de vraag die het meest dringend was, namelijk hoe hij zou kunnen vluchten, niet in een roes van opium, maar uit deze hachelijke situatie. Om te beginnen moest hij een goed beeld zien te krijgen van de situatie: hij wist niet precies hoeveel soldaten er op deze basis aanwezig waren, en hij wist bovendien niet eens precies waar ze waren.

Terwijl hij zijn gedachten liet gaan over de mogelijkheden om te ontsnappen, drong de vraag zich op: waarnaartoe en met welk doel? Zijn leven was zo lang richtingloos geweest dat het hem niet meeviel om zich te herinneren hoe hij ooit gedreven was geweest door zijn dromen en ambities. Hij kon zich nu niet meer dagen- of zelfs wekenlang laten meevoeren in een waas van opiumrook. Er moesten beslissingen worden genomen. Hij had een nieuw gezin om voor te zorgen. Hij moest terugdenken aan de plannen van de Russische deserteur; hij zou, net als hij, de grens met Pakistan willen oversteken om asiel te vragen bij de Amerikanen; hij zou bescherming vragen in ruil voor de informatie die hij had over de bezetting van Afghanistan. Hij zou er twee doelen tegelijk mee dienen: ze zouden in leven blijven én hij zou de kans krijgen om naar New York te gaan. Deze optie zou in het voordeel zijn van Nara en Zabi, maar zijn desertie zou ernstige gevolgen kunnen hebben voor zijn dochters in Moskou. Zijn brein was lui geworden van zijn opiumgebruik en was niet meer gewend aan dit soort dilemma's. En nu hij een vermoeden kreeg van de enorme reis die in het verschiet lag, kreeg Leo honger – en dat was een gevoel waarvan hij gisteren nog zou hebben gezworen dat hij dat nooit meer zou hebben.

Nara en Zabi zaten in de ingang van de grot. Hij ging bij hen zitten, nam de omgeving in zich op en maakte heimelijk een schatting van het aantal soldaten. De meisjes waren *shlombeh* aan het eten, wrongel op brood met kruiden. Hij voelde zich inmiddels wel wat beter, maar besloot geen wrongel te eten en beperkte zich ertoe wat stukjes van het warme brood te scheuren. Hij at langzaam en kauwde zorgvuldig. Het was zwaar, scherp smakend brood, op smaak gebracht met gemalen kardemomzaad. Hij scheurde nog een stukje brood af, en de olie kleurde zijn vingertoppen geel. Terwijl ze keek hoe hij at, vroeg het meisje:

— *Voelt u zich nu beter?*

Pas toen Leo klaar was met kauwen, antwoordde hij.

— *Veel beter.*

— *Wat was er met u?*

— *Ik was ziek.*

Nara zei tegen Zabi:

— *Laat hem eten.*

Maar Zabi ging door met vragen.

— *Wat voor ziekte had u?*

— *Soms kan iemand ziek worden doordat hij het heeft opgegeven. Dan lijdt hij niet aan een bepaalde kwaal. Dan heeft hij geen doel of richting in zijn leven, en kan het gebeuren dat hij door zijn wanhoop ziek wordt.*

Zabi nam alles wat hij zei zo zorgvuldig in zich op alsof het wijze woorden van een oude professor waren. Ze zei:

— *U spreekt mijn taal heel goed voor een indringer.*

Zabi was openhartig, kon goed observeren en was niet bang, terwijl ze toch een meisje zonder familie was, ver van huis, een huis bovendien dat ze verwoest had zien worden. Leo antwoordde:

— *Toen ik aankwam in dit land was ik hier te gast. Er was geen Sovjetleger. Er waren geen militaire garnizoenen. Toen ben ik jullie taal gaan leren. Maar je hebt gelijk. Nu mijn land hier is binnengevallen, ben ik niet meer te gast.*

— *Is Len-In uw god?*

Leo glimlachte om de manier waarop ze de naam uitsprak. Vriendelijk schudde hij zijn hoofd.

— *Nee, Lenin is niet mijn god. Hoe wist je die naam?*

Zabi nam nog een lepel wrongel.

— *Een vriend vertelde me dat. Hij wilde een gedicht maken. Hij is nu dood. Hij werd bij de aanval gedood. Mijn familie is ook dood.*

— *Weet ik.*

Zabi zei niets meer over haar familie of over de aanval waarbij ze waren gedood. Ze at door, zonder enig vertoon van verdriet. Ze kende een mate van introspectie die ongebruikelijk was voor zo'n jong kind, maar misschien deed ze dat om zich af te sluiten van de gruwelen die ze had meegemaakt. Ze had misschien hulp nodig. Ze verkeerde in een shocktoestand. Op het moment gedroeg ze zich alsof het heel normaal was wat er allemaal gebeurde. Leo wist niet goed wat hij tegen haar moest zeggen, maar toen hij de brandwonden op Zabi's handen, armen en haar hoofd zag – inmiddels ingesmeerd met verse zalf – zei hij:

— *Mag ik?*

Hij pakte haar arm en rook aan de zalf.

— *Wat is dat?*

Zabi zei:

— *Dat voorkomt dat de brandwonden gaan jeuken. Zodat ik er niet aan krab en ze kunnen genezen. Dat zegt Nara.*

— *Waar heb je die zalf vandaan? Hebben de soldaten die aan jou gegeven?*

Nara antwoordde:

— *Die hebben we gemaakt terwijl jij sliep. Van amandelolie, gekookte jeneverbessen en wat bloemen die we buiten hebben gevonden.*

De olie hebben we van de soldaten gekregen. De overige ingrediënten hebben we zelf gezocht. Zabi wilde er per se bloemen in.

Zabi voegde eraan toe:

— *We wisten niet wat voor soort bloemen het waren. Ik had ze nog nooit gezien. Ik was tot nu toe ook nooit zo hoog in de bergen geweest. Dit is de eerste berg die ik heb beklommen.*

Nara streek Zabi's haar naar achteren.

— *Ik heb geprobeerd aan haar uit te leggen dat iets wat mooi is, niet per se ook onschadelijk is.*

Zabi zei:

— *Voordat ik het in het medicijn mocht gebruiken, heeft ze een van die bloemen opgegeten om na te gaan of die schadelijk waren. Ik zag hoe ze hem op haar tong legde en doorslikte. Het was een blauw bloempje.*

Zabi zweeg even en keek naar haar vingers.

— *Wist u dat de kleur rood bitter smaakt?*

Onverwachts en zonder dat daar een reden voor leek te zijn begon ze te huilen en kon er niet meer mee ophouden. Nara sloeg voorzichtig een arm om haar heen, zodat ze haar brandwonden niet zou aanraken. Wat hij, Leo, ook zou gaan doen, hij zou het samen met hen moeten doen. Ze zouden met hem meegaan. Hij zou hen niet achterlaten.

Dezelfde dag

Na het ontbijt wachtte Leo op een gelegenheid om Nara alleen te spreken, en toen Zabi zichzelf weer met zalf insmeerde, nam hij zijn kans waar.

— *Loop je even met me mee?*

Ze verlieten de grot en liepen het pad naar beneden af tot ze aan de steile afgrond kwamen. Het was Nara duidelijk dat Leo haar wilde spreken, maar ze was er met haar hoofd niet bij. Omdat hij niet wist hoeveel tijd ze hadden, pakte hij haar bij de arm in de hoop haar aandacht te krijgen.

— *Nara?*

Ze keek op en zei:

— *Je vindt het hypocriet van mij dat ik voor Zabi zorg alsof er niets gebeurd is. Dat ik geprobeerd heb haar te laten doden, terwijl ik nu haar wonden verzorg. Nou, zeg jij dan maar wat ik moet doen.*

— *Nara, je hebt een afschuwelijke fout gemaakt. Ik heb in dezelfde positie verkeerd als jij. Ik heb ook dat soort fouten gemaakt, in de overtuiging dat ik het algemeen belang diende. Alleen hebben de mensen die ik onrecht heb aangedaan het niet overleefd. Jij hebt nog een kans. Misschien is hier sprake van een wonder – zij heeft het wél overleefd.*

— *Ik zal nooit vergeten wat ik gedaan heb, zelfs als zij dat wel zou kunnen.*

— *Dat is waar. Je zult een manier moeten vinden om daarmee te leven. Dat kan, maar het zal niet meevallen. Maar zij heeft iemand nodig die voor haar zorgt. Ze staat er alleen voor. Je kunt van haar houden, als zij dat toestaat.*

Er was niemand achter hen aangekomen, en Leo was blij dat de bewaking niet al te strikt was. Terwijl Nara nog stond te piekeren over haar beslissing, veranderde hij van onderwerp en begon hij over om te ontsnappen.

— *Wat zijn de soldaten met ons van plan? Hebben ze iets gezegd?*

Nara schudde haar hoofd.

— *Ze hebben maar weinig gezegd. Ze hebben ons redelijk goed behandeld. Ze hebben ons te eten gegeven, en ze hebben ons de amandelolie gegeven die we voor de zalf hebben gebruikt.*

— *En Fahad Mohammad?*

— *Hij is hier. We mochten niet verder naar binnen. Toen we hier aankwamen, hebben ze ons een deken gegeven en gezegd dat we geen vuur mochten maken. Ze waren bang dat iemand dat zou zien.*

— *En Zabi? Hoe is het met haar?*

— *Ze is in de war en...*

Leo onderbrak haar.

— *Ik bedoel, is ze sterk genoeg om te vluchten?*

Hij liet zijn blik over het pad gaan en maakte een schatting van hun positie en de hoogte waarop ze zich bevonden. Een man met een bergpony kwam het pad op, in hun richting. De pony, die beladen was met voorraden, hijgde van de inspanning. Nara reageerde verbluft op zijn vraag.

— *Vluchten? Waarnaartoe?*

— *We kunnen niet hier blijven.*

— *Hoe ver denk je dat we zouden komen? Zij kennen deze paden. Ze kennen elk dorp van hier tot in Pakistan. We hebben geen schijn van kans. Waarom denk je dat ze niet de moeite hebben genomen ons te bewaken? Of ons vast te binden?*

— *Ik heb wel eerder moeilijke tochten ondernomen. Maar ik doe het niet zonder jou.*

— *Ik weet niet wat je in het verleden hebt gedaan. Maar dit is mijn land. Je moet naar mij luisteren. Ik ben niet bang voor de dood, maar wat jij voorstelt, is echt onmogelijk.*

Voordat Leo zijn plan verder kon bepleiten, kwam een aantal moedjahedien uit de grotten tevoorschijn, onder wie de rijzige figuur van Fahad Mohammad. Het leek hem niet te kunnen schelen dat ze niet in de grot waren.

— *Er is een jirga bijeengeroepen.*

Een *jirga* was een overleg van oudere mannen die beslissingsbevoegdheid bezaten. Leo vroeg:

— Jullie willen hen over mij laten oordelen?
— Jullie alle drie zullen erdoor beoordeeld worden. Volg mij.
Nu hij voor het eerst diep in het ondergrondse gangenstelsel kwam, raakte Leo onder de indruk van hun prestaties. Er waren houten trappen, die minstens tien meter naar beneden leidden en uitkwamen in een smalle, kronkelige gang, die met behulp van dynamiet was aangelegd en met stutten verstevigd werd. In opslagplaatsen aan weerszijden lagen voorraden munitie en voedsel. Aan het einde van de gang voerde een volgende trap verder naar beneden, waarna ze in een op natuurlijke wijze ontstane ruimte kwamen, een soort reusachtige koepel, alsof er bij het ontstaan van de berg een luchtbel in de rots was achtergebleven. Er stroomde een bergbeek doorheen. De lucht was koel en vochtig. Er moest op de een of andere manier sprake zijn van natuurlijke ventilatie, want ze bevonden zich zo diep binnen in de berg dat de lucht onmogelijk vanzelf steeds ververst kon worden. Hier was sprake van een ingenieuze aanpassing van een op natuurlijke wijze ontstane omgeving, waardoor deze centrale ruimte diep in de berg bewoond kon worden, onder de bescherming van duizend meter rots en sneeuw erboven.

Leo telde zes mannen. Net als de dorpsoudsten droegen ze geen uniform, en bungelden er wapens van allerlei soort en afmeting aan hun riem. Sommigen hadden pistolen die zo oud waren dat ze moeilijk anders gezien konden worden dan als symbolen van het strijderschap van de drager, anderen hadden geweren, en allemaal waren ze in een typische houding neergehurkt, met de benen onder het lichaam en dik ingepakt in *pattu*, dekens die ze om zich heen hadden geslagen. Er brandde elektrisch licht in de grot, zodat de lucht niet verontreinigd werd door brandende fakkels. Over de vloer liep een aantal kabels die op accu's waren aangesloten – het licht was zwak, zodat Leo even tijd nodig had om zijn ogen eraan te laten wennen voordat hij de gezichten kon bekijken. Hij werd als eerste naar voren gehaald, terwijl Nara en Zabi bij de ingang van de koepelzaal moesten blijven staan. De man in het midden, blijkbaar de voorzitter van de vergadering, stond op.

— De khareji hebben de vallei drie dagen lang gebombardeerd en op iedereen geschoten die over de paden liep. Ze hebben vele honderden soldaten gestuurd om u te zoeken. U bent van waarde voor hen. Leg dat eens uit.

Khareji, zo werden buitenlanders genoemd, en de term werd met minachting uitgesproken. Leo wist niet goed waarom de Russen zoveel troepen naar de vallei hadden gestuurd, maar gezien de omstandigheden leek het verstandig om te onderstrepen hoe belangrijk hij was. Hij antwoordde:

— *Ik ben geen soldaat. Ik heb in dit land nooit een wapen afgevuurd. Ik ben een adviseur. Ik woon al vele jaren in Afghanistan, langer dan welke andere adviseur ook. Ik weet meer dan wie ook van de Russische belangen in dit land. Ik heb rapporten geschreven voor het Kremlin...*

Een man onderbrak hem.

— *Wat schreef u in die rapporten?*

— *Adviezen over allerlei zaken, waaronder een aanbeveling om het land niet binnen te vallen.*

— *Uw advies is genegeerd. U bent blijkbaar niet belangrijk.*

— *Sommige van mijn adviezen zijn wel opgevolgd. Vele zijn genegeerd.*

De raadsleden discussieerden op gedempte toon met elkaar. Ten slotte nam de voorzitter weer het woord.

— *Het is zoals we al dachten. U bent een waardevolle gijzelaar. Het was wijs van Fahad Mohammad om u in leven te laten.*

Hij wuifde Leo weg en gebaarde naar Zabi.

— *Er is een besluit genomen. Een jongen zal doen alsof hij de enige overlevende is van het dorp Sokh Rot. Het wonder dat jij het hebt overleefd, is nuttig voor ons. Wij hebben gehoord dat het verhaal zeer inspirerend werkt. Jij wordt weggestuurd, naar een ver oord. Er zal een nieuw thuis voor je worden gevonden. Je zult veilig zijn voor de Sovjets.*

Hij gebaarde naar Nara.

— *Tot slot komen we bij de vrouw. Ze is een verraadster. Ze is erger dan een khareji. Ze is een Afghaanse, maar een slaaf van de bezetter, een moordenares. Ze zal worden geëxecuteerd. En wel onmiddellijk.*

Dezelfde dag

Er was geen discussie mogelijk. Het oordeel was uitgesproken, en voordat Leo de kans had om te protesteren, was de raad overeind gekomen. Nara werd door soldaten weggesleept. Leo probeerde erachteraan te gaan, maar een nog jonge man, wiens gezicht bijna niet te zien was, ging voor hem staan en belemmerde hem de doorgang. Nara en Zabi werden de grot uit geleid. Hulpeloos moest Leo toezien hoe de leden van de raad de trap op gingen. Hij riep hun na:

— *Wacht!*

Ze negeerden hem, en een voor een verlieten ze de ruimte. Leo riep:

— *Ze kan van waarde voor jullie zijn!*

Het laatste lid van de raad bleef staan.

— *Ze is zeker van waarde voor ons. Ze heeft waarde als dode, als teken voor wat er gebeurt met Afghanen die hun land verraden.*

Het raadslid gebaarde naar de bewaker.

— *Breng hem mee. Hij mag toekijken.*

De soldaat wachtte totdat iedereen de zaal had verlaten voordat hij Leo de trap op liet gaan. Leo probeerde in de rij naar voren te dringen, maar de mannen die voor hem liepen, lieten zich niet haasten.

Toen Leo als laatste bij de ingang van de grot kwam, zag hij hoe de laatste voorbereidingen getroffen werden. Nara werd aan handen en voeten geboeid, waarna ze met een touw om haar polsen werd vastgebonden aan de pony die hij eerder had gezien. De pony was hier niet om voorraden af te leveren, zoals hij eerder had verondersteld, maar om gebruikt te worden als instrument voor haar terechtstelling. Het dier, onrustig door alle commotie, stond bij de opening van de grot te snuiven en met zijn hoeven over het stoffige pad te schrapen. Nara zou achter de pony over de grond worden gesleept totdat ze dood was.

Zabi stond vooraan in het publiek, al of niet opzettelijk. Ze zou ernaar moeten kijken, samen met de soldaten, een man of vijftig, die zich voor dit spektakel verzameld hadden. Leo wilde zich een weg naar voren banen. Er werd een pistool op hem gericht en ze waarschuwden hem om niet verder op te dringen. Hij riep in de richting van de raadsleden:

— *Ik heb een voorstel!*

De voorzitter schudde zijn hoofd.

— *Denkt u dat wij wreed zijn? Hoe gaan de communisten dan om met hun vijanden? Ze martelen hen. Ze schieten hen dood. Vele duizenden Afghanen zijn omgekomen. Vele duizenden zullen nog gedood worden. Jullie soldaten doden onschuldige families in de hoop daarbij een strijder te doden. U kunt niets tot haar verdediging aanvoeren. Zij is niet te verdedigen. Ze is een verraadster. Er valt niet over te onderhandelen. Uw voorstel zal ons niet interesseren.*

Een van de oude mannen gaf de pony een klap, waarna het dier in beweging kwam. Nara werd omvergetrokken en viel op de grond; ze haalde haar gezicht open aan de ruwe rotsen. Omdat ze een prop in haar mond hadden gestopt, kon ze niet schreeuwen. Leo riep zo hard als hij kon:

— *Met hoeveel wapens zou haar dood afgekocht kunnen worden?*

De pony werd nu ook door anderen geslagen en ging sneller lopen. Nara werd de grot uit gesleept, en over het ruwe pad naar beneden. Haar neus raakte vol steengruis. Niemand had Leo gehoord, er werd althans geen aandacht aan hem besteed. Weer riep hij:

— *Met hoeveel wapens zou haar dood afgekocht kunnen worden?*

De voorzitter van de raad lachte naar Leo.

— *Voor tienduizend machinegeweren en duizend mortieren mag u de vrouw hebben.*

De raadsleden lachten. Leo antwoordde:

— *Dat is dan afgesproken. Als u hier een einde aan maakt!*

De mannen hielden op met lachen, keken Leo aan en probeerden uit te vissen of hij het serieus meende. Leo zei:

— *Tienduizend geweren, of misschien meer.*

De voorzitter hief zijn arm op.

— *Ik wil horen wat hij te zeggen heeft.*

Na een bevel van de raadsleden bleef de pony staan. Nara was minstens twintig meter over de grond gesleept. Ze bewoog zich niet. Zabi had haar beide handen tot vuisten gebald en hield die voor haar ogen. De voorzitter liep naar Leo toe. Hij rook naar tabak. Toen hij hem van dichtbij zag, besefte Leo dat de man veel jonger was dan hij leek; hij had diepe rimpels in zijn huid en een grijze baard, maar hij was jonger dan Leo.

— *U zult haar dood maar een paar seconden hebben uitgesteld als datgene wat u te zeggen hebt voor ons niet interessant is.*

Het was Leo's laatste kans.

— *U hebt gezegd dat de Sovjet-Unie op mijn dood uit is. Dat is waar. U erkent dat ik een waardevolle gijzelaar ben. Ik ben het met u eens. Vraagt u zich eens af wat het ergste zou zijn wat er in hun ogen kan gebeuren.*

De voorzitter van de raad haalde zijn schouders op.

— *Het ergste is al gebeurd. We hebben u levend gevangengenomen. U gaat ons vertellen wat u weet.*

— *Ik kan u vertellen wat de specificaties van de machinegeweren op de Hind-helikopters zijn. Ik kan op de kaart aangeven wat de troepenbewegingen zijn. Het zou een kwestie van enkele uren zijn om u dit alles te vertellen. Maar daarmee hebt u nog geen geweren of mortieren, of de munitie waar u niet buiten kunt. Maar denkt u hier eens over na. Wat zou er gebeuren als de belangrijkste adviseur van de Sovjet-Unie zou overlopen naar de Verenigde Staten, als u mij zou meenemen naar Pakistan?*

De man schudde zijn hoofd.

— *Dit is een truc.*

— *Nee, het is een voorstel. Echt. Stelt u zich eens voor wat er zou gebeuren als ik de Amerikanen ervan zou overtuigen dat ze u in uw strijd moeten steunen.*

— *Hoe zou u dat doen?*

— *Door hun de waarheid over deze oorlog te vertellen. Door uit te leggen wat er op het spel staat voor de Sovjet-Unie, hun belangrijkste tegenstander.*

— *Wat staat er op het spel?*

— *Ze hebben hier de kans, hier in Afghanistan, om de oorlogsmachinerie van de Russen een gevoelige slag toe te brengen zonder daarmee meteen een nucleaire oorlog uit te lokken. De Russische militaire autoriteiten weten dat dit waar is. Ze zijn voor niets zo bang als juist daarvoor. Ze rekenen erop dat de Amerikanen onverschillig staan ten opzichte van een land dat voor hen zo ver weg is. Ze hopen dat hun ervaringen in Vietnam hen ervan zullen weerhouden om de mogelijkheden die dit conflict biedt uit te buiten. Ik zal de Amerikanen duidelijk maken dat hier een kans ligt die ze zich niet kunnen veroorloven te laten liggen.*

Leo was een voormalige oorlogsheld, die zijn leven talloze keren had geriskeerd om de Sovjet-Unie te verdedigen tegen de opmarcherende fascistische troepen. Nu verried hij zijn vaderland en bracht hij de Russische troepen in gevaar, maar hij had er destijds niet voor gestreden dat zijn land nu een politiek van verschroeide aarde volgde.

De raadsleden gingen bij elkaar staan om het voorstel te bespreken, en het geroezemoes van hun discussie echode door de grot. De andere, jonge soldaten zwegen, gaven geen oordeel en hielden zich afzijdig, zoals ze steeds hadden gedaan. Leo kon niet naar Nara gaan kijken. Ze lag op haar buik en haar kleren waren gescheurd. Ze had wonden aan haar benen. Hij was er niet zeker van of ze wel bij bewustzijn was. Ten slotte richtte de raad haar aandacht weer op Leo en probeerde zijn landverraad ideologisch te duiden.

— *Wij vinden het moeilijk te begrijpen. Waarom zou u uzelf te schande maken? U zou een verrader zijn.*

— *Mijn motivatie gaat u niets aan.*

— *Waarom zouden we geloven dat u oprecht bent?*

— *Vraagt u het aan Fahad Mohammad. Hij heeft gezien hoe ik mijn meerdere met een mes aanviel. Ik heb hem verwond. Ik ben al een verrader.*

— *Dat kan een truc zijn.*

— *Met welk doel? Vraagt u maar aan de man die gezien heeft wat er gebeurde of hij denkt dat mijn daad bedrog was.*

De raad wendde zich tot Fahad Mohammad.

— *Wat denk jij?*

— *Als het een truc is, begrijp ik die niet.*

Een voorzichtig antwoord, maar niet doorslaggevend. Leo moest meer moeite doen om zijn gehoor te overtuigen.

— *Ik zal doen wat ik beloof. Ik loop over naar de Amerikanen. Zegt u mij wat u van mijn voorstel vindt.*

— *We vinden het interessant.*
Leo drong aan.
— *U hebt de steun van de Amerikanen nodig. U hebt hun wapens nodig, nieuwe wapens, niet die oude geweren waar je niet rechtuit mee kunt schieten. Niet die roestige pistolen die u aan uw riem hebt hangen. U hebt raketten nodig. U moet iets hebben waarmee u de helikopters en straaljagers kunt aanvallen.*
De oude man knikte en dacht na over het voorstel.
— *Hoe zou u dat kunnen bereiken? De Amerikanen zullen u niet vertrouwen.*
— *Neem ons mee de grens over, naar Pakistan. Ik weet dat u steun krijgt van de Pakistaanse geheime dienst. Zij moeten contacten hebben bij de* CIA.
— *Dat zou kunnen.*
— *Dan kunt u contact opnemen met de* CIA. *Dan kunt u met behulp van de Pakistanen een ontmoeting regelen.*
— *En wat dan? Hoe kunnen we een verrader op zijn woord geloven?*
— *U hoeft mij niet te vertrouwen. De* CIA *zal me niet beschermen als ik niet van waarde voor hen ben. Ik zal hun alles vertellen, want anders zullen ze me wegsturen.*
De man vroeg:
— *Wat wilt u er in ruil voor?*
— *Dat Nara Mir en het meisje met mij meegaan.*
Het voorstel veroorzaakte verontwaardiging, maar voordat ze tegenwerpingen konden maken, vervolgde Leo:
— *U vindt dat mijn voorstel niet strookt met uw gevoel voor goed en kwaad, maar ik ben ervan overtuigd dat u op pragmatische gronden een beslissing zult nemen. Velen van u verafschuwen drugs, en toch koopt u daar wapens mee. U verafschuwt het idee om met steun van de Amerikanen uw vijanden te moeten verslaan, maar u weet ook dat het zonder die steun veel moeilijker zal zijn om de strijd te winnen. Dat ik overloop naar de Verenigde Staten zal niet alleen een psychologische klap zijn voor de Sovjet-Unie, het is bovendien propagandistisch gezien voor u een voordeel, want ik zal de Amerikanen vertellen wat ze moeten weten. Dit is hun enige kans om de Sovjet-Unie te bestrijden zonder één enkele soldaat in te hoeven schakelen. Ze kunnen voor de Sovjet-Unie grote problemen veroorzaken, terwijl ze neutraal lijken te zijn. Zouden ze u geloven als u hetzelfde zou zeggen? Ze weten dat u uit*

bent op geld en wapens. En zouden ze mij geloven? Ik ben nergens op uit.

— *Iedereen is ergens op uit. En u wilt haar.* Buitenlanders komen hier om onze vrouwen mee te nemen, zo werkt het toch? U wilt haar als vrouw?

— *Mijn vrouw is dood.*

— *Dan wilt u zeker een andere? U wilt haar?*

— *Ze is een vriendin.*

— *Een vriendin?*

De raad moest hierom lachen.

— *We hebben allemaal vriendschap nodig.*

De voorzitter hield op met lachen en verzonk in gepeins.

— *We zullen erover stemmen.*

Hindu Kush, de Khyberpas op de grens van Afghanistan en Pakistan, 1000 m hoogte 180 km ten zuidoosten van Kaboel 30 km ten noordwesten van Pesjawar

De volgende dag

Die nacht zouden ze de grens oversteken. Fahad Mohammad had zich als vrijwilliger gemeld om hen naar Pakistan te brengen. Hij moest degene zijn die dat deed; wat dat betreft was hij onvermurwbaar geweest. Zijn betrokkenheid verraste Leo. Hij had zich immers zeer vijandig tegenover hen betoond. Hij had daar geen geheim van gemaakt, en bovendien leek hij het er helemaal mee eens te zijn geweest dat Nara dood moest. Hij had in drie dagen tijd drie broers verloren bij oorlogshandelingen van de Sovjets. Hij mocht dan waarschijnlijk niet op de hoogte zijn van de directe betrokkenheid van Leo en Nara bij de arrestatie en de dood van zijn oudste broer, Dost Mohammad, in Kaboel, maar hij wist dat ze agenten waren van een moorddadige en ongelovige bezetter, en hij voelde jegens hen net zo'n haat als voor de helikopterpiloten die zijn dorp hadden platgebrand en daarbij vrouwen, kinderen en bejaarden hadden gedood. Maar ondanks die haat had hij zich gemeld voor deze missie toen de raad ten gunste van Leo's voorstel besliste. De raad was verdeeld geweest: slechts een kleine meerderheid was van mening dat Amerikaanse steun het verloop van de oorlog zou beïnvloeden; de anderen vonden het een belediging om hulp te vragen. Maar ze hadden zich aan de uitslag van de stemming gehouden en erop aangedrongen een van hun beste soldaten uit te kiezen voor een missie die zo belangrijk was.

Fahad Mohammad zou hen naar de Pakistaanse stad Pesjawar brengen, waar hij het voorstel zou bespreken met hun belangrijkste bondgenoot, de Pakistaanse geheime dienst ISID, met wie ze nauw samenwerkten en strategieën ontwikkelden en van wie ze wapens ontvingen. Als de Pakistanen akkoord gingen met het voorstel – en dat was essentieel – zouden ze contact opnemen met agenten van de CIA, met wie deze extreem-nationalistische factie van de moedjahedien nooit eerder contact had gehad. Als door het verraad van Leo een brug naar hen toe geslagen zou kunnen worden, zou een belangrijke band kunnen ontstaan, en de raad wilde graag – mocht het ooit zover komen – dat hun mensen dan als een der eerste groepen Amerikaanse steun zou ontvangen, op het gevaar af dat een rivaliserende groep bewapend zou worden en zij niets zouden krijgen. Het ging hun niet alleen om het verslaan van de Sovjets, wat volgens hen onvermijdelijk was, nee, ze wilden ook hun macht uitbreiden en anticipeerden zo op een toekomstige onderlinge strijd na de ineenstorting van de bezettingsmacht.

Zodra ze in Pesjawar waren, zou Leo zich melden als overloper. Dat zou niet gemakkelijk zijn. Voor zover hij de Amerikaanse opstelling begreep, bestond er bij de eigen bevolking grote weerstand tegen betrokkenheid bij Afghanistan, zeker na de ervaringen in Vietnam, en deze opstelling werd uitgebuit door de Russen, die zich ervan bewust waren dat het Amerikaanse publiek niet akkoord zou gaan met opnieuw zo'n dure militaire campagne in een ver land. President Carter had de Russen het ultimatum gesteld dat de Verenigde Staten de Olympische Spelen in Moskou zouden boycotten als de Sovjettroepen zich niet zouden terugtrekken, en wel voor februari. Bij het verstrijken van die termijn zou officieel worden bekendgemaakt dat er geen Amerikaanse sporters zouden deelnemen. Zelfs dit symbolische protest was controversieel gebleken, en als zo'n terughoudende maatregel door het Amerikaanse publiek al zo dubieus werd gevonden, was het moeilijk voorstelbaar dat ze een militaire actie zouden steunen. Afghanistan was ver weg, en het strategisch belang was voor de mensen ver van hun bed. Het zou kunnen dat de CIA weinig belangstelling aan de dag zou leggen voor zijn afvalligheid, of dat ze het in de huidige gespannen atmosfeer politiek veel te provocerend zouden vinden om erop in te gaan. Als de CIA niet op het voorstel inging, zou Fahad hen zeker doden – die onuitgesproken dreiging hing over het project. Maar dat was allemaal van later zorg. Ze waren nog niet in Pesjawar.

Om Afghanistan te verlaten volgden ze de Zijderoute, een van de oudste handelsroutes ter wereld, die gedurende duizenden jaren voorwerp van strijd was geweest. Omdat de bergen aan weerszijden onbegaanbaar waren voor iedereen behalve zeer ervaren bergbeklimmers, was de Khyberpas voor legers, misdadigers, kooplieden en ballingen als doorgangsroute van elementair belang. De pas was trouwens hun enige optie omdat ze een klein meisje bij zich hadden: het was ondenkbaar dat ze met haar erbij de bergen zouden kunnen bedwingen. Er liepen twee wegen over de pas, een voor traditionele karavanen en een voor vrachtwagens. Beide waren in handen van de Sovjettroepen, en de pas werd zwaarbewaakt met patrouilles en controleposten. Fahads plan was om vlak langs de eigenlijke weg te reizen, via de hellingen aan weerszijden. Niet overal zou dat een probleem zijn, maar op sommige plaatsen liepen de rotsen steil omhoog. Het welslagen van hun tocht hing ervan af of ze een evenwicht zouden weten te vinden tussen afstand houden van de Sovjettroepen en de gevaren die het terrein opleverde. Hoe verder weg van de pas, des te gevaarlijker was de route. Hoe dichter bij de pas, des te meer kans ze liepen om ontdekt te worden.

Er was geen maan en er waren geen sterren – de nachtelijke hemel was donker als gevolg van een storm die onverwacht was komen aandrijven, en niet ver boven hun hoofd joegen duistere wolken met grote snelheid langs het zwerk. Alleen tijdens bliksemflitsen was er iets van de omgeving te zien. Hun tocht werd bemoeilijkt door een harde, koude wind, waar ze tegen op moesten tornen. Ze kwamen maar langzaam vooruit. Daar waar ze dicht bij de Sovjetposities waren, moesten ze onder dekking van de duisternis voortgang zien te boeken. Gevechtshelikopters vlogen overdag over de bergpaden, waar ze iedereen die daar liep met hun mitrailleurs bestookten. Fahad beweerde dat hij sinds het begin van de invasie niet zoveel Sovjettroepen bij elkaar had gezien. Leo vroeg zich af of de helikopters naar hen op zoek waren. Kapitein Vasjtsjenko zou wel geraden hebben wat ze van plan waren. Deze uitgebreide militaire aanwezigheid maakte het noodzakelijk dat ze vóór het ochtendgloren aan de andere kant waren.

Nadat ze enkele uren hadden gelopen, geklommen en gekropen, kwamen ze op een vlakke heuveltop met hier en daar wat begroeiing. Aan de rechterkant liep het steil naar beneden, en daar liep de door de Russen gecontroleerde weg. Ze zagen er de lichtjes van de troepen. Gelukkig was elk geluid dat ze mogelijk zouden kunnen maken onhoorbaar in de loeiende wind, maar omdat ze bang waren dat ze gezien werden, konden ze geen gebruikmaken van een zaklantaarn – zelfs het vlammetje van een lucifer kon opgemerkt worden. Fahad liep voorop en leek instinctief te weten waar het pad liep. Ze waren volkomen afhankelijk van zijn kennis van het terrein. Ineens bleef hij stilstaan en keek naar de onrustige hemel.

— *De storm wordt steeds erger.*

Leo vroeg:

— *Hebben we de tijd om ergens te schuilen?*

— *We kunnen nergens schuilen totdat we in Pakistan zijn.*

— *Kunnen we dan terug?*

Leo, die gewend was aan de stoïcijnse instelling van de moedjahedien, dacht dat zijn idee onmiddellijk zou worden afgewezen. Maar Fahad ging er serieus op in.

— *We zijn al te ver. Het is net zo bezwaarlijk om door te gaan als om terug te keren.*

— *Dan gaan we door.*

Op het moment dat hij door wilde lopen, trok iemand aan zijn hand. Het was Zabi. Hij kon haar in de duisternis niet zien en hoorde haar alleen zeggen:

— *Luister.*

Hij hoorde de storm loeien, en toen, op de achtergrond, een mechanisch geluid – straalmotoren. Al was het aardedonker, Leo keek omhoog in de richting waar hij dacht dat het vliegtuig zou zijn, in de hoop dat de vijand in het licht van de bliksem te zien zou zijn. De streek om de Khyberpas heen was een voor de hand liggend terrein om te bombarderen, gezien de grote kans dat zich daar smokkelaars van wapens en verdovende middelen – of in hun geval politieke vluchtelingen – ophielden.

— *We moeten hier weg!*

Leo's uitroep ging verloren in de storm. Ze konden nergens heen, er was op het plateau nergens dekking te vinden. Het geluid van de motoren werd luider. Leo hurkte neer en schermde Zabi af van het vliegtuig dat laag overvloog.

Het geluid van de straalmotoren bereikte een hoogtepunt en zwakte toen af en werd overstemd door dat van de storm. Er waren geen bommen gevallen, er klonken geen explosies. Het moest een transportvliegtuig zijn geweest. Opgelucht stond Leo op en keek naar de donkere hemel. Er schoot een bliksemflits door de wolken, en in een fractie van een seconde ving hij een glimp op van honderden vlekjes: een sneeuwstorm! Het sneeuwde. Het werd weer don-

ker, maar Leo bleef kijken, in afwachting van een volgende flits. Toen die eindelijk kwam, zag hij de sneeuwvlokken op slechts enkele meters boven hen, maar nu zag hij ook dat het geen sneeuwvlokken waren, maar vuistgrote objecten die door de lucht tolden en op hen afkwamen. Fahad riep:
— *Niet bewegen!*

De eerste vlindermijn kwam vlakbij neer; Leo zag het niet, maar hoorde het: een plof op het stoffige terrein, en toen nog een, en nog een, soms dichtbij, dan weer wat verder weg. Ze ontploften niet, maar bleven op de grond liggen. Toen er weer een bliksemflits was, zag Leo een mijn vlak boven hem rondtollen; het ding kwam recht op hem af. Hij deed een stap naar achteren, Zabi met zich meetrekkend, terwijl de mijn vlak voor zijn gezicht langs schoot, bijna zijn neus raakte, en vlak voor hem, tussen hem en Fahad in, op de grond terechtkwam, op het punt waar hij net zijn voet neer had willen zetten.

Binnen enkele seconden was het hele plateau onbegaanbaar geworden. Ze konden niet verder. En ze konden niet terug.

Dezelfde dag

Ze zaten in de val. Zelfs bij daglicht zouden ze maar langzaam gevorderd zijn, want ze moesten steeds heel voorzichtig om de mijnen heen lopen, waarvan de plastic omhulsels dezelfde kleuren hadden als de oranje en rode tinten van het terrein. Nara zei:

— *Als het ochtend wordt, hebben we genoeg licht om ertussendoor te lopen.*

Het gebrek aan overtuiging in haar stem ontkrachtte de mededeling. Leo mompelde:

— *De Russische grenswachten lopen hier vlak langs.*

— *Misschien hebben we genoeg tijd.*

— *Bij zonsopgang zullen ze eerst hier komen kijken.*

Fahad maakte een einde aan de discussie en riep:

— *We moeten wachten tot het licht wordt. We hebben geen andere keuze. Pas op dat jullie je voeten niet verplaatsen of in slaap vallen. De enige veilige plek is de plek waar je staat. Als het ochtend wordt, moeten we razendsnel opschieten. Nu moeten we rusten.*

Leo hurkte neer en draaide zich om, goed oppassend dat hij zijn voeten niet verplaatste. Hij sloeg zijn armen om Zabi heen om haar warm te houden. Nara, aan haar andere zijde, deed hetzelfde. Hun handen raakten elkaar op Zabi's rug. Even dacht hij erover om zijn hand terug te trekken, maar dat deed hij niet – hij pakte haar hand. Ineengedoken wachtten ze samen de ochtend af.

Het was moeilijk in te schatten hoeveel tijd er was verstreken. Het was donker en ze waren uitgeput en raakten bijna bewusteloos van de kou, en hun idee van tijd was verstoord geraakt. Het was harder gaan waaien en de wind wervelde furieus om hen heen, alsof hij hen wilde dwingen het mijnenveld in te gaan. Ook al bewogen ze zich niet, ze raakten uitgeput door de kou. Bij zonsopgang zouden ze misschien een paar minuten respijt hebben voordat de gevechtshelikopters zouden opduiken, maar even waarschijnlijk was dat dit voordeeltje niet genoeg zou zijn. Afgemat als ze waren door het woeste weer van die nacht, zouden ze grote moeite hebben met het vinden van de energie om te zorgen dat ze snel in veiligheid zouden zijn.

Leo voelde iets nats in zijn nek, en toen hij er met zijn hand over streek, bleek het een ijskoude regendruppel te zijn. Hij keek schuin omhoog naar de hemel, en toen viel er een druppel op zijn voorhoofd, en toen nog een. In de duisternis begon het steeds harder te regenen. Binnen een paar seconden zouden ze doorweekt zijn. Terwijl hij erover nadacht dat het nu onmogelijk was geworden om het weer warm te krijgen, veranderde de regen in hagel, en grote hagelstenen kwamen met zo'n kracht neer dat hij ze in zijn huid voelde prikken. Leo voelde hoe Nara zijn handen omklemde en kennelijk de wanhoop nabij was. Dit was het einde.

Plotseling klonk van opzij een explosie, niet meer dan een paar stappen bij hen vandaan – een kleine ontploffing, als van een rotje. Leo riep:

— *Wat was dat?*

Fahad antwoordde:

— *Een mijn!*

Er ontplofte een tweede mijn, ook vlakbij. Leo rook het en voelde de luchtdruk van de explosie. En toen nog een, deze keer een paar honderd meter verderop. Ze ontploften door de inslag van de hagelstenen op de druksensoren. Binnen enkele ogenblikken was het hele plateau tot leven gekomen en zagen ze overal om hen heen kleine explosies en rookwolkjes, en naarmate de hagelbui heviger werd, nam ook het aantal explosies toe, totdat ze zo talrijk waren dat het leek alsof ze onder mortiervuur lagen. Zabi, die bang werd van het lawaai, schreeuwde het uit.

Leo herinnerde zich dat er vlak voor hem een mijn lag. Hij liet Zabi en Nara los en draaide zich snel om, waarbij hij er ook nu weer voor moest zorgen dat hij zijn voeten niet verplaatste. Als die mijn zo dicht bij hen ontplofte, zouden ze alle drie gewond raken. Hij probeerde te gissen waar het ding lag en stak zijn handen uit om

zich af te schermen. De hagelstenen viel striemend neer op zijn uitgestoken armen, die binnen enkele seconden vanaf de elleboog gevoelloos werden. Het bleef hagelen, en het geluid van de ontploffingen mengde zich met dat van de neerkomende hagelstenen.
Leo's armen trilden. Hij kon die houding niet veel langer volhou-
den en zou de bescherming van het apparaat dat bedoeld was om
hen te doden binnenkort moeten opgeven.

Maar toen begon het minder hard te hagelen, en de hagel veranderde weer in ijskoude regen. De frequentie van de explosies liep
terug totdat de ontploffingen ten slotte helemaal ophielden. Leo
kon zijn armen niet meer gestrekt houden en liet ze zakken. Zijn
handen voelden aan als brokken dood vlees, en hij wreef erin om de
bloedsomloop weer op gang te brengen. Zijn vingers reageerden
niet, maar hij had het te koud om na te denken over de gevolgen van
de hagelbui. Fahad riep van voren naar hen:

— *Het pad zal nu opgeruimd zijn.*

Zou het waar zijn dat alle mijnen ontploft waren, of waren de
ontploffingen alleen maar opgehouden omdat de hagelbui voorbij
was? Leo, die zijn vingers nu langzaam weer wat kon bewegen, riep
naar Fahad:

— *Hoe kunnen we daar zeker van zijn?*

Fahad riep terug:

— *Er rust een zegen op deze expeditie.*

Hoewel dat voor Leo een leeg begrip was, was het wel een onbetwistbare waarheid dat ze de dood zouden vinden als ze hier in de
vrieskou bleven wachten op de dageraad. Leo zei:

— *We zullen het erop moeten wagen.*

Nara was voorzichtiger.

— *We weten niet of het pad wel vrij is. Er zijn wel mijnen vernietigd, maar zeker niet allemaal, misschien zelfs niet eens de meeste.*

Fahad riep boos terug:

— *Jij bent een ongelovige! Je begrijpt niet wat dit betekent!*

Woedend antwoordde Nara:

— *Mijn geloof maakt me niet dom. Ik geloof niet dat ik onkwets-
baar ben.*

Leo onderbrak hen:

— *Het is niet van belang wat we geloven. We kunnen hier niet blijven! Morgenochtend zullen we te zwak zijn om op te schieten en te
zwak om te vluchten. We moet doorgaan. We moeten het risico nemen.
Ik ga voor.*

386

Fahad zei:

— *We zijn hier vanwege u. U bent degene voor wie de* CIA *belangstelling heeft. Als u sterft, is het hele plan mislukt. Het meisje moet als eerste gaan.*

Nara zei:

— *Ik ben het ermee eens. Ik ga als eerste.*

Fahad sprak haar tegen en zei:

— *Niet jij. Het meisje, het wondermeisje. Zij zal ons voorgaan. Het is geen toeval dat ze bij ons was toen dit gebeurde. We moeten op haar vertrouwen.*

Afgezien van het gekletter van de regen bleef het stil terwijl Leo Fahads suggestie probeerde te doorgronden. De man geloofde oprecht dat Zabi goddelijke bescherming genoot. Zijn suggestie dat het kleine meisje voorop moest lopen door het mijnenveld kwam niet voort uit lafheid, maar uit vroomheid. Leo was er tamelijk zeker van dat Fahad zo trots was dat hij nog liever zijn eigen leven zou verliezen dan de indruk te wekken dat hij zich achter een meisje zou willen verschuilen. Voor Fahad was elke andere beslissing een godslastering. Nara was de eerste die iets zei, en haar zorgvuldige reactie getuigde van diplomatieke gevoeligheid:

— *Ik zal als eerste gaan. Ik ga voor. Als dit Allah onwelgevallig is, zal ik sterven, en zo niet, dan hoeven we het er verder ook niet over te hebben. Maar er is geen kans, Fahad, geen schijn van kans dat Zabi voorop zal lopen. Niet zolang ik leef.*

Zoals verwacht, reageerde Fahad beledigd.

— *Dit heeft niets met moed te maken. Ik zou graag vooroplopen als...*

Nara liet hem niet uitspreken.

— *Zonder jou zullen we allemaal de dood vinden. Zonder Leo zal het plan mislukken. Ik ben de enige die we zouden kunnen missen. Dat heeft niets te maken met theologie of moed, maar alleen met gezond verstand. Ik ga voorop. Jullie volgen.*

Leo protesteerde:

— *Nee, Nara. Jij moet Zabi dragen. Ik ga voorop.*

Nara verwierp dit idee.

— *De* CIA *zal niet geïnteresseerd zijn in mij. Zonder Fahad als gids zijn we verloren. Ik moet het zijn. Het is absurd om hier nog over door te praten. Jij moet Zabi dragen.*

Zonder op zijn antwoord te wachten, pakte Nara hem bij zijn

middel en probeerde zich langs hem heen te manoeuvreren. Leo riep:

— *Wacht!*

Hij dacht aan de mijn die vlak voor hem op de grond terecht was gekomen. Terwijl de regen over zijn gezicht stroomde, wachtte hij op de volgende bliksemflits uit de wolken. De mijn lag er nog en was nog niet ontploft. Nara had hem ook gezien. Ze liet hem los, stapte over de mijn heen, liep door en haalde ook Fahad in.

Leo pakte Zabi op:

— *Sla je armen om mijn hals.*

Hij merkte dat hij verzwakt was door de hagel, want het kostte hem grote moeite om het meisje op te tillen, hoewel ze niet zwaar was. Met knikkende knieën van vermoeidheid stapte hij over de mijn heen. Nara was uit het zicht verdwenen en liep nu vooraan in het donker. Hij hoorde haar stem.

— *Fahad, stap precies in mijn voetstappen. Leg je handen om mijn middel. Alleen zo kan het! Dat is de enige manier waarop we kunnen overleven.*

Leo vroeg zich af of hij zou weigeren. Fahad riep over zijn schouder naar Leo:

— *Doet u hetzelfde.*

Leo legde een hand op Fahads rug, terwijl hij met de andere Zabi optilde.

In een moeizame ganzenpas gingen ze op weg, en blindelings schuifelden ze verder, alleen af en toe bijgelicht door een bliksemflits. De buien waren voorbij, de storm was over de bergen in de richting van Pakistan getrokken. Leo hoorde Fahads zware ademhaling. Hij hoorde hun schoenen op de grond. Elke voetstap die op de vochtige grond neerkwam bracht bij hem een gevoel van opluchting teweeg. Leo voelde Zabi's angstige armen om zijn hals. Het scheelde niet veel of hij zou, zijns ondanks, zijn gaan bidden.

Pakistan
provincie North-West Frontier, Pesjawar
43 km ten zuidoosten van de Afghaanse grens

Twee dagen later

De vrachtwagen hobbelde door een kuil, waardoor Leo wakker werd. Hij was in slaap gevallen op het duurste bed ter wereld: een partij heroïne ter waarde van een paar miljoen dollar, verpakt in meelzakken met een stempel erop waaruit moest blijken dat de inhoud afkomstig was van westerse hulporganisaties. Een inwendig stemmetje had er bij hem nog op aangedrongen dat hij er wat van zou roken, maar dat stemmetje werd met de dag zwakker. Het was een wrede test van zijn wilskracht om hem met zoveel drugs te omringen, maar de opium was voor hem nooit meer geweest dan een manier om zijn rusteloosheid en zijn verlangen om zijn post in de steek te laten te onderdrukken en afstand te nemen van de ijdele hoop eindelijk eens te kunnen beginnen met het onderzoek naar de moord op zijn vrouw. Nu was wat toen onbereikbaar was geweest echter wel degelijk binnen zijn bereik: de kans om naar Amerika te kunnen, naar New York.

Korte tijd nadat het mijnenveld door de hagelbui was opgeruimd, waren ze Pakistan binnengetrokken. Omdat ze de tocht in een bijna complete duisternis hadden volbracht, konden ze niet weten of alle mijnen inderdaad waren ontploft. De mogelijkheid dat er een zegen op hun tocht rustte of dat hier slechts sprake was geweest van toeval, bleef daarom onbeantwoord. Leo had er niet al te lang over nagedacht. Als soldaat in de Grote Vaderlandse Oorlog had hij voorbeelden meegemaakt van vrienden die geloofden dat ze waren gered door een wonder, doordat de kogel was blijven steken in een religieuze snuisterij, en die vervolgens al hun tijd hadden besteed aan pogingen om de betekenis van dit wonder te begrijpen, maar die dan een paar weken later toch om het leven gekomen waren. Maar hoe sceptisch hij ook was, hij was blij dat hun gids zich wat minder vijandig betoonde. Toen bij zonsopgang de laatste resten van het noodweer weggedreven waren, was het viertal op een Pakistaanse heuvel blijven staan en hadden ze achteromgekeken hoe in de verte de Russische gevechtshelikopters boven de Khyberpas rondcirkelden. Als ze hadden gewacht op het daglicht, zouden ze gevangen zijn genomen. Maar wat ook de realiteit was, het voelde bepaald wel aan alsof er een wonder had plaatsgevonden.

Ze hadden het koud en ze waren smerig en doodmoe toen ze in Dara aankwamen, een plaatsje in het noordelijke tribale gebied van Pakistan, dat werd beschouwd als de hoofdstad van een land dat officieel niet bestond. Het gold als een bufferstaat zonder wetten, maar ten onrechte: in werkelijkheid werd het leven er bepaald door het recht van de sterkste en de wetten van de commercie. Leo had verwacht dat de combinatie van een Rus, een vrouw, een meisje met brandwonden en een moedjahedienstrijder wel de aandacht zou trekken, maar in dit plaatsje werd niets ongewoon gevonden; het leven werd er niet bepaald door religieuze wetten of overheidsbeleid, maar door een grof materialisme – het was er een bazaar voor drie van de meest begeerde artikelen ter wereld: drugs, wapens en informatie. De mensen hielden zich slechts bezig met de vraag wat je te verkopen had en wat je wilde kopen. Door de hele stad verspreid waren er in woningen heroïnefabriekjes, waar tassen vol onbewerkte opium tegen prijzen die werden uitgedrukt in dollars werden verkocht en vervolgens op muilezels geladen. Wapens werden er getest en geïnspecteerd door ermee de stad uit te gaan en ze op boomstronken uit te proberen. Kratten vol kogels werden er bekeken alsof het schatkisten vol robijnen en smaragden waren. Er werden oorlogsfondsen ingezameld. Er werden oorlogsfondsen gestolen. Loyaliteiten werden er gekocht en verraden. Geheime informatie was er te koop. Overwinningen werden er geproclameerd en nederlagen ontkend. Vanuit het noorden was er een toevloed van Afghanen die de oorlog ontvluchtten, vaak met de meest afschuwelijke verwondingen. Vanuit het zuiden druppelden er af en toe westerse journalisten en reizigers binnen, sommigen gekleed in de traditionele gemakkelijke kleding, anderen in modieuze kakibroeken en uitgerust met de modernste snuisterijen. Te oordelen aan het kleine aantal journalisten, leidde Leo af dat de oorlog tot nu toe niet tot de westerse verbeelding had gesproken. En dat gebrek aan belangstelling beloofde niet veel goeds voor zijn plan om over te lopen. Ze waren wel niet meer in Afghanistan, maar buiten gevaar waren ze nog niet. De Sovjets waren ook actief in de tribale gebieden en staken de grens over met een frequentie die getuigde van een schaamteloze minachting voor de Pakistaanse soevereiniteit. Leo had horen spreken over een reeks geheime operaties die bedoeld waren om het gebied te destabiliseren en druk op Pakistan uit te oefenen om langs de hele grens te laten patrouilleren. Er waren plannen voor extreme provocaties als straf voor de geboden hulp aan moedjahedien, ook al was neutraliteit het officiële beleid van Pakistan. Deze communistische agenten zouden dan Afghanen zijn, misschien vermomd als vluchtelingen. Er zaten zelfs corrupte moedjahedien onder, al wilde Fahad niet geloven dat een moedjahedienstrijder zich door de Sovjets zou laten omkopen. Leo vertelde hem dat hij lijsten had gezien met de codenamen van de mannen die bij de Sovjets op de loonlijst stonden, en hij zei erbij dat er aan elke kant altijd mensen waren die omkoopbaar waren, zwakkelingen van wie je gebruik kon maken. Fahad had vol afschuw zijn hoofd geschud en gezegd dat Leo sprak als een westerling, door en door corrupt en altijd bereid tot compromissen en dubbelzinnigheid.

Fahad had geen tijd verspild en ze meteen meegenomen naar een *chai-khana*, waar ze meegenomen waren naar een achterkamertje, terwijl hij het vervoer naar Pesjawar had geregeld, de regionale hoofdstad. Alleen daar konden ze contact leggen met de Pakistaanse geheime dienst, of om precies te zijn de isi – Inter-Services Intelligence, die bekendstond om zijn nauwe ideologische banden met het islamitisch fundamentalisme. De dienst was een van de machtigste bondgenoten van de moedjahedien.

Zodra Fahad weg was, waren ze alle drie in slaap gevallen. Als figuren uit een sprookje lagen ze bij elkaar onder een dikke deken op een grof geweven matras, warm gehouden door een klein vuurtje. Toen Leo wakker werd, zag hij Fahad bij het vuur nippen van een beker. Zijn lange, slungelige lichaam ging schuil onder een deken. Hij was echt een buitengewone soldaat, een man die nooit leek te rusten en altijd op zijn hoede was. De kracht die hij toonde was niet bedoeld om indruk te maken, het was geen bravoure – wat Leo van hem vond, interesseerde hem niet. Toen hij zag dat Leo wakker was, bood hij hem een beker zoete groene thee aan. Leo nam die aan en ging zwijgend bij hem voor het vuur zitten, als onwaarschijnlijke bondgenoten – onwaarschijnlijke bondgenoten die elkaar weer nodig zouden hebben als de ISID bereid was om hen in contact te brengen met de CIA.

De avond was al gevallen toen ze hun bestemming bereikten. Toen hij uit de vrachtwagen klom, was Leo verbaasd over de drukte in Pesjawar en had hij even tijd nodig om zich daaraan aan te passen na de in het duister doorgebrachte dag in de bergen en de tribale gebieden. De heroïne waarop hij had geslapen, was dan wel miljoenen dollars waard, maar dat was pas de straatwaarde in Europa of de Verenigde Staten; in de drukte hier waren de zakken niet meer waard dan een paar duizend dollar per stuk. De vrachtwagen zette zich grommend weer in beweging; de gammele uitlaat proestte zwarte rook uit. Leo vroeg zich af of de drugs misschien niet een betere kans zouden hebben om in Amerika aan te komen dan hij.

Ze volgden Fahad door de smalle zijstraten, langs etalages en straatgoten die vol lagen met felgekleurde snoeppapiertjes, als afgevallen bloesems na een storm. De stad onderscheidde zich van Kaboel door een architectuur die uitgesproken koloniaal van stijl was – mooie, rozerode bakstenen gebouwen met klokkentorens met daartussen door bomen omzoomde lanen. Net als in Kaboel was er een groot contrast tussen oud en nieuw. Majestueuze, eeuwenoude moskeeën stonden er naast moderne bouwsels die eruitzagen alsof ze geen jaar langer overeind zouden blijven staan. Telefoonpalen stonden erbij alsof ze als onkruid waren opgeschoten en hielden boven de straten honderden laaghangende draden omhoog. Verval en rijkdom wisselden elkaar hier voortdurend af. Deze buitenpost was door de oorlog in het buurland weer opgestoten in de vaart der volkeren, met als gevolg dat er enkele bloeiende bedrijfstakken waren – spionage en professionele oplichterij.

Fahad leidde hen naar een herberg speciaal voor westerse bezoekers, met aan de zijkant van het huis een uithangbord met de tekst:

GOOD NIGHT INN

In de smalle gang flakkerde onregelmatig een gloeilamp. De onbemande receptie werd gebruikt om vaten olie op te slaan. Fahad nam niet de moeite om op de bel te drukken om de aandacht te trekken. Hij liep gewoon verder, onder een kapotte plafondventilator door, die er scheef en werkeloos bij hing als een insect dat leeggezogen en uitgedroogd in een spinnenweb was achtergebleven. Ze betraden een eethuisje. Er stond een aantal vierkante tafeltjes tegen de muur, maar slechts aan één kant, alsof ze daar stonden te wachten totdat ze door een vuurpeloton zouden worden geëxecuteerd. Ze waren gedekt met rode en witte plastic tafelkleedjes en lichtgele servetten en beduimeld uitziend bestek. De aanwezige clientèle bestond uit een allegaartje van verslaafde toeristen, zwervers, zonderlingen, avonturiers en huursoldaten. Ze waren te onderscheiden aan hun fysieke kracht of juist het gebrek daaraan en aan de manier waarop ze uitgedost waren, met ofwel leren, boven de enkel dichtgeknoopte laarzen, ofwel teenslippers en beschilderde nagels. De Russische legerleiding was bezorgd geweest dat de moedjahedien met wester- se huurlingen in zee zouden gaan, soldaten die ze met hun drugs- geld zouden kunnen betalen, maar die angst was gebaseerd geweest op de misvatting dat alleen westerlingen wisten hoe je moest vech- ten, terwijl in feite de moedjahedien op hun eigen terrein de beste strijders ter wereld waren. Hun strijd was een persoonlijke, een kwestie van principe en niet van winst, en ze hadden geen tijd voor en geen behoefte aan huurlingen. Ze hadden geen vertrouwen in hun motieven en vonden hen intrinsiek onbetrouwbaar. Al deze verschillende types zaten aan tafeltjes achter borden met vette patat plannen te maken. Er werd geen alcohol geschonken en zo te zien was er geen personeel. Een deel van de klanten draaide zich om en bekeek de nieuwkomers met nieuwsgierige blikken, al was een en- keling te zeer onder invloed om zich er druk om te kunnen maken. Terwijl Fahad de keuken in liep, schoot er een kakkerlak kwiek langs hem heen, alsof hij in het etablissement het enige bedienende personeel uitmaakte. Binnen een paar seconden kwam Fahad terug met een sleutel.

Op de bovenste verdieping waren vijf kamers, drie aan de ene en twee aan de andere kant. Ze namen de laatste kamer, de hoekka- mer, met ramen aan beide straten. Er was een bed, maar geen bad- kamer – de gemeenschappelijke voorzieningen bevonden zich een verdieping lager. De vloeren kraakten. Het gips was verkleurd. De lakens waren niet gewassen, de bedden waren na het vertrek van de vorige gasten alleen opgemaakt. Fahad gooide de sleutel op het bed.

— *Ik ga met de* ISI *praten. Als ze ons niet willen helpen, is de missie mislukt. Ik heb geen contact met de* CIA *zelf. Die kunnen we niet benaderen zonder toestemming van de* ISI.

— *We zouden ook naar Islamabad kunnen gaan en daar rechtstreeks contact opnemen met de ambassade.*

— *Niet zonder toestemming van de Pakistanen. We zijn nu in hun land. Ik heb duidelijke bevelen gekregen. Zij beslissen wat er gebeurt. Als je buiten mij om zou proberen naar de Amerikaanse ambassade te gaan, zal ik je weten te vinden en je vermoorden.*

Met die waarschuwing vertrok Fahad.

Leo pakte Zabi op en legde haar op het bed. Ze vroeg:

— *Gaan we dood?*

— *Nee.*

— *Maar hij zei…*

Nara onderbrak haar:

— *Niks van aantrekken.*

Leo voegde eraan toe:

— *We hebben geen kans gehad om te bespreken wat er gaat gebeuren. Dat moet heel verwarrend voor je zijn. Begrijp je waarom het voor jou gevaarlijk is in Afghanistan?*

Ze beet op haar nagel, maar zei niets. Leo vervolgde:

— *De Russen zijn erg bang dat ze zullen verliezen.*

— *Waarom?*

— *Ze zijn bang dat ze dan een zwakke indruk zullen maken. Ze zijn bereid tot allerlei extreme maatregelen om dat te voorkomen. Ze hebben veel wapens, en die zullen ze gebruiken tegen iedereen, tegen mannen, vrouwen en kinderen. Het land is niet veilig, niet voor jou, niet voor mij en niet voor Nara.*

Zabi zei:

— *Waar gaan we dan wonen?*

— *We vinden wel ergens anders een plekje.*

— *Kunnen we niet hier blijven?*

— *Ik denk het niet.*

Nara zat naast haar.

— *Er zijn hier veel mensen uit ons land. Dat zijn mensen die hun huis kwijt zijn en hun familie, net als jij en ik. Ze hebben niets. Ze wonen in vluchtelingenkampen, duizenden slapen onder vellen plastic, en ze hebben geen schoon water. Het is een hard leven, en het is gevaarlijk. Misschien wel net zo gevaarlijk als de oorlog zelf.*

Ondanks haar leeftijd begreep Zabi precies wat ze haar voor argumenten voorlegden.

— *Waar kunnen we anders naartoe gaan?*

Leo antwoordde:

— *Er is een kans dat we naar Amerika kunnen. Heb je gehoord van dit land?*

Ze schudde haar hoofd.

— *Het is ver weg. Het is heel anders dan de wereld die je kent. Het is een land waar geen oorlog is en wel schoon water, waar genoeg eten is en waar het veilig is, een land waar we kansen krijgen. Voor ons zijn hier geen kansen. We zouden al onze tijd moeten besteden om alleen maar in leven te blijven.*

Slim vroeg Zabi:

— *Welke problemen zouden we in Amerika hebben?*

— *Er zijn daar allerlei uitdagingen. Je zult het er heel vreemd vinden. En wij zullen daar vreemden zijn, buitenstaanders. Ze spreken een andere taal. Je zult aan een nieuwe manier van leven moeten wennen. Maar als het je lukt om hun taal en hun manier van leven onder de knie te krijgen, heb je een kans om geaccepteerd te worden als een van hen.*

Zabi vroeg aan Nara:

— *Zijn er bergen, zoals hier?*

Nara was in verlegenheid gebracht en vroeg aan Leo:

— *Ik weet het niet. Zijn er bergen in Amerika?*

Hij knikte.

— *Het is een heel groot land. Er zijn bergen. Er zijn woestijnen. Er zijn bossen. Er zijn stranden. En je kunt er zwemmen in meren of in de zee.*

Zabi vroeg:

— *Wat is de zee?*

Niet alleen had ze nooit de zee gezien, ze had geen idee wat het was. Leo dacht even na en kon zich indenken wat een gigantische onderneming deze reis voor dit meisje was. Hij vroeg zich af wat de beste manier was om het uit te leggen.

— *De zee is een water dat net zo groot is als een land. Alleen is daar dan water in plaats van land, en het water is net zo diep als de bergen hoog zijn. De zee is vol dieren, net als een meer, maar sommige van die dieren zijn heel groot, net zo groot als dit gebouw.*

Zabi verbaasde zich hierover en riep:

— Een vis zo groot als een gebouw!
— Ze heten walvissen. Alleen zijn het geen vissen. Ze ademen lucht,
net als wij.
— Als ze lucht ademen, waarom leven ze dan in het water?

Leo zweeg even en dacht terug aan dit soort gesprekken die hij met Elena had gehad toen ze jong was. Ze was gefascineerd geweest door het bestaan en had altijd allerlei dingen willen weten. Dat eindeloze gevraag, waar haar zus de draak mee had gestoken, was net zo goed een uiting van intimiteit en vertrouwen geweest als van nieuwsgierigheid. Hetzelfde gold voor Zabi – ze maakte contact met hem en tegelijkertijd wilde ze van alles weten over die nieuwe wereld die haar te wachten stond. Maar deze nieuwe wereld zou er een zijn zonder zijn dochters. Als hij uit Pakistan wegging als een verrader, zou hij Elena en Zoya nooit meer zien. Hij kon dat idee onmogelijk accepteren, net zoals hij het ondenkbaar had gevonden dat hij de moord op zijn vrouw nooit zou kunnen oplossen. Maar de realiteit was dat als hij zou terugkeren naar de Sovjet-Unie terwijl bekend was dat hij een overloper was, hij zeker terechtgesteld zou worden. Nog verontrustender was dat het ook heel wel mogelijk zou zijn dat zijn beide dochters gestraft zouden worden als men zou ontdekken dat hij het land uit was gevlucht. Ze zouden alleen veilig zijn als werd aangenomen dat Leo ofwel om het leven was gekomen bij de luchtaanvallen, ofwel geëxecuteerd was door de moedjahedien. Het was van het grootste belang dat geheim bleef dat hij nog in leven was. Hij zou hun niet meer kunnen schrijven. Hij zou hen niet kunnen opbellen. Als hij ziek was, dan zou hij alleen zijn. Als zij ziek waren, zou hij niet aan hun bed kunnen zitten.

In deze sombere gemoedstoestand lukte het hem niet om Zabi's vraag te beantwoorden. Terwijl hij opstond, kneep ze in zijn hand.

— Vertel eens wat meer over de zee.

Leo schudde zijn hoofd.

— Dit is genoeg voor nu.

Hij streek haar haar naar achteren. Zabi vroeg:

— Ben je weleens in Amerika geweest?

— Ik heb geprobeerd ernaartoe te gaan, maar het is me niet gelukt.

— Zal het ons lukken?

— Vast wel.

Maar Zabi hoorde de onzekerheid in zijn stem. Ze pakte Nara's hand.

— *En ook als het ons niet lukt, blijf je dan bij me?*

Nara knikte.

— *Ik zal je nooit alleen laten, wat er ook gebeurt. Dat beloof ik.*

In haar stem klonk geen onzekerheid. Nara zou bereid zijn haar leven te geven voor dit meisje.

Leo hoopte dat het zover niet zou hoeven komen.

De volgende dag

Leo wachtte bij het raam en keek uit op de straat. Achter hem lagen Zabi en Nara te slapen. Hij wilde hen wel laten rusten, maar hij was bezorgd. Er waren nu tien uur verstreken sinds Fahad de herberg had verlaten. Over een paar uur zou het dag worden, en er was nog geen nieuws. Mocht Fahad niet slagen, dan hadden ze nog de mogelijkheid om op eigen gelegenheid naar Islamabad te gaan en zelf bij de Amerikaanse ambassade hun asielaanvraag in te dienen, zonder de tussenkomst van de Pakistaanse geheime dienst. Maar nog afgezien van de problemen die er aan zo'n tocht verbonden zouden zijn, was Leo er niet van overtuigd dat de onderhandelingen zonder Pakistaanse goedkeuring resultaat zouden kunnen hebben. De enige andere keuze was om te vluchten.

Hij deed de deur open en keek op de gang. Er was niemand. Hij klopte op de kamerdeur tegenover de hunne. Er kwam geen reactie. Toen hij het slot bekeek, bleek dat zo ondeugdelijk te zijn dat één flinke duw met zijn schouder genoeg was om het hout te doen versplinteren. Er waren geen persoonlijke bezittingen of bagage in de kamer aanwezig. Hij controleerde het raam. Anders dan bij de andere kamer was hier wel een vluchtweg naar beneden – via de vensterbank en het uithangbord van het hotel naar straatniveau. Lastig, maar niet onmogelijk. Hij haastte zich terug en wekte Nara.

— *Ik wil dat jullie in die andere kamer gaan zitten. Doe het licht niet aan en maak geen geluid. Als er iets met mij gebeurt, vluchten jullie. En ga dan naar Islamabad. Niet naar de Amerikaanse ambassade gaan. Vertrouw niemand. Vluchten, dat is het enige.*

Nara ging niet tegen hem in, maar pakte Zabi op, die nog half in slaap was, en droeg haar naar de andere kant van de gang. Ze bleef bij de deur staan, glipte de gang weer op en kuste Leo op zijn wang, waarna ze zich terugtrok en de deur van de kamer dichtdeed. Leo ging in zijn kamer op de rand van het bed zitten. Hij keek rond of er iets was wat hij als wapen zou kunnen gebruiken. Hij zag niets, maar zag wel even zijn eigen spiegelbeeld in de spiegel. Hij zag er woest en haveloos uit, bepaald niet zoals hij eruit wilde zien als hij zichzelf aanprees als een belangrijke bron van informatie. Haastig streek hij met zijn hand door zijn haar, en hij stond op het punt om naar de badkamer beneden te gaan toen er op de deur werd geklopt.

Leo deed een stap opzij en riep:

— *Wie is daar?*

— *Fahad.*

Hij deed de deur open. Fahad kwam binnen, met twee mannen in pak. De Pakistaanse inlichtingenofficier was de oudste van de twee; hij was achter in de zestig, een man met dun haar en levendige ogen. De CIA-agent was van Leo's leeftijd. Hij had een mager gezicht, en zijn oogwit was enigszins geel. Het was een lange, vrij tengere man. Fahads pezige lichaamsbouw suggereerde kracht en behendigheid, maar bij de CIA-agent, wiens voorkomen eerder een leven van lezen, drinken en intrigeren deed veronderstellen, was daarvan geen sprake. De ene verslaafde herkende meteen de andere, en ze hadden direct een onuitgesproken band. In tegenstelling tot Leo waren de beide agenten goed gekleed en droegen ze colbertjes en scherp gesneden overhemden, maar geen van beiden droegen ze een das. Bij de CIA-agent kreeg je het gevoel dat zijn smetteloze uitdossing diende om de subtielere sporen van zijn verslaving te verbergen. De kleding van de Pakistaanse agent leek eerder gewoon een indicatie van zijn macht en status. De CIA-agent schudde Leo's hand.

— *Mijn naam is Marcus Greene.*

Hij sprak perfect Russisch, maar schakelde toen over op even vloeiend Dari:

— *We moeten elkaar allemaal kunnen verstaan.*

Ook de Pakistaanse agent schudde Leo's hand, en ook hij sprak in het Dari.

— *Abdur Salaam. Het is niet mijn echte naam, maar voor deze bijeenkomst is hij goed genoeg.*

Greene glimlachte.

— *Marcus is wel mijn echte naam. Ik ben niet zo voorzichtig als mijn vriend.*

Ook Abdur Salaam glimlachte.

— *Jij hebt geen last van Russische agenten die je proberen te vermoorden. Niet dat ik denk dat onze gast me wil vermoorden, hoor. Fahad stelt zich garant voor uw oprechtheid. Dat doet hij anders nooit, en zeker niet voor een Rus.*

Greene liep naar het raam, liet zijn blik over de straat gaan – in alle rust, kennelijk maakte hij zich geen enkele zorg – en ging op de vensterbank zitten. Hij strekte zijn benen en trok de vouw in zijn broek recht terwijl hij zei:

— *U wilt naar ons overlopen, meneer Demidov?*

De toon waarop hij de vraag stelde was luchthartig, maar er klonken ook scepsis en terughoudendheid in door. Belangrijker was echter misschien dat er weinig opwinding in zijn stem te bespeuren was. Leo antwoordde zorgvuldig:

— *In ruil voor asiel, niet alleen voor mezelf, maar...*

— *Ja, ook voor het meisje en de vrouw. Waar zijn ze trouwens?*

— *In veiligheid.*

Greene zweeg even en registreerde het wantrouwen. Leo voegde eraan toe:

— *We willen een nieuw leven opbouwen, met z'n drieën.*

Greene reageerde met een kort hoofdknikje, alsof hij dat verzoek wel duizend keer eerder had gehoord en graag verder wilde spreken over de informatie die geleverd zou kunnen worden.

— *U bent geen militair, hè? U bent een civiele medewerker van de Afghaanse regering, een adviseur. Welke informatie hebt u?*

Leo kwam ter zake.

— *Ik heb zeven jaar voor de Afghaanse regering gewerkt.*

— *In welke hoedanigheid?*

— *Als opleider van hun geheime dienst. Voordat het communistische regime de macht overnam, hielp ik hen te overleven. Na de machtsovername ben ik hen blijven helpen met overleven. De instrumenten en de middelen veranderden, het werk bleef hetzelfde.*

Greene stak een sigaret op.

— *Wat deed u voordat u naar Afghanistan kwam, meneer Demidov?*

— *Toen werkte ik bij de* KGB.

Greene inhaleerde diep en hield de rook in zijn mond. Fahad werd ongeduldig. Hij was een militair, en niet gewend aan subtiele diplomatieke onderhandelingen. Op barse toon zei hij tegen Leo:

— *Praat liever over Russische operaties in Afghanistan, niet over de* KGB. *Dát is de informatie die we van u willen horen.*

Als een zenuwachtig kind noemde Leo haastig de belangrijke punten:

— *Ik ben op de hoogte van bijzonderheden van de wapens die ze gebruiken, zoals tanks en helikopters, maar ook van de wapens die ze in de toekomst gaan gebruiken. Ik ben op de hoogte van de wijze waarop het Veertigste Leger wordt ingezet. Ik kan u zeggen wat het aantal gesneuvelden vóór de invasie was en wat het sinds de invasie is geworden. Hetzelfde geldt voor de financiële gegevens. Ik ken de namen van de meeste hoge officieren en ik weet wat zij van deze oorlog vinden. Ik weet tot hoever wij bereid zijn te gaan, hoeveel soldaten we ons kunnen veroorloven te verliezen, hoeveel geld we bereid zijn te besteden. Ik kan u alle informatie verschaffen die u nodig hebt om een nauwkeurige schatting te kunnen maken van het moment waarop de Sovjet-Unie geen andere keuze meer heeft dan zich terug te trekken.*

Greene gooide zijn sigaret op het tapijt en keek hoe die daar brandde voordat hij hem onder zijn schoenzool uitdrukte.

— *Ik zal u zeggen wat ons standpunt in dezen is. Wij worden niet verondersteld betrokken te zijn bij deze oorlog.*

Salaam kwam tussenbeide:

— *Ook Pakistan wordt niet verondersteld bij deze oorlog betrokken te zijn.*

Bij deze opmerking trok Greene zijn wenkbrauwen op, alsof dit alleen maar ironisch bedoeld kon zijn. Hij vervolgde:

— *De Amerikaanse bevolking wil niet verwikkeld raken in dit conflict. Als wij u asiel verlenen, lopen we het risico op een breuk met de Russen, met de kans dat daaruit een conflict ontstaat waarvan we de uitkomst niet kunnen overzien. Ze zouden kunnen eisen dat we u uitleveren. En dan zouden wij zeggen dat we dat niet willen. Enzovoorts, enzovoorts. Wie weet waar dat op uit zou kunnen draaien?*

Leo haastte zich om de veronderstelling te corrigeren.

— *Ik ben het met u eens. Het is van het grootste belang dat de Russen niet te weten komen dat ik ben overgelopen. En dat hoeft ook niet. Ze zijn ervan overtuigd dat ik gedood ben bij hun bombardementen. De kans dat ik naar Pakistan zou zijn ontkomen is maar klein, en het*

zou me ook nooit zijn gelukt zonder Fahad. De Russen zullen nooit op
de gedachte komen dat de moedjahedien mij hebben geholpen. Fahad
zou zelfs kunnen zeggen dat ze me hebben gegijzeld, om na verloop van
tijd te beweren dat ze me hebben geëxecuteerd.

Leo had niets gezegd over zijn dochters in Moskou, omdat hij de
kwestie niet nog ingewikkelder wilde maken. Greene zoog de rook
van zijn sigaret naar binnen en knikte goedkeurend.

— *Dat is slim bedacht. Natuurlijk zouden we het niet aan de grote*
klok hangen dat u bent overgelopen, maar de kans bestaat dat ze het
toch te weten zouden komen.

Leo zweeg, want hij voelde dat Greene zijn standpunt ging verwoorden.

— *Ik ben ervan overtuigd dat u over veel informatie beschikt die*
ons zou kunnen interesseren. Ik heb een ander voorstel. U zou ons die
informatie hier kunnen geven, en dan zouden wij daarvoor een geldbe-
drag…

— *Daar heb ik niks aan. Wij moeten ergens onderdak vinden, in*
een ander land. Als ze weten dat we hier zijn, zullen ze achter ons aan
komen en ons doden.

Abdur Salaam keek Marcus Greene aan. De mannen werkten samen teneinde de informatie te bemachtigen, maar wilden er niets
voor teruggeven. Greene haalde zijn schouders op.

— *Als de Verenigde Staten zich zouden uitspreken voor betrokken-*
heid bij het conflict, zelfs als dat in het geheim zou gebeuren, dan zou-
den we zaken kunnen doen. Maar de Verenigde Staten spreken zich
niet in die zin uit. De Verenigde Staten nemen geen beslissing. Om de-
ze reden moet ik helaas zeggen dat we u niet kunnen accepteren.

Dezelfde dag

Greene en Salaam wilden graag zo snel mogelijk weg en liepen vlug de trap af. Het leek een onmogelijkheid om op hun voorwaarden tot overeenstemming te komen. Leo liep achter hen aan en probeerde te redden wat er te redden viel.

— *Wat moet ik zeggen om jullie over te halen? Zal ik jullie nu al wat vertellen om mijn waarde te bewijzen?*

Greene antwoordde zonder zich om te draaien:

— *U moet me zoveel mogelijk vertellen.*

— *Ik ga u niet alles vertellen, om uiteindelijk hier te worden achtergelaten.*

— *Dan zitten we op dood spoor. Ik zal het met mijn superieuren over u hebben. Het kan zijn dat zij er anders over denken. U moet hier wachten. Het zal maar een paar dagen duren.*

— *Gaat u hun aanbevelen mijn asielverzoek te weigeren? Gaat u zeggen dat de informatie die ik aanbied het risico niet waard is?*

— *Uiteindelijk ben ik niet degene die daarover gaat.*

Leo kon zijn wanhoop niet langer verbergen.

— *Naar u zullen ze luisteren! Ze zullen alle aanbevelingen accepteren waar u mee komt. U bent de enige die mij heeft gesproken!*

Greene stond op het punt te antwoorden, maar hij bleef zo abrupt staan dat Leo bijna tegen hem aan botste. Onder aan de trap stond kapitein Vasjtsjenko.

De kapitein werd geflankeerd door twee Afghanen, speciale agenten die voor hem optraden als gids, aangezien hij geen Dari of Urdu sprak. Vasjtsjenko was gekleed als toerist en droeg westerse kleding. De vermomming stond hem niet goed: vrijetijdskleding paste hem eigenlijk niet. Hoewel het regenachtig weer was, droeg hij een colbertje, waar hij ongetwijfeld een wapen in verborgen hield. Fahad, die op de traptrede achter Leo was blijven staan, greep naar zijn pistool. Greene, die wilde voorkomen dat er in het trappenhuis een vuurgevecht zou losbarsten, zei dat iedereen zich rustig moest houden. Zo bleven ze in een ongemakkelijke sfeer tegenover elkaar staan, totdat de kapitein in het Russisch zei:

— *We kunnen niet toestaan dat jullie hem meenemen.*

Vasjtsjenko ging ervan uit dat de CIA Leo graag onder haar hoede zou nemen. Greene had hem kunnen corrigeren en zeggen dat hij geen belangstelling had voor Leo, waarmee onmiddellijk een einde zou zijn gekomen aan de impasse. In plaats daarvan gebaarde hij in de richting van het eethuisje.

— *Laten we erover praten.*

De Pakistaanse inlichtingenofficier was minder voorkomend. Omdat hij geen Russisch sprak, richtte hij zich in het Urdu tot Greene. Leo verstond niet wat er gezegd werd en bestudeerde hun lichaamstaal. Greene knikte en probeerde zijn collega te weerhouden, omdat hij bang was dat de situatie zou ontaarden in geweld. Hij zei in het Urdu tegen Salaam, en daarna in het Russisch:

— *Laten we praten.*

Leo was niet zozeer verbaasd als wel onder de indruk dat Vasjtsjenko hem had weten te vinden. De grote militaire aanwezigheid bij de Khyberpas leek te impliceren dat hij geraden had wat Leo van plan was, temeer daar hij al eens eerder had geprobeerd naar Amerika te gaan. Ook al wist hij niet hoe Leo zou proberen te ontsnappen, het was een goede gok om in Pesjawar te gaan kijken, omdat ze bijna wel via deze stad moesten reizen. Het was een gedurfde actie van de kapitein om naar Pakistan te komen, aangezien zijn aanwezigheid hier ongeoorloofd was en, als het uit zou komen en hij gevangen zou worden genomen, voor een ernstig diplomatiek incident zou zorgen. Leo achtte het onwaarschijnlijk dat hij van het Kremlin toestemming had om de grens over te steken. Van een Afghaanse agent zou men zijn handen kunnen aftrekken, maar over een Russische officier kon er geen misverstand bestaan. Het zou kunnen dat hij alleen had gehandeld, uit persoonlijke motieven, vastbesloten om de fouten die hij in Sokh Rot had begaan recht te zetten.

Ze gingen zitten aan een van de tafeltjes, waar nog vuile borden op stonden. Leo, Greene en Salaam aan de ene, de kapitein aan de andere kant. Fahad en de twee Afghaanse soldaten bleven met de handen op hun wapens staan. Greene sprak de overige klanten in het Engels toe. Leo vermoedde dat hij hun opdroeg om te vertrekken, want dat deden ze zonder vragen te stellen. Alleen de huurlingen hadden geen haast, waarschijnlijk omdat ze zich afvroegen of zich hier niet een kans voordeed om hun diensten aan te bieden. Toen ze alleen waren, stak Greene een nieuwe sigaret op en nam de pose aan van de wijze professor die klaarstond om te horen wat zijn student te vertellen had. Vasjtsjenko richtte zich rechtstreeks tot Leo.

— *Niemand dacht dat je het overleefd zou hebben. Behalve ik dan. Ik heb je dossier gelezen. Je hebt wel vaker gevaarlijke reizen ondernomen. Ik wist dat je zou proberen om Pakistan te bereiken. Ik ben hier om je daarvan af te brengen. Leo, je bent een oorlogsheld, je hebt je land gedurende vele jaren gediend. We kunnen niet toestaan dat je overloopt. En wat belangrijker is: ik geloof niet dat je dat wilt.*

Leo antwoordde niet en wachtte totdat Vasjtsjenko uitgesproken zou zijn. Op deze poging tot vriendelijke overreding zou zeker een dreigement volgen.

— *Leo, we hebben een fout gemaakt wat het meisje betreft. Ik heb een fout gemaakt. Jij probeerde haar alleen maar te beschermen. Ik begrijp waarom je dat deed. Ik ben ook een vader.*

Uit zijn mond klonk dat lachwekkend onecht en sentimenteel, maar Leo paste er wel voor op om erop te reageren.

— *Ik geloofde werkelijk dat met haar dood de levens van duizenden anderen gespaard zouden blijven. Anders zou ik nooit zo hebben gehandeld. Misschien had ik gelijk, misschien had ik het verkeerd. Het doet er niet toe. De mythe van het wonderkind heeft zich verspreid, en die mythe is niet afhankelijk van haar al of niet in leven zijn. Als ze gedood zou worden, zou dat geen enkel effect hebben. Het verhaal is een eigen leven gaan leiden. Dat had ik niet begrepen. Ga met mij mee terug. Er zal geen aanklacht tegen jullie worden ingediend. Jullie drieën zullen in de Sovjet-Unie kunnen wonen, als jullie dat willen. Zouden Nara en het meisje dat niet fijn vinden? Je bent lang genoeg in Afghanistan geweest. Je hebt een aanzienlijk bedrag aan achterstallige wedde te goed. Je zou in je eigen land comfortabel kunnen leven, dicht bij je dochters. Je moet aan je dochters denken. Hoe heten ze?*

Vasjtsjenko wist heel goed hoe ze heetten.

— *Als je dit doorzet, zullen ze hun vader nooit meer zien. Er zou zelfs een onderzoek naar hen ingesteld kunnen worden, waarbij ze vragen moeten beantwoorden over hun loyaliteit.* De bedreiging was slim bedacht. Het aanbod was verleidelijk. Leo bedacht hoe het zou zijn om terug te keren naar Moskou. Hij zou herenigd worden met zijn dochters. Nara en Zabi zouden veilig zijn. Maar kon hij het aanbod vertrouwen en kon hij ervan op aan dat de kapitein zijn woord zou houden? Misschien zou hij bij terugkomst in Kaboel meteen worden geëxecuteerd. Net als die andere overloper, Fjodor, die maar één dag zoek was geweest, en dat alleen maar omdat hij verliefd was. Leo's verraad was veel ernstiger.

Om Leo de gelegenheid te geven om na te denken over deze mengeling van aanmoedigingen en bedreigingen, wendde Vasjtsjenko zich tot Greene en begon hij nu het land aan te vallen dat bereid zou zijn om hem als overloper te accepteren.

— *U zou er eens goed over na moeten denken of u wat hebt aan deze man, of dat hij alleen maar een blok aan uw been zal zijn.*

Voordat Leo zich ermee had kunnen bemoeien, antwoordde Greene in fraai, vloeiend Russisch:

— *We hebben de zaak zorgvuldig overwogen, en we hebben zijn asielverzoek al geaccepteerd. Bovendien bevindt hij zich nu niet in Afghanistan, waar de Sovjets het voor het zeggen hebben, maar in Pakistan, waar u juridisch geen greep op hem hebt. Mijn collega Salaam is zeer verstoord over het feit dat u op onwettige wijze zijn land bent binnengedrongen. We kunnen hem helaas niet aan u afstaan.*

Leo had zichzelf voldoende in de hand om geen kreet te slaken of Greene in stomme verbazing aan te staren, maar deed alsof wat hij gezegd had de waarheid was, en een zeer voor de hand liggende waarheid bovendien. Greene frunnikte aan zijn pakje sigaretten.

— *Ik moet er bovendien op wijzen dat als u als Russische officier – ik neem tenminste aan dat u dat bent – in Pakistan gearresteerd zou worden, de Pakistaanse regering dat hoog zal opnemen. U zou dan beschouwd worden als een spion. Dat zou u problemen kunnen opleveren die veel ernstiger zijn dan de problemen die u hier had willen komen oplossen.*

Greene vertaalde zijn opmerkingen snel in het Urdu ten behoeve van de Pakistaanse geheim agent, die knikte. Leo wist dat de kans dat kapitein Vasjtsjenko zich levend gevangen zou laten nemen nihil was. En als hij in Pesjawar dood gevonden zou worden, zou de

Russische regering ontkennen dat hij voor hen had gewerkt en tal van uitvluchten bedenken.

Een timide jonge kelner kwam naar de tafel met een dienblad met vier flessen cola daarop. De kapitein schoof zijn vingers in elkaar en legde zijn handen op tafel.

— *De Pakistanen steunen de Afghanen onder andere met wapens. Hun voorgewende neutraliteit is niet in het voordeel van de Sovjet-Unie. Wij hebben er geen belang bij om hun gevoelens te kwetsen.*

Greene keek naar Salaam en mompelde een verkorte vertaling, waarna hij tegen de kapitein zei:

— *Wat betekent dat voor ons? Laat ik volstaan met te zeggen dat de moord op een* CIA*-agent in Pakistan het standpunt van de Verenigde Staten ten aanzien van de oorlog op dramatische wijze zou veranderen.*

De kapitein lachte.

— *We hoeven niemand te kwetsen. We willen gewoon onze man. Zo simpel is het. Ik geloof dat hij van geen enkel nut is voor jullie. De Verenigde Staten moeten niet zo dwaas zijn om troepen naar Afghanistan te sturen. Waarom zouden ze verwikkeld willen raken in een conflict dat zo ver weg is? Demidovs informatie is voor jullie niet relevant.*

De uitdrukking op Greenes gezicht was niet veranderd, maar op de een of andere manier straalde hij nu een enorme afkeer van de kapitein uit.

— *Neem me niet kwalijk, ik weet uw naam nog niet...*

Leo zei:

— *Hij heet kapitein Anton Vasjtsjenko.*

Er viel een stilte die enige tijd duurde en waarin berekeningen werden gemaakt en opties werden overwogen. Greene rookte stug door en gooide zijn as in de onaangeroerde cola. De kapitein werd ongeduldig. Hij richtte zich weer tot Leo.

— *Demidov, ga met mij mee terug naar Afghanistan. Jij hoort niet in Amerika. De twee mensen die jij probeert te beschermen verkeren niet meer in gevaar, en als je overloopt, zou je je dochters thuis in een afschuwelijke positie brengen.*

Leo boog zijn hoofd en dacht na over het risico dat Elena en Zoya zouden lopen als bekend zou worden dat hij was overgelopen.

Aan het heen en weer flitsen van de ogen van kapitein Vasjtsjenko was te zien dat hij voor zichzelf de afweging maakte of hij in actie kon komen. Fahad zou zijn enige serieuze tegenstander zijn. Greene keek afwezig of in elk geval niet betrokken; hij inhaleerde de sigarettenrook diep en blies die door zijn neus uit. Leo was ervan overtuigd dat Vasjtsjenko's volgende opmerking zijn laatste zou zijn, en dat hij dan zijn toevlucht zou nemen tot geweld. De kapitein zei:

— *Jullie moeten niet betrokken raken bij Afghanistan. De Afghanen haten jullie net zo erg als ze ons haten. Als jullie je niet met onze zaken bemoeien en weigeren wapens te leveren aan de moedjahedien, dan zullen wij daar binnen enkele maanden orde op zaken hebben gesteld. We zullen scholen oprichten, wegen repareren en de infrastructuur herstellen. We zullen onderwijs organiseren voor de bevolking. Als de Verenigde Staten zich met deze oorlog gaan bemoeien, zullen jullie het land veroordelen tot jaren van chaos, en uiteindelijk zullen jullie er geen bondgenoot in vinden. Jullie zullen als dank voor jullie steun een regime creëren dat jullie zal verafschuwen.*

Greene liet zijn sigaret in de colafles vallen, waar hij sissend op de vloeistof bleef liggen.

— *Ik zal de boodschap doorgeven aan mijn superieuren.*

Greene vertaalde het gesprek. Salaam luisterde aandachtig en sprak toen even met Greene. Greene vertaalde:

— *Salaam zal u de gelegenheid geven om hier weg te gaan. Hij zal u niet arresteren. Meer kan hij niet voor u doen. Gaat u door met uw strijd. Hij is niet uit op een escalatie van de vijandelijkheden met de Sovjets.*

Leo had er tijdens het gesprek het zwijgen toe gedaan. Ze waren nu aan het einde van het gesprek, zonder dat de partijen zaken hadden gedaan. Hij had geen andere optie dan in actie te komen.

Hij stootte met zijn knie tegen de tafel, waardoor een van de colaflessen op de stenen vloer viel. Toen die kapot viel en de blikken van de mannen in de richting van de bron van het geluid gingen, sprong hij op, pakte een vuil mes van de tafel en stak dat in de hals van de kapitein. Nu zijn zintuigen niet meer verdoofd waren door de opium was hij redelijk snel in zijn handelen, en mede dankzij de verwarring slaagde Vasjtsjenko er niet in om de aanval af te weren. Het mes stak in de keel van de kapitein. De twee Afghaanse agenten, die meenden dat van Leo geen gevaar te duchten viel, keken verschrikt toe. Fahad reageerde als eerste, trok zijn pistool en doodde de Afghaanse agenten. Fahad schoot niet op Vasjtsjenko, maar liet hem met rust. Leo pakte de handen van de kapitein vast en drukte die op tafel neer. Ook al was hij dodelijk gewond, de man was ongelooflijk sterk en probeerde zich los te worstelen. Leo liet hem niet los en hield zijn handen stevig vast. De kapitein schopte wild om zich heen, hij boog zich voorover en raakte bijna Leo's gezicht. Ten slotte verzwakte hij en sloot hij zijn ogen, maar nog liet Leo hem niet los, en nog lang nadat de kapitein was opgehouden te bewegen, hield hij zijn handen stevig tegen de tafel gedrukt.

Uiteindelijk liet Leo Vasjtsjenko los, zodat hij op de vloer gleed. Hij stond op en zei:

— *Hij zou mij nooit in leven hebben gelaten. Hij zou zichzelf nooit gevangen hebben laten nemen. Er was geen compromis mogelijk.*

Het was lang geleden dat Leo iemand had gedood. Greene, die was blijven zitten, schoof zijn fraaie schoenen iets uit de buurt van de bloedplas die op de vloer ontstond en zei:

— *De Sovjets hebben uitzonderlijke maatregelen genomen om u het zwijgen op te leggen. U bent voor hen meer waard dan ik dacht.*

Salaam keek naar de lijken. Hij knielde neer en doorzocht de zakken van de kapitein. Leo fluisterde Greene toe:

— *Krijgen wij asiel? Steunt u mijn verzoek?*

Greene dacht na.

— *Ja.*

Langzaam liep Leo de trap op. Hij wist niet goed of hij blij moest zijn of juist bezorgd. Hij kon er niet zeker van zijn dat zijn desertie geheim zou blijven. Maar goed, uiteindelijk had hij wél de zekerheid dat hij naar Amerika kon, en hoe dan ook zouden Nara en Zabi een nieuw thuis krijgen. Met deze gedachte rende hij verder, met twee treden tegelijk de trap op. In de gang op de bovenste verdieping rende hij naar de kamer en gooide de deur open. De gordijnen waren open en er viel een bleek oranje schijnsel van de straatlantaarns op het beddengoed. Nara en Zabi waren nergens te bekennen. Hij ging de kamer in en liep om het bed heen, en daar trof hij hen aan, met de benen over elkaar in de hoek op de vloer. Hij ging naast hen zitten, maar was niet in staat te verwoorden wat er beneden was gebeurd – dat ze de kans hadden op een nieuw thuis. Hij glimlachte, maar zag dat zowel Nara als Zabi naar zijn handen staarde. In zijn haast had hij er niet aan gedacht ze te wassen. Ze zaten onder het bloed. Hij dacht erover om ze achter zijn rug te houden. Maar misschien was het beter dat ze het hadden gezien. Hij had bloed aan zijn handen, en dat was de prijs die hij had betaald voor hun vrijheid.

Zes maanden later

Manhattan
Hoofdkantoor van de Verenigde Naties
Hoek 1st Avenue / East 44th Street

15 november 1981

Leo stond op First Avenue voor de hoofdingang van het hoofdkantoor van de Verenigde Naties, op de plek waar zestien jaar geleden Jesse Austin werd doodgeschoten. Nadat hij de foto's en krantenartikelen had bekeken, vele uren had doorgebracht in de New York Public Library en het bewijsmateriaal had gezien waar hij al sinds Raisa's dood zijn zinnen op had gezet, had Leo vastgesteld waar de fruitkist, die Austin helemaal uit Harlem had meegenomen, precies had gestaan – het podium waarop hij vermoord was. De plaats was in geen enkel opzicht gemarkeerd: geen gedenkteken, geen afbeelding. Het was een plek als elke andere op het trottoir, er was voor de voorbijgangers geen aanleiding te denken aan wat hier was gebeurd of om na te denken over het leven waaraan hier die nacht een einde was gekomen.

Leo kwam hier vaak, en dan bleef hij met zijn handen op zijn rug voor die plek staan, alsof hij voor een grafsteen stond in plaats van voor een stoeprand. Dan dacht hij na over de vele aspecten van de zaak die hij nog steeds niet begreep. Het ontging hem bijvoorbeeld volkomen waarom Austin vermoord was, en evenmin kon hij begrijpen waarom het erop leek dat de Russische en Amerikaanse regeringen er allebei moeite voor hadden gedaan om de zaak in de doofpot te stoppen. Waarom had de dader het pistool in zijn dochters jaszak gestopt? Om Raisa de moord in de schoenen te kunnen schuiven? Het klopte allemaal niet, en daarom leek het alsof men de plannen had gewijzigd en daarom had moeten improviseren. Maar bovenal was er één vraag die onbeantwoord was gebleven:

De officiële antwoorden op de vraag waren onwaarheden, maar dat was voor de geïnteresseerde buitenstaander niet vast te stellen, want wie wilde weten wat er gebeurd was, kreeg een verhaal voorgeschoteld van overspel en verboden liefde in plaats van een relaas dat zich aan de harde feiten hield.

Als Leo zijn ogen dichtdeed, kon hij zich voorstellen dat hij er die avond bij was, dan voelde hij de warmte van de mensenmassa en de vochtige zomerlucht. Dan kon hij naast het lichaam van Austin op straat neerknielen en zag hij hoe zijn witte overhemd rood kleurde. Dan zag hij de uitdrukking op het gezicht van Anna Austin, die het uitschreeuwde. Dan hoorde hij de wanhoop in haar stem, omdat ze al wist dat er niets meer aan te doen was. Dan zag hij hoe de mensen in paniek raakten en de hekken omverliepen. Dan zag Leo zijn vrouw voor zich en kon hij dichter bij haar komen, zo dichtbij dat hij haar hartslag hoorde, terwijl zij Elena in haar armen sloot, zo dichtbij dat hij de snelle, oppervlakkige ademhaling van zijn dochter kon horen toen ze haar dromen van een betere wereld in duigen zag vallen.

Het was alsof hij naar een optische illusie keek: hij zag het allemaal levendig voor zich, en toch begreep hij de dingen niet die hij zag. Er waren veel foto's van die avond voorhanden, maar vreemd genoeg was daar niet één bij waar Elena op stond. Volgens haar had ze in het middelpunt van het gebeuren gestaan, midden in de chaos. Ze had naast Jesse Austin de vlag van de Sovjet-Unie opgehouden. Toch was daar geen bewijs van, in geen enkele krant werd gewag gemaakt van haar rol. In plaats daarvan was een ander verhaal verteld, met maar één veelzeggende foto als bewijs, die echter in de Sovjet-Unie nergens afgedrukt was en die ook Leo nooit eerder had gezien, een foto waarop Raisa naast het lichaam van Austin staat. In Leo's ogen reageert zij op het gebeurde door om hulp te roepen. Voor het Amerikaanse publiek was ze een moordenares, verkrampt van jaloezie en door het dolle heen. Op een andere foto was Raisa te zien in het appartement van Jesse Austin, met de hand van de zanger op haar arm en een onopgemaakt bed op de achtergrond. Leo wist dat de foto een trucage was – Elena had hem verteld dat zij degene was die op bezoek was geweest bij Jesse Austin, niet Raisa. Voordat Leo in de Verenigde Staten aankwam, had hij nooit begrepen hoezeer zijn vrouw te schande was gemaakt, hoezeer de Amerikanen gefascineerd waren door het idee dat hier sprake was van een tragische Russisch-Amerikaanse driehoeksverhouding. De slimste vrouw die hij ooit had gekend, de enige vrouw van wie hij ooit echt had gehouden, zou bij het nageslacht voortleven als een naïeve maîtresse, die zich voor de gek had laten houden. De meest idealistische man die hij ooit had gekend, een van de weinige mannen die hij ooit werkelijk had bewonderd, was afgeschilderd als een schuinsmarcheerder en een leugenaar, een man die moreel gezien zo laag stond dat velen het niet meer dan rechtvaardig vonden dat hij door een kogel in het hart aan zijn einde was gekomen.

Als Leo hiernaartoe ging, bleef hij niet altijd buiten rondhangen. Er werden rondleidingen in het gebouw van de Verenigde Naties gehouden, en hij had dat een keer gedaan en naar de gidsen geluisterd, al begreep hij maar weinig van hun Engels. Hij had de zaal gezien waar Raisa's concert had plaatsgevonden, niet omdat dat voor zijn naspeuringen nodig was, maar omdat hij ervan genoot om te denken wat een succes ze daar had gehad – een oorlogsvluchtelinge die de zuiveringen van Stalin had overleefd en die op een plek als deze een voorstelling leidt waarvoor de diplomatieke elite van de hele wereld een staande ovatie geeft. Zoya had hem verteld dat het concert beter was geweest dan wie dan ook had verwacht, dat al Raisa's inspanningen hadden geresulteerd in een perfecte uitvoering. Maar terwijl zij zich had ingespannen voor een leven van hoop en muziek, hadden anderen rondgelopen met moordplannen.

Hij stond al twintig minuten roerloos op dezelfde plek. De beveiligers van het gebouw van de Verenigde Naties wierpen achterdochtige blikken in zijn richting. Taxi's gingen langzamer rijden om te zien of hij mogelijk een klant was. Maar hij hoefde nergens naartoe. Hij hoefde geen reizen meer te maken. De taak waar hij nu voor stond, was om onderzoek te plegen. Met een blik omhoog bedacht hij dat de wolkenkrabbers de beheerders waren van de geheimen van de stad, zwijgende reuzen waarin de antwoorden schuilgingen in staal, beton en glas. Hij legde geen bloemen neer. Hij was niet geïnteresseerd in gedenktekens, het ging hem erom de moordenaar van zijn vrouw te pakken te krijgen.

Men had hem gezegd dat hij om veiligheidsredenen hier niet naartoe moest komen. Als de Russen het vermoeden hadden dat hij was overgelopen, zouden ze hem dan makkelijk kunnen vinden, want dan zou dit de eerste plek zijn waar ze gingen zoeken. Maar zoals gewoonlijk had Leo deze instructies genegeerd. Terwijl hij naar het metrostation liep, realiseerde hij zich dat hij werd gevolgd. Hij hoefde zich hiervoor niet om te draaien en te kijken, hij hoefde de man die hem volgde niet gezien te hebben, hij hoefde zelfs geen glimp van hem te hebben opgevangen. Zijn instinct was in de loop van vele jaren aangescherpt. Hij verweet het de Amerikaanse geheime dienst niet dat deze hem in de gaten liet houden. Normaal gesproken zou hij hun het zelfs makkelijk maken om hem te volgen, zodat ze gerustgesteld waren. Maar vandaag niet – hij had een klus te klaren, en daar kon hij het gezelschap van de FBI niet bij gebruiken.

Bradhurst
Harlem
West 145th Street

Toen hij langs het appartementengebouw liep waar Jesse Austin ooit had gewoond, verzette Leo zich tegen zijn opwelling om naar binnen te gaan. Hij hing vaak rond bij het gebouw, alsof hij dacht dat er nog sporen van het verleden te vinden zouden zijn, alsof er nog iets te achterhalen zou zijn van de dag dat Elena hier als meisje naartoe was gegaan, vervuld van dromen van gelijkheid en rechtvaardigheid. Zijn doorzettingsvermogen was nog niet beloond: iedereen die hij vragen had gesteld, had hem afgewezen, met volstrekt onbegrip en soms ook ronduit vijandig. Er was in het gebouw niemand te vinden die hij niet had benaderd, wat hem bij de bewoners de reputatie had bezorgd dat hij een malloot was. Bij de huidige bewoners van het appartement waar Jesse Austin ooit had gewoond, een jong stel, had hij in zijn onbeholpen Engels geïnformeerd of zij iets wisten van Jesse Austin. Ze hadden hun hoofd geschud, blijkbaar in de veronderstelling dat hij op zoek was naar iemand die daar nu woonde. Toen hij merkte dat hij zijn bedoelingen niet duidelijk kon maken, had hij krantenknipsels van de moord tevoorschijn gehaald. Uit hun verbazing had hij opgemaakt dat ze niets wisten van de moord, geen idee hadden wie Jesse Austin was, en dat ze zeker geen idee hadden waarom deze vreemde buitenlander zestien jaar na dato naar hem informeerde. Ze hadden hem beleefder te woord gestaan dan de meesten, maar op dat moment hadden ze de deur dichtgedaan en op slot gedraaid.

Leo liep weg van het appartementencomplex en liet de knipsels die hij bij zich had aan bijna iedereen zien die hij op straat tegenkwam, met name aan die mannen en vrouwen die ten tijde van de moorden al volwassen geweest moesten zijn. Toen hij in de Sovjet-Unie en in Afghanistan leefde, had hij altijd gedacht dat de onmogelijkheid om naar New York te gaan voor hem het grootste obstakel was. Maar dat had hij verkeerd gezien. Hij had de problemen onderschat waar een vreemdeling mee te maken kreeg die een moordzaak van zestien jaar geleden probeerde op te lossen waar niemand nog aan terug wilde denken.

Aan de andere kant van de straat was een eetgelegenheid waar het altijd druk was. Ze fungeerde als een soort sociaal middelpunt voor de buurt en was populair bij een wat ouder publiek. Hij stak de straat over en ging naar binnen. Het was er vol klanten voor het middageten en het was lawaaierig en levendig. De tafeltjes stonden zo dicht bij elkaar dat de serveersters ertussendoor moesten manoeuvreren, wat ze met grote behendigheid deden. Uitgedost in blauw-wit gestreepte schorten brachten ze borden rond met niet erg verfijnde, maar wel smakelijk uitziende gerechten. Er was een open keuken, waarin je grote stoomwolken omhoog zag gaan en voortdurend het gekletter van borden hoorde. De mannen en vrouwen die hier aten waren merendeels boven de vijftig. Daar moest toch iemand bij zijn die Jesse Austin had gekend en de waarheid over zijn dood wist, ook al was dat maar bij geruchte. Zelfs de meest speculatieve meningen wilde Leo horen.

Terwijl hij op de vrouw achter de kassa toeliep, voelde Leo zich gehinderd door zijn gebrekkige kennis van het Engels en zijn onwennigheid in die taal, waardoor hij zich zeker niet geliefd zou maken bij dit toch al achterdochtige publiek.

— *Ik wou vragen stellen. Over deze man… Jesse Austin.*

Terwijl Leo zijn krantenknipsels openvouwde, keek de vrouw hem van terzijde aan met dezelfde gesloten uitdrukking die hij al zo vaak had gezien. Ze riep in de richting van de keuken:

— *U kunt hier maar beter weggaan!*

Uit de keuken kwam een oudere vrouw naar hen toe. Zodra ze Leo zag, schudde ze haar hoofd. Leo had de pech dat hij haar al eerder om hulp had gevraagd. Die had ze toen niet willen bieden.

— *U moet hier weg!*

— *Alstublieft…*

— *Ik heb het u al eerder gezegd. Nee, zei ik!*

Leo besloot om de naam van de man hardop te roepen, in de hoop dat er iemand zou reageren.

— *Ik wil over Jesse Austin praten.*

— *Wegwezen, nu meteen!*

Ze had het zo hard geroepen dat de hele zaak stilviel. De klanten staarden hem aan, de serveersters staarden hem aan, iedereen probeerde hem te plaatsen. Leo merkte iets interessants op: hoezeer hij haar ook ergerde en hoe boos ze ook op hem was, ze had geen moment gedreigd de politie erbij te halen. Hij hield de krantenknipsels op, toonde ze aan de klanten en herhaalde de naam.

— *Jesse Austin. Alstublieft. Als u iets weet. Zeg het me.*

Hij ging naar buiten en bleef daar rondhangen in de hoop dat er iemand op zijn verzoek zou ingaan, wat hem niet erg waarschijnlijk leek. Er kwam niemand. Hij zuchtte. Hopelijk werkte die vrouw daar niet iedere dag. Hij zou het later nog eens proberen, en daarna weer. Eens zou hij succes hebben.

New York City
Brighton Beach

Dezelfde dag

Het was halverwege de middag en er zat bijna niemand in de metro toen deze Brighton Beach naderde. Leo keek naar een reclame met een foto van een mooie jonge vrouw in bikini met een flesje sinas met de merknaam:

FANTA

Geen van de andere passagiers wist hoe berucht dit merk was, geen van de andere passagiers was ervan op de hoogte hoe dat flesje in Kaboel was gebruikt – wat een angst dat merk had opgeroepen bij de gevangenen die in afwachting waren van hun verhoor. Hier in New York was het een frisdrank die symbool stond voor vrolijkheid en plezier, verder niks. Terwijl hij zo naar deze advertentie zat te kijken, had Leo een gevoel alsof hij iemand uit een andere wereld was.

Een medepassagier zat met boodschappentassen aan zijn voeten de krant te lezen. Een andere man was blijven staan, ook al waren er nog zitplaatsen vrij. In gedachten verzonken hield hij zich vast aan de stang terwijl de metro van onder de stad naar boven kwam. Er zat een moeder met haar dochtertje wier benen over de rand van de bank bungelden. Leo moest denken aan zijn dochters, die hij in Rusland achter had moeten laten. Er ging geen dag, zelfs geen uur voorbij waarin hij niet aan hen dacht. Hij had ze in acht jaar niet gezien en had geen idee hoe lang het nog zou duren voordat hij ze weer zag. Hij betaalde een hoge prijs voor zijn aanwezigheid hier. De gedachte dat Elena en Zoya niet eens wisten of hij nog leefde, kwelde hem. Hij kon geen contact met hen opnemen. Hij kon het risico niet nemen dat de Russische regering erachter zou komen dat hij nog leefde. Als dat gebeurde, zouden de meisjes zeker last krijgen.

Net zomin als hij kon geloven dat hij de moord op Raisa niet op zou lossen, kon hij accepteren dat hij Elena en Zoya nooit terug zou zien, ook al kon hij niet zeggen wanneer of hoe dat zou gebeuren. Afgezien van de reclames vond Leo de metro de enige plek waar het leven in Moskou en het leven in New York niet zoveel van elkaar verschilden. In het woon-werkverkeer was iedereen gelijk. Als de deuren van de trein opengingen keek hij telkens met belangstelling naar de golf passagiers die binnenkwamen. Subtiel geflirt tussen enkele passagiers deed hem denken aan zijn toevallige ontmoeting met Raisa in de Moskouse metro. De herinnering stoorde hem niet, integendeel, hij vroeg zich af of de mensen die elkaar voordien niet hadden gekend zo meteen weer voor eeuwig uit elkaar zouden gaan, of dat ze de kans zouden grijpen om op de een of andere manier te zorgen voor een vervolg op hun toevallige ontmoeting.

Toen hij in Brighton Beach uitstapte, brak de zon door de wolken en knoopte Leo zijn jas los. Hij had het warm, al was het al laat in de herfst. Hij bekeek de omgeving met een gevoel van verwondering, want hij was nog niet doordrongen van het feit dat hij hier in deze vreemde nieuwe wereld thuis was. Het was voor hem nog steeds een bizar idee. Misschien kwam het doordat zijn dochters nog in Rusland waren dat hij zich niet kon voorstellen dat hij zich ooit ergens echt thuis zou voelen. Na hun aankomst in de Verenigde Staten hadden Nara, Zabi en hij een aantal weken gebivakkeerd op verschillende adressen in New Jersey. Dat was een verwarrende ervaring geweest, hoewel Leo het vreemder zou hebben gevonden wanneer ze meteen een vast adres gekregen zouden hebben. Hij had erop gestaan om in New York te gaan wonen, waarbij hij niet zijn werkelijke beweegredenen had genoemd, maar had gezegd dat New York voor hem een aantal voordelen had. Er was daar een groot aantal Russische immigranten, waardoor zijn gebrekkige Engels geen probleem zou zijn, terwijl hij daar als buitenlander minder in het oog zou lopen dan in een kleinere stad. Hij leidde er een vrij onopvallend leven onder een nieuwe naam en zei tegen iedereen die meer van hem wilde weten dat hij was gevlucht omdat hij werd vervolgd.

Zabi en Nara woonden in een appartement naast het zijne, eveneens onder nieuwe namen en ook met fictieve verhalen over hun verleden: ze zouden afkomstig zijn uit Pakistan en niet uit Afghanistan, waardoor ze moeilijker op te sporen zouden zijn voor het geval iemand hen zou zoeken. Ze hadden gewild dat Leo bij hen zou komen wonen, maar dat zou niet in overeenstemming zijn geweest met hun veronderstelde identiteit. Uiteindelijk vormden ze dus twee allochtone huishoudens, die met elkaar bevriend waren. Officieel was Nara nu Zabi's moeder. Ze had de papieren om dat te bewijzen, en Leo betrapte haar er soms op dat ze daarnaar zat te staren alsof ze niet kon geloven dat het er echt stond. Het meisje van wie zij had gevonden dat ze dood moest, was nu haar wettelijke dochter, en dat was voor haar iets zo ongerijmds dat ze daar elke dag aan moest denken. Elk idee van destructiviteit was haar inmiddels vreemd, en ze was een toegewijde moeder. Omdat ze eigenlijk te jong was om een dochter van zeven te hebben, werden alle vragen van buitenstaanders beantwoord met een stug stilzwijgen en de suggestie dat de verklaring te triest was om over uit te weiden – wat niet eens geheel bezijden de waarheid was.

Zo was Leo na drie eerdere adressen uiteindelijk terechtgekomen in een appartement op de derde verdieping in 6th Street in Brighton Beach. Het was hun niet gelukt om iets te krijgen met uitzicht op zee, ze hadden in feite eigenlijk nauwelijks een uitzicht, maar het waren comfortabele appartementen met airco, een koelkast en een televisietoestel. Hij had niet, zoals in zijn appartementen in Kaboel, de deuren naar de andere kamers verwijderd. Die ondraaglijke onrust was verdwenen. Hij had geen opium meer nodig, hij was weer rechercheur.

Terwijl hij de voordeur opendeed en de woonkamer in liep, voelde Leo dat er nog iemand in de kamer was. Maar als het een Russische agent geweest was, zou Leo zonder enige twijfel nog voordat hij het licht aandeed gedood zijn. Met deze gedachte tastte hij naar het lichtknopje.

Dezelfde dag

Marcus Greene, tot in de puntjes verzorgd gekleed, pakte een sigaret en ging zitten alsof hij thuis was. Hij zei:
— *Je lijkt me zenuwachtig.*
Leo gaf geen antwoord. Hij hield niet van het vanzelfsprekend gemak waarmee ze in zijn appartement inbraken, zijn telefoon afluisterden en zijn spullen doorzochten als hij niet thuis was – iets wat hij merkte doordat dingen soms niet op dezelfde plaats waren teruggezet. Maar hij had niet de illusie dat hij door de Amerikanen beschouwd werd als een van hen; hij was ondergeschikt aan hen en zij konden zich gedragen zoals het hun uitkwam. Hij vond het daarom bijna komisch dat Greene vroeg:
— *Mag ik roken?*
Leo knikte, tok zijn jasje uit en hing dat op in de gang. Toen hij terugkwam in de huiskamer ging hij tegenover Greene staan.
— *Waarom ben je niet in Pakistan?*
— *Ik ben met verlof, voor familiebezoek.*
Greene nam een trek van zijn sigaret met de verlekkerde intensiteit die elke verslaafde kenmerkt. Leo ging tegenover hem zitten, voorovergebogen en met de handen op zijn knieën. Greene merkte zonder zelfmedelijden op:
— *Ik ben geen goede vader. Ik heb wel spijt van mijn tekortkomingen, geloof ik. Maar ik heb er eigenlijk nooit veel aan gedaan, dus ik weet niet zeker wat die spijt waard is. En zo denken mijn vrouw en mijn zonen er zeker over. Ik vertel je dit omdat het een van de redenen is waarom ik hier ben. Ik weet hoeveel je gezin voor je betekent, niet alleen het gezin dat je hebt meegebracht naar New York, maar ook het ge-*

zin dat je hebt achtergelaten in de Sovjet-Unie.

Leo vroeg met een toegeknepen keel van spanning:

— *Wat is er gebeurd?*

— *Ze vermoeden dat je in leven bent. We dachten dat het door de dood van de kapitein onzeker zou zijn of je nog leeft. En misschien is dat ook wel zo. Maar ze zijn aan het vissen. Toen ik nog in Pesjawar was, hebben ze ervoor gezorgd dat we bepaalde informatie over je dochters kregen. Zoya en Elena...*

Leo stond op alsof hij in staat was om meteen de deur uit te lopen. Greene gebaarde dat hij moest gaan zitten. Hij negeerde het gebaar, en ten slotte stond Greene ook op.

— *We kunnen deze geruchten op geen enkele manier verifiëren. Het kunnen leugens zijn om jou uit je schuilplaats te lokken. Er is druk op me uitgeoefend om dit niet aan je over te brieven, maar ik wist zeker dat je het wel zou willen weten. Het is aan jou om te beslissen of je deze verhalen wel of niet gelooft.*

— *Welke verhalen?*

— *Vanwege je desertie zijn je dochters meegenomen voor verhoor. Ook hun mannen zijn ondervraagd. Ze zijn vrijgelaten, maar hun toekomst is onzeker. De volgende stap zou kunnen zijn dat ze gearresteerd worden. Zover is het nog niet, maar dat zou kunnen gebeuren. Ze proberen jou ermee te lokken. Het is grof wat ze doen, maar ik zie aan je gezicht dat het wel effectief is.*

— *Als ik niet terugga, zullen zij hen arresteren? Is dat het dreigement?*

— *Leo, we kunnen er niet zeker van zijn dat het niet gewoon een spelletje is. En zij kunnen er niet zeker van zijn dat je in leven bent.*

— *Hebben ze misschien inlichtingen uit Amerika?*

— *Dat lijkt me niet waarschijnlijk. De Russen zijn nooit erg effectief geweest als het op penetratie bij de* CIA *aankwam. Als je niets doet, als je niet reageert, zullen ze aannemen dat je dood bent en zal je dochters niets overkomen. Daar ben ik van overtuigd.*

Maar Leo wist beter hoe de KGB werkte; hij kende hun mentaliteit. Hij wist nog maar al te goed wat hijzelf had gedaan als ambitieuze jonge agent. Misselijk van angst vanwege het gevaar waar hij zijn dochters aan had blootgesteld, schudde hij zijn hoofd en zei:

— *Ik heb niet veel tijd.*

Dezelfde dag

Leo zat zwijgend te eten en nam af en toe een hapje van de maaltijd die hij had klaargemaakt. Zijn dochters liepen gevaar, ook al waren ze onschuldig. Tijdens Stalins bewind was gebleken dat schuld overging van vader op zoon. Eén enkele misdaad, één enkele beschuldiging kon aanleiding zijn tot de ondergang van een hele familie; het loon van de angst was overdraagbaar via de afstamming. En zoveel was er sindsdien niet veranderd. Deze manier van denken was diep verankerd in de geest van de KGB, een organisatie die altijd al graag had gezien dat haar medewerkers met andere agenten trouwden, waardoor een soort dynastie van agenten ontstond, los van de rest van de samenleving. Dit was een van de redenen geweest dat men altijd tegen zijn huwelijk met Raisa was geweest. Als Leo zich niet overgaf, zouden zijn dochters gearresteerd en in de meest ongunstige omstandigheden worden vastgehouden. De kwaadaardigheid van de KGB was onpersoonlijk, kwam tot uiting in de procedures die ze volgden en was volkomen voorspelbaar. Net zoals het niet uitmaakte dat zijn dochters onschuldig waren, maakte het niet uit dat ze er niet zeker van waren of Leo nog in leven was. Het spionagenetwerk van de Sovjet-Unie in de Verenigde Staten was niet sterk ontwikkeld, zeker in vergelijking met het netwerk in Europa, maar ze konden wel proberen Leo uit zijn tent te lokken. Hij had er tot nu toe op gegokt dat ze dachten dat hij dood was. Dat plan was mislukt.

Leo duwde zijn bord opzij. Nara en Zabi wisten allebei dat er iets mis was en keken elkaar af en toe aan. Hij kon hun het nieuws niet vertellen omdat hij nog niet had besloten wat hij zou doen. De onzekerheid zou een onnodige belasting voor hen zijn. Zabi was net terug van een afspraak met haar psychiater. Haar fysieke wonden waren genezen, maar ze was nu in therapie en had twee keer per week een gesprek. De therapie was enkele maanden uitgesteld geweest om haar de gelegenheid te geven een intensieve cursus Engels te volgen, wat ze samen met Nara had gedaan. Leo had het merendeel van de lessen overgeslagen en zich voornamelijk geconcentreerd op zijn onderzoek. Hij ruimde echter wel steeds tijd in om Zabi naar de psychiater te brengen en weer af te halen. Hij had zich erover verbaasd dat de praktijk van de psychiater niet in een ziekenhuis was gevestigd, maar dat ze werkte in een mooi ingerichte kamer bij haar thuis. Na de derde of vierde afspraak had hij zich er makkelijker bij neer kunnen leggen dat ze in therapie was. Zabi was niet bang voor de sessies. En uiteraard droeg de Amerikaanse overheid de kosten. De Amerikaanse overheid droeg trouwens al hun kosten van levensonderhoud. In ruil daarvoor verstrekte Leo de inlichtingendiensten informatie over Afghanistan. Zijn kennis aangaande de Sovjet-Unie zelf was gedateerd, zeker voor zover die betrekking had op de KGB. Deze informatie was vooral van belang voor historici en andere geleerden, van wie er enkelen toestemming hadden om hem vragen te stellen. Alleen zijn rapporten over Afghanistan waren geheim. Het was moeilijk om na te gaan welke invloed die rapporten hadden op de Amerikaanse politiek – ze vertrouwden hem nooit in die mate dat ze het hem vertelden, ze ondervroegen hem alleen maar. Uit sommige vragen was op te maken hoe ze dachten. Het was duidelijk dat sommigen binnen de CIA graag bereid waren de opstand te financieren en van wapens te voorzien. Of het daar daadwerkelijk toe kwam, kon Leo niet zeggen.

Toen ze klaar waren met eten, ruimde Leo de tafel af en kwam terug met een doos ijs die hij had gekocht bij een supermarkt die werd gedreven door een vrouw uit de Oekraïne, een van de weinige mensen in de buurt met wie hij weleens een praatje maakte, want hij was in New York net zo'n einzelgänger als hij in Kaboel geweest was. Terwijl hij het ijs over drie kommen verdeelde, zei hij:

— *Ik vlieg morgen naar Washington. Jullie weten vast nog wel dat ik het over een bepaalde klus had. Er is daar een archief waarin zaken te vinden zijn die te maken hebben met de Russische spionage in de Verenigde Staten. Ze willen dat ik er eens een kijkje neem om te zien of ik er enig licht op kan werpen.*

Nara was verrast.

— *Ik dacht dat je dat de eerste paar maanden niet zou doen.*

— *Ze willen dat ik er meteen naartoe ga.*

— *Waarom?*

Het had een simpele reden: ze dachten dat Leo niet veel langer in Amerika zou blijven. Maar Leo hield dit voor zich en haalde alleen zijn schouders op.

— *Ik weet het niet.*

En zachtjes voegde hij eraan toe:

— *Ik doe wat me gezegd wordt.*

Zabi vroeg:

— *Ga je bij ons weg?*

Leo kon het niet opbrengen om haar aan te kijken. Hij frunnikte wat met een lepel vol ijs.

— *Ik ben over een paar dagen weer terug.*

Washington DC
Hoofdkantoor van de FBI
J. Edgar Hoover Building
935 Pennsylvania Avenue

De volgende dag

Leo zou een paar dagen in Washington blijven, afhankelijk van hoe hij met het werk opschoot. Hij had zich er al bij neergelegd dat zijn verblijf in de Verenigde Staten plotseling dramatisch bekort zou kunnen worden, en hij wilde niets liever dan zo snel mogelijk teruggaan naar New York – hij moest nu veel haast maken met zijn onderzoek. Naar alle waarschijnlijkheid was het een kwestie van weken, en niet van maanden, voordat er in de Sovjet-Unie verdere acties zouden worden ondernomen tegen zijn dochters. Als ze zover gingen dat Zoya en Elena gearresteerd zouden worden, zou hij het niet meer kunnen uithouden, sterker nog: dan zou hij er moeite voor doen om nog dezelfde dag terug te gaan. Een reisje naar dit archief, dat hij ooit als een buitenkansje gezien zou hebben, kwam daarom nu wel erg ongelegen.

De archivaris was een vriendelijke man die Simon Clarke heette. Hij haalde hem op de luchthaven af. De man was in de vijftig en had een enigszins uilachtig voorkomen, met zijn gouden bril met ronde glazen en zijn kleine buikje, dat als een licht glooiende heuvel uit zijn lichaam naar voren stak. Hij sprak vloeiend Russisch, waar grammaticaal niets op aan te merken viel, maar met een Amerikaans accent. Leo vermoedde dat hij maar heel weinig autochtone Russen had gesproken. De vriendelijke en zachtaardige Clarke hoopte dat Leo licht zou kunnen brengen in een aantal mysterieuze kwesties, vermeld in de dossiers die verband hielden met de spionageprotocollen van de Sovjet-Unie jegens de belangrijkste tegenstander. Clarke gebruikte het jargon van de Russische geheime dienst –'de belangrijkste tegenstander' – omdat hij graag wilde laten zien dat hij op de hoogte was van hun jargon.

Tijdens een korte rondrit door de stad voordat ze naar het archief gingen, bleven ze stilstaan voor het hoofdkwartier van de FBI. Het was een modern, betonnen gebouw, dat er heel anders uitzag dan het hoofdkwartier van de Russische geheime dienst, de Loebjanka, met zijn brede historische gevel in het centrum van Moskou. Het ontwerp van het Hoover-gebouw leek gebaseerd te zijn op het idee dat het niet indrukwekkend moest lijken, maar wel onverwoestbaar. Het gebouw had niets sierlijks of decoratiefs: het hield het midden tussen een parkeergarage en een elektriciteitscentrale, alsof de FBI in dezelfde utilitaire categorie viel. Het archief, dat op geen enkele stadsplattegrond stond aangegeven, bevond zich drie blokken verderop in 8th Street. Er hing geen bord aan de gevel en er was geen brede ingang met receptie, maar alleen een onopvallende deur die toegang gaf tot het pand. Het huis stond ingeklemd tussen twee grote kantoren, maar het had geen huisnummer en geen brievenbus. Er was alleen die geheimzinnige deur, waar iedereen op straat voorbij liep zonder te bedenken welke geheimen daarachter schuilgingen.

Clarke haalde zijn sleutels tevoorschijn, deed de deur open en knipte het licht aan, waardoor een smalle trap naar beneden zichtbaar werd. Hij trok Leo naar binnen, sloot de deur achter hen en ging hem voor de trap af. De lucht in het pand was droog door de airconditioning. Onder aan de trap was een sombere kamer, waarin Clarke een alarmsysteem uitschakelde. In een muur van de kamer bevond zich een ijzeren, luchtdicht afgesloten deur zoals van een bankkluis. Nadat hij een code had ingetoetst, klonk er een vaag gesis terwijl de deur openzwenkte. De verlichting binnen ging automatisch aan, en tl-buizen flakkerden de een na de ander op, waardoor de ruimte in haar volle afmetingen zichtbaar werd.

Het archief was veel groter dan Leo had verwacht. Rij na rij strekten zich stellingen uit, honderden meters. Anders dan bij een bibliotheek stonden er echter geen boeken in. Alle documenten waren opgeslagen in uniforme bruine kartonnen dozen, die zij aan zij in de schappen stonden; duizenden waren het er, steeds op gelijke afstand van elkaar. Leo keek Clarke aan.

— *Dit allemaal?*

Clarke knikte:

— *In zeventig jaar opgespaard; het merendeel is duidelijk voor ons, een klein deel niet.*

Leo liep door. Clarke legde een hand op zijn schouder.

— *Voordat we beginnen: er gelden hier een paar regels. Ik heb opdracht om je te fouilleren bij het weggaan. Vat dat niet verkeerd op, dat is standaard en geldt voor alle bezoekers. Je moet deze handschoenen aandoen als je iets wilt aanraken. Afgezien daarvan staat het je vrij om rond te kijken naar wat je maar wilt. Je mag alleen geen vulpen en überhaupt geen inkt gebruiken. Je hebt geen pen bij je?*

Leo schudde zijn hoofd, trok zijn jasje uit en hing dat op in de kamer. Clarke zei:

— *Ik zou dat maar aanhouden. Het is koud in de zaal, want vanwege de conservering is er airconditioning.*

Hier werden dus de gedurende zeventig jaar verzamelde spionagegeheimen in een gekoelde zaal bewaard, hier stonden dossiers van vele duizenden pogingen tot verraad, bedrog en moord, die werden bewaard alsof het om de grootste prestaties van de mensheid ging.

Het plafond was niet erg hoog, maar de zaal was opvallend breed, waardoor hij surrealistisch aandeed, als een platte schoenendoos. Het hele archief was van beton, wat tot gevolg had dat er twee kleuren domineerden: het grijs van het beton en het bruin van de kartonnen dozen. De airconditioning zoemde, en af en toe was er een lichte trilling van een passerende metro. Van het begin tot aan het einde liep er een gang tussen de kasten door, en elke afdeling was gemarkeerd met een nummer. Er hingen geen bordjes, er was geen schriftelijke uitleg. Clarke moest zijn gedachten hebben geraden, want hij zei:

— *Maak je geen zorgen! We willen niet dat je alles bekijkt. Ik heb een aantal dozen opzijgezet waarvan ik dacht dat je daar misschien enig licht op zou kunnen werpen. Maar het staat je vrij om rond te lopen en alles te bekijken wat je tegenkomt. Ik stel voor dat je eerst even rondkijkt en een beetje een idee krijgt van het archief, en dat we dan gaan zitten en het materiaal bekijken dat ik voor je heb uitgezocht.*

Ondanks de opmerking dat het hem vrijstond om alles te bekijken, week Clarke niet van zijn zijde.

Leo voelde zich wat ongemakkelijk; hij bleef bij een van de zijpaden staan en pakte een willekeurige doos. Op elke doos zat een sticker met een nummer erop, een lange code die op het eerste gezicht niets leek te betekenen. Op elke doos zat een deksel, waardoor je niet zomaar in het dossier kon bladeren. Clarke zei:

— *In het kantoortje hebben we een catalogus met verwijzingen naar de codes waarin de inhoud omschreven staat. Niet alles is echter opgeslagen in dozen: vreemd gevormde dingen en de grotere items bijvoorbeeld niet. Die staan verderop, naar het einde toe. Ik zal je een exemplaar van de catalogus geven, daar heb je misschien iets aan.*

Clarke draaide zich om en haastte zich naar het kantoor. Leo drentelde wat rond. Hij was onrustig – zijn gedachten gingen uit naar zijn onderzoek. In gedachten opende hij de dichtstbijzijnde doos. Hij zat vol met geld, pakken vijf- en tiendollarbiljetten, kleine coupures, maar smetteloos en ongebruikt – een klein fortuin. Leo dacht dat de biljetten door Russen geproduceerde vervalsingen waren. Een stapeltje bankbiljetten zat in een plastic zakje met het opschrift VOORZICHTIG. Er zat waarschijnlijk een of andere chemische stof op de biljetten, gif misschien wel. Nadat hij het deksel weer op de doos had gedaan, liep hij naar het volgende gangpad, pakte een andere doos en tilde daarvan het deksel op. In deze doos zaten wetenschappelijke instrumenten, een microscoop en andere apparaten die Leo niet kende. De objecten waren gedateerd, ze waren misschien zo'n vijftig jaar oud. Ook hier was geen uitleg voorhanden, geen geschreven documenten. Na de derde en vierde doos begon het tot hem door te dringen dat het archief merendeels banale voorwerpen bevatte. Het leek alsof de Amerikanen alles hadden verzameld wat ook maar enigszins verband hield met spionage door de Russen.

Leo stond op het punt zich om te draaien en terug te gaan naar Clarke toen hij de grote objecten zag staan. Hij liep naar achteren en zag daar als eerste een wandelstok van knoestig hout. Hij betastte hem gedurende enige tijd om te kijken of er een geheim compartiment was of dat de stok een secundaire functie had en bijvoorbeeld was voorzien van een vergiftigde punt. Op een gegeven moment gaf hij het op en legde hij de stok terug op het schap. Er stond een ouderwets zendontvangapparaat zo groot als een televisietoestel, dat misschien gebruikt was voor geheime communicatie. Daarnaast lag een koffer.

Leo hurkte neer, en zijn handen trilden toen hij ze op de koffer legde. Zijn handen waren in de loop der jaren erg veranderd, maar de koffer niet. Het was een ouderwetse koffer met een leren handvat en sloten van roestig ijzer. Ondanks het feit dat hij hem zestien jaar niet gezien had, was er geen twijfel mogelijk dat het dezelfde koffer was die hij als jong geheim agent had gekocht.

Het was de koffer die Raisa had meegenomen naar New York.

Dezelfde dag

Leo stond op en keek tussen de dozen door of Clarke in de buurt was. Hij zag hem nergens. Hij richtte zijn aandacht weer op de koffer, en met nog trillende handen van de spanning klikte hij de sloten open en keek erin.

Het was een afschuwelijke teleurstelling: de koffer was leeg. Hij haalde diep adem en probeerde zichzelf te kalmeren. Hij ging met zijn vingers langs de binnenkant om te voelen of er misschien een briefje tussen de voering verborgen zat. De voering was nergens opengesneden of dichtgestikt. Hij onderzocht de buitenkant, draaide hem ondersteboven en betastte de onderkant en de hoeken. Hij hoorde Clarkes voetstappen op de betonnen vloer naderbij komen.

— *Leo?*

De koffer bood verder geen aanwijzingen meer. Hij keek naar de voorwerpen die er vlakbij stonden: er waren minstens twintig andere koffers. Hij herkende er geen enkele van. De spullen van Zoya en Elena moesten hier ook zijn. Ze waren in beslag genomen, en de meisjes waren naar Rusland teruggekeerd met alleen de kleren die ze aanhadden; al het andere was in beslag genomen. Leo prentte het nummer waaronder Raisa's koffer hier gecatalogiseerd was in zijn geheugen. Clarkes voetstappen kwamen steeds dichterbij, nog maar enkele meters. Toen hij de hoek om kwam stond Leo op en wendde zich af van de koffer van zijn vrouw.

Clarke glimlachte naar hem.

— *Iets gevonden?*

— *Nee, niet echt.*

Het klonk niet erg overtuigend. Clarke ging er niet op in. Hij had een groot boek met een harde kaft en een plastic beschermhoes eromheen bij zich.

— *Hier is de catalogus.*

Leo nam hem van hem aan en zei niets over zijn ontdekking. Hij probeerde kalm te blijven, sloeg het boek open en bladerde het door. Clarke legde vriendschappelijk een hand op zijn schouder.

— *Ik heb de vrijheid genomen een paar dozen te vullen met spullen waarover ik graag je mening zou horen.*

De leestafel stond vlak bij het kantoortje in het archief, omdat er geen voorwerpen naar buiten gebracht mochten worden. Er stond een aantal dozen, en Clarke legde aan Leo uit waarom hij belangstelling had voor de inhoud. Leo hoorde nauwelijks wat hij zei en deed wanhopig zijn best om het referentienummer van de koffer in de catalogus op te zoeken. Ten slotte liet Clarke hem alleen en kon hij bekijken wat erover was geschreven. Het was een ingewikkeld nummeringsysteem. Hij diepte uit zijn geheugen het codenummer van de koffer op, noteerde dat en zocht het nummer op in de catalogus. De omschrijving was als volgt:

ONDERZOEK RODE STEM 1965 NY

Het begrip 'rood' was bijna zeker een verwijzing naar het communisme en sloeg hoogstwaarschijnlijk op de stem van een vooraanstaande communist – ongetwijfeld werd Jesse Austin bedoeld.

Leo staarde naar de codes en probeerde te achterhalen hoe hij de andere documenten die met hetzelfde onderzoek verbonden waren zou kunnen traceren. Het lukte hem niet het systeem te doorzien, en omdat hij geen hulp wilde vragen, had hij geen andere keuze dan alle vermeldingen na te gaan en ging hij met zijn vinger de lijst langs. Hij was al halverwege de catalogus toen hij, voortdurend oplettend of Clarke er niet aankwam, zijn vinger stilhield bij de vermelding:

ONDERZOEK RODE STEM

Hij noteerde de locatie van de doos – code 35/9/ 3,3 – en sloeg de catalogus dicht, waarna hij het papiertje in zijn zak stak.

Hij stond op, en toen hij voorzichtig van de tafel wegliep, zag hij

Clarke vlakbij in het kantoor zitten. Hij was met iets bezig, en Leo nam zijn kans waar en haastte zich in de richting van gangpad 35. Daar aangekomen sloeg hij rechts af, ging met zijn hand langs de nummers en hield stil bij de negende kast. De doos stond op de bovenste plank, de derde in de rij. Hij strekte zijn armen er bevend van emotie naar uit. Het was een zware doos, en het kostte hem grote moeite om hem eraf te tillen en neer te zetten. Alsof hij te maken had met een kostbare schat haalde hij langzaam het deksel eraf.

In de doos zat een grote hoeveelheid documenten, nadere bijzonderheden van het concert bij de Verenigde Naties, een programma, officiële brieven van het Kremlin over de vredestournee van de jongeren, de voorstellen en het protocol. Als geheim agent kon Leo bogen op vele jaren ervaring in het doorzoeken van paperassen en de persoonlijke bezittingen van mensen en wist hij wat belangrijk was en wat niet. Dit waren de overheidsdocumenten, waarin alleen de plezierige, officiële kant van de tournee aan de orde kwam. Toen hij met zijn hand de bodem van de doos raakte, voelde hij daar iets hards, het was de rug van een boek – een dagboek.

Leo las de eerste regels, en hij herkende ze met zo'n grote zekerheid alsof hij ze zelf had geschreven:

Voor het eerst van mijn leven heb ik de behoefte om mijn gedachten vast te leggen.

Harlem
Bradhurst
West 145th Street

Drie dagen later

Leo zat achter in de taxi met een notitieboekje waarin hij de belangrijkste vermeldingen in Elena's dagboek had overgenomen. Hij had het dagboek niet mee kunnen nemen uit het archief en had daarom elk onbewaakt ogenblik te baat genomen om de inhoud te bestuderen. De laatste vermelding had betrekking op de middag voor het concert, de laatste dag dat Raisa nog leefde. Bij terugkomst in het hotel na haar ontmoeting met Jesse Austin was Elena naar haar kamer gebracht. Terwijl ze zich klaarmaakte voor de generale repetitie was ze stiekem naar de badkamer gegaan en had ze daar haar laatste opmerkingen opgeschreven. Die in haast neergekrabbelde pagina was ongetwijfeld de belangrijkste. Leo had hem uit het dagboek gescheurd en bij de andere notities die hij had gemaakt in zijn sok gestopt en het archief uit gesmokkeld.

Het dagboek bevatte voornamelijk informatie die Elena hem al had verteld toen ze terugkeerde in Moskou, onder andere ook over de manier waarop ze was benaderd door de propagandaofficier Michail Ivanov en over de relatie die tussen hen was ontstaan. Het was tegelijkertijd hartverscheurend en om razend van te worden om te lezen hoe haar gevoelens toen waren, hoe ze was ingepalmd door de mooie verhalen over de liefde en de nobele bedoelingen van de verrader. Ze had oprecht geloofd in haar missie om de in de steek gelaten en belasterde Jesse Austin te tonen dat hij in het communistische Rusland nog steeds geliefd was. De intensiteit van haar idealisme werd alleen geëvenaard door haar bewondering voor Ivanov. Alles wat ze had gedaan – had misdaan – had ze gedaan vanuit die liefde. Leo nam aan dat haar vermogen om lief te hebben de reden was geweest waarom men het oog op haar had laten vallen en haar had uitgekozen voor deze operatie. Toen hij las wat voor een honingzoete taal Ivanov had gebezigd om zijn dochter te verleiden, kon Leo niet anders dan zich afvragen of hij niet had gefaald als vader, of hij niet tekortgeschoten was door zijn kinderen niet te beschermen tegen een wereld van bedrog, een bedrog waarvan hij nota bene zelf ooit zijn beroep had gemaakt. Als hij hun iets had kunnen leren, was het wel om te bedenken wanneer iemand liegt.

Elena was zich ervan bewust geweest dat het bijhouden van een dagboek riskant was, vooral omdat ze geheim wilde houden waarom ze het deed, en ze had haar toevlucht genomen tot het gebruik van een primitief soort geheimtaal, waarin namen vervangen waren door nummers in combinatie met een verkorte notatie voor de beschrijvingen. Als hij niet haar vader was geweest, zou het moeilijk zijn geweest om te begrijpen wat er stond, maar Leo kon in de meeste gevallen de nummers zonder moeite vervangen door namen. Propagandaofficier Ivanov was nummer 55. Nummer 71 was Jesse Austin. Het omgekeerde getal, 17, was diens vrouw, Anna Austin, een keuze die veel zei over de romantische gevoelens van Elena. Er waren een paar nummers waar Leo geen naam bij kon bedenken, en hij twijfelde er geen moment aan dat die de belangrijkste waren, zoals:

AGENT 6.

In een haastig genoteerde vermelding zei ze alleen over hem:

Hij maakt me bang.

Deze code had betrekking op een FBI-man die Elena in Harlem had gezien toen ze het appartement van Jesse Austin verliet, de man die haar had gevolgd toen ze terugging naar het hotel.

Deze keer ging Leo niet alleen naar Harlem. Naast hem zat Nara. Als stagiaire in Kaboel was ze ooit, één keer maar, bij een zaak betrokken geweest – de arrestatie van de verliefde deserteur, wat tot diens executie had geleid. Het leek Leo wel gepast haar de kans te geven om haar korte carrière als agent af te sluiten met een zaak tegen iemand die het verdiende gevangen te worden genomen. En afgezien van die mooie gedachte, had hij haar ook gewoon nodig.

Nara beheerste het Engels inmiddels beter dan hij. Ze wilde er graag bij horen, in New York wonen en een baan zien te vinden, en ze had zich er onvermoeibaar voor ingespannen om de taal onder de knie te krijgen. En niet alleen sprak ze vloeiend Engels, ze was ook mooi en charmant, terwijl hij een norse, magere man was, zodat zij de mensen in een gesprek beter zou kunnen overtuigen dan hij. Logischerwijze had hij haar natuurlijk meteen al moeten vragen hem te helpen, maar hij was er onzeker over geweest of hij er wel goed aan deed haar erbij te betrekken. Ze zou zich verplicht voelen om hem te steunen, ongeacht of ze het eens was met het onderzoek of niet. Het doen van naspeuringen naar gevoelige informatie was immers duidelijk in strijd met de voorwaarden waarop hun asiel was verleend, en hij wilde haar niet in moeilijkheden brengen.

Na zijn terugkeer uit Washington was Leo ervan uitgegaan dat hij geen tijd te verliezen had en dat hij dit niet zonder haar tot een goed einde kon brengen. Nara had geluisterd toen hij alles vertelde, over het onderzoek in de Public Library, zijn mislukte pogingen iets te weten te komen van mensen in Harlem. Ze was geschokt dat hij de vele uren dat hij niet thuis was geweest niet had besteed aan het verkennen van de stad, maar aan graven in het verleden. Zoals hij al had verwacht, had ze zich er zorgen over gemaakt dat ze tegen de wil van hun Amerikaanse gastheren in gingen. Ze vervulde nu immers de rol van moeder en moest aan Zabi's toekomst denken. Toch had ze ook de plicht om Leo te steunen, vond ze. Ze had aan hem haar leven te danken. Het was dus met gemengde gevoelens, aarzelend en met bange voorgevoelens, maar ook met plichtsgevoel en uit nieuwsgierigheid, dat ze ermee had ingestemd met hem mee te gaan op zijn zoektocht naar de moordenaar van Raisa.

Toen de taxi stopte, stapte Leo uit en hield het portier open voor Nara. Hij tastte in zijn zak om de chauffeur te betalen. In zijn zak had hij ook de teksten die hij had overgenomen uit het dagboek en de pagina die hij eruit had gescheurd. In die laatste, cruciale vermelding in het dagboek had Elena gezegd dat een man haar had binnengelaten in het appartement van Jesse Austin, een boze, oude man, die ze aanduidde als nummer III. Jesse Austin had haar verteld dat de man zo boos was omdat hij een ijzerwinkel had en vond dat het communisme slecht voor de zaken en slecht voor de gemeenschap was. Het was niet bepaald een glasheldere aanwijzing.

Leo besloot om in 145th Street nummer III op te zoeken, in de hoop dat het een ijzerwinkel zou zijn. Bij aankomst bleek het echter geen winkel te zijn, maar een huisnummer in een appartementengebouw. Toen het hun gelukt was om binnen te komen in de hal, klopte Leo aan bij nummer III. Nara en hij spraken met de bewoner, een oude man die al het grootste deel van zijn leven in het appartement woonde, maar die nooit een ijzerwinkel had gehad en niet begreep waarom ze hem dat vroegen. Leo besloot een risico te nemen en vroeg hem of hij Jesse Austin had gekend. De oude man keek Leo met een eigenaardige blik aan. Het was duidelijk dat hij hem had gekend, misschien zelfs goed had gekend, maar hij schudde zijn hoofd en sloot de deur. Terwijl hij Nara aankeek, zei Leo geïrriteerd:

— *Dat maak ik nou voortdurend mee. Niemand wil iets zeggen. Ze zijn hem niet vergeten, maar ze willen niet over hem praten.*

Nara zei alleen maar:

— *Daar hebben ze misschien wel een reden voor.*

Leo was niet in de stemming voor inschikkelijkheid.

— *Er is ook een goede reden om wel te willen dat ze praten.*

Toen ze weer op straat liepen, stak Leo zijn hand uit en wees naar een vervallen uitziende ijzerwinkel, een bouwvallige, oude zaak. De etalage was rommelig en donker. Nara keek hem aan.

— *Hoe weet je dat dit die winkel is?*

— *Dat weet ik niet.*

Leo wees op een handgeschilderd uithangbord. AL DERTIG JAAR EEN FAMILIEBEDRIJF!

Toen hij de deur opendeed, rinkelde er een belletje boven zijn hoofd. Er hing een muffe geur, de toonbank was stoffig, en de kasten maakten een rommelige indruk. Tegen de muur achter de kassa waren tot aan het plafond reikende rijen plastic lades te zien met van alles erin – spijkers, boutjes, schroefjes en scharnieren.

De eigenaar was jong, begin dertig. Hij kwam met een leesbril op het puntje van zijn neus uit de achterkamer naar voren en bekeek zijn ongewone klanten. Zijn blik bleef op Leo rusten en kreeg iets nors.

— *U was hier toch al eerder?*

Nara deed een stapje naar voren en zei, zoals ze thuis al met Leo had afgesproken, in vloeiend Engels:

— *We zijn op zoek naar informatie over een beroemde zanger die hier vroeger in de buurt heeft gewoond. Hij heette Jesse Austin.*

Toen hij die naam hoorde, zette de man zijn bril af en legde die op de toonbank.

— *Ja, dat was het, u bent degene die laatst naar Jesse Austin vroeg. Wat bezielt u?*

— *Mijn naam is Leo Demidov.*

Verlegen vanwege zijn slechte Engels wendde hij zich tot Nara. Zij zei:

— *Mijn naam is Nara Mir, ik ben een vriendin. Leo hier heeft Jesse Austin gekend, lang geleden. We zijn op zoek naar informatie over hem.*

De man bestudeerde Leo en zei:

— *U heeft Jesse Austin gekend? Ik geloof er niks van.*

— *Het is waar.*

— *U komt niet uit New York, is het wel?*

— *Ik kom uit Rusland.*

— *Rusland? En u heeft Jesse gekend?*

— *We hebben elkaar in Moskou ontmoet.*

— *U hebt hem in Moskou ontmoet?*

De winkelier had de hebbelijkheid om alles wat Leo zei in vragende vorm te herhalen, en Leo wist niet hoe hij daarop moest reageren. De man richtte zich tot Nara en zei:

— *En wie bent u? Zijn tolk?*

— *Ik ben een vriendin van hem.*

— *Wat wilt u?*

Leo zei in het Dari tegen Nara:

— *Ik wil weten hoe Jesse Austin is gestorven, en dan bedoel ik de waarheid, niet wat erover in de krant heeft gestaan.*

Nara vertaalde het. Leo keek hoe de winkelier reageerde. Hij schudde zijn hoofd en wees naar de deur.

— *Ik weet niets. En nou wegwezen. Ik meen het. Val me niet opnieuw lastig. Dit is een winkel. Als u iets wilt kopen...*

Voordat de winkelier terug had kunnen gaan naar de achterkamer, nam Leo de gelegenheid te baat en riep:

— *Uw vader kende Jesse Austin.*

De winkelier draaide zich met een ruk om, keek Leo verwijtend aan en zei toen ineens boos:

— *Hoe weet u dat van mijn vader? Wat moet dat betekenen, dat u hem erbij haalt? En ik wil geen onzin horen.*

Leo antwoordde via Nara:

— *Uw vader heeft Jesse Austin gesproken op de dag dat hij werd doodgeschoten. Hij heeft een Russisch meisje naar zijn appartement gebracht, en toen heeft hij met Jesse Austin ruzie staan maken.*

Ze vertaalde het. De winkelier was met stomheid geslagen. Toen hij zichzelf weer een beetje in de hand had, zei hij:

— *Wat wilt u?*

Leo voelde dat hij vorderingen maakte en liet zich niet meer afschepen.

— *De kranten beweerden dat een Russische vrouw Jesse Austin doodschoot. De kranten beweerden dat die Russische vrouw Raisa Demidova heette. Maar de kranten hadden het verkeerd. Zij heeft hem niet vermoord. Dat is een leugen.*

Leo besloot een kansje te wagen.

— *Uw vader wist dat het een leugen was.*

De winkelier luisterde naar de vertaling en keek toen Leo aan.

— *En hoe weet u dat?*

Leo had het Engelse zinnetje van tevoren ingestudeerd.

— *Raisa was mijn vrouw.*

Harlem
Bradhurst
hoek 8th Avenue / West 139th Street
Nelson's Restaurant

Dezelfde dag

De man die in Elena's dagboek was aangeduid als nummer III was de inmiddels overleden Tom Fluker, en zijn zoon William dreef nu de ijzerwinkel, zoals Leo terecht had verondersteld. Zodra ze een zekere mate van vertrouwen hadden weten te scheppen was William best bereid om herinneringen op te halen aan de tijd van Jesse Austins dood. Hij wist nog hoe zijn vader over Austin had gepraat en hoe kwaad hij was geweest dat hij de buurt te schande maakte en ervoor had gezorgd dat mensen als verdachten werden beschouwd.

— *Jesse werkte bij mijn vader als een rode lap op een stier. Hij vond hem een onruststoker. Maar op de avond dat Jesse werd doodgeschoten, zei mijn vader niet dat het zijn verdiende loon was of zo. Hij deed iets wat ik nooit van hem zou hebben verwacht. Hij huilde. Ik herinner me nog hoe vreemd ik het vond dat hij nooit een goed woord voor Jesse over had gehad, maar dat hij moest huilen toen hij was doodgeschoten. Ik was nog een jonge jongen, en ik vond dat in die tijd heel tegenstrijdig.*

William had hen, nadat hij zijn zaak dicht had gedaan en had gezegd dat hij hun de weg zou wijzen, meegenomen naar een restaurant dat Nelson's heette. Leo was er tijdens zijn uitgebreide verkenningstochten in de buurt wel langsgekomen, maar omdat het een aantal straten verwijderd was van het blok waar Austin had gewoond, was hij er nooit naar binnen gegaan. Er stond niets over in Elena's dagboek, en hij had er niets over kunnen vinden in de krantenverslagen over de aanslag op Austin. Tijdens de wandeling was William wat hartelijker geworden, wat vrijwel zeker te maken had met Nara. Hij vond haar aardig, en Leo kon aan haar zien dat ze daardoor gevleid was. William was een knappe man.

442

In tegenstelling tot de ijzerwinkel, waar in dertig jaar niets veranderd of gemoderniseerd leek te zijn, was het restaurant nog onlangs gerenoveerd. William gebaarde als een gids naar de gevel.

— *Maar laat je niet voor de gek houden, hoor. Dit restaurant is hier al langer dan ik leef. Nelson was de man die het begonnen is, en hij was een vriend van mijn vader. Ze hadden allebei hun zaak vanuit het niets opgebouwd. Dit was het populairste restaurant van de buurt totdat...*

Williams stem stierf weg, waarna hij eraan toevoegde:

— *Het is niet aan mij om dit verhaal te vertellen.*

Binnen was het personeel aan het bekomen van de drukte rond lunchtijd, ze waren de tafeltjes aan het afruimen en er zaten nog maar een paar gasten met een kopje koffie, oudere mannen die eruitzagen alsof ze geen enkele haast hadden om nog ergens op tijd te moeten zijn. William pakte een serveerster bij de arm.

— *Kunnen we Yolande spreken?*

De serveerster keek Leo en Nara aan om te zien wat voor mensen het waren, voordat ze zich omdraaide en via de keuken naar een kantoortje liep. Er verstreken enkele minuten, waarna ze terugkwam met een vrouw van in de dertig in een mantelpakje. Het was een lange en opvallende vrouw. Ze bekeek Leo en Nara van top tot teen, voordat ze op hen afkwam om hun de hand te schudden. William had haar van tevoren opgebeld, dus ze verwachtte hen al.

— *Leuk je te zien, Willie.*

Ze stak Leo haar hand toe.

— *Ik ben Yolande.*

Leo schudde haar hand, en vervolgens Nara. Leo stelde zich voor.

— *Mijn naam is Leo Demidov. Dit is mijn goede vriendin Nara Mir.*

Ze glimlachte.

— *We kunnen naar mijn kantoor gaan om te praten.*

Zijzelf zag er zeer verzorgd uit, maar in haar kantoor was het een janboel. Er stond een bureau met grote stapels papieren en dossiers. Aan de muren hingen ingelijste foto's en krantenknipsels. Zonder daar toestemming voor te hebben gevraagd begon Leo meteen uit een automatisme de foto's te bestuderen. Pas toen Yolande naast hem kwam staan, hield hij ermee op en bloosde om zijn gebrek aan beleefdheid. Ze gebaarde echter dat ze er geen probleem mee had.

— *Ga je gang.*
Op de meeste foto's stond steeds één man centraal. Het was niet Jesse Austin, maar een man die Leo niet kende. Yolande zei:
— *Dat is mijn vader, Nelson, toen hij campagne voerde.*
Ze wees naar een van de foto's, waarna haar vinger verschoof van haar vader naar een tienermeisje in de menigte.
— *En dat ben ik.*
Leo merkte op dat ze niet zo betrokken was bij de mars als de mensen om haar heen. Ze was een eenzaam meisje te midden van alle drukte. Yolande zei met oprechte nieuwsgierigheid:
— *Raisa Demidova was uw vrouw?*
Leo knikte en zei:
— *Zij heeft Jesse Austin niet vermoord.*
Yolande glimlachte vriendelijk, en zei als een welwillende onderwijzeres:
— *Dat weet ik. En dat geldt ook voor iedereen die hier in de buurt woont. In Harlem denkt niemand dat uw vrouw een moordenares is, meneer Demidov. Deze buurt is misschien de enige plek ter wereld waar ze als onschuldig wordt beschouwd. In elk geval geloofde mijn vader dat niet, nog geen seconde. De pers kwam met het verhaal dat uw vrouw Jesses minnares was, en die leugen is als waarheid gaan gelden. Roddels en lasterpraat werden gepresenteerd als journalistiek, maar misschien wisten ze wel hoe het werkelijk zat en waren ze te bang om dat op te schrijven. Dat kun je iemand niet kwalijk nemen. Hoe het ook zij, de hele zaak was een paar maanden later vergeten, en nu is het alleen nog maar een schandaal waar de meeste mensen niet eens meer een naam aan kunnen verbinden. Het vreemde was dat uw vrouw in die stukken met redelijk veel sympathie wordt beschreven. De mensen zeiden dat het niet haar schuld was. Ze zeiden dat hij haar had gedumpt. Dat ze alleen maar had willen vluchten uit Sovjet-Rusland, dat hij haar een leven in Amerika had voorgespiegeld. Dat ze radeloos was toen ze zich realiseerde dat ze terug zou moeten. Het was een leugen die vleiend was voor Amerika. Ik denk dat het daarom ook zo'n gehaaide leugen was.*
Nara vertaalde het. Yolande bleef stil zitten en beperkte zich ertoe om te kijken hoe Leo reageerde. Toen Nara klaar was, pakte Yolande een foto van haar vader waarop hij in het restaurant aan het werk was en reikte die Leo aan.
— *Ik was veertien jaar toen Jesse werd doodgeschoten, en dat heeft*

mijn leven veranderd. Niet omdat ik Jesse zo goed kende, maar omdat het mijn vader zo veranderd heeft. Tot dan toe dreef hij dit restaurant, en dat deed hij goed. Hij was een zakenman in hart en nieren. Na de moord op Jesse is hij een politieke activist geworden, die demonstraties organiseerde en folders verspreidde. Ik zag hem bijna nooit meer. Het restaurant raakte in de problemen. Het werd een plek waar gediscussieerd werd. Veel klanten kwamen er niet meer, omdat ze bang waren om als radicaal te worden beschouwd. Degenen die niet bang waren, degenen met wie mijn vader samenwerkte, kregen gratis maaltijden in ruil voor hun diensten. Er ontstonden tekorten. Door de politiek kreeg hij ook problemen met de politie: ze hebben het restaurant bijna gesloten. Ze hebben inspecteurs gestuurd die zeiden dat de keuken vies was, maar dat was een leugen, want dat schoonmaken deed ik toen zelf.

Leo had de foto goed geïnterpreteerd: Yolande had als meisje tegen wil en dank meegedaan aan de protestdemonstraties en was niet iemand die in de voorhoede had gestaan. Haar hart ging hiernaar uit, naar de zaak, en niet naar de politiek. En ze had zich ook boos gemaakt. Ze zag dit restaurant als haar erfdeel: zíj had hier schoongemaakt, zíj had geleerd het te beheren, terwijl anderen haar bedreigden. Haar woede was voornamelijk gericht tegen de onrechtvaardige inspecteurs, maar ook op haar vader was ze boos geweest.

— *Uiteindelijk ging de gezondheid van mijn vader verder achteruit, en toen heb ik het restaurant overgenomen. Ik heb alles veranderd behalve de naam en er weer een goedlopende zaak van gemaakt. Geen politiek. Geen wereldverbeteraars. Geen gratis maaltijden.*

Terwijl Nara vertaalde, kwam William erbij zitten. Hij zei:

— *Mijn vader zei altijd dat je het beste politiek actief kon zijn door een zaak goed te runnen, belasting te betalen en ervoor te zorgen dat je zelf deel gaat uitmaken van de elite.*

Yolande haalde haar schouders op.

— *Jesse betaalde veel belasting, soms in één jaar meer dan ik in mijn hele leven heb betaald. En daar heeft hij niet veel voor teruggekregen. Ze haten hem nog steeds.*

Ze opende een lade, haalde er een pakje sigaretten en een glazen asbak in de vorm van een blad uit. Uit haar aarzeling viel op te maken dat ze eigenlijk met roken wilde stoppen. Leo vroeg:

— *Wie heeft hem vermoord?*

Yolande stak de sigaret op.

— *Doet dat er voor u toe? Dat u weet wie ervoor verantwoordelijk was? Of gaat het om de gedachte erachter?*

Leo keek Nara aan om te weten of hij haar vraag goed had begrepen. Hij hoefde er niet erg lang over na te denken.

— *Ik ben alleen geïnteresseerd in individuen. Ik voer geen strijd tegen een systeem.*

Yolande inhaleerde.

— *We weten niet zeker wie Jesse heeft vermoord. Mijn vader dacht dat het de* FBI *was. Ik heb hem daarin nooit tegengesproken, maar het leek mij niet het geval. De* FBI *had Jesse al op de knieën. Ze hadden hem alles afgenomen wat hij had, zijn loopbaan en zijn geld, en ze hadden zijn naam door het slijk gehaald. Het had geen zin om hem te vermoorden. Misschien hebben ze hem zo gehaat dat ze geen reden nodig hadden om het te doen, maar als zakenvrouw kan ik dat idee maar moeilijk accepteren.*

Een serveerster kwam binnen met koffie en schonk voor elk een kopje in, zodat Nara de tijd had voor haar vertaling. Leo pakte zijn aantekeningen erbij, die hij had overgeschreven uit Elena's dagboek. Hij zei tegen Nara:

— *Op de dag dat Jesse Austin vermoord werd, is mijn dochter naar Harlem gegaan om hem te spreken en hem ervan te overtuigen dat hij de demonstranten voor het gebouw van de Verenigde Naties moest toespreken. Ze heeft toen een* FBI*-agent uit Austins appartement zien komen. Ze refereert in haar dagboek aan hem als Agent 6. Vraag eens of zij enig idee heeft wie dat zou kunnen zijn?*

Yolande bedankte de serveerster toen ze wegging.

— *Een* FBI*-agent in Jesses appartement? Er liep hier destijds een man rond. Ik kan me niet meer herinneren hoe hij heette. Anna – Austins vrouw – had het met mijn vader weleens over hem. Ze was een vrouw die vol liefde was, die maar zelden iets negatiefs over iemand zei, maar zij haatte die agent meer dan wie ook.*

Yolande krabde aan haar hoofd, maar kon zich de naam niet meer herinneren. Ze nam een slok koffie en keek gepijnigd omdat ze niet op de naam kon komen. Ze bleven stil zitten. Leo wachtte en keek naar haar.

Haar sigaret lag nog op de asbak te branden, maar toch stak Yolande een nieuwe op, zoog de rook op en blies die omhoog.

— *Het spijt me. Ik weet het niet meer.*

Ze loog. Leo had haar gelaatsuitdrukking zien veranderen. Ze had geprobeerd het moment waarop het haar te binnen was geschoten te verbergen door die sigaret op te steken. Het was de herinnering geweest aan de prijs die haar vader had betaald voor zijn betrokkenheid. Samen met de herinnering aan de naam van Agent 6 was bij haar de herinnering bovengekomen wat voor soort man hij was. Leo dacht weer aan Elena's beschrijving van Agent 6:

Hij maakt me bang.

Yolande was bang.
Leo zei tegen Nara:
— *Zeg tegen Yolande dat ik begrijp waarom ze er niet bij betrokken wil raken. Zeg dat ik haar beloof dat ik haar naam nooit zal onthullen. En zeg ook tegen haar dat ik te weten zal komen wat er die avond is gebeurd, met of zonder haar hulp.*

Terwijl ze naar de vertaling luisterde, boog Yolande zich voorover, dicht naar Leo toe.

— *Wie Jesse heeft vermoord is een geheim dat al heel lang geleden is weggestopt. Er zijn niet zoveel mensen die de waarheid aan het licht willen brengen. Zelfs in deze buurt niet. De tijden zijn veranderd. Het leven gaat door.*

Ze keek in Leo's ogen.

— *Ik zie dezelfde vastberadenheid die ik vroeger bij mijn vader zag. En mijn vader zou het me nooit vergeven als ik u niet zou helpen.*

Ze zuchtte.

— *Agent 6 was vrijwel zeker een man die Yates heette, agent Jim Yates.*

New Jersey

De volgende dag

Tijdens de busreis vanuit New York bleef Nara de meeste tijd stilletjes uit het raam kijken. Ze was zich bewust van de vergaande implicaties van het onderzoek en raakte er steeds meer van overtuigd dat het een ernstige bedreiging van hun asielstatus inhield. Ze betwijfelde steeds meer of het wel verstandig was om te proberen zo'n controversiële zaak aan de orde te stellen als hun leven afhing van de welwillendheid van de Amerikaanse overheid. Wat ze deden was opzettelijk provocerend, wat onverstandig was op een moment dat ze de aandacht niet op zichzelf moesten vestigen. Wat verwachtte Leo na zestien jaar nog te bereiken? Er zou geen proces komen, er zou niemand worden gearresteerd en de naam van zijn vrouw zou niet worden gezuiverd – de geschiedenis zou niet worden herschreven. Ze had deze gedachten niet uitgesproken en had niet geprobeerd Leo van zijn besluit af te brengen, maar hij voelde wel dat ze haar twijfels had. Aan de andere kant keerde ze zich misschien niet openlijk tegen zijn plannen omdat ze wel aanvoelde wat hij dacht – dat de confrontatie met agent Yates onvermijdelijk was.

Na het gesprek in Nelson's Restaurant had Yolande Leo en Nara meegenomen naar haar huis, waar ze hen in de gelegenheid had gesteld om een blik te werpen op haar vaders verzameling krantenartikelen uit de tijd van de moord, waarin de gebeurtenissen van die avond en de commentaren op de moorden aan de orde kwamen. Yolande had het knipselboek bewaard alsof het een familiefotoalbum was. In zekere zin was het dat ook, want het bevatte de enige foto's in haar bezit van haar vader tijdens zijn jaren als activist. De meeste artikelen had Leo al in de Public Library gelezen, maar er waren er ook een paar bij uit plaatselijke kranten en teksten van folders van protestdemonstraties die hij niet eerder had gezien. Daarbij was er een die verwees naar FBI-agent Yates. Yolande was van mening dat het feit dat de figuur Yates grotendeels afwezig was in de verslagen van de belangrijkste media een doorslaggevend bewijs was dat hij er op de een of andere manier wel degelijk bij betrokken was – het was gewoon niet logisch dat zo'n vooraanstaande politieman, iemand die nota bene Jesse Austin had bezocht op de dag van zijn moord, in de verslaggeving geen prominentere plaats innam. Het enige artikel waarin Yates genoemd werd, was Nelson twee maanden na de moord toegestuurd door een collega-activist in New Jersey. Het was een artikeltje in een plaatselijke krant, waarin gemeld werd dat Jim Yates, die in Teaneck woonde, vervroegd gepensioneerd was bij de FBI vanwege de slechte gezondheid van zijn vrouw, omdat hij meer tijd voor haar wilde hebben. Er stond een foto bij. De krant bracht het bericht alsof de man een held was. Nelson had in de kantlijn van het artikel de volgende vraag genoteerd:

Wat was de werkelijke reden van zijn pensionering?

Leo begreep uit de commentaren en de overal in de kantlijn neergekrabbelde opmerkingen dat het Nelson minder te doen was geweest om het individu dat ervoor verantwoordelijk was dan om het systeem waar hij of zij deel van uitmaakte. Wat hij wilde, was proberen bredere maatschappelijke veranderingen te bewerkstelligen – hij was een dromer geweest, net als Elena en Jesse Austin. Het was al lang geleden dat Leo zijn ideologische ambities had opgegeven: die hadden hem aan de rand van de afgrond gebracht, zoals ze bij Nelson bijna hadden geleid tot het faillissement van zijn zaak. Dromen van een betere wereld was niet zonder gevaar.

Toen de bus Teaneck naderde, keek Nara Leo vastberaden aan. Ze was blijkbaar zenuwachtig, want ze haalde diep adem voordat ze in het Dari zei:

— *Je gaat ons verlaten, hè? Lieg niet tegen me. Vertel me de waarheid. Je blijft niet in de Verenigde Staten, hè? Er is iets veranderd.*

Leo had spijt dat hij haar niet eerder in vertrouwen had genomen. Ze was geen naïeve jonge stagiaire meer. Ze wilde betrokken worden bij zijn plannen en had het volste recht de waarheid te horen.

— *De Russen weten dat we naar de Verenigde Staten zijn overge-*
lopen, of ze vermoeden het in elk geval. Mijn dochters worden lastigge-
vallen. Op dit moment zijn de maatregelen die tegen hen genomen
worden nog maar waarschuwingen. Maar als ik mezelf niet aangeef,
zullen ze worden gearresteerd. De enige manier waarop ik hen kan be-
schermen, is door dat te doen.

— *Wie heeft je dat verteld?*

— *Marcus Greene.*

Nara keek in haar handpalmen, alsof het antwoord daarin te lezen zou zijn.

— *Dus je wilt teruggaan?*

— *Wat moet ik anders?*

— *Je bereikt niets door terug te gaan naar de Sovjet-Unie.*

— *Mijn land is anders dan het vroeger was. Ze hebben er geen be-*
lang bij om mijn dochters schade te berokkenen. Ze zijn alleen maar
wraakzuchtig als dat een doel dient. Als ik terugga, zullen mijn doch-
ters geen negatieve gevolgen ondervinden, denk ik. Ik weet alleen niet
zeker of...

— *Je zult als verrader beschouwd worden.*

— *Ik ben een verrader.*

— *Zullen ze je executeren?*

— *Ik werk voor de Amerikanen. Ik speel informatie aan hen door*
die zal leiden tot de dood van Russische soldaten.

— *Die soldaten sterven omdat ze naar Afghanistan zijn gestuurd,*
niet door jouw schuld.

— *Dat doet er niet toe. Ik zal als verrader gezien worden. Punt.*

— *Vind jij je leven dan zo zinloos?*

Leo dacht even na over de vraag.

— *Ik zie mijn leven alleen in relatie tot de mensen van wie ik hou.*

— *Je houdt van ons?*

— *Natuurlijk.*

— *Maar je gaat ons verlaten?*

— *Nara, ik heb geen keus.*

Nara moest moeite doen om haar emoties in toom te houden. Ze
was moeder, en dat betekende dat ze de verantwoordelijkheid had
om de situatie koel en logisch te beoordelen.

— *Hou er rekening mee dat je, als je agent Yates vindt, dit land zult*
moeten verlaten. Voor ons ligt dat anders. Wij hebben hier nog een le-
ven op te bouwen. Jouw acties kunnen voor ons gevolgen hebben.

— *Ik zal nooit toestaan dat jou of Zabi iets overkomt, net zomin als ik ooit zal toestaan dat Zoya of Elena iets overkomt.*

— *Jacht maken op Yates zal je dochters niet helpen.*

— *Dat is waar.*

— *Waarom doe je het dan?*

— *Ik doe het niet voor hen.*

— *Je doet het voor je vrouw?*

— *Ja.*

— *Ik geloof je niet. Zij is dood, Leo.*

— *Ik heb het haar beloofd. Ik kan het verder niet uitleggen.*

Nara schudde haar hoofd.

— *Je doet dit niet voor haar. Je doet het voor jezelf. Jouw leven heeft niet alleen te maken met de mensen van wie je houdt. Ook de mensen die je haat doen ertoe.*

Leo werd boos.

— *Ja, je hebt gelijk. Als degene van wie je meer houdt dan van wie ook wordt vermoord, dan ontstaat er haat. Ik hoop dat jij dat nooit zult hoeven meemaken.*

Nara keek uit het raam. Ze was boos. Leo was ook boos. Ondernam hij die zoektocht naar de moordenaar van zijn vrouw uit zelfzucht, haat en verbittering? Het voelde niet zo aan, al zou hij niet kunnen zeggen wie er nog meer iets zou hebben aan datgene wat hij wilde. Het onderzoek was van levensbelang; het leek alsof hij geen andere keuze had. Hij wendde zich af van Nara, en beiden bleven stil zitten totdat de bus in Teaneck op hun plaats van bestemming aankwam.

New Jersey
Teaneck
Bergen County
Cedar Lane

Dezelfde dag

Leo bleef buiten – te midden van talloze gekrulde rode en gele herfstbladeren op de grond – terwijl Nara de hoofdstraat afging en de winkeliers antwoorden probeerde te ontlokken met een listigheid en een elegantie die haar tot een uitstekend geheim agent zouden hebben gemaakt. Leo vroeg zich af wat ze uiteindelijk voor beroep zou kiezen. Hij kon zich voorstellen dat ze als lerares zeer inspirerend zou kunnen zijn, net als zijn vrouw dat was geweest. En nu hij aan haar toekomst dacht en zich realiseerde dat hij daar geen deel aan zou hebben, had hij tot zijn verbazing ineens de neiging om te gaan huilen.

Nara kwam uit een supermarkt naar buiten en liep op Leo af. Hij vermande zich en vroeg:

— *En, iets te weten gekomen?*

— *Yates woont hier nog. Zijn vrouw is een paar jaar geleden overleden.*

— *Hebben ze je zijn adres gegeven?*

Ze aarzelde.

— *Leo, ik wil het nog één keer zeggen. Wees niet boos. Het zou geen schande zijn als je dit verder liet rusten.*

— *Nara, er is geen dag voorbijgegaan dat ik niet heb gedacht aan wat er met Raisa is gebeurd. Ik heb geen rust en ik zal geen rust hebben totdat ik de waarheid weet. Ik word er zo moe van, Nara, ik denk er al zo lang aan. Wat jij zegt, is juist wat ik wil: het laten rusten. Ik wil kunnen slapen zonder badend in het zweet wakker te worden en me af te vragen wat er gebeurd is. Ik wil dat daar een einde aan komt.*

— *Wat ga je doen als je oog in oog met hem staat?*

452

— *Ik weet niet wat hij gaat zeggen, dus ik kan niet voorspellen wat ik zal doen.*

Nara werd steeds bezorgder. Leo glimlachte en pakte haar hand.

— *Je doet alsof ik in ethisch opzicht een grens ga overschrijden waarna geen terugkeer meer mogelijk is. Maar je moet niet vergeten dat dit voor mij vroeger routine was. Ik heb veel onschuldige mannen en vrouwen gearresteerd. Ik joeg voor de staat op mensen, op goede mensen, ik klopte bij mensen aan zonder dat ik iets van ze wist, behalve dat hun naam op een lijst stond.*

— *Zou je dat nog steeds kunnen doen?*

— *Nee, maar ik nu ben ik op jacht naar degene die verantwoordelijk is voor de dood van mijn vrouw.*

Leo zweeg even en vroeg zich af of Nara hier verder geen rol in wilde spelen.

— *Hebben ze je zijn adres gegeven?*

Ze keek naar de hemel.

— *Ja, ze hebben me zijn adres gegeven.*

De voortuin was overwoekerd met kniehoog onkruid en dicht struikgewas en was daardoor een lapje grond dat volkomen misplaatst leek in een straat waar alle andere tuinen er onberispelijk netjes en goed verzorgd bij lagen. Leo liep via het overwoekerd pad, waar het onkruid langs zijn schenen streek, met Nara naar de voordeur. Er stond geen auto op de oprit. Hij klopte aan en keek door het raam naar binnen. Er brandde geen licht. Hij probeerde de deur. Die was op slot. Met een snelle beweging haalde hij een ijzerdraadje en een paperclip uit zijn zak. Nara keek hem zwijgend en vol ongeloof aan. Het leek niet tot haar doorgedrongen te zijn dat Leo bij de geheime dienst had gewerkt en bij talloze verdachten had ingebroken. Binnen een paar seconden had Leo de deur open. Hij stopte zijn gereedschap weer in zijn zak en ging naar binnen, één tel later gevolgd door Nara, die de deur achter zich dichttrok.

Yates woonde in een grote eengezinswoning met twee verdiepingen en met een kelder en een achtertuin, zoals je er in de voorsteden zoveel ziet. De atmosfeer hier was echter niet vertrouwd en geruststellend, maar verontrustend. Alles ademde een sfeer van verval en verwaarlozing, van de woestenij van de voortuin tot het karakterloze comfort binnen. Het huis was in neutrale kleuren geschilderd; er stond veel namaakantiek en een glazen kast met porseleinen snuisterijen. Op de grond lagen pluchen tapijten, dikker dan Leo ooit had gezien; ze deden hem denken aan de vacht van een of ander pooldier. De bedoeling was dat ze overeen zouden stemmen met de kleur van het behang, maar dat was in de loop der jaren verbleekt door het zonlicht. Het was een eengezinshuis, maar je kon niet zien dat er ooit een gezin had gewoond: er waren geen foto's, op één enkele na, een trouwfoto van een knappe man en een mooie vrouw. Er lag een dikke laag stof op.

Terwijl ze rondkeken steeg er met elke stap die ze zetten een dikke stofwolk op, die even later neerdaalde op de neuzen van hun schoenen. Alleen de keuken leek recent nog gebruikt te zijn. De voegen tussen de tegels waren zwart van het vuil. De afwas, bestaande uit vuile borden en koffiekopjes, stond hoog opgestapeld in de gootsteen. Leo keek in de koelkast. Er stonden pakken melk. In de vriezer lag een stapel kant-en-klaarmaaltijden – hij telde er zeven.

Leo zag aan Nara dat haar nieuwsgierigheid gewekt was: ze wilde verder met het onderzoek, maar was er ook bang voor. Het was de tweede keer dat ze samen het huis van een verdachte doorzochten. Leo zei:

— *Ik denk niet dat agent Yates een man is om een dagboek bij te houden.*

— *Wat voor een man is hij dan?*

Weer schoten hem Elena's woorden in haar dagboek hem te binnen:

Hij maakt me bang.

Ze zou niet minder bang zijn geworden bij de aanblik van zijn huis. Toen ze moesten kiezen of ze boven of beneden hun zoektocht zouden voortzetten, koos Leo ervoor om naar de kelder te gaan, omdat hij dacht dat Yates de duisternis daar aantrekkelijker zou hebben gevonden.

Zonder oog voor hoe het eruit zou zien waren er op de traptreden stukken tapijt gespijkerd, waardoor je je afvroeg waarom iemand daar dan die moeite voor had genomen. Het antwoord was af te lezen aan het plafond, dat overdekt was met zwarte geluiddichte schuimplaten, terwijl de betonnen vloer bedekt was met een ratjetoe van stukken tapijt, waarschijnlijk restjes van de vloerbedekking boven. Esthetiek en comfort waren hier niet in het geding, het ging er hier om alle geluiden te dempen; hier was een ruimte geschapen waar het stil was, een cocon waarin de buitenwereld niet kon doordringen. Tegenover een groot televisietoestel op een kleine bijzettafel stond een oude stoel. Ook stond er een koelkast, en deze was gevuld met flesjes bier, keurig in het gelid, de labels naar voren. Er lag een stapel oude kranten, waarin de kruiswoordraadsels waren ingevuld. Leo keek wat er in de zelfgemaakte boekenkast stond: biografieën van sporthelden, naslagwerken, een puzzelwoordenboek. Er lagen tijdschriften over hengelsport, en pornobladen. De ruimte deed denken aan een tienerkamer in een vervallen, ogenschijnlijk keurige eengezinswoning.

Door het tapijt op de trap en het geluiddichte plafond had Leo noch Nara Yates horen aankomen. Pas toen Leo zich naar haar omdraaide, zag hij de man boven aan de geluiddicht gemaakte trap staan.

Dezelfde dag

Yates was ooit een knappe man geweest, bedacht Leo, terugdenkend aan de trouwfoto, waar hij met een dikke donkere haarbos en
in een goed gesneden pak op stond. Maar inmiddels was hij dat niet
meer. Hij had dikke wallen onder zijn wat gelige ogen, en als om het
uitzakken van zijn gelaatstrekken te compenseren had hij een smalle mond met lippen zo dun als een waslijn. Net als toen hij nog jong
was, had hij zijn haar ingesmeerd met gel om het in vorm te houden; alleen was dat haar nu grijs en had het feit dat hij er kennelijk
nog als een jonge man uit wilde zien iets stuitends. Het pak dat hij
droeg was misschien ooit modieus geweest, maar het was nu gedateerd en versleten, en de stof slobberde om zijn ledematen. Hij was
afgevallen. Gezien de inhoud van de koelkast dacht Leo dat hij zo
ongezond was als gevolg van zijn drankgebruik. De sluipende gebreken van de ouderdom hadden zijn uitstraling echter op geen enkele wijze milder gemaakt, en zijn lichamelijke achteruitgang had
niets afgedaan aan de agressieve indruk die hij maakte. Wat hij ook
had misdaan, welke rol hij ook had gespeeld bij de gebeurtenissen
op de bewuste avond, hier stond een man die nergens spijt van had
en die hem aanstaarde met brutaal zelfvertrouwen en zonder een
zweem van wroeging. Ze hadden hem weten te vinden, ze hadden
in zijn huis ingebroken, maar hij nam het woord en gedroeg zich als
de man die het voor het zeggen had. Zelfvoldaan constateerde hij
dat ze hem niet verrast hadden.

— *Ik verwachtte jullie al.*

Terwijl hij probeerde zichzelf te kalmeren, zei Leo in het Dari tegen Nara:

— *Weet hij dan wie we zijn?*

Ze had geen tijd om het te vertalen, maar Yates had het blijkbaar al geraden en zei:

— *U bent Leo Demidov.*

Leo had bij de KGB vele briljante, meedogenloze agenten gekend, mensen die in een oogwenk konden beoordelen hoe zwak iemand was, en dan gelijk ook wisten hoe ze die zwakheid konden uitbuiten, niet gehinderd door scrupules of ethische bedenkingen. Juist die absolute zekerheid was zo waardevol voor organisaties als een geheime dienst, waar de neiging tot twijfelen nooit als een kwaliteit was beschouwd. Yates was ook zo'n man. Elena had gelijk gehad om bang voor hem te zijn.

Leo vroeg aan Nara:

— *Hoe wist hij dat we in de Verenigde Staten waren?*

Yates kwam op zijn gemak de trap af, deed de koelkast open en haalde er een biertje uit, terwijl hij met zijn rug naar hen toe zei:

— *Welke taal is dat?*

Nara antwoordde met een lichte trilling in haar stem, waaruit Leo concludeerde dat ook zij, net als Elena, bang voor hem was:

— *Het is Dari.*

— *Is dat de taal die ze in Afghanistan spreken?*

— *Een van de vele.*

— *Misschien is het daarom in uw land zo'n puinhoop. Een land hoort één taal te hebben. Dat is een probleem waar we hier ook last van hebben: er zijn te veel mensen binnengekomen die andere talen spreken, en die mensen zorgen voor verwarring. Eén land, één taal – je staat versteld als je merkt hoe boos de mensen worden als je dat oppert. Mij lijkt dat nogal logisch.*

Yates wipte de dop van het bierflesje en liet dat op de vloer vallen, waar het in stilte terechtkwam op het rommelige, dikke tapijt. Hij nam een slok en likte het schuim van zijn lippen terwijl hij luisterde naar Nara's vertaling van Leo's vragen: hoe of hij wist wie ze waren en hoe hij wist dat ze in de Verenigde Staten waren. Hij wekte de indruk dat hij er plezier in had om voor het eerst sinds jaren weer eens in het middelpunt van de aandacht te staan en belangrijk gevonden te worden.

— *Hoe wist ik dat je zou komen? De FBI liet me weten dat er aan jou asiel was verleend, de man van Raisa Demidova.*

Het kwetste Leo dat hij de naam van zijn vrouw verkeerd uitsprak. Achter de ogenschijnlijke onwetendheid van de man ging zo goed als zeker de bedoeling om te beledigen schuil. Yates toonde hoe opmerkzaam hij was door de naam nog eens te herhalen en zo zout in de wonde te strooien:

— *Raisa Demidova was uw vrouw, heb ik gelijk of niet?*

Leo antwoordde in het Engels:

— *Raisa Demidova was mijn vrouw.*

Leo had zijn toon en gelaatsuitdrukking niet onder controle gehad, bedacht hij. Hij had zijn gevoelens getoond.

Yates nam nog een flinke slok bier, waarbij zijn dunne lippen zich om de hals van het flesje sloten en hij een slurpend geluid maakte – de blik onafgebroken op Leo gericht. Toen Yates ten slotte het flesje liet zakken, zei hij op een toon vol minachting:

— *Het leek de FBI niet waarschijnlijk dat je zou proberen mij te vinden. Dat zeiden ze. En ik? Ik wist dat je zou komen. Ik dacht niet dat je per ongeluk in de Verenigde Staten was beland. Ze wilden me wijsmaken dat er geen bedoeling achter zat, dat het puur toeval was, een speling van het lot die je naar het land had gevoerd waar je vrouw is overleden.*

Yates schudde langzaam zijn hoofd.

— *Agenten zijn tegenwoordig zo ontzettend stom dat ik er wel om kan janken. Softies zijn het. Ze krijgen les in etiquette, ze leren hoe ze met vier verschillende soorten messen en vorken moeten eten. Ze halen hoge cijfers en lopen marathons, maar van het echte leven weten ze niks. Gewapende studenten zijn het. Ze hebben mij ontslagen, wist je dat?*

Hij wachtte totdat Nara het zou hebben vertaald, want hij wilde zien hoe Leo zou reageren. Leo knikte.

— *Al een paar maanden na de moord op mijn vrouw ging u met pensioen.*

— *Ik was een van de beste agenten die ooit bij de FBI hebben gewerkt. In mijn tijd werkten daar individualisten, mensen die een klus klaarden met alle middelen die daarvoor nodig waren, zonder dat daar vragen over werden gesteld. Wij kregen de ruimte om te doen wat we wilden, om beslissingen te nemen. We werden beoordeeld op resultaten, niet op procedures. We hadden geen restricties of regels. We deden wat we moesten doen. Die tijden zijn voorbij. De FBI is veranderd. Ze willen mensen die doen wat hun gezegd wordt, die op een bepaalde manier denken, meelopers zonder eigen initiatief en zonder lef, en voor el-*

ke beslissing heb je vier handtekeningen nodig.

Weemoedig keek hij voor zich uit; kennelijk was hij vergeten dat hij gasten had. En toen ineens keek hij Leo weer aan.

— *Je riskeert veel door hier te komen. Met één telefoontje kan ik ervoor zorgen dat je het land uit wordt getrapt.*

Nara vertaalde het en keek Leo aan met een blik waarin ze hem smeekte om weg te gaan. Yates had onmiddellijk in de gaten hoe de rollen tussen hen tweeën waren verdeeld en voegde er haastig aan toe:

— *Begrijp me niet verkeerd. Dat zal ik niet doen. Ik krijg niet vaak bezoek, en zeker niet van mensen met wie ik over interessante onderwerpen kan praten.*

Hij was eenzaam. Hij was ijdel. En hij was trots. Als een professionele ondervrager overdacht Leo deze eigenschappen en evalueerde hij wat de kansen waren dat de man opening van zaken zou geven en welke druk daar misschien voor nodig zou zijn. Deze combinatie van ondeugden was veelbelovend. Yates had jarenlang gezwegen. Hij was verbitterd. Dat datgene wat er werkelijk was gebeurd niet in de annalen terecht was gekomen, hinderde hem net zozeer als dat het Leo dwarszat. Hij wilde zijn verhaal vertellen. Hij wilde praten. Leo hoefde hem alleen maar te vleien.

Yates liet zich ontspannen in zijn luie stoel zakken, alsof hij naar een sportwedstrijd op tv ging kijken.

— *Ze zeiden dat je bent overgelopen? Dat lijkt me niet abnormaal voor een communist. In mijn ervaring verraden communisten doorgaans uiteindelijk allemaal hun land. Die rooien kunnen niet al te lang loyaal blijven. Loyaliteit is een deugd die ik waardeer. Ik ben ervan overtuigd dat de burgers van de Verenigde Staten de meest loyale ter wereld zijn, en dat is een van de redenen dat we de Koude Oorlog gaan winnen. Neem mij, bijvoorbeeld. Ik heb tot aan de dag dat ze stierf voor mijn vrouw gezorgd, terwijl ze allang niet meer van mij hield. Het maakte me niet uit dat ze niet meer van me hield. Het maakte me ook niet uit dat ik niet van haar hield. Ik heb haar nooit verlaten. Ik wist precies wat ze nodig had. Ik heb dit huis voor haar ontworpen zodat ze hier alles had wat ze nodig had. Sommige mensen zullen het misschien moeilijk kunnen geloven, maar ik wist ook precies wat mijn land nodig had — het had kracht nodig om zich tegen zijn vijanden te beschermen. Ik heb het die kracht gegeven. Ik heb nooit compromissen gesloten. Ik heb mezelf nooit ontzien. Ik heb gedaan wat nodig was, en als het moest, zou ik dat weer doen.*

Terwijl Leo naar Nara's vertaling luisterde, onderbrak Yates haar:

— *Ben je hier gekomen om me doden?*

Leo had hem verstaan. Voordat hij kon antwoorden, begon Yates te lachen en zei:

— *Maak van je hart geen moordkuil!*

Leo reageerde met een zin die hij had ingestudeerd.

— *Ik wil erachter komen wie mijn vrouw heeft vermoord.*

— *En die wil je doden? Ik zie het in je blik. Jij en ik lijken wel een beetje op elkaar – wij doen allebei wat nodig is.*

Yates liet zijn hand in zijn zak glijden, haalde een kleine revolver tevoorschijn en legde die op de armleuning van zijn stoel. Hij bestudeerde Leo's reactie zorgvuldig en sprak toen verder alsof het wapen er niet lag.

— *Je bent van ver gekomen, dus zal ik zo behulpzaam zijn als ik kan. Wie heeft je vrouw vermoord? Wie heeft die mooie Russische vrouw van je vermoord? Want ze was mooi, nietwaar? Een schoonheid. Geen wonder dat het je pijn doet dat je haar kwijt bent. Ik durf te wedden dat je niet kon geloven wat een geluk je had dat je met zo'n knappe vrouw trouwde. Ik snap alleen niet dat ze voor de klas stond. Lijkt mij zonde van zo'n vrouw. Ze zou in Amerika echt carrière hebben kunnen maken als model of als actrice – haar gezicht zou in alle bladen hebben gestaan.*

Leo zei:

— *Wie heeft haar doodgeschoten?*

Yates liet het laatste restje bier rondgaan in zijn glas, alsof hij een toverdrank aan het bereiden was.

— *Ik was het niet.*

Leo had in zijn loopbaan duizenden ontkenningen gehoord. Tot zijn teleurstelling was hij ervan overtuigd dat Yates de waarheid sprak.

Dezelfde dag

Yates stak drie vingers op.

— Er zijn die avond drie mensen gedood: Jesse Austin, Anna Austin en jouw vrouw. Nogal wat negers denken dat ik degene was die de trekker overhaalde bij de oude Jesse. Ze denken dat ik een duivel ben en dat ik degene was die hem doodschoot, ook al stond ik aan de overkant van de straat toen Austin werd gedood. Ik stond daar met mijn handen in mijn zakken, omringd door getuigen, echte getuigen, dus niet van het soort dat op promotie of op strafvermindering uit is. Ik heb in de loop der jaren honderden doodsbedreigingen gekregen.

Yates gebaarde naar de boekenkasten, en Leo draaide zich om in de veronderstelling dat daar een bundeltje van dat soort brieven zou liggen. Maar er lag niets, er was geen enkel bewijs dat Yates ooit met de dood bedreigd was. Yates vervolgde zonder er verder nog iets over te zeggen.

— Negers klagen over lynchen, maar waar ze echt over klagen is dat ze de kans niet krijgen om hetzelfde met blanken te doen. Voor de meesten van hen houdt gelijkheid dat in: het recht om ons op hun beurt te lynchen. Lynchen voor iedereen, welke huidskleur je ook hebt.

Yates lachte terwijl Nara vertaalde. Hij leek zijn eigen grapje erg leuk te vinden, alsof het een grote wijsheid was. Hij wachtte niet totdat ze klaar was, want hij wilde maar al te graag doorgaan met zijn verhaal.

— De waarheid is dat het idee om Austin te doden nog nooit bij me was opgekomen. Het is ook nooit voorgesteld door de FBI, dat zweer ik. We hebben het daar nooit over gehad, zelfs niet toen die ouwe gek aan

461

iedereen vertelde dat hij liever voor de communisten zou vechten dan voor de Verenigde Staten.

Leo had geen belangstelling voor deze retoriek en voor de vele redenen waarom Yates Austin had gehaat. Hij vroeg:

— *Wie heeft hem doodgeschoten?*

— *Dat hebben jullie gedaan. De communisten hebben hem gedood. Jesse Austin is doodgeschoten door een Russische agent.*

Leo knikte en verzuchtte:

— *Ik geloof je.*

Yates liet zijn flesje bier zakken en keek Nara aan terwijl ze Leo's uitspraak vertaalde. Hij had altijd al gedacht dat de dood van Jesse Austin het resultaat was geweest van een Russisch, niet van een Amerikaans complot.

Leo zei in het Dari:

— *Mijn dochter Elena was toen ook mee op reis naar New York. Ze werkte voor een Russische overheidsinstelling. Ze dacht dat het haar taak was om de carrière van Jesse Austin nieuw leven in te blazen. Het is me nu duidelijk dat dit een leugen was. Ze is bedrogen. Ik heb er echter nooit achter kunnen komen waarom mijn land Jesse Austin dood zou willen hebben. Mijn dochter wist daar duidelijk niets van.*

Bij het horen van de vertaling knikte Yates.

— *Elena? Dat meisje zou dat nooit aan jou hebben kunnen uitleggen. Ze wist helemaal nergens van. Het enige wat ze deed toen we haar hadden gearresteerd, was huilen. Ze geloofde oprecht dat ze Jesses carrière nieuw leven had ingeblazen. Het was treurig om te zien hoe stom ze was.*

Toen Leo dit hoorde, voelde hij een enorme woede opkomen. Er was misbruik gemaakt van zijn dochter omdat ze een droomster was, een meisje dat verliefd was. Nu hij hoorde hoe Yates haar bespotte, had hij zo'n zin om hem te doden dat hij even zijn ogen dicht moest doen en zich moest bedwingen, zodat Yates zonder onderbreking door kon gaan met zijn verhaal.

— *Ze hadden iemand als zij nodig om Austin te dwingen in het openbaar op te treden. Hij was bijna een kluizenaar geworden, die nooit de deur uit ging. Toen dook ineens dat meisje op met ideeën over het veranderen van de wereld, en toen kon hij geen nee zeggen. Alleen iemand als zij had Jesse Austin daarvan kunnen overtuigen.*

Eindelijk begreep Leo nu dat Elena's naïviteit het niet alleen gemakkelijk had gemaakt haar te manipuleren, maar dat die naïviteit de sleutel was geweest om Austins sceptische houding te veranderen; het was de enige manier geweest om ervoor te zorgen dat hij zich bij het concert zou laten zien.

Yates speelde met het pistool terwijl hij naar de vertaling luisterde. Zodra Nara klaar was, ging hij door.

— *Het verbaast me niet dat je niet hebt kunnen ontdekken wat de moord voor zin had. Je kunt je maar moeilijk een plan voorstellen dat zo gekunsteld in elkaar zit als dat wat zij hadden verzonnen. Het Kremlin had besloten dat Austin niet langer van nut was. Hij was niet op de radio te horen, niemand wist nog wie hij was en niemand kocht zijn platen. Hij kon niet eens in bars optreden, laat staan in concertzalen. Ik had mijn werk goed gedaan. Ik heb ervoor gezorgd dat die oude man niet meer ter zake deed. De Russen hadden hun grootste fan met een kille, analyserende blik bekeken en waren tot de conclusie gekomen dat hij voor hen dood meer waard was dan levend. Jullie regering was gefixeerd op het idee dat de zwarte gemeenschap de meest waarschijnlijke katalysator was voor een revolutie in Amerika. Ik neem aan dat men dacht dat ze, omdat ze vertrapt werden, in opstand zouden komen, hun ketens zouden verbreken en op basis van het socialistische model een nieuwe maatschappij zouden opbouwen. Het enige wat nodig was, was een vonk, en dan zou die hele racistische santenkraam in vlammen opgaan, het kapitalistische landsbestuur zou instorten en de Verenigde Staten zouden rood worden. Dat was het plan.*

Yates grinnikte bij de gedachte.

— *Ik weet niet of ze zo gestoord waren dat ze geloofden dat de oude Austin voor die vonk zou zorgen, maar ze geloofden wel degelijk dat ze door hem te vermoorden de raciale spanningen zouden doen toenemen. Als ze hem doodschoten, zou, hoe dan ook, elke zwarte Amerikaan denken dat de FBI opdracht had gegeven om een neger die geen blad voor zijn mond nam om zeep te helpen. Niemand zou geloven dat het een communistisch complot was, ze zouden allemaal denken dat het een aanslag van de FBI was. Door de moord zou een vergeten zanger opnieuw beroemd worden, beroemder dan hij ooit was geweest, een martelaar voor de negerrevolutie. Het was maar een paar maanden na de moordaanslag op Malcolm X, dus twee moorden op negers in één jaar, dat moest wel verdacht lijken, daar moet ik ze gelijk in geven. Ze hoopten dat iedereen na zijn dood zijn muziek weer zou gaan kopen en naar de opnamen van zijn redevoeringen zou gaan luisteren. Ze dachten dat ze zijn carrière nieuw leven in konden blazen door hem om het leven te brengen.*

Tijdens Nara's vertaling zat Yates bijna voortdurend te glimlachen. Hij genoot van alle ironie en dacht met genoegen terug aan de tijd dat hij macht had gehad over leven en dood.

— *Om te zorgen dat het plan werkte, moesten ze hem ergens in het openbaar laten optreden, met media uit de hele wereld erbij. Daarom hadden ze het plan gekoppeld aan het concert.*

Leo vroeg in het Russisch:

— *Maar de* FBI *zou dan toch gewoon tegen de mensen hebben kunnen zeggen dat het een communistisch complot was.*

Nara worstelde met de vertaling, maar Yates glimlachte en begreep al wat er was gezegd.

— *Hoe meer de* FBI *er tegenover het publiek de nadruk op zou leggen dat het een communistisch complot was, des te meer zouden de mensen geloven dat het een complot van de* FBI *was. Zo werkt dat met samenzweringstheorieën. De officiële versie moet klinken als een leugen, zelfs als het de waarheid is, en hoe harder je de waarheid roept, des te meer geloven de mensen dat het anders is. De communisten konden de* FBI *niet direct de moord in de schoenen schuiven; daarvoor hadden ze de mogelijkheden en de middelen niet. Dat deden ze liever door middel van je dochter, Elena, door het zo te presenteren alsof zij met Jesse Austin naar bed ging. Blanke Amerikanen zouden geloven dat het meisje uit jaloezie een aanslag op hem had gepleegd. Negers niet. Het plan was helemaal gebaseerd op insinuaties en suggesties, en men rekende erop dat de zwarte gemeenschap automatisch elk negatief bericht over de* FBI *zou geloven.*

Yates kwam overeind uit zijn stoel, stak de revolver in zijn zak, liep naar de koelkast en pakte nog een biertje. Hij wipte de dop eraf, die weer op het tapijt terechtkwam. Hij nam een slok en wachtte ongeduldig totdat Nara klaar was. Toen hij de vertaling had aangehoord, vroeg Leo:

— *Hoe ben je daarachter gekomen? Elena kan het je niet hebben verteld, want zij wist dat niet.*

— *Het is me allemaal uitgelegd door een joodse communistische homo die Osip Feinstein heet. Hij was bang om erbij betrokken te raken. Net als alle andere communisten wilde ook hij overlopen. Hij wilde dat ik hem zou redden, alsof hij een belaagde jonkvrouw was.*

— *Hij wilde niet betrokken zijn bij de moord op Jesse Austin?*

— *Misschien hield hij van de muziek van die oude man. Ik weet niet wat de redenering was. Maar hij had gebabbeld en zijn collega's verlinkt.*

— *Is hij voor of na de moord naar je toe gekomen?*

Yates overwoog zichtbaar om te liegen, maar haalde toen zijn schouders op en zei:

— *Wat er gebeurde, was het volgende. Feinstein dreef een reisbureautje in New York dat reizen naar communistische landen in Europa organiseerde voor domme, rijke, rode Amerikanen. Hij deed dat al jaren. Ineens wilde hij praten. Nou, toen ben ik naar hem toe gegaan. Hij vroeg mij om de moord tegen te houden. Hij zei dat ik Jesse Austin kon redden. In ruil daarvoor wilde hij onderduiken en een nieuwe identiteit krijgen, want hij was bang dat de Russen hem zou vermoorden.*

Leo zei:

— *Je hebt niets gedaan?*

Yates knikte.

— *Ik heb niets gedaan, nou ja, bijna niets. Ten eerste wist ik niet of het waar was wat hij zei. Hij was vaker overgelopen dan wie ook in de geschiedenis van de spionage. Je kon hem niet vertrouwen, zelfs niet als vijand. En ten tweede dacht ik: als de communisten iemand uit hun eigen gelederen willen vermoorden, wie ben ik dan om dat tegen te gaan houden? Waarom zou ik de oude Jesse redden, de man die bereid was tegen de Amerikanen te gaan vechten? Ik wilde Jesse Austin niks slechts meer horen zeggen over dit land. Waarom zou ik een communist sparen die Amerika haatte? Waarom zou de FBI het leven van een verrader redden? Uiteindelijk heeft Jesse zelf de verkeerde kant gekozen. En die beslissing heeft hem het leven gekost.*

— *Waarom heeft Feinstein geen contact gezocht met een andere agent toen jij er niet op inging?*

Yates knikte. Dat was inderdaad een punt.

— *Ik heb hem geboeid en in zijn kantoor opgesloten, aan een verwarmingsbuis vastgeketend, zodat hij niet naar iemand anders toe kon stappen. Ik heb niks ondernomen om te voorkomen dat Jesse Austin bij die demonstratie opdook. Zo betrokken was ik. Ik heb niets georganiseerd. Ik heb hem niet vermoord. En ik heb ook jouw vrouw niet vermoord. Het enige waar ik schuldig aan ben, is dat ik de hele zaak op z'n beloop heb gelaten.*

Yates leunde tegen de muur en zei – ineens bedachtzaam – bijna net zozeer tegen zichzelf als tegen Leo:

— *Heb ik gefaald in mijn plichten als FBI-agent? Ik zou zeggen van niet. En ik zal je vertellen waarom niet. Ik wist dat de moord op Austin geen revolutie teweeg zou brengen. Zelfs als iedere neger die daar toen*

465

aanwezig was van mening zou zijn dat president Lyndon Johnson persoonlijk opdracht had gegeven tot de moord op Austin, zou er geen revolutie komen.

Voor de overweging dat hij had kunnen proberen om het leven van Austin te redden omdat hij een Amerikaans staatsburger en een onschuldig man was, was blijkbaar geen plaats.

— *De meeste zwarten geloven in God en gaan naar de kerk. Ze bidden. Ze zingen. Communisten niet. Communisten haten God. Uiteindelijk zouden er nooit voldoende goddeloze zwarten en nooit voldoende Jesse Austins zijn om de rellen uit te laten groeien tot een echte opstand.*

Yates had zo'n beetje gezegd wat hij had willen zeggen, maar Leo had nog geen antwoord op de vraag die hem hier had gebracht.

— *Wie heeft mijn vrouw vermoord?*

Yates' ogen werden groot, alsof hij dit deel van het verhaal vergeten was.

— *Dat weet je al! Nadat Austin werd neergeschoten, hebben we je vrouw en dochter in hechtenis genomen. Er was een samenscholing aan de gang, het was druk op straat, er werd gedemonstreerd. Toen Anna Austin op het bureau kwam, hebben ze er niet aan gedacht haar, de rouwende weduwe, te fouilleren. Ze zei dat ze bewijsmateriaal had en ging zitten. Ik had je vrouw verhoord, en toen wilden een paar Russische diplomaten met haar praten. We liepen samen de verhoorkamer uit en gingen naar de hal. En toen haalde Anna Austin ineens een pistool tevoorschijn. Ze had altijd al een hekel aan me gehad. Ze moet hebben gedacht dat ik haar man had vermoord. Ze vuurde vier schoten op me af voordat een collega van me haar doodschoot. Alle vier schoten waren mis. Ze kwamen in het bureau terecht en in de muren. Eén kogel ging vlak langs me heen. Het is een wonder dat ik nog leef. En één van die kogels heeft per ongeluk jouw vrouw getroffen — hij kwam in haar buik terecht. Dat is alles. Het was een ongeluk, geen opzettelijk misdrijf dat opgelost zou moeten worden. Jij hebt al die jaren gewacht, maar je wist het antwoord allang: de officiële versie is de waarheid. Anna Austin heeft je vrouw vermoord. Ongewild, maar ze heeft het wel gedaan.*

Omdat hij al had bedacht wat Leo zou zeggen, zei Yates:

— *Er zijn veel mensen die het kunnen getuigen, omdat ze het hebben zien gebeuren. Ze hebben Anna de trekker zien overhalen. Ze hebben je vrouw in elkaar zien zakken.*

Leo dacht even na over deze bewering en vroeg toen:

— *Had Anna Austin niet de bedoeling om mijn vrouw dood te schieten?*

Yates kwam dichterbij.

— *Het was haar bedoeling om mij te doden. Maar dat is haar niet gelukt. Ze was een beroerde schutter, waarschijnlijk had ze nooit eerder geschoten. In de nasleep hebben we gelogen over de motieven, niet over de feiten. Jesse Austin was dood. Anna Austin was dood – zij werd gedood door een politieagent. We zaten in de problemen. Twee dode negers in één nacht, van wie één nota bene op een politiebureau. We moesten wel liegen. Anders zou heel Harlem in de fik zijn gegaan. We hadden geen andere keuze. We moesten een verhaal verzinnen om het publiek in verwarring te brengen, zodat ze, zelfs als ze ons niet zouden geloven, niet in staat zouden zijn om het erover eens te zijn wat dan wel de waarheid was. We moesten de zaak kortsluiten. Mensen die veel meer te vertellen hadden dan ik hebben toen besloten dat het verhaal dat Austin een minnares had effectief zou zijn. We hebben het nieuws verspreid dat jouw vrouw een relatie had met Austin en dat ze hem uit jaloezie had doodgeschoten. Anna is naar het politiebureau gekomen en heeft uit wraak gehandeld. Dat viel te rijmen met de feiten. Er bestonden foto's van je vrouw op de plek waar de moord had plaatsgevonden. We hebben een paar foto's bewerkt, zodat we ook plaatjes hadden van je vrouw bij Austin thuis, gewoon door Elena eruit weg te knippen en haar te vervangen door afbeeldingen van Raisa. Dat was haastwerk, die foto's. Kijk er maar eens goed naar, de verhoudingen kloppen niet. Osip Feinsteins zaak is afgebrand, met hem erin, dat is de straf van de Russen als je hen verraadt. Er zijn nog wat relletjes geweest, er waren demonstraties voor burgerrechten, maar dat bleef allemaal binnen de perken, en er was zeker geen revolutie. Uiteindelijk geloofde de meerderheid van de mensen dat de moorden het gevolg waren van een tragische liefdesgeschiedenis. Alleen de negers twijfelden daaraan, maar zelfs onder hen kon het de meesten niet schelen. Het is allemaal zo goed op zijn pootjes terechtgekomen dat ik niet kon geloven dat de FBI wilde dat ik ermee ophield. Ze zeiden dat ik iets had moeten doen om de moord op Jesse Austin te voorkomen.*

Yates schudde zijn hoofd. Het was duidelijk dat niet de moord hem dwarszat of de dood van die drie mensen, maar het feit dat hij zijn baan was kwijtgeraakt. Hij was een schoft die ervan overtuigd was dat hij een held was.

Toen Nara klaar was met de vertaling, waarschuwde Yates hen:
— *Er is voor jullie niets aan te doen. Het is een geschiedenis waar niemand iets om geeft. Niemand zal jullie geloven. Geen krant zal het publiceren. Er zijn geen bewijzen. Als jullie problemen veroorzaken, zal de regering jullie allebei het land uit zetten. Ik heb niets anders te zeggen. Als je had gedacht dat ik mijn verontschuldiging zou aanbieden, heb je je tijd verspild. De kwestie heeft me mijn baan gekost, en dat was een baan waar ik van hield en waar ik goed in was, dus ik heb ook leergeld betaald. We zijn uitgepraat. En als jullie nou niet als de sodemieter mijn huis uit gaan, is één telefoontje genoeg om jullie allebei terug te sturen naar die hel in Afghanistan.*

Leo pakte een van de biografieën die op tafel lagen. Toen Yates opstond en binnen zijn bereik kwam, haalde hij ermee uit en trof hij hem op zijn kaak. De voormalige agent viel op de grond. Met een snelle beweging haalde Leo het pistool uit zijn zak, knielde neer, drukte het op Yates' borst en zei in het Russisch:
— *Ik heb wel ergere dingen gedaan dan een man als jij doden.*

Leo keek op naar de doodsbange Nara en zei in het Dari:
— *Vertaal dat voor mij.*
— *Leo!*
— *Vertaal het!*

Hij keek Yates weer aan.
— *Mijn vrouw overleed niet meteen. Het heeft twintig minuten geduurd. Ze is door bloedverlies overleden. Het kan zijn dat Anna Austin haar per ongeluk heeft neergeschoten, maar jij hebt haar dood laten gaan, is het niet? Was je misschien bang dat Raisa bekend zou maken dat Anna Austin had geprobeerd jou dood te schieten? Mijn vrouw lag op de grond en had dringend hulp nodig, en toen zag jij je kans schoon, hè?*

Leo sloeg Yates in het gezicht met het pistool, waardoor de bovenlip van de man begon te bloeden.
— *Geef antwoord!*

Yates spuugde bloed uit terwijl hij naar Nara's vertaling luisterde. Kalm zei hij:
— *Wat je ook tegen me zegt, jouw vrouw zal in de herinnering altijd voortleven als een hoer.*

Toen hij de vertaling hoorde, laadde Leo het pistool door en zei in het Engels:
— *Zeg me hoe ze stierf.*

Yates gaf geen antwoord. Leo hield het pistool op dezelfde plaats waar Raisa was geraakt en drukte de loop in Yates' buik.

— *Zeg het me.*

Yates schudde zijn hoofd. Leo haalde de trekker over.

Dezelfde dag

Nara liet zich op de vloer naast Yates vallen en maakte aanstalten om hem te helpen. Leo hield haar tegen en zei:

— *Ik heb hem geraakt op dezelfde plaats als waar mijn vrouw werd geraakt. Zij heeft er twintig minuten over gedaan om dood te gaan. Zeg maar tegen hem dat hij misschien ook zo lang de tijd heeft. Maar hij is ouder en de kogel is van dichtbij afgevuurd, dus waarschijnlijk heeft hij minder tijd.*

Nara vertaalde het, struikelend over de woorden. Leo vervolgde in alle rust:

— *In deze geluiddichte kamer zal niemand het schot hebben gehoord. Hij zal dit alleen maar kunnen overleven als ik hem de genade gun die hij mijn vrouw niet heeft gegund. Daar zal ik over nadenken als hij me de waarheid vertelt.*

Nara vertaalde het en smeekte Yates om iets te zeggen. Leo richtte zich in het Russisch tot Yates, alsof hij het zou kunnen verstaan.

— *Toen Anna Austin op jou schoot, heb jij zélf teruggeschoten, niet een collega. Jíj hebt haar doodgeschoten, is het niet? En zodra ze dood was, drong het tot je door wat voor problemen je je op de hals had gehaald. Jij had Jesse Austin diezelfde dag nog thuis bezocht. Hij was dood. En nu had je zijn vrouw doodgeschoten. Dat mijn vrouw gewond was, zag je als een kans. Ze was ernstig gewond, maar ze hoefde daar niet aan dood te gaan, tenminste niet als jij zorgde dat ze geholpen werd. Dat je de zaak op die manier in de doofpot kon stoppen was niet het idee van je superieur. Het was jouw idee. Maar om jouw plannetje te laten slagen, moest mijn vrouw dood. Is het niet?*

Yates kromp in elkaar en zei niets. Hij probeerde het bloeden te stelpen door op de wond te drukken en negeerde de vragen. Leo trok Yates' hand weg, waardoor de wond bleef bloeden. In het Russisch zei hij:

— *Heb jij dat bij mijn vrouw ook gedaan? Heb je haar hand weggetrokken? Heb je haar laten bloeden?*

Yates' voorhoofd was bezweet en hij trilde. Leo zei:

— *Heb je gewacht met het bellen van de ambulance?*

Nara vertaalde en struikelde daarbij niet meer over de woorden. Ze sprak Yates nu beschuldigend toe. Ook zij wilde antwoorden. Yates zei niets.

Leo verhief zijn stem niet, maar praatte tegen hem zoals je met een kind praat:

— *Yates, je heb bijna geen tijd meer. Als je niet antwoordt, zal ik toekijken hoe je doodgaat zoals jij hebt toegekeken hoe mijn vrouw stierf. Wat ik zie zal ik beschouwen als een herhaling van wat er in New York is gebeurd, en dan hoef jij daar niks bij te zeggen; dan begrijp ik zo wel hoe dat is gegaan. Dan kijk ik gewoon hoe jij doodbloedt.*

Yates was er een meester in om de zwakke kanten van mensen te zien, maar onzekerheid was nu bepaald niet iets wat hij bij Leo zag.

— *Je bent bij haar gebleven, niet? Twintig minuten lang, om er zeker van te zijn dat ze doodging? En toen ben je op het idee gekomen om de twee moorden aan elkaar te koppelen, om te zeggen dat Anna Raisa had gedood, dat het wraak was geweest en niet een actie tegen jou.*

Yates ging rechtop zitten en keek naar zijn bebloede overhemd, dat tot aan zijn borst rood gekleurd was. Leo zei in het Engels:

— *Zeg het me.*

Eindelijk reageerde Yates nu. Hij knikte. Leo pakte hem bij zijn kin.

— *Dat is niet voldoende. Ik wil het je horen zeggen. Zeg op, heb je haar dood laten gaan?*

Er zat bloed op Yates' tanden. Hij zei:

— *Ja, ik heb haar dood laten gaan.*

Bijna fluisterend zei Leo:

— *Mijn vrouw heeft de laatste momenten van haar leven doorgebracht met jou. Beschrijf ze voor me.*

Yates zag spookachtig bleek. Hij sloot zijn ogen. Leo gaf hem een klap in het gezicht om hem tot spreken te dwingen. Yates deed zijn mond open, maar zei niets. Leo zei:

— *Haar laatste minuut. Ik wil het weten.*

Yates probeerde zijn hand op de kogelwond te leggen, maar Leo pakte die hand vast.

— *Je hebt niet veel tijd.*

Yates begon te praten. Hij klonk als iemand die worstelt om zijn hoofd boven water te houden, hij hijgde, was in paniek.

— *Ik zei tegen haar dat er een ambulance onderweg was. Ze geloofde me niet. Ze wist dat ik loog. Ze probeerde om hulp te roepen. Toen ze eenmaal doorhad dat er geen hulp zou komen, werd ze kalm. Ze ademde langzaam. Ik dacht dat het een kwestie van een paar minuten zou zijn, maar er ging bijna een kwartier voorbij. Ze bloedde hevig. Ik dacht dat het gebeurd was.*

Hij schudde zijn hoofd.

— *Toen begon ze te spreken. Heel rustig, alsof ze aan het bidden was. Ik dacht dat het Russisch zou zijn. Maar ze sprak Engels. Zij praatte tegen mij. Dus toen heb ik me naar haar toe gebogen. Ze vroeg me om tegen... haar dochter... te zeggen...*

— *Elena?*

Yates knikte.

— *Dat ze niet boos was. En dat ze van haar hield. Ze bleef steeds maar hetzelfde mompelen. Zeg tegen haar dat ik niet boos ben. Zeg tegen haar dat ik van haar hou. En toen sloot ze haar ogen, en deze keer deed ze die niet weer open.*

Leo huilde. Hij liet zijn tranen de vrije loop. Hij kón ze ook niet wegvegen, omdat hij Yates' armen vasthield. Hij wist zich voldoende te herstellen om te kunnen zeggen:

— *En je hebt het niet tegen Elena gezegd? Zelfs dat bracht je niet op?*

Yates schudde zijn hoofd.

Leo stond op. Nu Yates zijn handen vrij had, drukte hij ze op de kogelwond om het bloeden te stelpen. Zijn woede en zelfvertrouwen keerden terug.

— *Ik heb je vragen beantwoord! Bel een ambulance!*

Leo pakte Nara's hand en liep met haar zwijgend de gecapitonneerde trap op. Achter hen klonk het:

— *Bel godverdomme een ambulance voor me!*

In de gang legde Leo het pistool op het kastje. Boven de telefoon hing de trouwfoto van de jonge, knappe Yates met zijn mooie bruid, voorbestemd voor een leven van plicht en afkeer. Hij hield de hoorn tegen zijn oor, maakte aanstalten om te gaan bellen, en terwijl hij naar de foto keek, dacht Leo aan de details van Yates' bekentenis en zag hij voor zich hoe Raisa's laatste minuten waren verstreken – de fysieke pijn, het langdurige lijden en de eenzaamheid en groezeligheid: doodbloeden op de vloer van een politiebureau. Hij twijfelde er voor zichzelf geen moment aan dat agent Jim Yates het verdiende om te sterven. Het was valse sentimentaliteit om te geloven dat hij doordat hem barmhartigheid getoond werd een ander mens zou worden. Mannen als Yates hadden nergens spijt van. Verandering en onzekerheid waren hun vreemd. Contemplatie en introspectie dienden bij hen alleen om te bevestigen wat ze toch al vonden. Ze zouden hun daden altijd kunnen rechtvaardigen. Het leek alsof een stem Leo toeschreeuwde en rechtvaardigheid eiste:

Laat hem sterven!

Daarom was hij hier, daarom was hij van zo ver gekomen en had hij zoveel geriskeerd. Het kon toch niet dat hij die enorme reis had ondernomen alleen om het leven te redden van de man die zijn vrouw had vermoord? Hij was niet uit op morele genoegdoening, hij hoefde zichzelf geen beter mens te vinden dan zijn vijand. Deze man sparen zou hem geen gevoel van trots opleveren. De woede en het verdriet over de dood van zijn vrouw waren nog even hevig als op de dag dat hij het nieuws hoorde – aan die gevoelens moest recht worden gedaan, in plaats van dat hij een soort conventioneel fatsoen praktiseerde. Dat hij nu wist hoe het gegaan was, was geen balsem voor zijn pijn en gaf hem geen innerlijke rust. Zijn woede was nog even heftig, en hij was nog net zo aan verwarring ten prooi als altijd. Als hij Yates liet sterven, daar alleen in zijn kelder, als hij hem een trieste beklagenswaardige dood liet sterven, een dood die paste bij een man die werd beheerst door haat, ja, dan zou hij zich anders gaan voelen, dan zou hem de rust gegund worden waar hij naar op zoek was geweest.

Laat hem sterven!

Laat hem sterven.
Nara legde haar hand op zijn arm.
— *Leo?*
Het was niet zo dat hij Raisa zag toen ze hem aankeek, maar Raisa was wel bij hem, net zo duidelijk als dat Nara daar stond. De rea-

liteit was dat Raisa Yates nog meer gehaat zou hebben dan Leo. Zij zou het Yates nooit hebben vergeven dat hij niet had verhinderd dat Jesse Austin werd vermoord. Zij zou hem nooit hebben vergeven dat hij haar laatste woorden niet had doorgegeven aan Elena. Zijn stilzwijgen had eraan bijgedragen dat Elena zichzelf de schuld gaf en een last droeg die haar karakter had veranderd en haar leven had beïnvloed. Maar al voelde hij die intense haat, Leo was ervan overtuigd dat Raisa de ambulance zou bellen.

Hij draaide het nummer en gaf de telefoon aan Nara.

— *Zeg jij het adres waar ze moeten zijn. En zeg dat ze moeten opschieten.*

— *Wat ga jij doen?*

— *Yates helpen.*

New York City
Brighton Beach

Dezelfde dag

Leo zat op het strand te kijken hoe de golven op de kust braken. Van de zonsondergang was nog slechts een vage rode vlek over, en het nachtelijk duister verdrong wat nog restte van het daglicht. Hij liet met regelmatige tussenpozen een gladde steen van zijn ene hand in de andere en dan weer terug glijden, alsof hijzelf een ingewikkeld uurwerk was, dat aftelde tot het helemaal donker was. Eén ding was hem nu duidelijk – dat de waarheid hem geen troost bood. Wat hij had ontdekt, maakte de dood van Raisa niet makkelijker te dragen. Voor het verdriet bestond geen oplossing, dat was niet af te sluiten. Er kwam geen einde aan. Hij miste haar nu, vandaag, op dit strand, net zo erg als hij haar steeds had gemist. De toekomst zonder haar was voor hem nu even weinig voorstelbaar als toen hij net had gehoord dat ze dood was. Van de gedachte dat hij morgenochtend zonder haar naast zich wakker zou worden, werd hij na al die jaren waarin hij elke dag zonder haar wakker was geworden, nog even ziek van eenzaamheid. In feite was deze uitgebreide, vijftien jaar lange speurtocht niet meer dan een uitvloeisel van het feit dat hij nog steeds niet wist hoe hij zonder haar kon leven. En hij zou het nooit weten.

Zo tegenstrijdig als het misschien mocht lijken, hij had geprobeerd Raisa in leven te houden door de raadsels rond haar dood te onderzoeken; hij had geprobeerd om zijn obsessie te legitimeren door die het aanzien te geven van de speurtocht van een opsporingsambtenaar. Zolang het raadsel niet was opgelost, zou ze in zekere zin onsterfelijk zijn. Terugkijkend realiseerde hij zich dat Zoya altijd al de ware aard van zijn onderzoek had onderkend, altijd al geweten had dat die hem geen troost zou brengen. Ze had gelijk gehad. Hij had ontdekt wie zijn vrouw had vermoord, en hij had ontdekt waarom en hoe ze was vermoord. Hij had nu een beeld van de gebeurtenissen van die avond in New York, hij begreep elk detail, had de motieven allemaal op een rijtje. Maar wat het belangrijkste was, was dat hij nu eindelijk begreep hoe onzinnig het was om te proberen Raisa in leven te houden, en dat het onopgeloste raadsel hem alleen maar de illusie had gegeven dat zij nog bij hem was, dat hij niet méér had gedaan dan het beeld najagen van de vrouw van wie hij hield.

Hij zou Raisa nooit meer zien. Hij zou nooit meer naast haar slapen of haar kussen. En met die gedachte liet hij de gladde, zware steen uit zijn hand glijden. De nacht was nu gekomen. De rode vlek van de ondergaande zon was weg. De lichtjes van Coney Island brandden helder.

Toen hij voetstappen hoorde, draaide hij zich om. Nara en Zabi kwamen eraan. Ze kwamen naast hem staan, wisten niet goed wat ze moesten zeggen. Leo klopte op de grond naast zich.

— *Kom even bij me zitten.*

Nara ging aan de ene kant zitten, Zabi aan de andere. Leo pakte Zabi's hand. Ze voelde dat er iets was, al begreep ze niet precies wat.

— *Ga je bij ons weg?*

Leo knikte.

— *Ik moet naar huis.*

— *Is dit voor jou geen thuis?*

— *Dat is het voor jullie. Ik moet terug naar Rusland.*

— *Waarom?*

— *Mijn dochters zijn daar. Ze zitten in de problemen. Zij worden gestraft in mijn plaats. Dat kan ik niet laten gebeuren.*

— *Kunnen ze niet hiernaartoe komen? Ze kunnen bij ons wonen. Ik zou het niet erg vinden om mijn kamer te delen.*

— *Ze zullen het niet goedvinden dat ze hiernaartoe komen.*

— *Ik wil niet dat je weggaat.*

— *Ik wil ook niet bij jullie weg.*

— *Kun je niet tot Kerstmis blijven? Ik heb er op school over gelezen. Ik wil het met jou vieren. Dan kopen we een boom en hangen we er allemaal lampjes in.*

— *Dat kun je samen met Nara doen.*

— *Wanneer kom je terug?*

Leo gaf geen antwoord.

— *Je komt toch wel terug, hè?*

— *Ik denk het niet.*

Zabi begon te huilen.

— *Hebben we iets verkeerd gedaan?*

Leo pakte haar hand.

— *Jij bent een fantastisch meisje. Jij gaat hier met Nara een geweldig leven tegemoet. Daar ben ik van overtuigd. Je kunt alles bereiken wat je wilt. En ik zal genieten van wat ik hoor over jouw successen. Maar ik heb daar iets te doen.*

Een maand later

In het luchtruim boven Moskou

13 december

Leo keek uit het raampje van het passagiersvliegtuig dat door de regering van de Sovjet-Unie was gecharterd om hem naar huis te brengen, maar tot zijn teleurstelling moest hij constateren dat Moskou schuilging onder een dik wolkendek, alsof het de blik van de verrader wilde ontwijken en niet gezien wilde worden door degene die ooit had gezworen het te zullen beschermen tegen alle vijanden, binnenlandse zowel als buitenlandse. Maar hoe rationeel hij er ook over probeerde na te denken, hij kon niet ontkennen dat hij zich schaamde. Hij had als Russisch soldaat dapper gestreden en hij zou graag voor zijn land zijn gestorven. Toch had hij het uiteindelijk verraden. Persoonlijk schaamde hij zich diep, maar tegelijkertijd voelde hij een veel grotere schaamte over het feit dat zijn volk de mogelijkheden om voor sociale vooruitgang te zorgen niet had benut, maar eigenlijk alleen maar duisternis had geproduceerd, over het feit dat de bevolking medeplichtig was gemaakt aan die vreselijke geleide economie, die tot in alle uithoeken van het land dood en verderf had gezaaid, van Kolyma in de goelagarchipel tot aan het hoofdkwartier van de geheime dienst, de Loebjanka, een gebouw dat zich ergens onder die winterse wolken verscholen hield. In het licht van de idealen die de Revolutie had belichaamd, waren ze allemáál in meer of mindere mate verraders.

De reis vanuit New York had iets griezeligs gehad, want Leo zat daar in zijn eentje in een leeg vliegtuig, afgezien van de KGB-agenten die hem moesten bewaken en een paar diplomatieke ambtenaren die Moskou had meegestuurd om toezicht te houden op zijn terugkeer. Bij het instappen had hij geen angst gevoeld, maar alleen gedacht aan de geldverspilling ten behoeve van zijn repatriëring. Als verrader met een internationale status had hij een heel vliegtuig voor zichzelf gekregen. Terugdenkend aan de privileges waar hij als jong agent van had gedroomd, verwonderde hij zich over de ironie dat zelfs de machtigste KGB-officier met de grootste datsja en de langste limousine nog nooit zo geprivilegieerd was geweest dat hij een heel vliegtuig voor zichzelf alleen had. Het was niet meer dan uiterlijke schijn. De hele wereld had toegekeken bij Leo's deportatie, en daarom had men niet op de kosten willen beknibbelen. Zoals Raisa, teneinde de belangrijkste tegenstander te imponeren, naar New York was gestuurd in het modernste vliegtuig van het land, zo moest ook de landverrader Leo naar huis worden gebracht in het modernste Russische vliegtuig, in een directe vlucht van New York naar Moskou. De Russische regering wilde de wereld graag tonen dat het geen last had van financiële zorgen. Deze geldverspilling was niet meer dan een poging om de druk veroorzaakt door de almaar stijgende kosten van de oorlog in Afghanistan te maskeren, iets wat Leo tot in de details aan de Amerikanen had beschreven.

Bij de onderhandelingen over zijn terugkeer naar de Sovjet-Unie was het duidelijk geworden dat de Amerikanen blij waren om van hem af te zijn. Hij was een onruststoker en een ongeleid projectiel, en zij hadden inmiddels de informatie die ze nodig hadden van hem gekregen en hadden uit de gesprekken met hem begrepen dat het mislukken van de Sovjet-Unie in Afghanistan een grote vernedering zou betekenen voor hun tegenstanders. Ondersteuning van de Afghaanse opstand zou een aanslag betekenen op de middelen waarover de Sovjets konden beschikken en zou hun uiteindelijk onafwendbare nederlaag ook in politiek opzicht alleen maar duurder maken.

En wat Leo's treffen met de voormalige agent Jim Yates betrof: dat incident was in de doofpot gestopt. Yates had het overleefd. Zijn openbaringen zouden nooit aan het licht komen. De geschiedenis zou niet worden herschreven, alle leugens in de encyclopedieën en schoolboeken zouden onveranderd in stand blijven. Dat Yates was neergeschoten in zijn mooie huis in een buitenwijk van Teaneck werd toegeschreven aan een gewapende inbreker – het zou een inbraak zijn geweest. Leo had de Amerikaanse autoriteiten verzekerd dat hij verder geen problemen zou veroorzaken, noch enige verklaring met betrekking tot de dood van Jesse Austin zou afleggen zolang Nara en Zabi met rust werden gelaten. Een wederzijds stilzwijgen was overeengekomen. Leo ontleende wel enige voldoening aan de symmetrie van de situatie: de Amerikanen wilden verborgen houden dat Yates was neergeschoten omdat dat beter uitkwam, net zoals dat met de moord op Austin het geval was geweest. Yates had ermee ingestemd het verhaal te bevestigen, maar had tegen de verslaggever van de plaatselijke krant gezegd dat hij zich herinnerde dat de inbreker een zwarte man was geweest.

En wat de regering van de Sovjet-Unie betrof: ze hadden Leo niets willen garanderen, op één ding na: als hij terug zou komen, zouden de strafmaatregelen tegen zijn dochters opgeheven worden. Hij had gevraagd of hij hen binnen vierentwintig uur na de landing van zijn vliegtuig zou mogen zien, maar hij verkeerde niet in een positie om eisen te kunnen stellen. De schuldvraag had niet ter discussie gestaan. Hij had gevoelige informatie overgebriefd aan de belangrijkste tegenstander en zou terecht moeten staan voor landverraad, en dat zou een proces worden waarvan de uitkomst bij voorbaat vaststond.

Terwijl het vliegtuig verder daalde, probeerde hij de balans op te maken van de gebeurtenissen van de afgelopen acht jaar, sinds hij voor het laatst in Moskou was – acht jaar, waarin hij geen getuige was geweest van het leven van zijn dochters en hun echtgenoten. Terwijl hij dacht aan de brieven die hij van hen had ontvangen, bedacht hij ineens dat hij niet bang was om terug te keren naar die stad vol met herinneringen aan Raisa. Er was iets veranderd. Hij was opgewonden. Dit was de stad waarin hij verliefd was geworden. Hier zou hij dichter bij zijn vrouw zijn dan op enig moment tijdens zijn onderzoek naar haar dood. Terwijl de wielen de grond raakten, deed hij zijn ogen dicht. Hij was thuis.

Moskou
Boetyrkagevangenis, huis van bewaring
Novoslobodskajastraat 45

Een week later

Met de armen en benen aan elkaar geboeid, zodat hij gedwongen was om zelfs als hij wilde gaan staan een gebukte houding aan te nemen, wachtte Leo al uren in een oude verhoorkamer in een gevangenis waarvan de naam al vanaf het begin, honderd jaar geleden, berucht was geweest. Deze behandeling was destijds ook talloze keren onder zijn leiding op anderen toegepast, in een sfeer van intimidatie en psychische druk, want de arrestant was zich er voortdurend van bewust dat hij vanuit alle hoeken van de kamer in de gaten werd gehouden. Ze hadden hem niet met geweld bedreigd. De marteling die hij moest ondergaan was veel erger dan een fysieke kwelling ooit zou kunnen zijn.

Dit was voor Leo de zevende dag in Moskou, en hij had zijn dochters nog niet gezien. Hij had ook telefonisch niet met hen gesproken en wist niet hoe het met hen ging. Ze hadden hem elke ochtend nadat hij gewekt was gezegd dat ze hem die dag zouden komen bezoeken. Als hij naar de cel was gebracht waar hij werd verhoord, zeiden ze dat ze nu snel zouden komen. Opgetogen had hij zitten wachten. De ene minuut na de andere was verstreken, en zo hadden de minuten zich aaneengeregen tot uren. Er hing geen klok aan de muur, en de bewakers gaven nooit antwoord op zijn vragen. De foltering bestond er deels uit dat hij geen idee had van de tijd. Er waren geen ramen, hij had geen besef van de buitenwereld. Als reactie daarop had Leo een manier bedacht om zijn verstand niet te verliezen. Er liep een buis dwars over het plafond, en in een van de roestige verbindingsstukken lekte er water uit dat zich onder aan de buis verzamelde en een druppel vormde. Als de druppel zwaar genoeg was, viel hij naar beneden en begon het proces opnieuw. Leo telde de seconden van één hele cyclus. En toen nog een keer, en nog een keer. De vorming van één druppel nam ongeveer zeshonderdtwintig seconden in beslag, en deze tijdseenheid gebruikte hij om te berekenen hoe lang hij al wachtte. Vandaag was dat tot nu toe acht druppels geweest, ruim acht uur.

De vorige dag had hij, verlangend uitkijkend naar hun komst, twaalf uur lang druppels zitten tellen, alleen om uiteindelijk bericht te krijgen dat ze niet kwamen. Deze afschuwelijke gang van zaken had zich elke dag herhaald, waardoor Leo ten prooi was geweest aan een slingerbeweging tussen hoop en wanhoop. Hij had geen enkele informatie gekregen over het hoe en waarom, en hij wist niet of zijn dochters geen toestemming hadden gekregen of dat ze hem misschien niet eens wilden zien. Zijn kwelgeesten waren zich er natuurlijk van bewust dat het een obsessie voor Leo zou zijn dat zijn dochters er misschien voor hadden gekozen hem niet op te zoeken. Ze ondernamen echter niets ter verlichting van deze gedachte, die zijn hele wezen ondermijnde.

Er was een kans dat zijn dochters niets met hem te maken wilden hebben. Leo wist niet hoe ze hadden gereageerd op het nieuws van zijn desertie, noch op dat van zijn terugkeer naar de Sovjet-Unie. De meisjes zouden boos op hem zijn dat hij zoveel problemen had veroorzaakt – ze waren gearresteerd en verhoord, bij elk was het gezin collectief gestraft voor zijn overlopen. In de zes maanden die hij in Amerika had doorgebracht, had hij niet geweten of hun carrière eronder had geleden en in welke mate hun reputatie was beschadigd. Misschien waren ze bang om hem op te zoeken en bezorgd hoe hun leven daardoor zou veranderen. Terwijl deze gedachten steeds door zijn hoofd gingen, voelde hij hoe elke spier in zijn rug zich aanspande en hoe hij onwillekeurig zijn vuisten balde.

De deur ging open. Leo kwam overeind, voor zover zijn boeien hem dat mogelijk maakten. Hij had een droge keel en wilde niets liever dan zijn dochters zien. Hij spande zich in om in het halfduister iets te kunnen zien.

— *Elena? Zoya?*

In de donkere gang doemde een KGB'er op.

— *Vandaag niet.*

Dezelfde dag

Leo had een cel voor zich alleen gekregen – niet uit menselijkheid, maar eerder omdat ze bang waren dat hij, als ze hem in een gemeenschappelijke cel zouden opsluiten, als oudere man het risico liep om tuberculose te krijgen en dan wellicht niet in leven zou blijven totdat het proces tegen hem van start kon gaan. Op gezette tijden ging het rooster in de deur open en controleerde een bewaker of Leo niet had geprobeerd zelfmoord te plegen. Sinds zijn aankomst had hij niet langer dan dertig minuten aan een stuk geslapen, en naarmate de dag vorderde, verdween zijn behoefte aan slaap bijna helemaal en beende hij constant heen en weer – vier bij twee stappen, dat waren de afmetingen van zijn cel – en dacht hij aan niets anders dan aan het vooruitzicht dat hij zijn dochters misschien nooit meer zou zien.

De lichten in de cel floepten aan. Dat verraste Leo. Hij kreeg na donker geen bezoek. De deur ging open. Een man van halverwege de veertig kwam binnen, gevolgd door een bewaker. Leo herkende hem niet, hoewel aan zijn mooie pak en schoenen te zien was dat hij een belangrijk man was. Misschien was hij een politicus. Ondanks de kentekenen van de macht was hij nerveus. Hij kon het niet opbrengen om langer dan een seconde oogcontact te hebben met Leo. Ze deden de deur niet dicht, en de bewaker bleef dicht bij de man staan. Nu pas viel het Leo op dat de bewaker een wapenstok klaar hield om de bezoeker te beschermen.

Terwijl hij moed vatte en Leo in de ogen keek, zei hij:

— *Kent u mij?*

Leo schudde zijn hoofd.

— Als ik u mijn naam vertelde, zou die niets voor u betekenen. Maar als ik de naam zou noemen waaronder ik vroeger bekend-stond...

Leo wachtte tot de man verder zou gaan.

— Vroeger stond ik bekend onder de naam Michail Ivanov.

Leo's eerste gedachte was om naar Ivanov toe te lopen en zijn keel dicht te knijpen, en hij maakte snel een inschatting van het welslagen van zijn plan, zijn eigen leeftijd en lichamelijke conditie in aanmerking nemend. Hij besloot af te zien van zijn instinctieve reactie en slaagde erin zich te beheersen. Hij had maar één ding gewild, en dat was hem niet vergund – dat zijn dochters hem zouden komen bezoeken. Hoeveel voldoening het doden van Ivanov hem ook zou geven, in dat geval zou hij gegarandeerd geëxecuteerd worden zonder Zoya en Elena nog teruggezien te hebben. Ivanov, die blijkbaar opgelucht was dat hij hem niet had aangevallen, zei:

— Ze hebben me gedwongen mijn naam te veranderen.

Leo zei nu voor het eerst iets tegen hem.

— Dat zal u vast niet meegevallen zijn.

Ivanov was geïrriteerd over zichzelf.

— Ik probeer uit te leggen waarom u me niet hebt kunnen vinden. Frol Panin had me geadviseerd een andere identiteit aan te nemen. Hij was ervan overtuigd dat u naar mij op zoek zou gaan, hoeveel jaren er inmiddels ook verstreken zouden zijn. En dat hebt u gedaan. Dat was de reden dat ik moest doen alsof...

— U dood was?

— Ja.

— Verstandig van Panin. Dat heeft u het leven gered.

— Leo Demidov, gelooft u dat een mens kan veranderen?

Leo nam Ivanov zorgvuldig op, kreeg het gevoel dat hij oprecht berouw had, maar vroeg zich af of het geen truc was – weer een andere vorm om hem te straffen. De toon waarop hij sprak was niet langer openlijk vijandig, maar zeer sceptisch, en hij zei:

— Wat wilt u?

— Ik ben niet gekomen om me te verontschuldigen. Dat zou een zinloos gebaar zijn. Maar denkt u alstublieft niet dat ik ijdel en opschepperig ben als ik zeg dat ik nu een man ben met aanzienlijke macht en invloed.

— Dat verbaast me niks.

Leo had spijt van de belediging, die kinderlijk en kleinzielig was. Maar Ivanov ging er niet op in.

— Er was besloten dat u geen toestemming zou krijgen om uw dochters te zien. Dat werd beschouwd als de enige straf die u pijn zou doen. U zou ze niet zien, niets van hen horen en niet met hen mogen praten.

Leo voelde zich zwak, onvast ter been. Ivanov verduidelijkte zijn opmerking haastig.

— Ik kan niet ingrijpen in uw proces. Ik ben er echter wel in geslaagd een verzoek in te dienen dat Zoya en Elena toestemming krijgen om u te bezoeken. En dat is gelukt. Ze komen morgen.

De omslag van wanhoop naar uitgelatenheid was te veel voor Leo. Uitgeput door slaapgebrek ging Leo op de rand van zijn bed zitten, legde zijn hoofd in zijn handen en haalde diep adem. Ivanov voegde er nog aan toe:

— In ruil daarvoor vraag ik maar één ding. Dat u niet tegen Elena zegt dat ik dat heb geregeld. Noemt u mijn naam alstublieft niet. Dat zou het voor haar bederven.

Leo had even tijd nodig om zich te herstellen. Zijn stem klonk zwak; de woede en verontwaardiging waren eruit verdwenen.

— Dat had u toch ook kunnen regelen zonder het me te komen vertellen?

Ivanov knikte.

— Dat had gekund, ja.

Ivanov draaide zich om en maakte aanstalten om weg te gaan. Leo riep:

— Waarom?

Ivanov aarzelde, haalde een foto uit zijn zak en toonde die aan Leo. Zijn handen trilden. Het was een foto van Michail Ivanov met naast zich zijn vrouw. Ze was eerder bevallig dan mooi, en ze had milde ogen en een open gezicht. Leo vroeg:

— Hebt u haar verteld wat u ging doen?

— Ja.

— Hebt u haar ook verteld waarom?

— Ze denkt dat het zomaar uit vriendelijkheid is, dat het voortvloeit uit mijn goede inborst.

Nadat Leo de gezichten van het echtpaar even had bestudeerd, liet hij zijn blik weer zakken en keek naar de grond. Ivanov liet de foto weer in zijn zak glijden en zei:

— In haar ogen ben ik een goed mens. Dat ben ik niet, maar zo lijkt het er nog het meest op.

De volgende dag

Weer zat Leo met geboeide armen en benen in de verhoorcel te wachten op zijn dochters. Weer waren er enkele uren verstreken zonder dat de bewakers iets loslieten, zodat hij geen idee had wat er gebeurde. Hij keek naar de pijp in de hoek van het plafond. De drieëndertigste waterdruppel vormde zich aan het roestige verbindingsstuk. Bijna zes uren waren er verstreken. Zou Ivanov tegen hem hebben gelogen? Nee, de wroeging die hij bij hem had gezien was echt geweest, niet geveinsd. Maar hij zou gemanipuleerd kunnen zijn door nog belangrijker mannen; ze zouden tegen hem hebben kunnen liegen en hem er ten onrechte van verzekerd hebben dat hij Leo het goede nieuws kon gaan brengen, zodat de landverrader vandaag nog eens extra zou lijden als bleek dat ze níét kwamen. Hoop en wanhoop waren hier de martelwerktuigen: de autoriteiten schakelden daartussen heen en weer met zo'n deskundigheid en wreedheid dat Leo moeite had met ademen als hij zich de toekomst probeerde voor te stellen. Hij zou hier in onwetendheid gehouden worden, steeds weer gekweld doordat men zich niet aan de beloften hield. Hij zou nooit weten of zijn dochters hem wel of niet wilden bezoeken. Hij zou nooit weten of het hun beslissing was om weg te blijven. Dat niet te weten zou hem breken, en dat zou gebeuren lang voordat de rechter tot zijn onvermijdelijke conclusie kwam. Bij het vallen van de drieëndertigste waterdruppel kon Leo het niet meer opbrengen om tegen zijn frustraties te strijden en boog hij zich voorover; hij boog zich voor zijn kwelgeesten en liet zijn hoofd op tafel zakken.

Enige tijd later ging de celdeur open. Leo ging niet rechtop zitten. Hij wilde niet kijken. Als hij het zich permitteerde om op te kijken of zijn dochters in de deuropening stonden en ze waren daar niet, dan zou hij de teleurstelling niet overleven, vreesde hij. Hij voelde hoe zijn hartslag verzwakt was door de druk van de afgelopen week. Het sprankje hoop dat hij nog voelde, kon hij echter niet onderdrukken, en hij luisterde aandachtig. Hij hoorde slechts de voetstappen van één persoon – iemand met zware laarzen. Het was de KGB'er. Leo deed zijn ogen dicht en klemde zijn tanden op elkaar in afwachting van die vreselijke woorden:

Niet vandaag.

Maar de bewaker zei niets. Na een tijdje opende Leo zijn ogen, angstig geworden door het gefladder in zijn borst. Hij luisterde weer en hoorde toen het onmiskenbare geluid van iemand die huilt.

Leo ging met een ruk overeind zitten. Zijn dochters waren aan de deur. Elena huilde, Zoya hield de hand van haar zus vast. Wat waren ze allebei mooi, elk op haar eigen manier, en wat waren ze allebei bang. Leo verstijfde en kon geen woord uitbrengen. Hij kon het zichzelf niet toestaan dat hij zich gelukkig voelde totdat hij zeker wist dat dit geen droom was, geen zinsbegoocheling als gevolg van slaaptekort. Misschien ijlde hij en fantaseerde hij dat zijn dochters daar stonden, terwijl hij in werkelijkheid nog met zijn hoofd op tafel lag. Zijn fantasie speelde hem parten. Zo had hij ook dat visioen van Raisa gezien in die grot in Afghanistan. Ze was een troostende illusie geweest, een illusie die opgelost en verdwenen was toen hij tranen in zijn ogen kreeg.

Leo stond op; zijn boeien rammelden. Zijn dochters kwamen de cel in en liepen langzaam naar hem toe. Hij keek hoe ze zich bewogen, nam precies in zich op hoe hun houding was en verbaasde zich over de levensechtheid van dit visioen. Maar hij voelde geen vreugde. Hij kon niet lachen of genieten van dit moment. Hij kon het geen werkelijkheid laten worden. Hij twijfelde er niet aan, hij twijfelde er geen moment aan dat ze, zodra hij hen aanraakte, zouden verdwijnen, of dat als hij zijn ogen dichtdeed, ze even zouden schitteren, waarna het licht zou breken, zij zouden verdwijnen en hij weer alleen zou zijn. Ze waren niet meer dan een fata morgana, een projectie die hij had opgeroepen om zich te beschermen tegen de sombere realiteit dat hij hen nooit meer zou zien.

Uitgeput, bevend en op de rand van krankzinnigheid zei Leo tegen hen:

— *Laat me merken dat jullie echt zijn.*

Hij zag dat Elena zwanger was, wat hij niet had geweten en wat hem niet was verteld. Toen hij begon te huilen, haastten zijn dochters zich naar hem toe en sloegen hun armen om hem heen. Toen pas kon Leo zichzelf een beetje gelukkig voelen.

Dankwoord

Een bijzonder woord van dank verdient mijn goede vriendin Zoe Trodd, die tijdens het schrijven van *Agent 6* de tijd voor mij heeft genomen, mij heeft gesteund en me heeft laten delen in haar onderzoeksresultaten en inzichten, in het bijzonder wat betreft het communisme in de Verenigde Staten, onder andere door haar rondleidingen op de locaties in New York. Zoe was voor mij een onschatbare bron van informatie en ze is een briljante, fijne vriendin.

Ik heb geboft met de steun van twee geweldige uitgevers, Mitch Hoffman bij Grand Central Publishing en Suzanne Baboneau bij Simon & Schuster UK. Ik wil ook graag Felicity Blunt van Curtis Brown bedanken voor al haar hulp bij deze roman en ook Robert Bookman bij CAA – ik heb aan hen beiden veel te danken. En tot slot wil ik Ben Stephenson bedanken voor zijn steun tijdens de afgelopen twee jaar.